KB014851

압축성장의 고고학

사회조사로 본 한국 사회의 변화, 1965~2015

이 책은 2013년 정부(교육부)의 재원으로 한국연구재단의 지원을 받아 수행된 연구입니다.
(NRF-2013-S1A5B8A01053931)

압축성장의 고고학

사회조사로 본 한국 사회의 변화, 1965~2015

서울대학교 사회발전연구소 기획
장덕진 외 지음

한울
아카데미

책머리에

이 책은 서울대학교 사회발전연구소가 지난 50년간 수행해온 사회조사 자료들을 새롭게 분석해 1965년에서 2015년까지 한국 사회의 변동을 재구성해보려는 시도이다. 역사는 종종 거시적 사건들이나 소수의 영웅적 개인들을 중심으로 서술된다. 사회과학에서도 역사는 거시적 사회구조의 변화로 서술되는 것이 보통이며, 개인들은 그러한 변동에 적응하거나 혹은 전략적으로 대처하는 행위자로 가정된다. 각 시대를 살아간 개인들이 무엇을 생각하고 어떻게 살았는지 그들의 생활사(life history)나 미시사(microhistory)를 통해 복원하려는 노력들도 있지만 이들은 대개 소수의 개인들에 대한 질적 연구에 집중하는 경향이 강하다. 그런 면에서 이 책의 기획은 독특하다. 지난 50년간 만들어진 여러 편의 양적 사회조사 자료를 분석함으로써 각 시대를 대표하는 다수의 개인들이 무엇을 생각하고 어떻게 살았는지를 복원하고 한국 사회의 변화를 이해하려 시도하기 때문이다.

우리는 기회가 있을 때마다 짧은 시간 안에 경제성장과 민주화를 이루어낸 우리의 경험을 끄집어내어 이야기하고는 한다. 모두에게 익숙한 '압축성장'에 관해서 말이다. 그러나 압축성장은 50년 전에 비해 상전벽해로 높아진 GDP로만 나타나는 것도 아니고 1987년을 절차적 민주주의의 원년으로 만든 대통령 직선제라는 제도로만 나타나는 것도 아니다. 압축성장은 가족, 인구, 교육, 공동체, 노동시장 등 사회생활의 전 영역에 걸쳐 다양한 결과들을 낳았고, 지금 우리가 목도하고 있는 2015년의 한국 사회 역시 그러한 결과들의 누적에 다름 아니다. 현대사를 경제성장과 민주화로만 요약한다면 이러한 다양한 결과들이 모두 묻혀버리게 되고, 우리는 스스로가 어떤 사회적 구성 원리에 의해 지금 같은 방식으로 살고 있는지를 이해하지 못하게 될 것이다. 그러나 다행히도 지난 50년간 그 시대를 살아온 사람들에게 직접 물어서 그들의 생각을 정리해낸 100여 개의 사회조사 자료들이 존재한다. 이것은 비록 지금은 아무도 돌아보지 않을지 모르겠지만 당시에는 가장 현실적이고 생생했던 한국인들의 삶의 기록이다. 마치 고고학자들이 옛 사람들의 삶의 흔적들을 파헤쳐 과거의 인간과 사회를 복원해내듯이, 우리는 50년에 걸친 사회조사 자료들을 파헤쳐 한국 사회의 변화를 복원하고 추적한다. 그래서 '압축성장의 고고학'이다.

이 책을 함께 쓴 저자들은 지난 50년 동안 축적된 사회조사 자료들을 일곱 개의 하위 분야로 나누어 분석했다. 결혼과 출산, 교육과 학력주의, 고령화와 노인의 삶, 도시화와 공동체, 노동시장, 사회적 위험과 복지, 정보사회의 등장 등이 그것이다. 여기에 더해 마지막 제9장에서는 지난 50년간 여러 조사에 나타난 키워드 네트워크를 분석함으로써 사회발전연구소 조사 연구의 지식 지도를 만드는 작업이 이루어졌다. 이 자료들이 만들어지던 당시 연구진으로 참여했거나 연구 조교로 참여했던 분들, 또 대학원생이었던 분들 가운데에는 아직 현역 연구자로 활발하게 활동하고 있는 분도 있지만 이미 세상을 떠났거나 정년을 마치고 학계의 원로가 된 분도 있다. 더께 낀 자료 자체의 역사성을 살리기 위해 이 책의 분석은 각 분야별로 가장 활발한 활동을 보여주는 중견 혹은 신진 연구자들이 맡았다. 이미 고인이 된 50년 전의 연구자들은 자신들이 흘린 땀방울의 결과물을 반세기가 지나 후배들이 감사한 마음으로 분석하고 있음을 알 길이 없겠지만, 그렇게 하는 것이 이분들의 뜻을 살리는 길이라 생각되었다. 이번에 분석한 자료의 응답자 중 가장 오래 전에 태어난 사람은 1890년생이었다. 19세기에 태어난 응답자의 자료를 21세기의 연구자가 분석한 것이다. 그렇게 이루어진 분석의 결과는 때로는 한국 사회에 대한 우리의 이해를 재확인시켜주고 때로는 상식을 뒤집는 놀라움을 선사하기도 한다. 독자들은 이 책을 통해 전에 접해본 적이 없었던 새로운 방식으로 한국 사회의 지나간 50년을 바라볼 수 있을 것으로 기대한다.

이 책이 나오기까지의 과정에서 감사를 표해야 할 분들의 명단은 매우 독특하다. 함께 연구를 진행한 동시대의 연구자들은 물론이고, 저자들 중 일부가 아직 태어나지도 않았던 50년 전에 연구소를 만들고 열악한 환경 속에서 고군분투하며 사회조사를 진행함으로써 오늘날 우리가 분석할 수 있는 자료를 남겨주신 선학(先學)들께도 감사하지 않을 수 없기 때문이다. 서울대학교 사회발전연구소의 50년 역사와 위상을 생각할 때, 학계의 거의 모든 원로들은 어떤 형태로든 연구소와 인연을 맺었다 해도 과언이 아니다. 수십 년 전 그분들의 열정과 땀방울이 오늘 이 책 한 권으로 녹아들기까지의 과정에서 헌신하신 모든 분들을 한 분씩 거명하는 것은 불가능하다. 그럼에도 불구하고 반드시 감사를 표해야 할 몇몇 분들을 언급하기로 하자. 우선 1965년 서울대학교 사회발전연구소를 설립하신 고(故) 이해영 교수님 영전에 감사의 말씀을 올린다. 이것은 단순히 초대 소장에 대한 예우가 아니다. 그분의 헌신과 노력은 지금도 연구소 자료실에 남아 있는 수많은 육필 문서들과 원고들 속에 그대로 남아 50년 전 그분이 신생 연구소를 이끌어나가기 위해 어떤 각고의 시간을 보냈는지를 증언하고 있다. 제2대 연구소장(1976~1982)을 지내신 권태환 교수께도 특별한 감사를 드린다. 권태환 교수는 서울대 사회과학연구원장으로 재직하시면서(1996~2000) 적지 않은 예산을 투입해 유실 위기에 처한 과거 사회과학연구소와 사회발전연구소의 자료들을 복원했고, 입력 자료를 찾을 수 없는 경우 남아 있는 설문지들을 다시 코딩해 방대한 자료를 복원했다. 제9대 소장(2004~2007)을 지낸 이재열 교수는 이렇게 복원된 자료들을 당시 발족한 한국 사회과학자료원에 기탁하는 결정을 했다. 그리고 당시 한국 사회과학자료원의 석현호 이사장은 릴 테이프와 5.25인치 플로피 디스크 등 다양한 형태로 남아 있던 과거의 모든 사회조사 자료들을 각고의 노력 끝에 복원하는 지난한 작업을 이끄셨다. 일부 자료들은 과거의 저장장치를 읽을 수 있는 기기가 남아 있지 않아 전국을 수소문해 장비를 구하기도 했고, 심지어는 미국의 NORC(National Opinion Research Center)에 자료를 보내서 복원하는 과정을 거치기도 했다. 이분들의 선견지명과 헌신이 없었다면 사회발전연구소가 아무리 많은 사회조사 자료들을 생산했다 하더라도 오늘날의 연구는 불가능했을 것이다. 이재열 교수는 이번 연구의 진행 과정에서도 바쁜 시간을 쪼개어 모든 연구자들의 초고를 함께 검토하고 조언을 아끼지 않으셨다.

한국사회과학자료원의 석현호 이사장과 구혜란 당시 원장께도 각별한 감사를 드린다. 사회발전연구소가 자료를 기탁하는 것도 쉽지 않은 일이었지만, 수많은 자료들을 일일이 검토하고, 표준적인 방식으로 문서화하며, 아카이빙하고, 공공의 목적에 도움이 되도록 서비스하는 것 또한 커다란 노력이 필요한 일이다. 두 분의 헌신이 없었다면 이 책이 탄생하는 것은 불가능했을 것이고, 한국의 사회과학은 한국사회과학자료원이라는 방대한 데이터의 보고를 얻지 못했을 것이다.

(주)현대리서치의 이상경 대표와 (주)사이람의 김기훈 대표의 후원이 없었다면 이 책은 나올 수 없었을 것이다. 이 책은 작업의 성격상 일반적인 사회과학 서적에 비해 더 많은 연구비를 필요로 했다. 두 분은 이 작업의 취지를 듣고 즉시 후원을 약속해주심으로써 이 연구가 가능하도록 해주었다. 이분들이 이끌고 있는 기업들은 단순히 재정적인 후원자일 뿐 아니라 이 책에서 다루는 사회조사 자료의 현재와 미래를 대표하는 기업으로서의 의미도 지닌다. (주)현대리서치는 지난 30여 년간 사회과학 연구자들과 함께 사회

조사 자료를 만드는 일을 담당해왔고, (주)사이람은 지난 15년의 역사를 거치며 흔히 빅데이터라 불리는 새로운 종류의 자료 영역을 개척해왔다. 서울대학교 사회발전연구소의 구서정 조교와 유선 행정실장은 겉으로 드러나지 않는 최고의 후원자였다. 공동 작업의 연구 결과가 책으로 나오기까지 챙겨야 할 수없이 많은 일들을 이들은 세심하고 묵묵하게 감당해주었다. 여러 저자들의 들쭉날쭉한 원고와 촉박한 일정에도 불구하고 한 권의 단정한 책을 만들어주신 도서출판 한울의 박준규 편집자에게도 심심한 감사를 드린다. 사회조사 50년의 자료들을 통해 한국 사회를 재구성한다는 신선하면서도 한편으로는 무모했던 시도는 이제 첫 매듭을 짓게 되었다. 반세기에 걸쳐 누적된 자료에 숨겨진 진실은 이것으로 다가 아니다. 대부분의 자료들이 누구에게나 개방되어 있으므로 앞으로 많은 연구자들이 지나간 한국 사회의 더 많은 조각들을 복원해내기를 기대한다.

2015년 9월

저자들을 대표하여

서울대학교 사회발전연구소장

장덕진

차 례

책머리에 5

제1장 한국인의 삶, 그 반세기의 변화 13

1. 여성, 결혼과 출산을 선택하기 시작하다 14 | 2. 교육, 지위 상승의 통로인가 불평등의 기제인가 21 | 3. 한국은 이미 초고령사회? 노인의 다양성 23 | 4. 이웃사촌: 도시 상층의 이탈 30 | 5. 연대를 잃어버린 노동자 36 | 6. 사회적 위험의 증가와 계층화 42 | 7. 정보화: 뜨고 지는 강자, 그리고 영향력의 분화 44 | 8. 조사 연구 주제의 변화: 극적인 사회 변화와 복잡성의 증가 48 | 9. 사회조사의 국제화 50 | 10. 결론 52

제2장 반세기에 걸친 결혼, 출산, 태아 사망의 변화 57

1. 서론 57 | 2. 연구 자료 및 특성 60 | 3. 결혼과 이혼, 그리고 재혼 65 | 4. 자녀 수와 출산력의 변화 77 | 5. 태아 사망의 변화 87 | 6. 논의 및 결론 92

제3장 한국의 고등교육 팽창과 교육 불평등: '학력주의'의 관점에서 97

1. 한국 사회의 학력주의와 고등교육 팽창 100 | 2. 한국 사회에서 학력주의의 기원과 초기적 형성 104 | 3. 1960~1970년대 한국 사회에서 학교 팽창과 고등교육 수요의 폭발 108 | 4. 1980년 한국 사회의 학력주의 진단 110 | 5. 1990년대의 대학 팽창과 대학 서열 체제의 강화, 그리고 평준화의 해체 119 | 6. 1990년 이후 한국의 고등교육 팽창을 설명하는 이론적 관점 121 | 7. 1990년 이후 한국의 고등교육 팽창과 교육 불평등 124 | 8. 2004년 광복 60주년 국민 의식조사 131 | 9. 나가는 이야기 135

제4장 한국 노인의 삶의 변화: 1968~2015 144

1. 머리말 144 | 2. 연구 방법 146 | 3. 연구 결과 147 | 4. 결론 175

제5장 도시화 과정에서 이웃 공동체 참여의 변화와 그 사회경제적 지위에 따른 분포: 1970년에서 2012년까지 182

1. 자료와 연구 방법 187 | 2. 연구 결과 190 | 3. 결론 212

제6장 산업화 이후 한국 노동 체제 변동과 노동자 의식 변화 220

1. 머리말 220 | 2. 노동 레짐의 변화와 불평등: 노동운동의 도전과 각축, 그리고 고립 222 | 3. 각 시기 사회조사 자료를 통해 본 노동자들의 일자리 질에 대한 만족도 비교 239 | 4. 노동자 의식과 사회의식 변화 추이 252 | 5. 맺음말 258

제7장 사회적 위험을 통해 조망한 한국 사회복지의 과거와 현재 265

1. 서론 265 | 2. 시기별 한국의 사회복지 267 | 3. 비교시기의 한국 사회복지 270 | 4. 사회적 위험 272 | 5. 연구의 방법 274 | 6. 시기별 경제 계층의 사회적 위험 277 | 7. 사회적 위험의 관리 288 | 8. 사회적 위험과 사회적 위험의 관리의 효과 296 | 9. 결론 298

제8장 정보사회로의 이행, 일상과 사회 변화 302

1. 들어가는 말 302 | 2. 정보화의 의미와 논의 주제 304 | 3. 연구 자료의 구성과 내용 307 | 4. 보편화된 전화 서비스 속에서의 정보화: 1980년대 310 | 5. 본격적인 정보화의 시작: 1990년대 318 | 6. 보편화된 인터넷 이용과 사회의 변화: 2000년대 327 | 7. 맺으면서 336

제9장 키워드 네트워크 분석을 통해서 본 사회발전연구소 조사 연구의 변화 340

1. 서론 340 | 2. 사회발전연구소 조사 연구의 변화: 1964년에서 2012년까지 343 | 3. 자료 및 연구 방법 349 | 4. 조사 매개 키워드 네트워크 분석 352 | 5. 결론 366

찾아보기 369

제1장

한국인의 삶, 그 반세기의 변화

장덕진(서울대학교 사회학과, 서울대학교 사회발전연구소장)

사회조사 자료와 그것을 활용한 양적 분석은 많은 한계를 지적받고는 한다. 그것은 일정 부분 타당한 비판이다. 하지만 그럼에도 사회조사는 사회과학의 연구 대상인 사회를 측정하는 몇 안 되는 방법 중 하나이다. 측정이 없으면 자료가 없고, 자료가 없으면 분석이 없으며, 분석이 없으면 이론이 없고, 이론이 없으면 학문 자체가 없다. 또한 사회조사 자료는 수많은 사실들(facts)과 일정한 진실(truth)을 담고 있다. 사회과학 연구의 궁극적 목표는 사실이 아니라 진실에 있다. 혼란스럽게 공존하는 수많은 사실들 속에 숨어 있는 진실을 가려내는 것이 역량 있는 연구자의 일이다. 「책머리에」에서 소개한 것처럼 이 책은 지난 50년간 서울대학교 사회발전연구소가 만들어낸 100여 개 이상의 사회조사 자료들 중에서 엄선한 자료들을 통해 각 분야별로 한국 사회가 겪어온 진실들을 재구성하려는 시도이다.

이 장에서는 제2장부터 다루어지는 각 분야별 연구를 간략히 소개하고, 분석에 사용된 자료에 대한 개괄적인 소개나 그 역사적 맥락들을 설명함으로써 독자의 이해를 도우려 한다. 50년의 시간 동안 그때그때 이루어진 사회조사들을 한데 모으니 그 각각에서는 보이지 않았던 진실이 조금씩 모습을 드러내기 시작한다. 그러나 이 장에서 소개되는 내용이 각 연구에 대한 완전한 요약이라고는 할 수 없다. 각 장들이 가진 풍부한 함의와 주요한 발견들은 그 장 속에 있다.

1. 여성, 결혼과 출산을 선택하기 시작하다

1920년에 태어난 여성이 지금 살아 있다면 95세이다. 1984년에 태어난 여성은 31세이다. 앞의 여성은 뒤의 여성의 할머니보다도 나이가 많을 것이고, 어쩌면 증조할머니일 수도 있다. 이 두 여성의 결혼과 이혼, 출산의 경험은 어떻게 다를까? 김현식은 1965년과 1974년, 그리고 2005년의 자료를 비교해 이러한 질문들에 대한 구체적인 답을 제시하고 있다. 제2장에서 김현식의 분석에 사용된 응답자 중 가장 나이가 많은 사람은 1920년생이었고 가장 젊은 사람은 1984년생이었다. 특히 그는 1965년 조사가 한국에서 처음 이루어진 본격적인 출산력 조사이며, 현존하는 정부 주도의 출산력 조사 중 가장 오래된 1974년의 조사보다도 10년 가까이 앞선 조사 자료라는 사실을 밝혀 이것이 한국 인구학사의 가장 중요한 자산임을 일깨우고 있다.

〈그림 1-1〉은 1965년 2월에 서울대학교 사회발전연구소의 전신인 인구통계실에서 실시한 『도시 가족관계 조사』의 조사표 중 일부를 보여주고 있다. 김현식이 분석에 사용한 이천읍 차별 출산율 연구와 같은 것은 아니지만 같은 해에 이루어진 비슷한 주제의 조사이다. 50년 전에 사용된 조사표만 보더라도 사회상의 변화를 일정 부분 읽어낼 수 있다. 이 설문지의 응답자는 기혼 여성으로 보이는데, 자신은 부모가 배우자를 선택한 후 본인이 결정하는 과정을 거쳤지만 자신의 아들은 전적으로 본인의 의사에 맡길 생각이며 딸은 본인 결정 후에 부모가 승인하는 과정을 거치겠다고 답하고 있다. 이 여성은 요즘으로 치면 놀라울 정도로 빠른 나이인 21세에 결혼했다.

〈그림 1-1〉 1965년 서울대학교 인구통계실에서 실시한 『도시 가족관계 조사』의 조사표

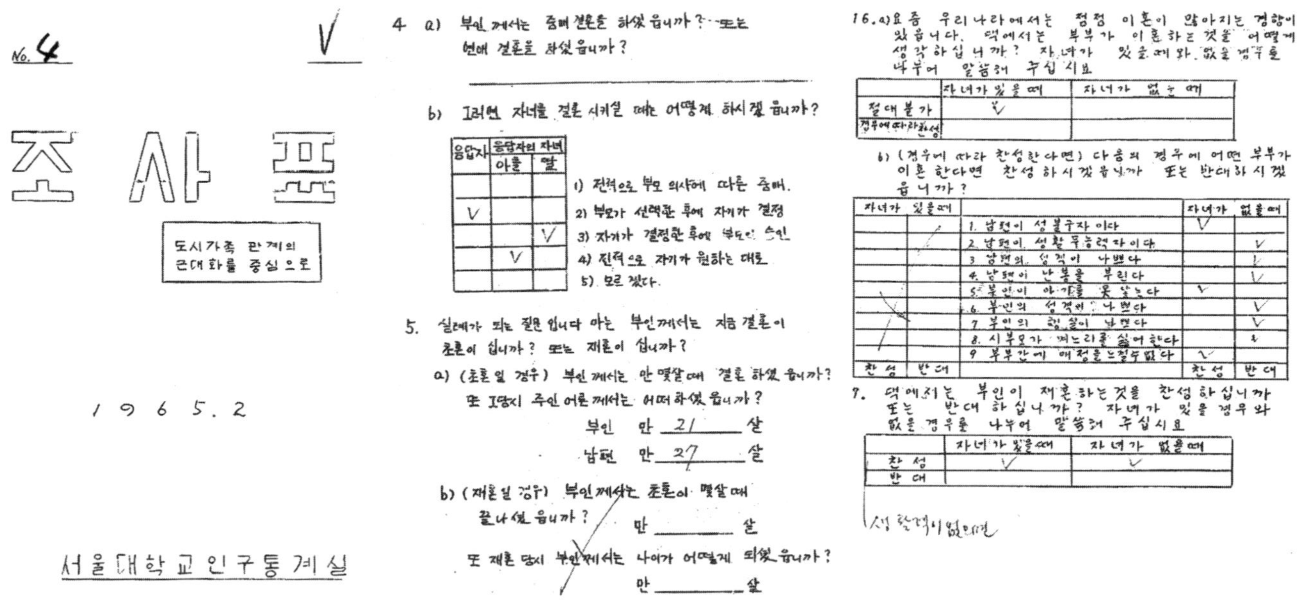

No. 4 V

조 사 표

도시가족 관계의 근대화를 중심으로

1 9 6 5 . 2

서울대학교 인구통계실

4 a) 부인께서는 중매결혼을 하셨읍니까? 또는 연애결혼을 하셨읍니까?

b) 그러면 자녀를 결혼시키실 때는 어떻게 하시겠읍니까?

응답자	응답자의 자녀 아들	응답자의 자녀 딸	
			1) 전적으로 부모 의사에 따른 중매.
V			2) 부모가 선택한 후에 자기가 결정
		V	3) 자기가 결정한 후에 부모의 승인
	V		4) 전적으로 자기가 원하는 대로
			5) 모르겠다.

5. 실례가 되는 질문입니다마는 부인께서는 지금 결혼이 초혼이십니까? 또는 재혼이십니까?

a) (초혼일 경우) 부인께서는 만 몇살때 결혼하셨읍니까? 또 그당시 주인 어른께서는 어떠하셨읍니까?

부인 만 21 살

남편 만 27 살

b) (재혼일 경우) 부인께서는 초혼이 몇살때 끝나셨읍니까? 만 ____ 살

또 재혼 당시 부인께서는 나이가 어떻게 되셨읍니까? 만 ____ 살

16. a) 요즘 우리나라에서는 점점 이혼이 많아지는 경향이 있읍니다. 댁에서는 부부가 이혼하는 것을 어떻게 생각하십니까? 자녀가 있을 때와 없을 경우로 나누어 말씀해 주십시요

	자녀가 있을 때	자녀가 없는 때
절대불가	V	
경우에 따라 찬성		

b) (경우에 따라 찬성한다면) 다음의 경우에 어떤 부부가 이혼한다면 찬성하시겠읍니까 또는 반대하시겠읍니까?

자녀가 있을 때 찬성	자녀가 있을 때 반대		자녀가 없을 때 찬성	자녀가 없을 때 반대
		1. 남편이 성불구자이다	V	
		2. 남편이 생활무능력자이다		V
		3. 남편의 성격이 나쁘다		V
		4. 남편이 난봉을 부린다		V
		5. 부인이 아기를 못 낳는다	V	
		6. 부인의 성격이 나쁘다		V
		7. 부인의 행실이 나쁘다		V
		8. 시부모가 며느리를 싫어한다		V
		9. 부부간에 애정을 느낄수 없다	V	

7. 댁에서는 부인이 재혼하는 것을 찬성하십니까 또는 반대하십니까? 자녀가 있을 경우와 없을 경우로 나누어 말씀해 주십시요

	자녀가 있을 때	자녀가 없을 때
찬성	V	V
반대		

생활력이 없으면

자녀가 있는 경우라면 절대 이혼은 불가하지만 자녀가 없다면 경우에 따라 이혼할 수도 있다고 생각하고 있으며, 이혼이 가능한 경우는 성불구, 불임, 애정 결핍이라고 답했다. 요즘 가장 중요한 조건으로 꼽히는 경제력이나 배우자의 외도는 이혼 사유가 되지 않는다고 답한 것이 눈에 띈다. 또한 이혼하게 될 경우 자녀가 있건 없건 재혼해야 한다고 답하고 있는데, 선택지와 무관하게 "생활력이 없으면"이라는 조건을 기입해 놓았다. 이혼한 여성이 혼자 살 수 없는 가장 중요한 이유로 경제력을 꼽고 있는 것으로 짐작할 수 있다. 조사표에서 여성 응답자의 남편을 "주인 어른"이라고 호칭하고 있는 것도 달라진 사회상을 엿보게 한다. 비록 응답자 한 명의 생각이지만, 50년의 세월을 건너 지금까지 남아 있는 이 조사표는 1965년을 산 한 기혼 여성의 결혼과 가족에 대한 생각을 엿보게 해준다. 이제 같은 해의 자료를 분석한 김현식의 논문으로 들어가 보자.

김현식의 분석은 일반인의 상식에 비추어보면 놀라운 결과들로 가득하다. 1960년대나 1970년대의 여성들과 2000년대의 여성들은 누가 더 재혼을 많이 할까? 상식적으로 일부종사(一夫從事)를 강요받는 시대의 여성들에 비해 21세기의 여성들이 더 재혼을 많이 할 것 같다. 그러나 실제 자료를 비교해보면 과거의 여성들이 이혼이나 별거, 사별 등을 경험하는 경우가 더 많았다. 물론 이것은 본인의 자유로운 결정이라기보다 전쟁 등 급격한 사회 변화로 인한 뜻하지 않은 이별, 여성의 의지에 반해 이루어진 일일 가능성이 상당할 것이다. 하지만 그럼에도 과거의 여성들이 이러한 사건들을 더 많이 경험했다는 것은 우리의 상식을 흔들어놓는 것임에는 틀림없다.

각 시대의 기혼 여성들은 몇 살이 되었을 때 첫 결혼을 했을까. 1965년의 기혼 여성들은 절반이 20세 이전에 결혼했고, 1975년에는 절반이 20세 무렵에 결혼했다. 21세에 결혼했다고 밝힌 〈그림 1-1〉의 여성은 그 당시 기준으로는 그리 빨리 결혼한 것도 아니었던 셈이다. 반면 2005년의 기혼 여성들은 25세가 되어야 절반이 결혼 상태에 도달한다. 또한 2005년의 여성들은 초혼 연령의 선택폭도 넓어졌다. 과거 여성들이 특정 연령대에 일제히 결혼한 반면, 현대의 여성들은 본인의 생애주기에 맞게 다양한 연령대에 결혼하는 것이다. 1965년과 1974년 자료에 나타난 여성들은 30세 이전에 모두 초혼을 마쳤으나 2005년의 여성들은 40세가 되어야 초혼이 끝난다.

그렇다면 이혼은 어떨까. 때때로 어르신들이 결혼과 가족의 가치를 가볍게 여기는 현대사회에 개탄하는 모습을 생각하노라면, 현대의 여성들이 훨씬 더 쉽게 이혼할 것이라고 생각하기 쉽다. 그러나 김현식은 또 한 번 우리의 상식을 뒤집어놓는다. 초혼에서 이혼으로의 이행을 보면 1965년과 1974년 사이에는 큰 차이가 없으나 2005년에는 이혼하지 않고 초혼으로 남을 확률이 훨씬 높은 것을 볼 수 있다. 1974년 이전의 한국 사회에서 이혼의 위험이 지금보다 더 컸던 것이다. 그뿐이 아니다. 과거에는 일단 초혼이 소멸되고 나면 빠른 시간 안에 재혼을 하는 경향이 뚜렷하게 관찰되지만, 2005년에는 재혼 시기가 현격하게 늦어지고 있다. 과거의 여성들이 이혼도 더 많이 경험하고 재혼도 더 빨리 했던 것이다. 물론 이 역시 반드시 이혼이나 재혼에 대한 여성들의 가치관과 직접 맞닿아 있다고 보기는 어렵다. 현대의 여성들이 재혼을 선택으로 생각하는 반면, 과거의 여성들은 초혼 소멸 이후 '혼자된 여성'에 대한 사회적 압력이 높기 때문에 빠른 시간 안에 재혼할 수밖에 없었을 수도 있기 때문이다. 〈그림 1-1〉에 제시된 1965년의 응답자는 이에 대해 하나의 힌트를 제공해주고 있다. 경제력 때문에라도 재혼하지 않을 수 없었던 여성들이 다수 있었을 것이라는 점이다.

1965년 자료에서 4.028명으로 나타났던 출산율은 1974년에 3.115명, 2005년에 이르면 1.771명으로 급격하게 하락해 우리 사회의 저출산 문제를 생생하게 보여주고 있다. 인구재생산 수준이 2.1명임을 감안하면 현재의 출산율은 심각한 수준임이 틀림없다. 출산율 하락에는 많은 요인들이 있겠지만, 혹시 과거에 팽배했던 남아선호사상과도 관련이 있을까? 즉, 딸이 있더라도 아들이 없으면 아들을 낳기 위해 계속 자녀를 낳았던 과거와 달리 요즘 여성들은 아들이든 딸이든 하나만 낳고 더 이상 자녀를 갖지 않는 경향이 크기 때문에 출산율 하락에 영향을 미치는 것은 아닐까? 분석 결과는 이와는 상당히 다른 그림을 보여준다. 1965년에 아들이 없는 여성은 17.1%이고 딸이 없는 여성은 18.9%인데 2005년이 되면 각각 28.6%와 37.1%로 딸이 없는 여성의 비율이 과도하게 높아진다. 이 자료만 가지고 그 이유를 정확히 알 수는 없지만, 자녀의 수가 적어진 지금 오히려 자녀의 성별을 가려서 낳고 있는 것은 아닌지 되묻게 되는 발견이다.

2005년의 여성들은 결혼 시기가 늦어지고 그 선택폭이 넓어진 만큼 자녀 출산 시기도 늦어지고 선택폭도 넓어졌다. 1965년과 1974년에 응답한 여성들의 상당수는 20세 이전에 이미 첫 자녀를 출산했으나, 2005년 여성 가운데에는 20세 이전에 출산한 경우를 찾아볼 수 없게 되었다. 또한 첫 자녀 출산이 마무리되기까지의 시간도 훨씬 길어졌다. 늦게 결혼하고 더 늦게 출산한다는 뜻이다. 최근에는 한 자녀만 출산하고 마는 가정이 많다는 우려와는 달리, 2005년의 여성도 첫 자녀를 출산한 이후 5년 이내에 4분의 3 정도가 둘째를 출산한다. 하지만 과거의 여성들과 달리 현대의 여성들은 첫 자녀 이후 늦어도 5년 이내에 둘째를 낳지 않으면 아예 둘째를 갖지 않는 경우가 크게 늘어났다. 과거에는 몇 년이 걸리든 거의 모든 여성들이 둘째를 출산했다. 출산에 있어서 과거와 현재의 가장 큰 차이를 보이는 것은 셋째 자녀의 출산이다. 1965년과 1974년의 여성들은 거의 대부분 셋째를 출산했으나 2005년의 여성들은 둘째 출산 이후 4분의 1 정도만 셋째를 출산한다. 주변에서 흔히 듣게 되는 '셋째 아이는 부의 상징'이라는 농담은 셋째 출산이 이처럼 드물어진 사회 변화를 반영하는 것이다.

가장 놀라운 것은 태아 사망의 변화이다. 경제가 성장하고 소득이 높아지면서 가장 뚜렷하게 나타나는 변화 중 하나는 기대 수명의 증가이다. 한국전쟁 직후인 1953년의 GDP는 2000원(2010년 기준 환산 시 약 80만 원)이었고 2013년 GDP는 2800만 원이었다. 명목상으로는 1만 4000배, 환산가치 기준으로도 서른다섯 배나 경제가 성장했다. 태아 사망도 당연히 드라마틱하게 줄어들었을 것임에 틀림없어 보인다. 1965년 기혼 여성 중 태아 사망을 한 번도 경험하지 않은 응답자가 80.4%에 달했던 반면, 2005년이 되면 이것이 48.7%로 절반 가까이 낮아진다. 즉, 현대의 여성들이 과거 여성들보다 훨씬 많은 태아 사망을 경험하고 있다는 뜻이다. 이 이해하기 어려운 결과는 태아 사망을 사산과 자연유산, 그리고 인공유산으로 분해해보면 이해할 수 있게 된다. 과거에 비해 사산은 확실히 줄어들었지만 자연유산은 늘어났고, 특히 인공유산은 거의 네 배로 크게 늘어났다. 2005년이 되면 여성 두 명 중 한 명꼴로 인공유산을 경험하고 있는 것이다. 김현식은 2005년 인공유산으로 사라진 출산율을 0.21에서 0.27 정도로 추정하고 있다. 현재의 합계출산율이 1.3에도 못 미치는 현실을 감안할 때 이 정도 출산율 손실은 결코 무시할 수 없는 것이다. 저출산 대책이 다변화되어야 함을 시사한다고 볼 수도 있다.

정리하면, 지난 50년 동안 한국의 기혼 여성들은 더 늦게 결혼하고, 이혼의 위험에 더 적게 노출되며, 일단 이혼하게 되면 더 늦게 재혼하고, 자녀를 적게 낳지만 아들을 꼭 낳는 경우는 오히려 늘었다. 과거와 달리 첫 아이 출산 시기를 다양하게 선택하는 반면, 둘째 아이는 첫 아이 출산 후 빠른 시간 안에 낳거나 포기한다. 자녀 출산의 가장 큰 변화는 둘째에서 셋째로 넘어가는 단계에서 나타나며 인공유산으로 인해 태아 사망을 경험하는 경우가 크게 늘었다. 과거의 여성들이 더 빨리 결혼하고 상식과 달리 더 많이 이혼하며 재혼하는 것은 여성이 혼자 독립적으로 살아가기가 지금보다 더 어려웠던 사정과 '혼자된 여성'에 대한 사회규범의 압력이 지금보다 훨씬 높았던 것을 반영하는 것으로 보인다. 요즘에는 여성의 경제활동 참여율이 높아지면서 과거처럼 긴 시간에 걸쳐 자녀를 출산하는 것이 불가능해졌다. 둘째 아이를 빨리 낳거나 아예 포기하는 일이 늘고, 셋째를 낳는 경우가 매우 드물어진 것은 출산 및 양육에 따르는 비용이 높아진 것과 무관치 않을 것이다. 온 나라가 저출산 고령화를 걱정하고 있지만, 지금 한국 사회는 아이를 임신하지 않는 것으로 인한 저출산뿐 아니라 인공유산으로 인한 저출산도 심각하게 경험하고 있는 것으로 나타난다.

김현식의 분석에서 드러나는 지난 50년간의 가장 중요한 변화는 한국 여성들이 결혼과 출산을 선택하기 시작했다는 것이다. 초혼 연령이 늦어졌을 뿐 아니라 초혼을 하는 기간도 길어졌다. 몇 세에 결혼해야 한다는 사회적 규범으로부터 어느 정도 벗어나 결혼 시기를 선택하고 있다는 뜻이다. 이혼의 위험이 줄어든 원인이 무엇인지 정확히 알기는 어렵지만, 전쟁과 같은 급격한 사회 변화로 뜻하지 않게 혼인이 해소될 위험은 확실히 줄어들었고, 본인의 의사에 반해 일방적으로 이혼을 '당하는' 일도 줄어들었다는 점을 감안하면 혼인의 유지도 과거에 비해 여성 본인의 선택이 더 많이 작용하고 있다고 볼 수 있다. 일단 이혼하게 될 경우 재혼이 줄어들거나 늦어지고 있는 것도 역시 규범의 압력으로부터 자유로워지고 있는 것으로 해석할 여지가 있다. 자녀 출산이 줄고 특정 시기 몇 년간 집중적으로 출산한 후 중단하는 경향, 그리고 인공유산이 늘어난 것도 역시 출산에 있어서 여성의 선택이 과거에 비해 더 많이 작용하고 있다는 뜻이 된다. 물론 이러한 변화의 폭만큼 한국 사회에서 여성의 권익이 향상되었거나 여성의 역능성이 높아졌다고 보기는 어렵다. 제6장에서 권현지가 노동시장의 예를 들어 보여주는 것처럼 아직도 한국 사회에서 여성의 입지는 매우 좁기 때문이다. 그러나 50년 전과 지금을 비교해보면 아직까지 완전하지 않다 하더라도 결혼과 출산의 영역에서 여성의 선택이 작동하기 시작했다는 것은 분명해 보인다.

2. 교육, 지위 상승의 통로인가 불평등의 기제인가

모두가 알듯이 우리 사회의 교육열은 유별나다. 2008년에 정점을 찍은 대학 진학률은 83.8%에 달했는데, 취업률로 나타나는 고등교육에 대한 수요를 훨씬 초과하고 있음에도 이 수치는 요지부동이다. 아니, 취업이 어렵기 때문에 더욱 맹렬하게 교육에 투자한다. GDP 대비 고등교육비 지출은 미국과 거의 흡사해 2위를 차지했고, 그중에서 정부가 부담하는 수치를 빼고 민간 부담만을 비교하면 부동의 1위이다. 한국인들은 왜 이렇게 교육에 많은 투자를 하고 있으며, 언제부터 그렇게 해온 것일까.

제3장에서 김두환은 한국 사회의 교육열의 역사를 검토하면서 크게 두 가지 관점을 도입한다. 하나는 신고전경제학과 기능주의 사회학(Parsons, 1951)에 근거한 업적주의(meritocracy)의 시각이고, 다른 하나는 학교를 비롯한 교육제도란 가용 자원과 자본의 불평등한 분포가 산출하는 숨겨진 형식의 자본(인적자본, 즉 교육 성취)에 대해 지위와 소득이라는 보상을 주장하는 것이라는 부르디외(Bourdieu, 1986)의 시각이다. 김두환의 분석 결과는 한국 사회 교육열의 역사를 설명하는데 있어서 후자의 손을 들어주는 것 같다.

그는 학력주의의 역사적 기원을 갑오개혁으로까지 거슬러 올라가 찾는 선행 연구들을 검토한 후 전통적 신분 질서가 무너지면서 '모두가 가난하지만 평등해진' 1950년대가 중요한 전환점이었다고 말한다. 특히 그는 교육투자의 원인을 교육열보다는 집단적 상승 이동의 기회가 사라진 구조적 조건에서 찾는 선행 연구들에 주목한다(김종엽, 1999). 미군정하에서 노동운동과 같은 집단적 상승 이동의 계기가 탄압의 대상이 되면서 개인적으로 계층 상승의 활로를 모색하려면 교육에 투자하는 방법밖에 없었다는 것이다. 김두환은 선행 연구를 검토하면서(김종엽, 1999; Kim, 1990) 불행히도 한국의 평등주의는 평등한 개인들 간의 연대라기보다는 '지위 상승의 평등주의' 혹은

'비도덕적 가족주의'에 가까웠다고 보고 있다. 우리의 교육열은 사실 모두가 평등하게 가난해진 사회에서 나도 경쟁에서 이겨 더 높은 곳으로 올라가겠다는 '지위 상승의 열병(status fever)'이었고(따라서 그 과정에서 연대의 자원을 파괴하는 것이었고) 그 경쟁의 주체는 개인이 아니라 변형된 형태의 근대적 가족이었다는 것이다. 그런 의미에서 비도덕적 가족주의는 가족이 불평등의 근원이라는 부르디외의 시각과 일치한다.

한국의 고등교육 팽창은 불평등을 완화시켰는가 아니면 심화시켰는가. 김두환은 "교육 팽창에 관한 핵심 질문은 그것이 사회경제적으로 불리한 계층에게 더 많은 기회를 제공해 불평등을 낮추는지, 아니면 기득권자들의 편익을 배가하는지"(Shavit et al., 2007: 1)에 있다고 주장한다. 고등교육의 이수가 뚜렷한 프리미엄을 가져다준다는 다른 나라의 연구들과는 달리 한국에서 대학 졸업장의 가치는 하락하고 있거나, 더 정확히 말하면 양극화하고 있다. 1995년 5 · 31 교육개혁의 일환으로 '대학 설립 준칙주의'와 '대학 정원 자율화'로 이루어진 한국의 대학 팽창은 1997년 경제위기에 이은 신자유주의적 경제개혁이 경제적 불안과 사회적 위험에 노출된 비정규직 노동자를 양산하도록 노동시장 구조를 총체적으로 탈바꿈해놓은 변화의 시기와 맞물렸다는 아이러니를 가지고 있다.

김두환은 두 시점에서의 사회조사 자료를 분석하면서 교육 경쟁의 구조를 드러내고 있다. 첫째는 1980년에 이루어진 『한국 교육의 당면문제에 관한 조사』이고, 둘째는 2004년에 실시한 『광복 60주년 국민 의식조사』이다. 분석 결과는 교육 경쟁에서 하층계급이 지속적으로 패배해왔으며, 한국 사회의 높은 교육열은 역설적이게도 교육 구조의 불평등과 긴밀하게 연결되어 있음을 보여준다.

3. 한국은 이미 초고령사회? 노인의 다양성

한국의 저출산 고령화 추세는 이제 국가적인 걱정거리가 되었다. 서구에서 길게는 100년에 걸쳐 경험했던 고령화를 우리는 불과 20년도 안 되는 기간에 경험하고 있으니 당연한 일이다. UN은 전체 인구에서 65세 이상 인구가 차지하는 비중에 따라 고령화사회(aging society, 7% 이상), 고령사회(aged society, 14% 이상), 초고령사회(super-aged society, 20% 이상)를 구분한다. 이 기준에 따르면 한국은 2000년에 고령화사회로 접어들었고, 2017년에 고령사회, 2025년에 초고령사회로 접어들 것이라 한다.

〈그림 1-2〉는 1970년에 작성된 이해영·최인현 공편의 『한국인구편람』 원고 중 일부이다. 제1편자는 사회발전연구소를 처음 설립한 고(故) 이해영 교수이고, 제2편자는 아마도 후일 한국인구학회장을 지낸 고(故) 최인현 선생이라고 짐작된다.[1] 45년 전에 쓰인 것이라고는 믿기 어려울 정도로 1955년과 1966년의 연령별 인구 분포를 세밀하게 나타낸 후 그 위에 기름종이를 덧씌워 한글로 간략한 설명을 붙이고, 다시 그 위에 타이프라이터로 친 영

1 안타깝게도 두 분 다 고인이 되셨기 때문에 제2저자가 본문에서 언급한 최인현 선생이 맞는지, 『한국인구편람』의 서술 경위가 무엇인지 등을 확인할 방법이 없다. 이해영 선생에 대해서는 이 책의 서문에서 밝힌 것처럼 알려진 것이 많으나, 최인현 선생에 대해서는 별로 알려진 바가 없다. 1970년 당시 학계 상황을 기억하는 원로 학자들께 문의한 결과 동명이인의 인구학자가 없으니 아마도 이 책의 제2저자는 본문에서 언급한 최인현 선생이 맞을 것이며, 최인현 선생은 이 책의 집필 당시 통계청에서 근무하셨다고 한다. 두 분이 이 책을 공편하게 된 것도 아마 최인현 선생이 통계청 자료를 공급하고 이해영 선생이 집필하는 방식이었을 가능성이 높다고 한다. 최인현 선생은 나중에 한국보건사회연구원으로 직장을 옮겼으며, 한국인구학회장을 지냈다. 한국인구학회 기록에는 1992년도 학회장으로 기록되어 있으며, 과거 언론 기사에는 1998년도 학회장으로 보도된 기사도 있다. 『한국인구편람』은 국회도서관이나 서울대 도서관에서도 검색되지 않는 것으로 보아 정식 단행본으로 출판되지는 않았던 것 같다. 통계청 내부 보고서로 제출되었거나 본문에서도 언급한 것처럼 연구비를 지원한 외국기관에 제출되었을 가능성도 있다.

〈그림 1-2〉 1970년에 작성된 이해영 · 최인현 공편 『한국인구편람』 원고의 일부분

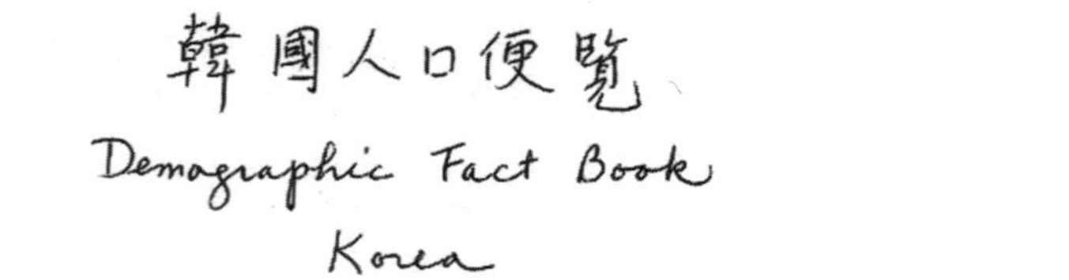

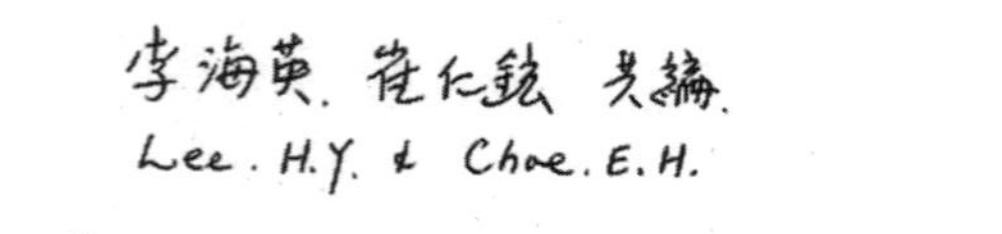

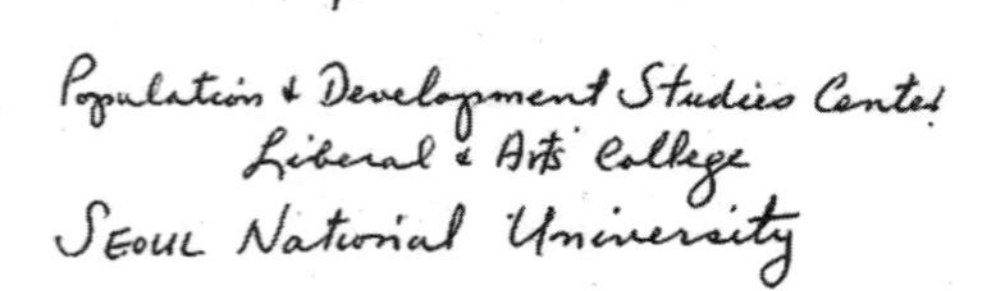

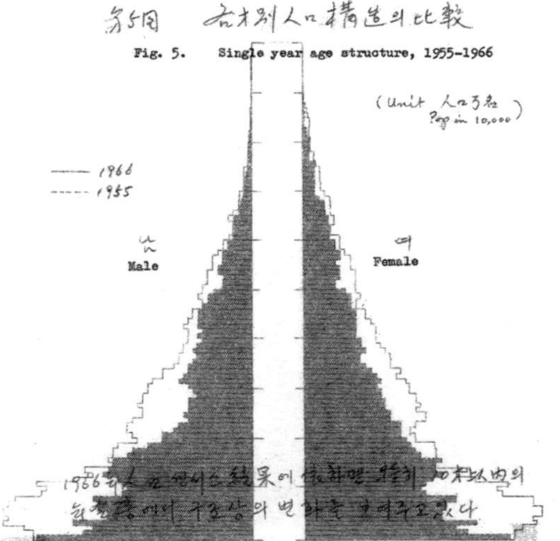

문 설명을 오려서 붙여놓았다. 사회발전연구소 초창기 미국 및 국제기구의 연구비 지원에 힘입은 바가 크다는 점을 감안할 때, 영문 설명이 붙은 이유는 아마도 연구비를 제공한 외국 기관에 보고서 형태로 제출되었을 가능성을 떠올리게 한다. 〈그림 1-2〉에서 쉽게 드러나듯이 1955년과 1966년의 한국 사회는 연령이 적을수록 인구가 늘어나는 젊은 사회였고 고출산 사회였다. 또한 1955년의 경우 20대 남성 인구가 같은 연령대의 여성 인구에 비해 유의미하게 적은 것을 볼 수 있는데, 아마도 한국전쟁으로 인해 20대 남성의 사망이 많았던 여파인 것으로 짐작된다. 이처럼 젊었던 한국 사회는 50년의 세월이 흐르는 사이에 전 세계에서 가장 빠른 고령화 속도를 보이며 눈앞에 닥친 초고령사회를 걱정해야 하는 상황이 되었다. 제4장에서 김근태의 논의는 고령화와 함께 점점 늘어나고 있는 노인 인구에 대한 시대별 분석이다.

우리는 보통 고령화의 속도가 빠른 것이 문제일 뿐, 현 단계에서는 고령화가 그리 많이 진전되지 않았다고 인식하고 있다. 그러나 이것은 고령화를 한 사회 전체의 평균적인 과정이라고 볼 때에만 의미 있는 수치이다. 제4장에서 김근태는 1960년부터 2040년까지 고령화의 진전 추세를 군 단위로 나누어 검토하는 보기 드문 분석을 내놓았다. 결과는 사뭇 충격적이다. 1960년에 이미 전라남도, 경상남도, 경상북도 일부 지역에서는 고령화가 시작되었다. 특히 경부축을 중심으로 진행된 산업화에서 소외된 호남 지역의 고령화는 이미 상당한 진전을 보인다. 1970년대가 되면 고령화는 강원도와 충청도로도 번져나간다. 1980년대가 되면 일부 지역을 제외한 전국이 고령화 사회로 접어든다. 여기에서 제외된 일부 지역은 서울, 경기, 부산, 대구, 광주 등의 특별시 및 직할시와 울산, 마산, 여수 등의 신흥 공업지대뿐이다. 산업화가 어떻게 대도시로의 집중을 이끌어냈고, 이에 따른 젊은 인구 유출로 다른 지역들이 어떤 인구구조의 변화를 겪는지를 생생하게 보여주는 결과이다. 1990년대 중반이 되면 전국적으로 고령사회가 시작되고, 고령사회에 제일 먼저 진입했던 전남, 경남, 경북 산간 지방에서는 초고령사회가 시작된다. 2000년대부터는 전국이 초고령사회에 접어드는데, 서울, 인천, 경기, 부산, 대구, 대전, 울산은 여전히 고령사회에조차 진입하지 않고 있다. 전국을 의심할 바 없는 하나의 단위로 놓고 고령화의 수준을 계산하면 아직 우리는 고령화사회의 마지막 단계에 머물고 있을 뿐이지만, 고령화 과정이 지역별로 다를 수 있다는 점을 인정하고 지역을 단위로 다시 계산해보면 몇몇 대도시를 제외하고는 이미 초고령사회에 접어든 지 오래되었다는 결과가 나온다. 이것은 무엇을 의미할까.

1995년 2월 22일 자 ≪경향신문≫은 1면 톱으로 다음과 같은 기사를 보도했다.

인구정책 「출산 억제」 풀기로: 가족계획 사업 중단, 가정 복지 중심으로 전환

출산 억제를 위주로 하던 정부의 인구정책이 대폭 바뀐다. 이에 따라 둘째 애까지만 의료보험 혜택을 주던 분만 급여 제한이 없어지는 등 인구 증가를 억제키 위해 실시해왔던 사회지원 시책도 대부분 폐지될 전망이다.

제1차 인구정책발전위위회는 …… 지금까지 출산 억제를 위해 시행해온 부양가족의 소득공제 범위를 두 자녀로 제한했던 규정을 96년부터 폐지, 3~5 자녀로 확대하고 두 자녀 불임 시술 가정에 대해서 생업 및 영농 · 영어 자금을 우선 융자해주던 조치도 없앨 것을 건의했다.

위원회는 또 두 자녀 출산 후 부부 중 한 명이 불임시술을 받은 가족에게 복지주택자금 융자 및 공공주택 입주 시 우대하던 조치도 없애고 공무원의 각종 수당 지급 및 학비 보조, 교육비 보조 비과세 범위를 두 자녀로 제한하던 것도 폐지토록 건의했다…….

대도시 지역을 제외한 전국이 고령사회에 접어든 1990년대 중반까지도 출산 억제 정책이 광범위하게 시행되고 있었음을 이 기사는 생생하게 보여준다. 출산 억제를 위한 정책 수단도 매우 적극적이다. 분만 급여 제한, 불임 시술, 생업 자금 융자, 주택자금 융자, 학비 보조 등 광범위하고 적극적인 정책 수단을 동원해 어떻게든 출산을 못하게 하려고 하던 것이 불과 20년 전이다. 정책을 만드는 사람들이 전국을 단위로 생각하며, 혹은 수도권의 상황만을 고려하는 동안 지역사회의 고령화는 이미 수십 년 동안이나 방치되어온 것이 아닌지를 되돌아보게 된다. 김근태는 고령화를 소재로 삼아 이러한 차이를 보여주었지만 사실상 이러한 오류는 거의 모든 국가 단위 지표에서 발견된다고 해도 과언이 아니다. 정책에 대한 지방분권적 접근이 필요한 시점이다.

노인이 된 이후 가족의 모습은 어떤 것일까. 가족관계라는 관점에서 보면, 과거 한국 사회에서 노인이 된다는 것은 '아들과 함께 사는 것'을 의미했다. 1968년 자료에서는 아들이 노인의 주 부양자인 경우가 무려 95.1%에 달했다(장남 72.3%, 장남 이외의 아들 22.8%). 그러던 것이 30년 후인 1998년에는 60.3%로 줄고(장남 32.8%, 장남 이외의 아들 17.5%), 2012년이 되면 25.6%로 더욱 줄어든다(장남 15.4%, 장남 이외의 아들 10.2%). 딸이 주 부양자인 경우는 비율로만 보면 네 배 가까이 늘었지만 실제 수치는 각 연도별로 1.7%, 4.1%, 6.0%에 머물고 있어서 주 부양자로서의 아들의 빈자리를 딸이 모두 채우는 것은 아닌 것으로 드러났다. 2013년에 노인이 된다는 것은 '배우자와 함께 독립적으로 사는 것'에 가깝다. 자녀들의 부양 자체가 줄기도 했지만 자녀와 동거를 희망하는 노인의 비율도 1968년 68.8%에서 2013년에는 26.2%로 줄어들었고, 홀로 혹은 배우자와 함께 거주하겠다는 응답은 27.8%에서 58.8%로 두 배 이상 늘어났다.

고령화를 추동하는 힘은 두 가지이다. 하나는 아이를 낳지 않아서 출산율이 낮아지는 것이고, 다른 하나는 수명이 늘어남에 따라 노인이 된 이후에 더 긴 시간 동안 살게 되는 것이다. 실제로 한국은 출산율도 극적으로 낮아졌지만 수명 또한 극적으로 늘어났다. 김근태에 따르면 1970년 한국인의 기대 수명은 남성 58.7세, 여성 65.6세, 전체 평균 61.9세에 지나지 않았다. 요즘으로 치면 극빈 국가 혹은 내전 상태에 있는 국가에서나 기대할 수 있는 수치이다. 그러던 것이 2015년에는 남성 78.2세, 여성 85.0세, 전체 평균 81.7세가 되었다. 45년 사이에 한국인의 평균 수명은 무려 19.8세나 늘어난 것이다.

수명이 늘어난 것은 좋은 일이지만 그에 수반되는 문제들도 있다. 가장 시급한 문제는 생에 전체에 걸쳐 총소득(lifetime earning)과 총지출(lifetime deficit)이 맞지 않는다는 점이다(Lee and Ogawa, 2011). 경제활동을 하지 않는 아동 시기와 노인 시기에는 소득이 없거나 매우 적은 상태에서 지출만 하는 상황이 된다. 경제활동 기간에 지출보다 많은 소득을 올리고 이때 남은 소득을 아동기와 노인기에 분배해서 전 생애에 걸친 총소득과 총지출이 어느 정도 균형을 갖도록 해야 하는데, 노인으로 지내는 기간이 19.8년이나 늘어난 지금 이 두 가지를 일치시키는 일이 갈수록 어려워지는 것이다. 이것은 개인으로서는 노인 빈곤의 문제가 되고 국가 전체로는 재정 부담이 된다. 이미 초고령사회에 접어들어 노인의 연금과 의료비로 인해 30년째 재정 적자를 보고 있는 일본이 전형적인 사례이다.

1968년 사회복지 기초자료에 관한 조사 연구를 근거로 삼으면 노인 거주 가구의 소득 중위값은 1만 6000원(2015년 기준 42만 5456원)이었고 2015년에는 103만 3000원으로 약 2.4배밖에 상승하지 않았으며, 지니계수는 0.5에서 0.48로 거의 변화하지 않은 상태에서 다른 인구 집단보다 불평등의 정도가 훨씬 높다. 우려했던 대로 수명 연장과 함께 생애 적자가 늘어나고 노인 빈곤에 빠질 위험이 높다는 뜻이다. 이런 상황을 반영하듯 1968년 당시 65

세 이상 남성의 86.3%가 소득을 목적으로 하는 노동을 하지 않았지만 이제 그 수치는 66.8%로 줄어들었다. 노인 시기에도 소득을 목적으로 일을 해야 할 필요가 커진 것이다. 풀타임 노동을 하는 고령 남성도 7.5%에서 22.7%로 크게 늘었다. 노후에도 경제활동을 해야만 한다면 무엇보다 그 정도의 건강을 유지해야만 한다. 1968년에는 노인 남성의 26.2%와 노인 여성의 23.7%만이 이 정도의 건강을 유지하고 있다고 답했으나 2006년이 되면 이 수치는 노인 남성의 70.2%와 노인 여성의 66.7%로 크게 늘어난다. 그러나 동시에 주목해야 할 것은 같은 기간에 건강이 '매우 나쁨'이라고 응답한 비율도 남녀 모두에서 두 배 정도 늘어났다는 점이다. 즉, 한국 노년층의 평균적 건강 상태는 크게 개선되었으나 사회계층에 따른 건강 양극화도 동시에 늘어난 것이다. 이러한 양극화는 노후 준비에서도 드러난다. 2013년 자료를 기준으로 보면 여성이 남성에 비해 약 40% 정도 노후 준비를 덜 하고 있으며, 교육 수준이 낮을수록, 또 소득이 낮을수록 노후에 무방비 상태이다. 스스로를 상층이라고 생각하는 사람들은 하층이라고 생각하는 사람들에 비해 7.4배나 더 많이 노후 준비를 하고 있었다.

김근태의 연구가 보여주는 가장 중요한 발견은 고령화의 과정이나 노인이라는 세대 집단이 이질적이고 다양하다는 점이다. 국가적인 관점에서 저출산 고령화를 걱정하기 시작한 지는 얼마 되지 않았지만, 지역 단위의 관점에서는 이미 수십 년 전부터 고령화가 시작되었다. 최근 두드러진 세대 간 대립의 관점에 매몰되어 노인 세대와 청년 세대를 비교하는 시각이 지배적이지만, 노인 세대 내부의 사정은 매우 다양할 뿐만 아니라 심각한 양극화를 보여주고 있다. 사실상 이것은 청년 세대 내부에서도 마찬가지이다. 최근의 청년 세대 연구는 세대 간 갈등 못지않게(혹은 그보다 더) 세대 내 격차가 심각하게 존재함을 지적하고 있다(한귀영, 2015). 그렇다면 이것은 한국 사회 전체가 겪고 있는 심각한 양극화 혹은 이중화(dualization)의 세대적 표출이라고 볼 수도 있을 것이다(Emmenegger et al., 2012; 장덕진, 2015).

4. 이웃사촌: 도시 상층의 이탈

옛날에는 흔히 들을 수 있었던 '이웃사촌'이라는 단어를 요즘은 거의 들을 수 없다. 언론 보도를 보노라면 층간 소음 같은 이웃 간 갈등으로 사람을 해치는 험악한 일들을 자주 접할 수 있다. 1980년부터 2002년까지 무려 23년 동안 1088회나 방송되어 한국 드라마 역사상 최장수 드라마로 기록된 〈전원일기〉의 경우, 등자하는 온 마을 사람들이 한 식구나 다름없다. 옆집 숟가락 개수까지 알고 있는 그들은 함께 일하고 함께 여가를 즐기며 그 안에서 사랑하고 갈등한다. 아파트 옆집에 살아도 눈인사 정도나 주고받을 뿐 그 사람의 직업이 무엇인지도 모르는 경우가 많은 대도시의 이웃 관계와는 커다란 차이가 있다. 이러한 극단적인 대비는 사회학의 시카고학파 초창기에 도시사회학 연구를 이끌었던 루이스 워스의 글들에서 대표적으로 발견된다(Wirth, 1938). 그러나 클로드 피셔는 이러한 이분법적 대비에 반대하면서 도시 거주자들의 개인적 연결망이 더 크고 다양하다고 주장한다(Fischer, 1982). 한국의 급격한 도시화는 어떤 결과를 낳았을까?

〈그림 1-3〉은 서울대학교 사회발전연구소의 전신인 인구 및 발전 문제 연구소가 1970년에 실시한 『도시화 과정에 있어서의 적응 문제』 연구의 조사표 중 일부이다. 동네에 어떤 친목계나 모임 등이 있는지를 묻고, 공통의 문제가 발생할 경우 어떤 방식으로 해결하는지, 그 과정에서 주도적인 역할을 하는 사람은 누구이며 응답자는 그 사람과 어떤 관계를 맺고 있는지 등을 물음으로써 이웃 공동체 내부의 사회적 연결망과 문제 해결 방식을 파악하려 하고 있다. 45년 전의 연구자들은 도시화의 초기 단계에서 이미 그것

〈그림 1-3〉 사회발전연구소의 전신인 인구 및 발전 문제 연구소가 1970년 실시한 『도시화 과정에 있어서의 적응 문제』 조사표

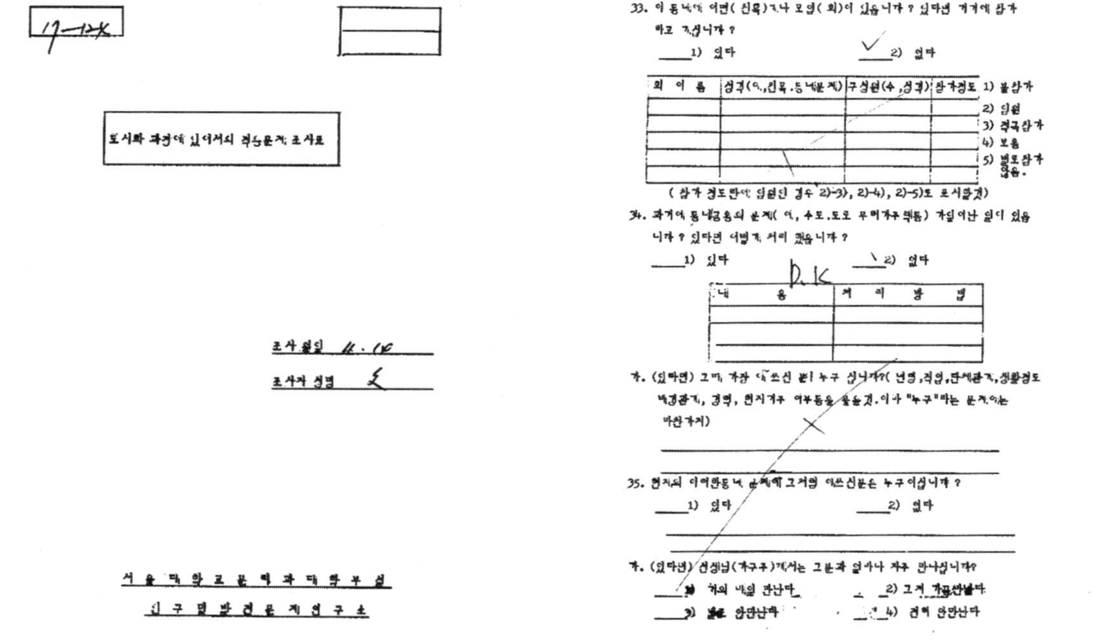

도시화 과정에 있어서의 적응문제 조사표

조사일일 11. 16

조사자 성명

서울대학교 문리과대학 부설

인구 및 발전문제연구소

33. 이 동네에 어떤(친목)거나 모임(회)이 있읍니까? 있다면 거기에 참가하고 계십니까?

____1) 있다　　✓ 2) 없다

회 이 름	성격(예, 친목, 동네문제)	구성원(수, 성격)	참가정도

1) 불참가
2) 임원
3) 적극참가
4) 보통
5) 별로참가 않음.

(참가 정도란에 임원인 경우 2)-3), 2)-4), 2)-5)로 표시할것)

34. 과거에 동네공동의 문제(예, 수도, 도로 부여가주 배급) 가 일어난 일이 있읍니까? 있다면 어떻게 처리 했읍니까?

____1) 있다　　____2) 없다

내 용	처 리 방 법

가. (있다면) 그때 가장 애쓰신 분이 누구 십니까?(연령, 직업, 단체관계, 생활정도 배경관계, 경력, 현지거주 여부등을 물을것. 이하 "누구"라는 문제에는 마찬가지)

35. 현지의 이어한동네 문제에 그처럼 애쓰신분은 누구이십니까?

____1) 있다　　____2) 없다

가. (있다면) 선생님(가구주)께서는 그분과 얼마나 자주 만나십니까?

____1) 거의 매일 만난다　　____2) 그저 가끔 만난다
____3) 별로 안만난다　　____4) 전혀 안만난다

이 가져올 사회적 변화를 분석하려고 시도하고 있었던 것이다.

도시적 삶의 양상에 대한 관심은 여기서 그치지 않는다. 〈그림 1-4〉는 인구 및 발전 문제 연구소가 1960년대 후반에 실시한 『서울 시내 아파트에 관한 조사』의 예비조사 결과 중 일부이다. 도시화와 더불어 새롭게 등장한 아파트라는 주거 형태가 우리의 사회적 삶을 어떻게 바꾸어놓을 것인지에 대한 연구이다. 연구계획표와 코드북 등이 모두 보존되어 있으나 안타깝게도 연구자와 정확한 연도가 기록되어 있지 않다. 자료에 언급된 연도 중 가장 늦은 것이 1965년인 것으로 보아 아마도 1966년 혹은 1960년대 후반에 실시된 연구일 것으로 추정된다. 〈그림 1-4〉에서 연구자들은 아파트의 분양 방법과 분양 자격, 분양권자 선출 방법 등을 기록하고 아파트의 일반적 구조를 그림으로 표현해놓았다. 돈암동 아파트와 종암동 아파트를 구체적인 사례로 들었는데, 당시 돈암동 아파트의 시가는 약 36만 원이며 20만 원 내외의 입주금을 내고 한 달에 1157원씩 납부한다고 기록되어 있다. 연구 시점이 1966년이라고 가정하고 소비자물가지수를 기준으로 2015년 가격으로 환산하면 시가 1175만 9400원짜리 아파트에 653만 3000원을 내고 입주해서 매달 3만 7793원씩 납부하면 되는 셈이니 내 집 마련에 고통을 겪는 현대인들이라면 그때로 돌아가고 싶을 법도 하다.

지면의 제약으로 여기에 소개하지는 않았지만 별도의 연구계획표에는 주택난 해결을 위해 아파트가 늘어날 것을 예상하고 "아파트 내의 새로운 생활양식은 필연적으로 새로운 人間關係(인간관계)를 요청할 것"이며, 아파트는 "여태 한국적인 가옥 구조에서 완전 탈피를 의미하며 이는 곧 그들 생활양식 기타 다방면에서 경이를 체험하리라"고 적고 있다. 현대의 아파트 연구자는 아파트가 곧 부의 원천이자 신분 차별의 기제이며, 부르주아 가족주의의 이데올로기를 확대재생산한다고 보고 있다(전상인, 2009). 1960년대 후반의 연구자들이 예언했던 "그들 생활양식 기타 다방면에서 경이를 체험

〈그림 1-4〉 사회발전연구소의 전신인 인구 및 발전 문제 연구소가 1960년대 후반 실시한 『서울 시내 아파트에 관한 조사』의 예비조사 결과

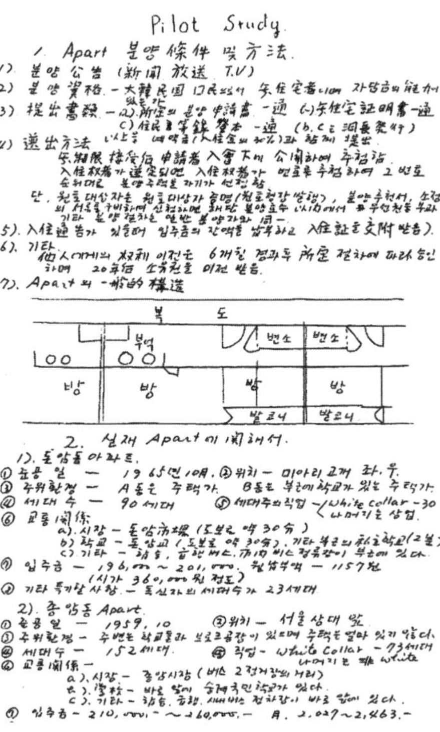
Pilot Study

1. Apart 분양條件 및 方法.

1). 분양 公告 (新聞 放送 T.V)

2) 분양 資格. - 大韓民國 國民으로서 無住宅者로서 자담금의 能力이 있는 자

3) 提出書類 - a). 所定의 분양 申請書 - 通 (b) 無住宅証明書 - 通
c) 住民登錄謄本 - 通 (b. c는 洞長発行)

4) 選出方法 以上을 예약금 (入住金의 30%)과 함께 提出
無期限 接受後 申請者 入會下에 公開하여 추첨함.
入住权者가 選定되면 入住权者가 번호를 추첨하여 그 번호 순위대로 분양주택을 자기가 선정함.
단, 원호 대상자는 원호대상자 증명(원호청장 발행), 분양추천서, 소정의 서류를 구비하여 신청하면 해당 분양호수 以内에서 무선정을 부과
기타 분양 절차는 일반 분양자와 同一.

5). 入住通告가 있을때 입주금의 잔액을 납부하고 入住証을 交附 받음.

6). 기타
他人에게의 权利 이전은 6개월 경과후 所定 절차에 따라 승인하며 20年后 소유권을 이전 받음.

7). Apart 의 一般的 構造

복도
부엌 변소 변소
방 방 방 방
발코니 발코니

2. 실재 Apart에 關해서.

1). 돈암동 아파트.

① 준공일 — 1965년 10月. ② 위치 — 미아리 고개 좌, 우.

③ 주위환경 — A동은 주택가. B동은 부근에 학교가 있는 주택가.

④ 세대수 — 90세대 ⑤ 세대주의 직업 — White collar - 30
나머지는 상업.

⑥ 교통關係
a). 시장 — 돈암市場 (도보로 약 30分)
b) 학교 — 돈암교 (도보로 약 30分). 기타 부근의 私立학교(2개)
c) 기타 — 합승, 급행버스, 市內버스 정류장이 부근에 있다.

⑦ 입주금 — 196,000 ~ 201,000. 월납부액 — 1157원
(시가 360,000원 정도)

⑧ 기타 특기할 사항 — 독신자의 세대수가 23세대

2). 종암동 Apart.

① 준공일 — 1959, 10 ② 위치 — 서울상대 앞

③ 주위환경 — 주변는 학교들과 보르르공장이 있으며 주택은 별로 있지 않다.

④ 세대수 — 152세대. ⑤ 직업 — White Collar - 73세대
나머지는 非 white

⑥ 교통關係 —
a). 시장 — 종암시장 (버스 2정거장의 거리)
b). 學校 — 바로 앞에 숭례국민학교가 있다.
c). 기타 — 합승, 급행, 시내버스 정차장이 바로 앞에 있다.

⑦ 입주금 — 210,000.- ~ 260,000.- 月. 2,027 ~ 2,463.-

하리라"는 것의 내용은 결국 부, 신분, 이데올로기와 같은 것들로 나타난 셈이다.

제5장에서 임채윤은 〈그림 1-3〉에 소개한 『도시화 과정에 있어서의 적응 문제』 자료를 비롯해 1970년대에 조사된 세 개의 자료, 1998년의 자료, 그리고 2012년의 자료를 분석하면서 지난 반세기 동안 이웃 공동체가 어떻게 변화했는지를 추적한다. 그의 분석에 따르면 1970년대 초반 서울 시민들은 절반 이상이 매주 한 번 이상 이웃집을 방문한다고 응답할 정도로 이웃과의 관계가 친밀했던 것으로 드러난다. 하지만 이러한 친밀감은 비공식

적 사교 관계에 집중되는 경향이 있고, 집합적 효능감의 기반이 되는 결사체나 조직 참여는 그다지 높지 않은 것으로 나타난다. 그때부터 이미 결사체 참여는 대부분 동창회와 같은 연고형 조직들을 중심으로 이루어지고 있었던 것이다.

'잃어버린 공동체(lost community)'의 이미지와는 달리 1998년에도 이웃 공동체는 상당한 수준으로 살아 있었던 것으로 확인되었다. 강한 관계를 포착하는 경향이 있다고 알려진 이름 지목형 문항(name generator question: NGQ)으로 이루어진 조사임에도 25% 정도의 응답자들이 이웃을 자신의 일상에서 도움을 주는 가장 중요한 사람으로 꼽았다. 또한 이웃을 지목한 사람들 중 65.51%는 이웃과 적어도 일주일에 한 번 이상 만난다고 답했다. 이것은 가족과 비슷한 수준이고 직장 동료보다 훨씬 높은 수준이다. 이와 같은 경향은 2012년에도 마찬가지여서 50% 이상의 응답자들이 매주 연락하는 이웃이 있다고 답했고, 85%는 1년에 한두 번 이상 연락하는 이웃이 있다고 답했다. 이러한 결과는 앞서 언급한 루이스 워스의 가설을 뒤집는 것으로 보이지만, 반드시 그런 것은 아니다. 왜냐하면 임채윤의 분석에 따르면 이웃과의 비공식적 교류는 서울 · 경기 지역이 다른 지역에 비해 유의미하게 작은 것으로 드러나기 때문이다. 전체적으로 보면 이웃 공동체는 살아 있는 것으로 보이지만, 압축성장의 핵심 지역인 수도권에서는 유의미하게 사라지고 있다고도 볼 수 있다.

특이한 것은 수도권의 경우 이웃 공동체 참여뿐만 아니라 비친족 연결망의 규모도 다른 지역에 비해 작은 것으로 드러난다. 이것은 도시인들이 더 큰 연결망을 가지고 있고 더 다양한 비친족 연결망을 가진다는 피셔의 주장이나 관련 분야의 기존 연구와도 상반된 발견이다. 지난 50년간 한국인의 사회적 연결망 변화가 워스의 주장에도 들어맞지 않고 피셔의 주장과도 상반된다면 거기에서 드러나는 한국만의 특이점은 무엇일까. 그것은 사회경제적 지위에 따른 연결망의 차별적 형성과 운용이다. 고소득 고학력자들은 다른 나라와 달리 이웃 연결망에 대한 참여가 낮고 다른 나라와 마찬가지로 이웃도 아니고 친족도 아닌 연고형 조직(예를 들어 동창회)과 결사체에 대한 참여가 두드러지게 높은 것으로 나타난다. 이러한 차이는 1970년대 자료에서는 발견되지 않지만 1998년 자료와 2012년 자료에서는 일관되게 발견된다. 지난 반세기 동안 한국의 상층은 이웃과 친족으로부터 이탈해서 구체적 실익을 가져다줄 수 있는 연고와 결사체로 이동한 것으로 보인다.

임채윤은 이러한 발견을 우려하고 있다. 그는 사회경제적 지위가 높은 사람들이 동창회와 같은 배타적 연고 집단을 중심으로 연결망을 구축한다는 것은 학벌이 좋지 못한 사람들을 사회적 자본으로부터 배제하는 효과를 더 강력하게 만들어 사회경제적 불평등을 심화할 가능성이 높다고 지적하고 있다. 또한 수도권과 비수도권의 차이가 크게 나타나는 점에 대해서도 한국의 도시화가 전반적인 사회적 · 시민적 참여에 부정적인 영향을 미칠 것으로 예측하는 도시사회학의 고전적 가설과 한층 더 부합하는 것이라는 진단을 내놓았다. 이러한 결과는 기존 연구와도 일치한다. 이재열(2014)이 최초로 계산한 한국인의 효과 인맥 자산 지니계수는 무려 0.815에 달하는 것으로 보고되었다. 2012년 순자산 지니계수가 0.616이고 소득 지니계수가 대체로 0.3~0.35 사이에 있는 것과 비교하면 상층의 인맥이 얼마나 두텁고 중간층 이하의 인맥이 얼마나 취약한지를 보여주는 것이나 다름없다. 인맥의 지니계수가 0.815에 이른다면 거칠게 말해서 소수의 사람들은 안 통하는 곳이 없고 대다수의 사람들은 아무 곳에도 통하지 않는다고 해도 과언이 아니다. 앞서 언급한 한귀영의 청년 세대 연구에서도 부모의 사회경제적 지위가 낮은 청년층의 사회적 네트워크가 부족하고 공적 성격이 부족하다는 점이 발견된 바 있다(한귀영, 2015). 사회경제적 지위에 따른 인맥의 불균등한 분포뿐 아니라 연고 중심 인맥의 사회적 효과에 대한 임채윤의 우려도 기존 연구의 발견과 일관된다. 기존 연구에서는 연고 집단 참여가 활발할수록 정치적으로 보수적이고 지역 차별적 태도를 갖는 반면, 자발적 결사체 참여가 활발하고 유효 인맥이 큰 사람일수록 정치에 대한 관심이 높으며 탈권위주의적 태도를 갖는 것으로 나타나기 때문이다(이재열 · 남은영, 2008).

5. 연대를 잃어버린 노동자

제6장에서 권현지가 지적하듯이, 역동적으로 변화해온 지난 50년의 사회변동을 관통하는 것은 노동 레짐의 변화이다. 1960년대 이후 한국 사회의 변화를 설명하는 가장 중요한 키워드가 산업화와 탈산업화라면, 이러한 관점은 타당하다. 우리들 대부분은 어떤 형태로든 일하는 사람이고 노동자이다. 노동 레짐의 변화는 우리가 일하는 조건과 그 과정에서 형성하게 되는 의식에 큰 영향을 미치기 때문에 우리 삶의 중요한 구성요소이다. 하지만 그럼에도 노동을 바라보는 한국인의 시선은 종종 모순적이다. 마치 대의제 민주주의의 가치를 역설하면서도 정작 정치에 무관심하고 투표하지 않으며 정당에 가입하는 사람을 이상한 눈으로 바라보듯이, 점점 낮아지는 고용 안정성과 양극화되어가는 임금에 불안해하면서도 연대하기보다는 개인적 돌파구를 찾으려 하고 노동의 미래에 대해 냉소적이다. 노동에 대한 우리의 의식은 왜, 그리고 어떤 과정을 거쳐 지금에 이르렀는가.

권현지는 한국의 노동 레짐을 크게 세 시기로 구분하고 있다. 1987년 이전까지의 권위주의적 성장 동원 레짐, 1987년부터 1997년 외환위기까지의 87년 체제, 그리고 외환위기 이후의 포스트 97년 체제가 그것이다. 그는 세 시기 노동 레짐의 거시적 변화를 보여줄 수 있는 다양한 지표들과 함께 각 시기에 사회발전연구소에서 실시한 조사 자료들을 통해 노동자 의식의 변화를 추적한다. 1978년의 『노동자와 관리자의 직업의식과 노사 정책에 관한 조사 연구』, 1989년의 『노동문제 및 노사 관계에 대한 근로자 의식조사 연구』, 2007년의 『외환위기 10년 국민 의식조사』가 그것이다.

〈그림 1-5〉는 서울대학교 사회발전연구소의 전신인 인구 및 발전 문제 연구소와 한국노동연구원이 공동으로 1989년 실시한 『노동문제 및 노사 관계에 대한 근로자 의식조사 연구』의 조사표 중 일부이다. 권현지가 사용한 세 시기의 조사 자료 중 87년 체제를 대표하는 자료가 이 조사를 통해 만들어진 것이다. 조사표에 기록된 내용을 보면 이 응답자는 근로자의 단결과 노조 가입 필요성을 인정하고 근로자가 양보를 통해 회사에 헌신할 필요는 없다고 생각하면서도, 1987년 이후 노사분규에 대해 정부가 지나치게 방관했고 선별적으로 개입해야 하며 노사분규의 대부분은 과격한 선동자들에 의해 야기된다고 답하고 있다. 노동에 대한 모순적 의식이다. 또한 이 응답자는 앞으로의 노사 관계가 지금과 큰 차이가 없을 것이라고 전망하고 있다. 노동의 미래에 대한 냉소적 의식이다. 이러한 모순과 냉소를 가져오는 노동 레짐의 특성은 무엇인가.

권현지는 1987년 이전 체제가 일체의 조직 운동과 집단적 움직임에 대한 억압을 통해 테일러적 대량생산에 복무할 수 있는 순종적 저임금 공장노동자들을 형성하고 동원하는 데 초점을 둔 노동 체제(구해근, 2002; 송호근, 1991; 신광영, 1990)라고 규정한다. 평생직장과 근속 연수에 따른 승진과 보상 등 내부 노동시장은 관리사무직과 고급 기술직에 배타적으로 주어졌다. 주목할 것은 이러한 분절적 노동시장 정책이 비시장적이고 위계적인 가부장제 규범에 의해 정당화되었고 차별의 당사자들에게도 상당 부분 내면화되었다는 점이다. 분절의 갈림길은 성별 격차와 학력별 격차, 그리고 관리직과 사무직의 격차, 대기업과 소기업의 격차 같은 것들이었다. 예를 들어 권현지는 특히 농촌 지역을 중심으로 대부분의 가족이 장자에게 교육투자

〈그림 1-5〉 사회발전연구소의 전신인 인구 및 발전 문제 연구소와 한국노동연구원이 1989년 실시한 『노동문제 및 노사 관계에 대한 근로자 의식조사 연구』 조사표

1 2 3 4 5
0 4 1 1 0

노동문제 및 노사관계에 대한 근로자 의식조사 연구

안녕하십니까?

서울대학교 인구및발전문제연구소와 한국노동연구원은 우리나라 근로자들이 노동문제 및 노사관계에 대해 어떻게 생각하고 있는지를 공동으로 연구하고 있읍니다. 이 연구의 목적은 우리사회가 당면하고 있는 노사문제를 발전적으로 해결하기 위해 필요한 자료를 마련하는데 있읍니다. 순수하게 학술적인 목적에서 귀하의 의견을 듣고자 하오니 후원하여 주시는 뜻에서 적극 협조하여 주시면 감사하겠읍니다. 본 조사는 **무기명**으로 실시되고 응답하신 내용은 컴퓨터에 의해 **통계처리** 되기 때문에 여러분의 개인적 비밀은 완전히 보장됩니다. 다소 시간이 걸리더라도 하나도 빼지말고 응답하여 주시기 바랍니다. 도와 주시는데 대하여 감사드리며 귀댁의 안녕과 번창하심을 빕니다.

1989년 9월

서울대학교 인구및발전문제연구소 소장 홍두승

한국노동연구원 원장 배무기

본 조사에는 서울대학교, 덕성여자대학교, 인하대학교, 수원대학교, 충북대학교, 전남대학교, 동아대학교, 경상대학교, 대구대학교 학생들이 참여하고 있읍니다. 본 조사와 관련하여 의문사항이 있으시면 아래로 연락하시기 바랍니다.

서울대학교 인구및발전문제연구소 직통 883-8745 교환 886-0101(2444)
(우) 151-742 서울시 관악구 신림동 산56-1

한국노동연구원 직통 785-5081 교환 782-0141(208)
(우) 150-011 서울시 영등포구 여의도동 16-2 중소기업협동조합중앙회 9층

조사지역 : ______ 회 사 명 : ______
면접일시 : 1989년 __ 월 __ 일 (__ 시 __ 분에서 __ 시 __ 분까지)
조 사 자 : ______ 대학교 ______ 학과 __ 학년 이 름 : ______
연락처 : ______

이번에는 우리나라의 노사관계에 대한 귀하의 의견을 여쭈어 보겠읍니다.

33. 다음의 내용에 동의하시는지 아니면 반대하시는지 귀하의 견해를 말씀해 주시기 바랍니다.

		(1) 전적으로 찬성한다	(2) 찬성하는 편이다	(3) 그저 그렇다	(4) 반대하는 편이다	(5) 전적으로 반대한다
15 [2]	(가) 노사분규의 대부분은 과격한 선동자들에 의해 야기된다		2			
16 [2]	(나) 모든 근로자는 단결해야하기 때문에 모두 노조에 가입해야 한다		2			
17 [3]	(다) 근로자는 다소 양보하는 일이 있더라도 회사에 헌신해야 한다				2	

18 [3] 34. 귀하는 1987.6.29 이후 지금까지 정부가 노사분규에 대하여 어떻게 대처해 왔다고 생각하십니까?
______ (1) 지나치게 개입해 왔다고 본다
______ (2) 적절히 대응해 왔다고 본다
__9__ (3) 너무 방관적으로 놓아두어 왔다고 본다
______ (4) 잘 모르겠다

19 [2] 35. 노사분규가 장기화될 때, 정부는 어떻게 하는 것이 좋다고 생각하십니까?
______ (1) 적극 개입하는 것이 좋다
__9__ (2) 선별해서 개입하는 것이 좋다
______ (3) 자율적으로 해결하도록 맡겨두는 것이 좋다

20 [2] 36. 귀하는 앞으로 우리나라의 노사관계가 어떻게 되리라 생각하십니까?
(가) 노사관계의 장
______ (1) 타협과 공존을 찾을 것이다.
__2__ (2) 큰 차이가 없을 것이다
______ (3) 거리감과 갈등이 심화될 것이다
______ (4) 잘 모르겠다

-11-

를 집중시켜 화이트칼라 · 기술직 노동자를 공급했고 그 밖의 자녀들, 특히 딸들의 경우 집에 남거나 도시의 저임금 공장노동자가 되어 맏아들의 교육 비용이나 가계경제를 위해 헌신했던 성별 분업을 지적한다. 노동시장이라고 하는 시장의 원리로는 받아들여질 수 없는 분절이 비시장적인 규범에 의해 받아들여지도록 정당화되었다는 것이다.[2]

이러한 시장 기제와 비시장 기제의 결합은 저임금의 순종적 노동자를 만들어냈다. 실제로 그는 학력과 성별을 매개로 한 노동시장에서의 임금격차가 그나마 지금의 수준으로 축소된 것이 1987년부터 외환위기까지의 10년 동안의 변화 때문이라는 점을 실증 자료를 통해 보여주고 있다. 1980년 대졸자의 임금 총액은 고졸자의 231.6%에 달했고(지금은 약 150%), 여성의 임금은 남성의 44.2%에 지나지 않았다(지금은 약 63%).

1987년은 한국 노동 체제의 중요한 전환점이었다. 수치상으로만 보아도 전년도인 1986년 쟁의 발생 건수가 276건에 불과했던 데 비해 1987년 한 해

2 권현지는 이때의 비시장적 규범을 한국적 혹은 아시아적 문화와 연결하는 것이 아니라 좀 더 보편적인 의미의 가부장제와 연결하고 있음에 주목할 필요가 있다. 이것을 문화와 쉽게 연결하는 것은 위험할 수 있다. 권현지가 언급하고 있는 (종종 농촌 출신) 저임금의 젊은 여성 노동자들은 과거 한국 사회에서 흔히 '공순이'라는 단어로 불리고는 했다. 이와 거의 비슷한 현상은 미국에도 존재했었는데, 'mill girls'라고 불렸던 미국의 농촌 출신 저임금 여성 노동자의 호칭을 번역하면 '공순이'와 거의 같은 뜻이 될 것이다. 미국 산업혁명의 진원지인 매사추세츠 주 로웰(Lowell)에서 방직 노동자로 근무했던 여성운동이자 노동운동 지도자 세라 배글리(Sarah Bagley, 1805~1883)는 1845년에 쓴 「공순이(Mill Girls)」라는 글에서 다음과 같이 말하고 있다. "우리를 하루에 열두 시간씩 방안에 가두어놓고 극도로 단조롭고 지루한 일을 시키는 것이 도덕적으로 옳지 않다는 점을 지적할 때마다 듣게 되는 이야기가 있다. 우리는 스스로 원해서 공장에 왔고 우리가 원하면 언제든 떠날 수 있다는 이야기이다. 스스로 원해서라고! …… 우리를 로웰로 데려온 것은 불가피성이라는 채찍이었다. 우리는 돈이 필요하다. 아버지의 빚을 갚아주어야 하고, 노모를 돌봐야 하며, 남자 형제가 야심을 펼칠 수 있도록 도와야 한다. 그래서 우리는 공장으로 온 것이다. 이것이 자유의지인가? …… 이것이 자유인가? 내 생각에는 이것은 노예의 삶이다." 세라 배글리가 언급하고 있는 'mill girls'의 상황은 권현지가 언급하고 있는 1970~1980년대 한국 여성 노동자의 상황과 별로 다르지 않다.

동안 3749건의 쟁의가 발생했고, 전년도 4만 7000명에 불과했던 쟁의 참가자수는 126만 2000명으로 늘었으며, 7만 2000일이었던 손실 일수는 694만 7000일로 늘었다. 1986년에 12.3%였던 노조 조직률은 3년 후인 1989년에 18.6%로 수직 상승했다. 그러나 87년 체제는 명과 암을 가진다. 분명 이 시기 노동운동은 실질임금의 인상, 생산직 노동자들에게까지 확대된 내부 노동시장, 고용평등법 등 주요한 제도 변화의 촉진, 지니계수의 가파른 하락 등 불평등을 줄이는 데 기여했다. 하지만 이러한 진전은 주로 대기업 및 중화학공업 남성 노동자에게 집중됨으로써 여성 노동을 포용하는 데 실패했고 기업 규모 간 임금과 근로조건의 격차가 벌어지는 것을 막지 못했다. 결국 87년 체제는 노동자 전반을 포괄하는 노동조합운동으로 성장하지 못하고 노동조건 개선 위주의 운동으로 머물렀다는 한계로 지적된다. 그 결과 외환위기 이후 노조 조직률과 노동시장 불평등이 1987년 이전 수준으로 복귀하는 데에는 오랜 시간이 필요치 않았다.

1997년 외환위기는 노사 간 균형을 완전히 깨버리는 계기가 되었다는 것이 권현지의 진단이다. 그는 포스트 97년 체제를 탈규제, 집단적 노사 관계의 전반적 약화, 노동시장 유연화 및 개별화, 불평등의 심화로 요약한다. 정규직과 비정규직 간의 격차가 갈수록 벌어지고 있고 이들은 광범위한 사회보험 사각지대를 형성함으로써 사회적 위험에 속수무책으로 노출되어 있다. 87년 체제의 특징이었던 내부 노동시장의 붕괴 조짐이 곳곳에서 나타나고 이제 한국은 OECD에서도 직장 안정성이 가장 낮은 나라 중의 하나가 되었다. 대기업들이 핵심 역량을 제외한 나머지 기능을 하청에 의존하는 삼자관계 전략으로 선회하면서 사용자와 노동자라는 기존 고용 관계의 이분법이 희석되고, 원청과 하청 간에 강력한 노동시장 분단 구조가 생겨났다. 산별 노조는 성공하지 못했고 한국은 OECD 국가 중 임금 불평등이 가장 높은 나라 중 하나가 되었다. 노동자들은 노동조합에 대한 지지와 신뢰를 급격히 철회하고, 집단적 대응이 아닌 개인적 대응을 통해 훨씬 위험해진 경제적 상황에서 생존 전략을 모색하게 되었다.

이러한 노동 레짐의 거시적 변화는 각 시기의 조사 자료에서도 그대로 드러난다. 1978년 조사에서는 내부 노동시장의 수혜자인 남성 사무직 및 중간관리직의 직장 안정성 만족도가 높고, 1989년 조사에서는 87년 체제하의 높아진 자신감을 반영하듯 대체로 직장 안정성에 대한 만족도가 높아지고 있다. 다만 87년 체제에서조차 여성 노동을 포괄하는 데 실패한 것이 반영되어 여성 노동자들의 근속 연수는 낮은 상태에서 별로 달라지지 않았다. 2007년 조사는 근속 연수 및 직장 안정성에서 다시 87년 이전으로 되돌아간 모습을 보여준다. 임금에 대한 만족도는 세 시기 모두 거의 모든 집단에 있어서 일관되게 낮게 나타나며, 이것은 87년 체제하의 노동조합이 임금 인상에 주력해야 했던 이유의 일부를 설명한다.

2000년대 이후 나타나는 또 한 가지 주목할 만한 현상은 조직 내 인간관계에 대한 만족도가 낮아졌고 특히 비정규직의 만족도가 눈에 띄게 낮아졌다는 점이다. 노동자들 간의 거리가 멀어지고 개인화되기 시작했다는 점을 반영하는 것으로 보인다. 이러한 노동자들의 개인화는 2007년 조사에서 나타나는 사회의식의 변화와도 밀접하게 관련되어 있다. 2007년 조사에서 임금노동자만을 골라서 분석한 결과에 따르면 77%의 노동자가 빈부격차가 늘었으며, 53%의 노동자가 노사 갈등이 커지고 있다고 답했다. 다수의 임금노동자들은 한국 사회에서 확대되고 있는 불평등에 대한 비판적 인식을 바탕으로 복지를 확대해야 한다고 답했지만, '노력하면 누구나 한국 사회에서 잘 살 수 있을까요?'라는 질문에 대해 오직 28%만 그렇다고 답한 데서 드러나듯이 문제 해결에 필요한 합리적 기제에 대한 (낙관적) 전망은 부정적이거나 부재했다. 노동조합에 대한 신뢰는 11.2%에 불과해서 대기업에 대한 신뢰보다도 더 낮게 나타난다. 87년 체제 때의 무한 신뢰는 사라지고 노동조합운동을 통해 한국 사회를 변화시킬 전망은 거의 없다고 보는 것이다. 권현지는 이제 "남은 생존의 방식은 개인의 도구주의를 힘껏 밀고 나가는 것"이라고 말한다.

지난 50년간 노동 레짐의 변화를 겪으면서 한국의 노동자는 '연대를 잃어버린 노동자'가 된 것 같다. 개인화된 생존은 누군가에게는 가능하겠지만 다수에게는 불가능하다. 변화의 싹은 없는 것일까. 권현지는 2007년에는 목도되지 않던 여러 사회운동적 노동운동이 최근 2~3년 동안 청년층을 중심으로 조금씩 모습을 드러내고 있는 점에 주목한다. 청년과 취약계층을 중심으로 사회운동적 노동운동, 사회정책과의 연계를 긴밀히 하는 노동운동에 대한 요구가 커지고 있는 데 주목하는 것이다. 2015년 최저임금위원회에 노동자 대표 중 한 축으로 청년유니온이 공식적으로 참여하기 시작했다는 점 등이 그러한 변화의 징표이다. 이제 시작 단계인 이러한 변화의 싹이 얼마나 더 자랄 수 있을 것인지는 시간이 말해줄 것이다.

6. 사회적 위험의 증가와 계층화

제7장에서 최혜지는 사회적 위험이라는 키워드로 한국 사회복지의 과거와 현재를 비교한다. 그는 1945년 이후 현재까지 한국의 사회복지를 다섯 개의 시기로 나누고 있다. 제1기는 대한민국 정부 수립 이후 1961년까지로 긴급 구호와 외원에 의존하던 시기이다. 제2기는 1962년부터 1986년까지의 고도성장기로, 성장이 곧 복지로 치환되고 복지는 낭비로 인식되던 시기이다. 제3기는 1987년부터 1997년 외환위기 이전까지로, 노동자 권익의 향상이 이루어지고 국민연금 실시, 의료보험의 농어촌 확대 등 이전 시기에 구상된 복지 제도가 시행되었고 기업 복지가 확대된 시기이다(홍경준 · 송호

근, 2003). 최혜지는 이 시기에 '복지가 생산관계 내부로 자리하게' 되었다고 평가한다. 제4기는 1997년 외환위기 이후부터 2008년 금융위기 이전까지로서, 보편적 복지국가 지향의 기초가 마련된 시기이다. 외환위기로 인해 '사회적 위험의 보편성'을 깨닫게 되었다는 것이다. 제5기는 2008년 금융위기 이후 현재까지로, 신자유주의적 특성이 정점을 이루는 시기이다.

이러한 거시적 변동의 맥락 속에서 최혜지는 두 시점의 사회조사 자료를 택해 변화하는 복지체제 속에서 한국인들의 사회적 위험을 추적하고 있다. 그가 택한 첫 시점은 1968년인데, 이때는 자본주의의 본격화로 근대적 사회복지 출현의 사회적 조건이 형성된 시기이다. 두 번째 시점은 2012년으로, 보편주의적 사회복지의 확대와 신자유주의에 의한 복지 축소라는 상반된 경험을 거친 시점이다.

최혜지의 설명처럼 산업사회에서 사회복지는 노동력 상실 또는 노동시장으로부터의 배제를 야기하는 사회적 위험을 예방하고 대비하기 위한 제도로서 성장했다. 산업사회에서 사회적 위험은 가족의 생계를 책임지는 남성 가장의 사망, 장애, 질병, 실직, 노령의 형태로 경험된다(Taylor-Gooby, 2004). 후기 산업사회의 사회경제적 변화는 전통적 사회적 위험에 더해 여성 경제활동의 증가와 남성 경제활동의 감소, 인구 고령화와 가족의 돌봄 기능 약화, 저숙련 일자리의 감소와 국가 간 노동력 이동의 확대, 민간 보험의 오용 등 새로운 종류의 사회적 위험들을 가져온다. 그러나 어느 경우든 사회적 위험은 사회복지의 가장 중심적인 존재 이유이다. 1968년과 2012년 한국의 사회적 위험은 어떻게 변화했고, 한국의 복지체제는 여기에 어떻게 대응하고 있을까.

두 시점 사이에 가구주는 점차 고령화, 여성화, 고학력화되는 경향을 보이고 있다. 경제 계층이 낮을수록 여성 가구주, 저학력 가구주, 미취업 가구주의 구성비는 높고 상용직에 종사하는 가구주의 비율을 낮아졌으며 이는 두 시기 모두 공통적으로 관찰되었다. 십분위분배율은 6.31%에서 12.9%로 증가해 소득 양극화는 다소 개선되었으나 여전히 불균등 분배구조에서 벗어나지는 못하고 있다. 전체적인 사회적 위험의 수준은 비교 시점 사이에 약 다섯 배 이상 증가해 후기 산업사회로의 이행에 따라 사회적 위험이 확대되고 있음을 확인시켜준다. 시기에 관계없이 사회적 위험은 경제 계층이 낮을수록 증가했으며 경제 계층 간 사회적 위험의 격차는 지속적으로 확대되었다. 1968년의 경우 사회적 위험은 근로소득이나 재산소득과 유의미한 관계를 갖지 않았으나, 2012년이 되면 사회적 위험의 수준이 높은 가구일수록 근로소득은 유의미하게 감소하고 있다. 위험의 계층화 현상이 두드러지게 된 것이다. 최혜지는 2012년 경제 계층이 낮은 집단은 어느 시기의 어떤 집단보다 다양한 사회적 위험을 복합적으로 경험하고 있다고 진단한다.

그렇다면 전반적인 사회적 위험 수준이 높아지는 동시에 계층화하는 변화에 대해 한국인들은 어떻게 대응하고 있을까. 1968년에는 저축을 통해 사회적 위험을 관리하는 개인형이 우세했지만, 2012년에는 저축과 함께 보험, 공제조합 등 복수의 기제로 사회적 위험을 관리하는 혼합형이 보편적이었다. 사회적 위험의 관리 방식은 경제 계층에 따라 차이를 보였으며, 하층은 과거에 계에 대한 선호도가 높았으나 2012년에는 저축에만 의존하는 개인형이 주를 이루었다. 이는 하층은 사회적 위험의 관리에 대한 선택력이 높지 않으며, 특히 민간 보험과 공제조합의 접근가능성이 높지 않아 사회연대에 기초한 위험 분산의 기회로부터도 배제되어 있다는 것을 뜻한다.

7. 정보화: 뜨고 지는 강자, 그리고 영향력의 분화

이제는 정보화라는 단어조차 진부하게 들릴 정도로 정보사회는 우리 삶의 떼어놓을 수 없는 한 부분이 되었다. 국가 차원에서 대대적으로 정보화를 추진하던 2000년대 초반만 하더라도 정보화는 이전과는 질적으로 다른 새로운 종류의 세상으로 들어가는 관문처럼 느껴졌지만, 이제 정보사회는 너무나 자연스런 삶의 한 부분이 된 것이다. 그렇다면 정보화는 언제부터 시작된 것일까. 1990년대 후반 인터넷이 일상화되면서부터 정보화 혹은 정보사회라는 말이 본격적으로 회자되기 시작했지만, 사실상 정보화의 기원은 그보다 훨씬 더 과거로 거슬러 올라갈 수 있을 것이다. 글로벌리제이션의 기원을 16세기에 이루어진 최초의 세계일주에서 찾을 수 있듯이(Mazlish, 1993), 사람들 사이의 커뮤니케이션을 더 빠르고 쉽고 효율적으로 만드는 모든 것들을 정보화라고 볼 수도 있다.

제8장에서 배영은 1980년대 이후 세 개의 사회조사 자료를 분석하면서 정보격차와 정보화로 인한 일상생활의 변화를 추적한다. 그가 다루는 첫 번째 정보화는 1980년대에 이루어진 유선전화의 보편적 보급이다. 유선전화가 한때 정보화의 첨병이었다는 말이 낯설게 느껴진다면 샤피로와 베어리언이 묘사한 1800년대 후반의 상황을 참고해볼 만하다(Shapiro and Varian, 1998). 당시 전화의 등장은 상상을 초월하는 커뮤니케이션 속도의 증가를 가져왔고, 새로운 세상에 맞는 새로운 비즈니스 모델을 받아들인 기업은 살아남고 그렇지 못한 기업은 도태될 것으로 예고되었다. 새로운 거대 독점기업이 등장했으며, 이들 거대 독점기업을 어떻게 규제할 것인지가 뜨거운 이슈가 되었다. 21세기의 독자가 읽으면 당연히 인터넷과 IT 비즈니스, IBM과 마이크로소프트를 연상시킬 이 이야기의 주인공들은 사실상 유선전화의 등장과 벨 전화회사인 것이다. 우리에게는 너무나 당연한 유선전화의 존재가 당시에는 엄청난 사회적 파장을 가져온 정보화의 첨병이었다는 사실을 알게 해주는 일화이다.

휴대전화가 너무나 보편화되어서 가정에 유선전화를 아예 가지고 있지 않은 사람이 갈수록 많아지는 요즘의 관점에서 본다면, 국민 100명당 전화 가입자 수가 20명을 넘어선 것이 불과 1987년이었다는 것은 다소 놀라운 일이다. 그나마 평균 가구원 수가 지금보다 훨씬 많아 5인 가구를 평균으로 잡을 때 1987년에 이르러 비로소 모든 국민이 집에 유선전화를 가지게 되었다고 말할 수 있게 된 것이지, 요즘처럼 2~3인 가구가 보편적이었다면 이렇게 말할 수 있게 될 때까지 한참을 더 기다렸어야 할 것이다. 유선전화가 정보화의 첨병이라는 주장이 낯설게 들리는 요즘의 분위기와는 달리 1985년에 이루어진 조사는 『정보화 사회에 대한 국민 의식조사』라는 제목을 달고 '정보화'라는 단어를 분명하게 사용하고 있다. 이 조사는 정보화 기기의 구체적인 기능으로 단축 다이얼, 착신 통화, 부재 중 안내, 통화 중 대기 등에 대해 묻고 있다. 유선전화의 보편적 보급이 1987년에야 이루어졌다는 것도 놀라운 일이지만, 그 당시에 이미 이런 기능들이 존재했다는 것 역시 놀라운 일이다.

1985년의 조사가 유선전화에 대해 주로 묻고 있다면 1994년 실시된 『정보화, 민주화와 삶의 질에 대한 연구』는 온라인 뱅킹, 컴퓨터 통신, 데이터베이스, 근거리 통신망, 휴대전화/카폰 등에 대해 묻고 있다. 이때까지도 PC 통신 이외의 인터넷에 대한 질문은 찾아볼 수 없다. 일반인들이 보편적으로 인터넷을 이용하게 된 것이 아직 채 20년도 안된 1997년부터이기 때문이다. 인터넷이 얼마나 빠른 속도로 우리의 삶을 바꾸어 놓았는지 실감하지 않을 수 없다. 2003년에 이루어진 『국민의 가치관과 의식에 대한 조사』에서는 인터넷 이용 정도나 인터넷에 대한 인식이 선거나 신뢰 등 사회적 삶의 다른 영역들에 미치는 영향을 체계적으로 탐색하려는 시도가 나타나기 시작한다.

배영의 연구에서 한 가지 흥미로운 점은 정보격차의 약자는 항상 약자가 아니었고 강자도 항상 강자는 아니었다는 발견이다. 예를 들어 1985년 조사에서 유선전화의 각종 기능에 대한 인지 수준은 남성이 더 높았지만, 실제 이용 경험은 성별로 유의미한 차이를 보이지 않았다. 또한 전화 중이용자 집단은 연령, 학력, 소득이 모두 경이용자 집단보다 높게 나타났다. 반면 1994년 조사에서 가장 활용도가 높은 정보화 항목인 POS와 온라인 뱅킹에서 여성의 활용도가 남성보다 높은 것으로 나타난다. 인구학적 · 사회경제적 배경 변수에서도 과거와 달라진 모습이 나타나는데, 학력과 소득은 중이용자 집단이 높지만 연령은 중이용자 집단이 낮은 것으로 나타난다. 전화의 경우 중이용자 집단이 세 가지 배경 변수에서 모두 높았던 것과는 달리 이제는 젊은 세대가 정보화에서 앞서가는 모습을 보이기 시작하는 것이다. 2003년 조사에서는 드디어 남성이 여성보다 앞서기 시작하는데, 유선전화에서는 차이가 없었고 POS나 온라인 뱅킹에서 여성이 앞섰던 것과 달리 컴퓨터 및 인터넷 이용 시간에서 남성이 여성을 압도하고 있다. 배경 변수에서는 중이용자 집단이 경이용자 집단에 비해 연령이 낮고 학력이 높으며 소득은 유의미한 차이를 보이지 않는다. 1980년대에나 2000년대에나 정보격차는 존재했지만, 그 격차의 강자와 약자는 주된 정보화 기기의 특성에 따라서 부침을 겪어온 것으로 보인다.

정보화는 한국인의 삶을 다양한 방식으로 변화시켰다. "산업화는 뒤졌지만 정보화는 앞서자"는 슬로건으로 기억되는 1990년대에 정보화는 대부분의 사람들에게 장밋빛 미래였던 것으로 보인다. 1994년 조사에서 응답자들은 정치활동 영역, 경제활동 영역, 사회활동 및 개인 심리 모두에서 정보화가 긍정적인 영향을 미쳤다고 답했다. 조사 시점이 인터넷의 상용화가 미처 이루어지기도 전이었다는 점을 감안하면, 아직 본격적으로 경험해보지 못한 정보화에 대한 긍정적 기대가 넘쳐났다고 할 수 있다. 그뿐만 아니라 삶의 질을 종속변수로 한 회귀분석에서도 정보화 관련 모든 변수들은 삶의 질에 긍정적인 영향을 미치는 것으로 나타난다. 2003년이 되면 비로소 정보화의 효과에 대한 태도가 집단별로 유의미하게 갈라지기 시작하는 것을 볼 수 있다. 예를 들어 선거에서 지지후보 결정에 영향을 미친 매체(혹은 사람)가 무엇인지를 묻는 질문에서 TV나 신문 같은 전통 미디어를 선택한 집단, 가족, 친구, 동료 등 주변 사람을 선택한 집단, 그리고 인터넷을 선택한 집단을 구분해보면, 이 차이는 분명하게 드러난다. 대부분의 변수들에서 전통 미디어를 선택한 집단과 인터넷을 선택한 집단이 양극에 위치하고 주변 사람을 선택한 집단이 그 중간에 위치하는 양상을 드러내는 것이다. 오늘날 SNS에 젊은 세대가 편중되고 보수 성향 종편에 고령 세대가 편중되는 것과 같은 미디어의 분화 현상이 이때 이미 그 단초를 보이기 시작한 것이다.

배영의 분석에서 한 가지 아쉬운 점은 자료가 2003년에서 끝나 있기 때문에 태블릿 PC와 같은 각종 모바일 기기나 SNS 같은 온라인에서의 네트워크 현상을 다룰 수 없었다는 점이다. 이 점을 의식하듯 배영은 "다양한 방식으로 참여하는 일이 보편화되면서 이러한 참여의 네트워크를 통해 사회의 변화까지 추동하는 네트워크화된 개인"이 출현했다는 점을 강조하고 있으나, 마지막 자료인 2003년 이후 지난 10여 년간 벌어진 '네트워크화된 개인'의 약진은 이 자료에서 드러난 것과 비교할 수 없을 정도이다. 향후 더 본격적인 조사 자료가 만들어져야 하겠으나, 우선은 소셜 미디어가 선거에 미치는 영향에 대한 최근의 연구들을 참고할 만하다(Chang and Bae, 2012).

8. 조사 연구 주제의 변화: 극적인 사회 변화와 복잡성의 증가

서울대학교 사회발전연구소는 지난 50년간 100여 개가 넘는 사회조사 자료를 만들어왔지만, 사회조사를 한다는 것은 매번 그 시점 한국 사회의 가장 중요한 현안들과 그것을 바라보는 학문적 관점을 함께 녹여낸다는 것을 의미한다. 시간과 예산, 그리고 인적 자원의 투입을 가장 효율적으로 이루어냄으로써 한국 사회의 중요한 현안을 제대로 포착하면서 활용도가 가장 높은 자료를 만들어내기 위해 많은 노력을 경주하게 된다. 그렇다면 지난 50년간 만들어진 설문지들은 그 자체로서 당시의 사회상과 학문적 관심을 가장 압축적으로 담고 있는 지식사회학적 연구의 대상이 될 수 있을 것이다. 제9장에서 김석호가 하는 시도가 바로 이것이다. 그는 1960~1970년대에서 2000년대에 이르는 41건의 사회조사 자료에 대한 키워드 네트워크 분석을 통해 '사회발전연구소 조사 연구의 지식 지도'를 만드는 작업을 시도하고 있다.

그의 분석을 통해 드러나는 가장 현저한 두 가지 특징은 한국 사회의 극적인 변화와 복잡성의 증가이다. 우선 극적인 변화는 1960~1970년대의 핵심 키워드와 2000년대의 핵심 키워드가 거의 겹치지 않는다는 점에서 드러난다. 앞 시기에 가장 자주 등장하는 키워드들이 '가족계획', '인구 이동', '주거', '도시 적응', '결혼', '도시'였던 반면 2000년대가 되면 '신뢰', '기관 신뢰', '안전', '국민 정체성', '의료 이용(서비스)', '정치 태도', '단체 참여' 등으로 변하게 된다. 두 시기에 함께 등장하는 핵심 키워드들은 하나도 없다. 이러한 경향은 등장의 빈도뿐 아니라 연결중심성(degree centrality)이나 사이중심성(betweenness centrality)에서 최상위 값을 가지는 키워드들을 비교해보아도 거의 그대로 드러난다. 1960~1970년대 한국 사회의 가장 중요한 이슈들이 도시화나 인구와 같은 전형적인 개발도상국형 문제였던 반면, 2000년대 한국에서는 시민사회의 역할이나 위험사회의 등장과 같은 후기 산업사회의 문제들이 부각되고 있음을 보여주는 결과이다. 김석호의 표현처럼 한국 사회는 이 짧은 기간에 '상전벽해'의 변화를 경험한 것이다.

또 다른 변화는 사회의 복잡성이 증가하고 있는 것이다. 하나의 설문지가 포함하고 있는 키워드의 수는 1960~1970년대 12.09개에서 1980~1990년대 17.33개, 2000년대에는 23.00개로 꾸준히, 그리고 빠르게 늘어나고 있다. 키워드 네트워크 분석에서의 노드 수를 중심으로 보아도 1960~1970년대 142개였던 것이 2000년대가 되면 175개로 늘어난다. 그뿐만 아니라 노드 수가 늘어나면 밀도가 낮아지는 일반적인 경향과 정반대로 키워드 네트워크의 밀도 또한 크게 늘어난다. 즉, 하나의 설문지가 담아야 할 내용이 많아지고, 사회적 삶의 각 부문들은 다른 부문들과 훨씬 더 빈번하게, 그리고 복잡하게 얽혀가고 있다는 뜻이다. 사회조사가 결국은 사회과학 연구의 대상인 사회를 '측정'하는 한 방법이라는 점을 생각할 때, 이러한 복잡성의 증가를 보노라면 장차 사회과학 연구에도 하나의 도전이 제기될 것이라고 예상할 수 있다. 사회과학 연구의 출발점이 되는 측정 자체가 갈수록 어려워지고 있기 때문이다.

9. 사회조사의 국제화

또 다른 도전은 사회조사의 국제화이다. 글로벌리제이션과 더불어 이제 한 사회를 이해하기 위해 이를 다른 사회와 비교하는 것은 필수적인 일이 되었다. 다른 사회들과의 비교를 통해 우리의 객관적 위치를 이해하고, 우리와 비슷한 입장에 처해 있던 다른 사회들이 어떤 선택을 했는지를 파악함으로써 우리 앞에 다가오는 다양하고 새로운 도전들에 대해 학문적 분석과 정책적 대안을 제시할 수 있을 것이다. 이런 점에서 사회조사의 국제화는 피할 수 없는 요청이다. 세계가치관조사(World Values Survey)나 국제사회조사프로그램(International Social Survey Program)처럼 여러 나라를 포괄하는 유용한 조사들이 존재하지만, 이 자료들은 보통 5년 정도의 주기를 가지고 수행될 수밖에 없어서 시의적절한 조사 시점을 선택할 수 없을뿐더러, 이

자료들이 종종 기초하고 있는 서구 사회의 경험 때문에 한국을 비롯한 아시아적 삶의 경험을 제대로 측정하지 못하는 경우들도 생겨난다.

이 때문에 사회발전연구소는 2010년을 전후해 기존의 자료들을 최대한 활용하되, 우리 학계가 중심이 되어 우리의 관점으로 국제적인 비교를 할 수 있는 자료를 만들어내고자 노력했다. 그 첫 번째 결실은 2009년 만들어진 「사회의 질 표준 설문지(Standard Questionnaire for Social Quality: SQSQ)」이다. 서울대 사회발전연구소는 2007년 한국연구재단(당시 한국학술진흥재단)이 지원하는 중점 연구소로 선정되어 최장 9년간의 안정적인 지원을 받을 수 있는 연구 사업을 진행하게 되었고, 그 사업의 주제가 바로 '사회의 질(Social Quality)' 연구였다. 이것은 GDP로 대표되는 양적 성장 위주의 담론에서 벗어나 진정한 사회의 발전을 측정하고 이론화하려는 시도로서, "GDP를 넘어서(Beyond GDP)"를 내세운 OECD의 'Your Better Life Index'나 프랑스 사르코지 대통령의 제안으로 시작된 스티글리츠 위원회의 문제의식과 궤를 같이 하는 것이었다. 2009년 사회발전연구소가 만들고 제안한 SQSQ는 국제 학계에서 즉각적으로 받아들여졌고, 여러 나라의 연구진들이 자발적으로 자신들의 연구비를 가지고 참여해 국제 비교 자료를 구축하는 작업이 이루어졌다. 이 작업에 참여한 국가 및 학자들은 다음과 같다. 대만 국립대학교의 릴리안 왕(Lillian Wang) 교수, 태국 프라자디포크 연구소(King Prajadhipok's Institute)의 타일와디 부리쿨(Thailwadee Bureekul) 박사, 일본 지바 대학교의 아키코 오이시 교수, 호주 플린더스 대학교(Flinders University)의 폴 워드(Paul Ward) 교수, 홍콩 시립대학교(City University of Hong Kong)의 레이먼드 챈(Raymond Chan) 교수, 중국 절강 대학교의 린카(Ka Lin) 교수 등이다. 여러 나라 연구자들의 자발적인 협업으로 구축된 이 자료는 한국 사회과학자료원이 통합과 색인 작업을 맡아서 서비스 하고 있다.

이 첫 번째 시도가 비록 그 역사적인 의미에도 국가별로 완벽하게 표준화된 것은 아니었다는 한계가 있었다면, 2012년 및 그 이후 이루어진 두 번째 사회조사의 국제화 시도는 이 한계들을 거의 극복했다. 2009년 사회발전연구소는 SQSQ의 경험을 바탕으로 장점을 살리고 단점을 보완해 새로운 설문지를 만들고 2012년에 한국을 포함한 5개국에서 조사를 실시했다. 당시 유럽 여러 나라들은 유로존 경제위기의 한복판에 서 있었고, 한국은 대선을 앞두고 복지 정책과 재정 및 경제민주화 등 다양한 정책적 이슈가 활발하게 제기되던 때였다. 경제위기에 가장 큰 타격을 입은 그리스와 이태리, 경제위기에도 불구하고 유럽의 최강자로 부상한 독일, OECD에서 가장 젊은 인구구조를 가지고 높은 성장을 구가하던 터키, 그리고 한국이 비교 대상 국가들이었다. 사회발전연구소는 비교의 맥락을 더욱 다양화하기 위해 2013년과 2014년에 걸쳐 같은 조사를 베트남과 대만에서도 실시했다. 이에 따라 완벽하게 비교 가능한 표준화된 문항들을 가지고 한국, 그리스, 이탈리아, 독일, 터키, 대만, 베트남 등 7개국에서 조사가 이루어졌으며, 이 조사는 사회발전연구소가 처음부터 끝까지 기획하고 주관한 최초의 국제 비교 자료가 되었다.

10. 결론

일곱 개의 하위 분야와 키워드 네트워크 분석을 통해 읽을 수 있는 중요한 추세 가운데 하나는 개인화(individualization)의 경향이다(Beck and Beck-Gernsheim, 2002; Bauman, 2001). 여성들은 결혼과 출산을 둘러싼 경제적 강요나 사회적 규범으로부터 어느 정도 벗어났지만 그들의 선택은 개인의 선택이라는 이름으로 개인에게 떠맡겨지는 삶의 조건들로부터 또 다른 형태의 강력한 제약을 받고 있는 것으로 보인다. 출산 자체가 줄어들 뿐 아니라 출산 시기 또한 갈수록 엄격하게 제한되는 양상 등이 그러하다. 교육은 경쟁에서 이겨 더 높은 곳에 올라가겠다는 비도덕적 가족주의가 그 주된 동력이고, 그 결과 사회적 연대의 자원을 파괴하고 성과주의라는 이름으로 불평등을 재생산하는 양상을 보인다. 고령화의 과정은 지역별로 양극화되어 서울을 비롯한 대도시 중심의 고령화 논의는 이미 오래전부터 심각하게 진행되어온 대부분 지역의 고령화를 외면하고 있고, 그 과정에서 노인 세대 내부의 양극화가 또 다시 진행된다. 도시화의 과정에서 한국의 이웃 공동체에 일어난 가장 중요한 변화는 상층의 이탈이었다. 그들은 지위 경쟁의 대상이자 사회적 교류의 보상이 그리 크지 않은 이웃 공동체에 참여하기보다는 이미 많은 자원을 가진 사람들로만 이루어진 동창회와 같은 연고형 조직들에 참여한다. 이것은 결과적으로 그와 비슷한 자원을 갖지 못한 사람들을 배제하는 결과를 가져온다. 50년에 걸친 노동 레짐의 변화 과정에서 한국의 노동자들은 '연대를 잃어버린 노동자'가 되었다. 연대를 잃어버린 노동자들에게 "남은 생존의 방식은 개인의 도구주의를 힘껏 밀고 나가는 것"이 된다. 지난 반세기 동안 사회적 위험은 현저하게 늘었고, 그 위험은 계층화되었다. 이러한 위험의 계층화 사다리에서 아래쪽에 속하는 사람들은 사회연대에 기초한 위험 분산의 기회로부터도 배제되어 있는 것으로 드러난다. 정보화는 짧은 시간 안에 빠른 사회 변화를 가져왔는데, 사회의 균형추를 회복하는 네트워크된 개인의 역량은 아직 그 단초를 보이고 있을 뿐 본격화되지는 않은 것으로 보인다. 이 모든 것들은 개인화라고 하는 하나의 방향을 가리키고 있다. 급격한 양적 성장 신화의 이면에서 개인들은 갈수록 자신의 삶을 오롯이 혼자 감당해야 하는 변화들을 겪어왔다는 뜻이다. 각자도생의 사회이다.

잊지 말아야 할 것은 이 책에서 드러나는 커다란 사회 변화의 추세들, 즉 개인화, 이중화, 고령화, 위험사회의 등장과 같은 것들이 한국 사회에만 유독 나타나는 병리 현상이 아니라는 점이다. 이것은 이미 여러 선진 자본주의 및 후기 산업사회에서 드러난 현상들이고, 그들은 각기 다른 정치적 선택과 사회적 연대의 수단들을 동원해 여기에 잘 대응해왔거나 혹은 그러한 대응에 실패했다. 『압축성장의 고고학』이 복원해낸 반세기에 걸친 한국인의 삶의 모습과 그 궤적은 이제 우리도 그러한 선택과 수단들을 진지하게 성찰해야 할 때가 되었음을 보여준다. 사회적 삶이 성장의 이면에만 머물 수 있는 세상은 지나가고 있는 것이다.

| 참고문헌 |

구해근. 2002. 『한국 노동계급의 형성』. 서울: 창작과 비평사.

김종엽. 1999. 「국민의 정부 고등개혁 비판」. ≪경제와 사회≫, 43권(가을), 10~42쪽.

서병수. 2011. 「한국의 사회복지 정책과 복지체제 성격의 변화」. ≪사회법연구≫, 16~17호, 63~92쪽.

송호근. 1991. 『한국의 노동정치와 시장』. 서울: 나남.

신광영. 1990. 『생산의 정치와 한국의 노동조합』. 서울: 문학과 지성사.

이재열. 2014. 「중산층이 사라진 서민사회의 등장」. 강원택 · 김병연 · 안상훈 · 이재열 · 최인철. 『당신은 중산층입니까』. 파주: 21세기북스.

이재열 · 남은영. 2008. 「한국인의 사회적 자본: 인맥의 특징과 중간집단 참여효과를 중심으로」. ≪한국사회학≫, 42집 7호, 178~214쪽.

장덕진. 2015. 「한국 사회의 중층적 난제: 이중화, 고령화, 민주주의」. 대화문화아카데미 창립 50주년 대화모임 발표문.

전상인. 2009. 『아파트에 미치다』. 서울: 이숲.

한귀영. 2015. 「이 땅에서 청년으로 산다는 것: 청년의 시선으로 본 한국 사회의 현재와 미래」. 한겨레경제사회연구원 개원 심포지엄 발표문.

홍경준 · 송호근. 2003. 「한국 사회복지 정책의 변화와 지속: 1990년 이후를 중심으로」. ≪한국사회복지학≫, 통권 55호, 205~230쪽.

Bauman, Zygmunt. 2001. *The Individualized Society*. Malden, MA: Polity Press.

Beck, Ulrich and Elisabeth Beck-Gernsheim. 2002. *Individualization*. London: Sage.

Bourdieu, Pierre. 1986. "The Forms of Capital." In J. G. Richardson(ed.). *Handbook of Theory and Research for the Sociology of Education*. New York: Greenwood.

Chang, Dukjin and Bae Young. 2012. *The Birth of Social Election in South Korea, 2010~2012*. Berlin, Germany: Friedrich Ebert Stiftung.

Emmenegger, Patrick, Silja Häusermann, Bruno Palier, and Martin Seeleib-Kaiser. 2011. *The Age of Dualization: The Changing Face of Inequality in Deindustrializing Societies*. New York: Oxford University Press.

Fischer, Claude S. 1982. *To Dwell among Friends: Personal Networks in Town and City*. Chicago: University of Chicago Press.

Kim, Dongno. 1990. "The Transformation of Familism in Modern Korean Society: From

Cooperation to Competition." *International Sociology*, Vol. 5, No. 4, pp. 409~425.

Lee, S. and Naohiro Ogawa. 2011. "Labor Income over the Lifecycle." in Ronald Lee and Andrew Mason(eds.). *Population Aging and the Generational Economy: A Global Perspective*. Northampton, MA: Edward Elgar.

Mazlish, B. 1993. "An Introduction to Global History." in B. Mazlish and R. Buultjens(eds.). *Conceptualizing Global History*. Boulder: Westview Press.

Parsons, Talcott. 1951. *The Social System*. New York: The Free Press.

Shapiro, Carl and Hal R. Varian. 1998. *Information Rules: A Strategic Guide to the Network Economy*. Boston, Mass.: Harvard Business School Press.

Shavit, Y., R. Arum and A. Gamoran. 2007. *Stratification in Higher Education: A Comparative Study*. Stanford: Stanford University Press.

Taylor-Gooby, P. 2004. "New Risks and Social Change." in P. Taylor-Gooby(ed.). *New Risks, New Welfare*. Oxford: Oxford University Press.

Wirth, Louis. 1938. "Urbanism as a Way of Life." *American Journal of Sociology*, Vol. 44, No. 1, pp. 341~353.

제2장

반세기에 걸친 결혼, 출산, 태아 사망의 변화

김현식(경희대학교 사회학과)

1. 서론

한국전쟁 후 60여 년이 지나는 동안 한국은 정치, 경제, 사회, 문화의 모든 면에서 격동의 시기를 거쳤다. 정치적으로는 독재와 민주주의를 오갔으며, 경제적으로는 1인당 국내총생산이 1953년의 2000원(2010년 기준 환산 시 약 80만 원)에서 2013년의 2800만 원으로 대폭 성장했다(통계청, 2015). 사회적인 측면에서 볼 때 1950년대만 하더라도 연애 없이 중매에 의한 결혼이 지배적인 혼인 방식이었으나, 오늘날에 이르러서는 이러한 결혼이 주변적인 위치로 밀려났다(이해영 외, 1967). 문화적인 측면에서는 1950년대까지만 해도 손 편지와 전보가 중요한 정보 전달 수단이었으나, 2015년 현재에는 누구와도 원하는 때 대화할 수 있는 스마트폰과 전자우편이 광범위한 의사소통의 중심으로 자리 잡았다. 손으로 쓰던 기존의 편지는 '손 편지'라고 따로 적어야 하는 시대가 된 것이다.

사회 전반에 걸쳐 진행된 이러한 거대한 변화의 추동력은 인구의 변화였다고 해도 과언이 아니다(권태환 · 김두섭, 2002; Kwon, 2003). 인구 및 주택 총조사 기준으로 1955년 약 2500만 명이었던 총인구수는 2010년 거의 두 배에 이르는 약 4800만 명을 기록했다. 출산력을 보는 중요한 지표 가운데 하나인 합계출산율(한 여성이 평생 동안 낳을 수 있는 자녀의 수)을 보면 1960년에 6.0이던 수치는 2014년에 1.2를 기록했다(통계청, 2015; Kwon, 2003). 또 다른 인구학적 주요 지표인 기대 수명(출생 시 생존할 것으로 기대되는 평균수명)은 1960년에 55.3세에 지나지 않았으나 2013년에는 81.9세에 이르고 있다. 인구학에서 마지막 축으로 중요하게 다루어지는 국제 인구 이동에 대한 지표를 살펴보면, 1960년에서 1965년까지는 28만 명의 순 유출이 이루어졌으나 2010년에서 2015년까지는 30만 명의 순 유입이 이루어져 인구 송출 국가에서 유입 국가로의 전환이 이루어졌다(United Nations, 2015).

이러한 변화 속에서 과거와 현재를 비교하는 것은 과거의 모습을 그려볼 수 있다는 측면에서뿐 아니라 현재 상태의 근원을 이해하고, 현재 상태와 다른 모습을 통해 현재를 성찰하며, 나아가 미래의 모습을 예견해볼 수 있다는 점에서 매우 중요한 일이다. 이러한 목적에서 이 장은 오래되지 않은, 하지만 잊혀져가고 있는 과거의 자료와 우리가 살아가고 있는 현재의 자료를 비교하고 분석해, 한국 사회에서 어떠한 변화가 있었는지를 기술한다. 물론 필자가 얻은 자료만을 분석하고 정리하는 것으로도 수 권의 책을 쓸 수 있는 정보가 있지만, 이 책에서는 출산과 관련된 몇 가지 현상을 비교분석한다. 출산과 관련된 몇 가지 행위에 초점을 맞추는 것은 출산력이 인구학 분야에서 가장 중요한 위치를 차지하고 있기도 하고, 자료로부터 얻을 수 있는 정보가 많기 때문이기도 하지만, 무엇보다 큰 이유는 한국 사회에서 출산력의 변화가 가장 컸고 현재 한국이 초저출산이라는 늪에서 헤어나지 못하고 있기 때문이다(Eun, 2007; Kim, 2014, 2015a). 이러한 상황에서 초고출산 시대의 출산 관련 행위를 현재의 출산 관련 행위와 비교하면 여러 가지 시사점을 얻을 수 있을 것으로 기대한다.

물론 이 연구가 이러한 관심에서 통시적인 비교분석을 실시한 최초의 연구는 아니다. 예를 들어 신창우 · 이삼식 · 이난희 · 최효진의 2012년 연구는 이 글과 매우 유사한 맥락에서 이루어진 연구로 1974년부터 2009년까지 정부 주도 아래 이루어진 광범위한 조사를 활용해 출산 행위 및 가치관을 시계열적으로 비교분석하고 있다(신창우 외, 2012). 또한 한국 인구학에 대한 개론서들이나 개괄적인 소개 글은 기본적으로 시대적인 변화 흐름을 기술하고 있다(권태환 · 김두섭, 2002; 김두섭, 2014; Kwon, 2003). 하지만 그럼에도 이 연구는 여러 가지 면에서 기존 연구들과 차별적인 분석 및 연구 결과를 제시한다. 무엇보다 자료의 문제와 관련해 현존하는 가장 오래된 조사를 현대의 자료와 비교분석함으로써 비교 시기를 확장하고 있다. 또 결혼과 관련해 재혼의 비율이나 태아 사망의 요인 분해와 같이 기존 연구들에서는 잘 다루어지지 않았던 연구 대상들을 포함시켰다. 마지막으로 지적하고 싶은 것은 특정 사건까지의 시간을 분석하는 기법인 생존 분석(survival analysis)을 활용해 자료를 분석한 후 최대한 이해하기 쉬운 그림으로 그 결과를 제시했다는 점이다.

이러한 맥락에서 이 장은 1965년, 1974년, 2005년에 수집되었던 횡단 자료를 통해 이들 세 시기를 관통하는 기혼 여성의 결혼, 자녀 출산 및 태아 사망 경험의 변화를 비교분석한다. 조금 더 세부적으로 기술하면, 3절에서는 기혼 여성의 재혼 상태별 분포와 초혼 및 이혼, 재혼 경험의 변화를 살펴보고, 4절에서는 전체 출생 자녀 수를 비롯해 아들 수 및 딸 수의 분포를 통해 출산율의 변화를 그려본다. 이때 전체 자녀 수를 아들 수와 딸 수로 분해해봄으로써 한국 사회에서 관심의 대상이었던 아들 선호에 대해 다시 한 번 생각해본다. 5절에서는 출산력과 밀접한 관련이 있는 태아 사망에 대해 기술하며 전체 태아 사망에 더해 그 구성 요인인 사산과 유산에 대해 살펴보고 특히 유산의 경우 자연유산과 인공유산으로 분해해 그 변화를 추적함으로써 풍부한 함의를 얻는다.

곧 이어질 2절은 이 장에서 활용하는 자료에 관한 기술이다. 모든 학문이 다 그렇지만 인구학은 사회 이론에 대한 학문인 동시에 자료의 학문이다. 실제 자료를 통해 어떠한 주장을 할 수 있을 것인가, 또는 어떠한 주장을 할 수 없는가를 될 수 있는 한 상세하게 적시하는 것이 학문적 오류를 줄이고 불필요한 오해를 막는 초석이라고 믿는다. 이런 면에서 이 연구에서 사용하는 자료의 특성에 대해 상세하게 기술해 앞으로 제시될 결과의 해석에 있어 주의를 환기시킬 필요가 있다. 그렇게 함으로써 이 연구의 결과에 대한 적절한 이해를 돕고 향후 필요한 연구에 대한 밑그림을 그려볼 수 있을 것이다. 물론 결과를 살펴보는 절에서도 필요할 때마다 해석에 있어서의 주의를 환기시킬 것이다.

마지막 절에서는 이 글의 주요 발견을 요약, 정리한다. 이에 더해, 이 연구에서 나타난 발견을 더 심도 있게 이해하기 위해 필요한 향후 연구를 제안한다.

2. 연구 자료 및 특성

이 연구에서는 다음의 세 가지 자료를 분석한다. ① 1965년에 이루어진 『1차 한국 중간도시(이천읍)의 차별 출산율 조사』(이해영 외, 1967; 이해영·권태환, 1968), ② 1974년에 수집된 『2차 한국 중간도시(이천읍)의 차별 출산율 조사』(Kwon et al., 1977), ③ 2005년에 행해진 『2005년도 전국 결혼 및 출산 동향조사』(이삼식 외, 2005). 첫 자료인 1965년 조사는 서울대학교 인구연구소(현재 사회발전연구소) 이해영 교수의 주도하에 경기도에 위치한 이천이라는 중간도시에서 이루어졌다. 이 조사는 그 제목이 시사하는 것처럼 당시 한국의 출산력 전반과 다양한 사회경제적 요인에 따른 차별 출산력을 알아보고자 실시되었다. 이 조사는 한국에서 처음 이루어진 본격적인 출산력 조사로서의 의미를 가지고 있다(이해영 외, 1967; 이해영 · 권태환, 1968). 물론 이 조사 이전인 1964년에 『전국 가족계획 실태 조사』라는 정부 주도 조사가 실시되기는 했으나, 이는 가족계획 사업을 평가하기 위해서 이루어진 조사이지 가구 단위의 출산력 조사로 볼 수는 없다(신창우 외, 2012). 또한 정부 주도 조사들의 원자료는 대부분 유실되어 현재까지 전해지는 사용 가능한 자료 중 가장 오래된 것은 1974년의 『한국 출산력 조사』이다. 이런 점에서 개인 수준 자료까지 복원된 1965년 자료는 한국의 인구학사(人口學史)에서 가장 중요한 의미를 갖는 자료라 할 것이다.

인구 및 발전 문제 연구소로 확대 개편된 인구연구소에서 실시한, 1974년의 2차 출산율 조사는 "우리나라의 사회 · 경제적 발전에 따른 인구학적 변동의 실태를 연구하고 두 시기 사이의 비교 연구 필요를 느껴"(Kwon et al., 1977: 65) 이루어졌다. 두 번째 조사는 첫 번째 조사와 비교 연구를 위해 실시된 것이기 때문에 동일한 질문들이 많이 들어 있다. 이런 점에서 1965년 자료와 상호 보완되기 때문에 2005년 자료와 비교해 초고출산력을 보인 과거에 어떠한 출산력 관련 행위가 이루어졌는지를 살펴보기에 매우 좋은 자료이다. 마지막 조사는 한국보건사회연구원 이삼식 연구위원의 주도 아래 2005년 전국 단위에서 실시된 조사로 결혼과 출산에 대한 다양한 태도 및 가치, 행위에 대한 정보를 수집했다(이삼식 외, 2005). 유사한 시기에 실시된 다른 조사들도 있지만 1965년부터 40년의 기간을 맞추기 위해 2005년 조사를 선택했다.

세 자료를 비교 가능하도록 만들기 위해 다음과 같은 사례 선택 과정이 진행되었다. 첫 조사인 1965년 자료와 1974년 자료는 기혼 여성만을 대상으로 사례 수집이 이루어졌기 때문에 이를 맞추기 위해 2005년 자료에서도 응답 시 기준으로 기혼 상태에 있는 여성만을 선택했다. 또한 각 조사 연도에서 출생 연도를 빼 계산한 응답 시 연령을 살펴보면 1965년과 2005년 자료는 21세부터 45세까지 분포되어 있는 데 반해 1974년 자료는 그 이외의 연령대를 포함하고 있어, 모두 21세부터 45세까지의 연령대에 속한 여성만을 분석 자료에 포함했다.

향후 이루어질 분석에서는 흔히 사건사 분석(event history analysis)이라고도 알려진 생존 분석 기법을 광범위하게 사용하는데 이 기법을 적용하는 과정에서 가장 핵심적인 개념은 특정 사건이 발생할 위험에 처해 있는 사례를 뜻하는 위험집단(risk set)이며, 핵심 변수는 특정 사건이 발생하기까지의 시간이다(Cleves et al., 2004; Klein and Moeschberger, 2003). 예를 들어, 둘째 자녀 출산에 대한 분석에서는 둘째 자녀를 낳을 위험(hazard)에 처해 있는 사람을 구별해내야 하는데, 이때 연구 대상은 모든 여성이 아닌 첫째 자녀를 출산한 여성이어야 한다. 또한 분석 시간은 첫째 자녀를 출산한 이후 둘째 자녀를 출산하기까지 걸리는 시간이 된다. 이 경우에서 생각할 수 있는 것처럼 월 단위로 시간을 측정하면 한층 더 많은 정보를 가지고 자세하게 분석할 수 있을 것이므로 월 단위로 시간을 측정하는 것이 바람직해 보인다. 하지만 1965년과 1974년 자료에서는 응답 시 재혼인 경우 초혼의 월을 측정하지 않았기 때문에 이하의 모든 분석에서는 연 단위로 측정을 했다.

이런 이유로 생년과 결혼 연도에 대한 정보는 매우 중요하다. 따라서 이들에 대한 정보 없이 결측값으로 처리되어 있는 사례는 모든 분석에서 제외했다. 이 연구의 연구 대상은 기혼자라는 것에 비추어, 적어도 한 번의 이혼 경력이 있으면 재혼 경력이 있어야 한다는 원칙에 근거해 이혼 연도에 대한 정보가 있으면 재혼 연도에 대한 정보 또한 있는 사례만 분석에 사용했다.

이렇게 다양한 기준에 의거해 분석 자료를 만든 후 분석을 진행했다. 〈표 2-1〉은 기존 문헌을 통해 알아낸 조사 당시 응답자 수와 현재까지 유실되지 않고 남아 있는 원자료의 사례 수 및 위에서 기술한 조건을 충족해 분석 자

〈표 2-1〉 조사 당시 응답자 수 및 원자료와 분석 자료의 사례 유지율

	1965년		1974년		2005년	
	사례 수	유지율	사례 수	유지율	사례 수	유지율
조사 사례 수	2,024	(100.0)	3,194	(100.0)	3,802	(100.0)
원자료 사례 수	1,954	(96.5)	3,071	(96.1)	3,802	(100.0)
분석 자료 사례 수	1,950	(96.3)	1,230	(38.5)	3,589	(94.4)

료에 포함된 사례 수에 더해 조사 당시 응답자 수 기준 사례 유지율을 보여주고 있다.

〈표 2-1〉을 보면 1965년의 원자료 유지율은 96.5%이고, 분석 자료 유지율은 96.3%에 달해 매우 높은 유지율을 보유하고 있음을 알 수 있다. 이에 반해 1974년의 경우는 원자료 유지율이 96.1%로 매우 높지만, 분석 자료 유지율은 38.5%로 절반에도 미치지 못하고 있다. 이는 1974년 자료에 있는 초혼의 경우 반 이상이 초혼 연도에 대한 정보가 없었기 때문이며 이는 원자료를 보관하는 과정에서 소실된 것으로 판단된다. 이렇게 매우 많은 사례가 누락될 경우 자료에 대한 신뢰성에 문제가 생길 수 있기 때문에 독자들은 향후 결과를 해석할 때 주의할 필요가 있다. 마지막으로 2005년의 분석 자료 유지율은 94.4%나 되어 대표성이 뛰어난 것을 볼 수 있다. 또한 2005년의 유지율이 1965년의 유지율에 비해 상대적으로 낮은 것을 볼 수 있는데 이는 2005년의 조사에 현재 기혼자가 아니지만 과거에 기혼자였거나 자녀를 낳은 경험이 있는 여성들이 포함되어 있기 때문이라는 점을 덧붙인다. 만약 기혼자라는 사례 선별 공통 기준을 무시하고 자료를 선별했다면 2005년의 사례 수는 3,800명으로 거의 100%의 유지율을 보인다. 이렇듯 1965년과 2005년의 자료는 유지율이 매우 높기 때문에 향후 분석이 조사 당시의 자료를 대표하는 것으로 간주해도 문제가 없을 것으로 보인다.

〈그림 2-1〉 자료의 특성: 출생 연도 및 응답 시 연령 분포

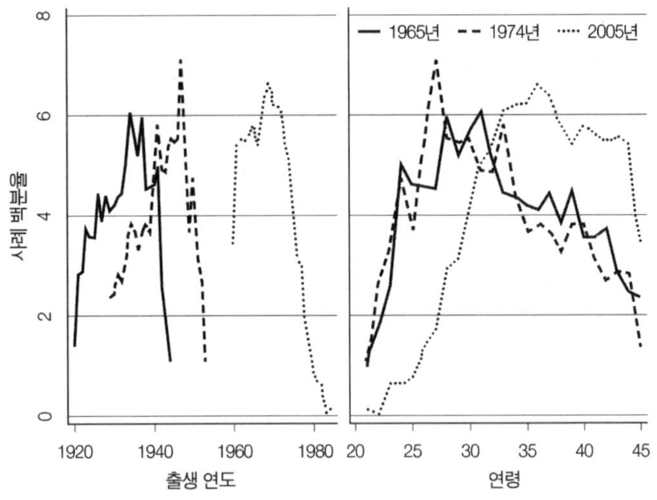

분석에 포함된 사례들의 특성을 살펴보기 위해, 〈그림 2-1〉에 분석 자료에 포함되어 있는 사례들의 출생 연도와 응답 시 연령 분포를 보여주었다.

〈그림 2-1〉에서 사례의 출생 연도를 보여주는 왼쪽 그림을 보면 1965년 자료와 1974년 자료에는 출생 연도에 상당히 겹치는 부분이 있지만 2005년 자료는 겹치는 출생 연도가 존재하지 않아 완전히 다른 해에 태어난 사례들이라는 것을 알 수 있다. 조금 더 자세히 살펴보면 분석 자료는 조사 당시 21세부터 45세까지의 사례를 담고 있기 때문에, 1965년 자료는 1920년부터 1944년 사이에 태어난 여성들로 이루어져 있고, 1974년 자료는 1929년부터 1953년까지 태어난 사례로 이루어져 있으며, 2005년 자료는 1960년부터 1984년까지 태어난 사례가 포함되어 있다. 이런 점에서 선행하는 두 자료와 마지막 자료를 비교하는 것은 어느 면에서 완전히 다른 코호트(cohort) 집단을 비교하는 것으로 이해할 수 있을 것이다.

이에 반해 각 자료의 연령 분포를 보여주는 오른쪽 그림을 보면 두 가지

특징이 눈에 뜨인다. 우선 1965년과 1974년 자료는 각 연령에서 나타나는 세부적인 차이를 논외로 한다면 전체적인 측면에서 유사한 연령 분포를 보이고 있다. 즉, 20대가 가장 많은 사례를 이루고 있으며 고령으로 갈수록 줄어들고 있는 모습이다. 이에 반해 2005년 자료의 연령 분포는 이전 조사들과 상당히 다른 형태를 띠고 있어 20대는 적은 반면 30대 후반과 40대가 가장 많은 분포를 보이고 있다. 이러한 연령 분포의 차이에는 사례 표집의 문제를 논외로 한다면 한국의 출산력 및 사망력 변천과 혼인 연령의 변화가 기혼 여성이라는 분석 대상에 복합적으로 투영된 것으로 판단된다.

앞의 두 시기 조사들에 포함된 사례의 여성들은 높은 출산율과 높은 사망률이 안정적으로 유지되던 시대에 태어나고 살았으며, 어린 나이에 결혼을 하는 조혼이 광범위하게 퍼져 있던 시기를 겪었다(이해영 외, 1967; Kwon, 2003; Kwon et al., 1977). 따라서 젊은 여성들이 혼인 상태로 진입했으나 높은 사망률로 인해 연령이 올라갈수록 인구수가 줄어 젊은 연령대의 사례가 많은 것으로 생각된다. 이에 반해 2005년의 자료에 속해 있는 사례들은 출산율이 급속도로 하락하고, 사망률이 하락하는 사망력 변천이 끝나는 시대를 살았기 때문에 높은 연령대의 인구가 많다. 또 조혼의 관습이 없어지고 여성의 교육 수준과 노동시장 참여율이 높아지는 사회 환경 속에서 결혼 연령이 높아져서 20대 사례 수가 상대적으로 적게 나타난 것으로 볼 수 있다.

3. 결혼과 이혼, 그리고 재혼

이 글의 분석에 포함된 사례들은 모두 기혼자라는 것을 염두에 두었을 때, 그렇다면 이들의 혼인 상태가 첫 번째 결혼으로 인한 것인지, 두 번째 결혼으로 인한 것인지, 아니면 그보다 많은 결혼 순위로 인한 것인지 살펴

〈표 2-2〉 응답자의 재혼 상태

	1965년		1974년		2005년	
	사례 수	백분율	사례 수	백분율	사례 수	백분율
초혼	1,804	(92.5)	1,141	(92.8)	3,530	(98.4)
재혼	138	(7.1)	79	(6.4)	59	(1.6)
삼혼	8	(0.4)	10	(0.8)	0	(0.0)
합계	1,950	(100.0)	1,230	(100.0)	3,589	(100.0)

보는 것은 결혼에 대한 사회상의 변화를 살펴보는 데 있어 매우 중요한 단초를 제공해줄 것이다. 이러한 맥락에서 응답자들의 재혼 상태를 〈표 2-2〉에 정리했다.

응답자들의 초혼 비율을 보면 1965년과 1974년은 각각 92.5%와 92.8%를 이루고 있으나 2005년이 되면 그 비율이 높아져 98.4%에 이른다. 이는 반대로 말하면 2005년의 자료와 비교할 때 1965년과 1974년 자료에서 재혼 이상의 비율이 상대적으로 높다는 것을 의미한다. 또 다른 특징으로는 이전 두 시기 자료에는 삼혼 사례가 있는 데 반해 2005년에는 삼혼 사례가 없다는 점을 들 수 있다. 언뜻 보기에 이러한 결과는 한 명의 남편에게 일생을 바치는 일부종사와 여필종부(女必從夫)를 강조하는 유교의 영향으로 인해 전통적인 한국 사회에서 이혼 및 재혼 이상의 사례가 상대적으로 적은 반면, 최근으로 올수록 여성의 독립성 및 여권의 신장, 자유연애 및 성적 자기결정권 개념의 확산으로 이혼 및 재혼에 대해 관대해졌을 것이라는 일반적인 예상과 상당히 배치된다(나성은, 2015). 또한 1965년 0.3이었던 조이혼율이 지속적으로 증가해 2005년 2.6을 기록했다는 기존의 자료들과도 일치하지 않는 경향이 있다(변화순, 2002; 통계청, 2015). 따라서 이러한 결과가 나온 원인에 대해 좀 자세히 생각해볼 필요가 있다.

초혼의 비율이 2005년 자료에서 상대적으로 적게 나온 첫 번째 원인은 자료의 문제를 들 수 있다. 자료의 문제와 관련해서도 여러 다양한 가설이 있을 수 있는데, 우선 표집의 문제를 생각해보자. 예를 들어, 2005년의 자료에 비해 이전 두 연도의 자료는 재혼 이상의 사례들이 과도하게 대표되어 있어 사례들의 표집이 대표적이지 않다는 주장을 할 수 있다. 하지만 재혼 이상의 여성들은 초혼 여성들보다 불리한 사회경제적 환경에 놓여 있을 가능성이 높아 응답률이 떨어질 것이고, 따라서 유교적 이념이 더 강한 과거에는 이들의 응답률이 더 낮았을 것이라는 통상적인 관념에 비추어 전자의 여성들이 과도하게 대표될 가능성이 적기 때문에 이러한 차별적 표집 문제는 실제 자료를 잘 설명하는 가설은 아니라고 생각된다.

유사한 맥락에서 1965년과 1974년 자료는 이천읍이라는 농촌의 성격을 강하게 띤 중간도시의 사례를 조사한 반면 2005년 자료는 한국 전체를 대표하는 자료를 수집했기 때문에 〈표 2-2〉에 제시된 결과는 농촌과 도시의 차이를 반영하는 것으로 판단할 수 있다. 하지만 농촌에서는 이혼율이 낮고 재혼율이 높으며, 반대로 도시지역에서는 이혼율이 높고 재혼율이 낮다는 기존 연구에 근거하면 도농 간의 차이라고 판단하기 어렵다(서문희, 1993). 자료의 문제와 관련해서 제기해볼 수 있는 또 다른 가설은 2005년의 사례들이 기혼자들만을 포함하고 있기 때문에 나타날 수 있는 결과라는 것이다. 즉, 2005년을 살고 있는 모집단에는 결혼 및 이혼에 관해 자유로운 생각을 가지고 있는 많은 사람들이 있고 이것이 지배적인 사회적 가치여서 초혼 후 이혼을 한 인구는 많지만 재혼을 하지는 않은 여성이 상대적으로 더 많고, 이들은 분석 자료에 포함되지 않기 때문에 자료에 왜곡이 일어났다는 가설이 있을 수 있다. 이러한 가설은 1965년의 원자료가 기혼자를 대상으로 했기 때문에 여기에서 더 이상 살펴볼 수 없는 가설로, 향후 이러한 가능성을 고려하는 후속 연구가 필요하다.

넓은 의미에서 자료의 문제와 연관되는 것으로 선택적 결혼의 문제를 생각해볼 수 있다. 즉, 2005년 자료에 포함된 사례들은 사회경제적 조건이라는 측면에서 이혼하지 않을 가능성이 높은 여성들만 결혼을 했기 때문에 이혼하고 재혼하는 비율이 낮다는 가설이 있을 수 있다. 이에 반해 전통적인 한국 사회에서는 모든 사람들이 결혼해 자녀를 출산하고 가족을 형성하는 것이 지배적인 가치이기 때문에 모든 여성들이 결혼하고, 상대적으로 낮은 비율이 이혼을 한다고 하더라도 결혼한 사람들의 규모 자체가 크기 때문에 이혼하고 재혼하는 여성들이 많을 수 있다. 이러한 가설을 더 살펴보기 위해서는 전체 인구에서 결혼하고 이혼한 사람들의 비율을 살펴보는 것이 필요하지만 이 또한 현재의 자료로 해결할 수 없기 때문에 향후 연구되어야 할 부분으로 남는다.

앞서 제기한 가설들은 전통 사회가 현대로 넘어오면서 보수적인 유교 사회에서 자유로운 결혼관이 널리 퍼진 사회로 이행한다는 관점에 근거해 자료의 문제를 제기하는 관점이라고 볼 수 있다. 이에 반해 적어도 1960년대와 1970년대는 2005년으로 대표되는 현대사회보다 결혼과 이혼에 대해 더 자유롭게 받아들였다는 가설이 있을 수 있다. 당시는 사망률이 높았기 때문에 젊은 나이에 사별하는 여성이 많았고, 특히 2차 세계대전과 한국전쟁을 거치면서 사회정치적인 측면에서 급격한 변동을 겪었기 때문에 자발적이지 않은 초혼 해소가 많이 발생하고, 이런 이유로 재혼에 대해 엄격한 금지가 생각보다 심하지 않았을 것으로 추측해볼 수 있다. 초혼 소멸 원인에 대한 분포를 살펴봄으로써 이러한 가설이 올바른지 엿볼 수 있을 것이라는 판단하에 〈표 2-3〉에서는 초혼 소멸 원인에 따른 분포를 제시했다.

이 표를 보면 1965년과 1974년에는 행방불명 및 기타에 대한 질문이 들어 있어 당시의 격동하는 사회경제적인 상황으로 인해 발생하는 초혼 소멸을 반영하고 있다. 또한 사별로 인한 초혼 소멸이 2005년에 비해 상대적으로 높은 비율을 보이고 있는 바 이는 높은 사망률과 전쟁으로 인해 배우자

〈표 2-3〉 초혼 소멸 원인

	1965년		1974년		2005년	
	사례 수	백분율	사례 수	백분율	사례 수	백분율
초혼 유지	1,804	(92.5)	1,141	(92.8)	3,530	(98.4)
초혼 소멸	146	(7.5)	89	(7.2)	59	(1.6)
- 이혼 및 별거	59	(3.0)	36	(2.9)	46	(1.3)
- 사별	70	(3.6)	43	(3.5)	13	(0.4)
- 행방불명 및 기타	17	(0.9)	10	(0.8)	0	(0.0)
합계	1,950	(100.0)	1,230	(100.0)	3,589	(100.0)

사망의 경우가 많았다는 사실을 보여준다. 따라서 이러한 초혼 소멸이 상대적으로 높은 비율을 차지한다는 것은 앞서 제시한 가설을 지지하는 것이다. 이렇게 인구학적이고 사회정치적인 상황이 상대적으로 높은 초혼 소멸 원인을 차지하고 있으나 이 부분들이 모든 차이를 설명하는 것 같지는 않다. 〈표 2-3〉을 다시 읽어보면 1965년과 1974년 자료에서 이혼과 별거로 인한 초혼 소멸이 3.0%로 2005년 1.3%에 비해 두 배나 높아 여전히 높은 비율을 차지하고 있다. 이러한 수치는 과거의 사회에서 이혼이나 별거에 대해 상대적으로 쉽게 생각했고 실제로도 더 많이 발생하는 일이었다는 것을 암시한다. 따라서 엄격한 유교적 가치하에 이혼과 재혼을 규제했을 것이라고 여겨지는 과거에도 이러한 일이 빈번하게 발생했다는 가설은 여전히 유지되는 것 같다.

이렇듯 〈표 2-2〉에 대한 결과의 해석상에 매우 다양한 가설이 제기될 수 있으며, 이러한 가설들은 현재의 자료로는 증명할 수 없는 것들이 더 많다. 하지만 그럼에도 앞서 제기한 가설들은 한국 사회의 결혼 및 이혼 가치관의 변화를 이론적으로 설명하고자 시도하는 매우 중요한 것들이다. 향후 이 분야에 관해 풍부한 자료가 발견 또는 개발되고 더 많은 연구가 더 이루어져서 여기에서 해소할 수 없었던 궁금증을 풀 수 있기를 희망한다.

결혼에 대해 연구할 때 자료를 분석하는 도구 중 하나는 생존 분석 혹은 사회과학에서 사건사 분석이라고 알려진 방법이다. 이것은 특정한 사건이 일어나기까지의 시간을 분석하는 방법인데, 특히 우측 절단(right censoring)이 광범위하게 발생하는 자료를 분석하기에 가장 적절한 방법으로 알려져 있다(Cleves et al., 2004; Klein and Moeschberger, 2003). 이 글의 분석에 대한 이해를 돕기 위해 어렵고 기술적인 부분을 제외하고 초혼이라는 사건을 분석한다는 가정 아래 생존 분석을 간단히 설명해보도록 하자.

생존 분석에서 가장 중요한 개념은 특정 사건이 발생할 위험에 놓인 사람들과 그렇지 않은 사람들을 구분해 사건이 발생할 위험에 놓인 사람들을 위험집단으로 묶는 것이다. 비록 현대사회에서는 조혼이 사라지고 초혼 연령이 높아지는 경향이 있으나 모든 사람은 태어나면서부터 초혼이라는 사건을 겪게 될 가능성이 있다. 따라서 초혼이라는 사건에서 위험집단은 아직 결혼을 하지 않았으나 결혼할 가능성이 있는 모든 사람이 된다. 이런 면에서 초혼이라는 사건이 발생하기까지의 시간은 태어나면서부터 특정 시기까지의 시간을 의미하는 연령이 가장 적절한 분석 단위일 것이다.

하지만 특정 시점, 예를 들어 1965년에 자료를 수집하게 되면 어떤 사람들은 초혼을 한 상태에 있고 어떤 사람들은 초혼을 겪지 않았을 것이다. 전자의 경우는 초혼 연령에 대한 정보를 활용해 초혼할 때까지는 초혼 위험집단으로 분류하고 초혼을 한 이후에는 위험집단에서 제외하게 된다. 하지만 후자의 경우 조사 시점까지의 연령은 있으나 조사 시점이 지나 언제 초혼을 하게 될지는 알 수 없다. 그렇지만 이들이 죽지 않고 계속해서 산다면 언젠가는 초혼을 하게 될 것이라는 가정이 비현실적인 것은 아니다. 이처럼 특정 시점까지 사건이 발생하지는 않았지만 미래의 언젠가 사건이 발생할 것이라고 가정할 수 있을 때 이를 우측 절단이라고 정의한다. 이렇게 우측 절

〈그림 2-2〉 미혼에서 초혼으로의 이행

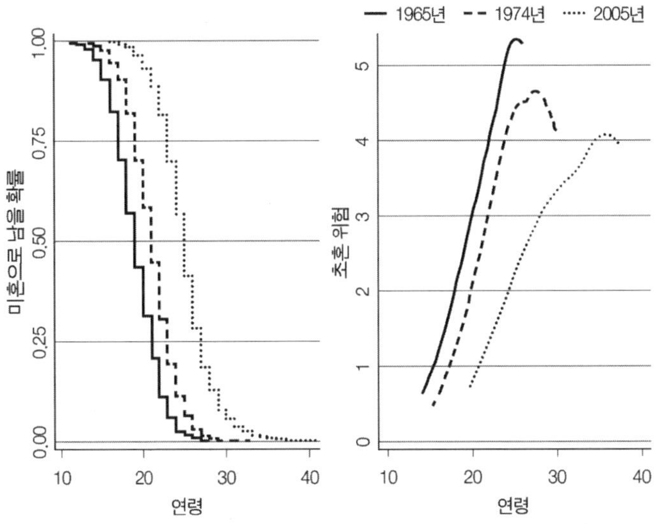

단된 사례의 경우는 조사 시점의 연령까지 위험집단에 넣고 그 이후의 연령에서는 위험집단에서 제외함으로써 특정 연령에서 얼마나 많은 사건이 발생하는지 계산할 수 있다.

생존 분석으로 계산할 수 있는 다양한 통계가 있으나 아마도 가장 널리 사용하는 측정치 중 하나는 생존 함수(survival function)일 것이다. 생존 함수는 그 명칭이 함축하고 있는 것처럼 분석 시간이 지나면서 얼마나 많은 사람들이 사건을 겪지 않고 남아 있는가를 보여준다. 이러한 개념에 근거해 〈그림 2-2〉의 왼쪽에는 초혼이라는 사건을 겪을 생존 함수를 그림으로 보여주는 카플란-마이어 곡선(Kaplan-Meier curve)을 제시했다.

〈그림 2-2〉의 초혼 생존 곡선을 보면, 1965년의 생존 곡선을 보여주는 하나의 곡선이 연령을 나타내는 x축을 따라 오른쪽으로 이동한 것처럼 보인다. 예를 들어, 미혼으로 남을 확률이 0.5였던 지점이 1965년에는 20세가 조금 못 되는 연령이었으며 1974년에는 20세 정도였다가 2005년에는 25세

가 되는 것을 볼 수 있다. 이는 각 연도의 기혼자를 대상으로 조사한 현재 자료의 맥락에서 응답자들 중 반 이상이 초혼을 한 연령을 나타내는 것으로 해석할 수 있다. 또한 모든 연도에서 미혼으로 남을 확률이 종국에는 0으로 나타나는 것을 볼 수 있다. 이는 분석 사례로 포함된 사례들이 모두 초혼의 경험이 있어서, 혹은 반대로 초혼의 경험이 없는 사례가 하나도 없어서 미혼으로 남을 확률이 0이기 때문이다. 전체적으로 동일한 생존 곡선이 오른쪽으로 이동한 왼쪽의 그림은 40년 사이에 초혼 연령이 상당히 증가했음을 보여주고 있다.

생존 곡선은 위험에 처한 시간부터 특정 시간까지의 생존 확률을 보여주기 때문에 특정 시점까지의 모든 위험을 누적해서 보여주는 통계 값이라고 볼 수 있다. 이런 점에서 특정 시점에서의 전환 위험을 보여주기에는 한계가 있는데 이를 살펴보는 것이 위험 함수(hazard function)이다. 엄밀한 의미에서는 문제가 있겠지만 단순하게 표현하면, 위험 함수는 특정 시점까지 사건을 겪지 않았다고 할 때 한 단위 기간에 얼마나 많은 사례들이 사건을 겪게 되는가를 나타낸다. 예를 들어, 19세에서 20세까지 위험이 2라고 한다면 이 1년 사이에 두 명이 초혼을 하게 되었다는 것을 의미한다. 이때 주의할 것은 위험을 모두 더했을 때 특정 분석에 있어서의 사례 수가 나오는 것이 아니며, 위험은 각 자료의 사례 수가 다름에도 불구하고 표준화된 위험을 나타내는 값이라는 사실이다. 이런 점에서 위험은 해석하기 어려운 값 중의 하나인데 이를 해석하는 한 가지 방법은 다음과 같다.

특정 시점에서 아직까지 사건을 겪지 않고 남아 있는 사례의 절반이, 혹은 두 명 중 한 명 정도로 그 시간에 사건을 겪게 되면 위험은 0.693 정도의 값을 가지며, 네 명 중 한 명, 즉 4분의 1 정도가 사건을 겪게 되면 위험은 0.288 정도가 된다. 실제 특정 시간에 있어서 위험은 -ln(1-1/n)의 값으로 나타낼 수 있는데 ln은 자연 대수이며 n은 n명 중 한 명으로 나타낼 때 사용되는 것으로, 사건 위험에 처한 전체 사례 수를 나타낸다. 이를 반대로 생각해보면 위험 값이 주어졌을 때 얼마나 높은 비율이 사건을 겪는지 알 수 있다. 즉, 위험을 h라고 표현한다고 하면 h=-ln(1-1/n), 이를 다시 n에 관해 정리하면 n=1/(1-exp(-h))이기 때문에 전체 n명에서 한 명 정도로 사건을 겪는다고 해석하면 된다. 가령 위험이 0.288이면 1/(1-exp(-0.288))=4, 즉 네 명 중 한 명이 사건을 겪는 것이다.

이러한 해석 방법을 염두에 두고 연령에 따른 초혼 위험의 변화를 〈그림 2- 2〉의 오른쪽에 제시했다. 이 그림을 보면 세 개 연도 모두 연령이 올라가면서 위험이 상승하다 꼭짓점에 이른 후 약간 감소하는 형태를 보이고 있다. 위험이 시작되는 연령은 과거부터 지속적으로 상승하고 있어 초혼 연령이 전체적으로 늦추어졌다는 것을 알 수 있다. 1965년과 1974년의 위험 곡선에 비해 2005년의 위험 곡선에서는 위험이 걸쳐 있는 연령대가 넓어졌으며, 이와 연관해 최고 위험의 크기가 줄어들었다는 차이가 보인다. 과거에는 특정 연령대가 되면 모든 여성들이 초혼을 했으나 사회가 다양화되면서 2005년에는 초혼을 하는 시기가 다양화된 것으로 해석할 수 있다. 마지막으로, 위험이 끝나는 연령도 지속적으로 높아져 1974년 이전 자료들에서는 30세 이전에 모두 초혼을 했으나 2005년이 되면 40세가 되어야 초혼이 끝나고 있다.

다음으로 〈그림 2-3〉에서는 초혼에서 이혼으로의 이행에 대한 생존 곡선과 위험 곡선을 제시했다. 〈그림 2-3〉은 초혼에서 이혼으로의 이행을 그린 것이지 초혼의 해소를 보여주는 것이 아니라는 점에 주의할 필요가 있다. 이혼 이외의 사건으로 초혼이 해소된 경우, 예를 들어, 사별의 경우라면 이혼을 겪었다고 할 수 없다. 하지만 무한대의 시간으로 초혼 상태에 있다 보면 이혼을 할 수 있다고 가정할 수 있고, 따라서 사별한 경우도 우측 절단이라고 가정할 수 있기 때문에 특정 자료 조사 시점까지 사건을 겪지 않은 사

〈그림 2-3〉 초혼에서 이혼으로의 이행

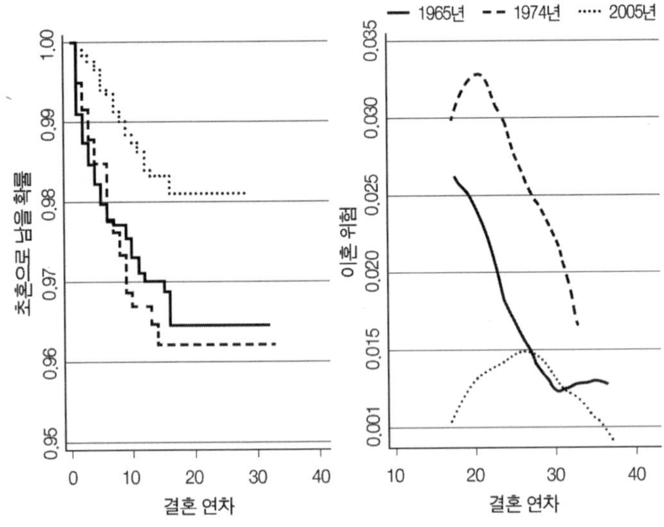

례처럼 처리한 것이다. 또한 x축을 보면 연령이 아니라 초혼 후 연도 수를 의미하는 결혼 연차를 나타내고 있다. 이는 초혼을 한 상태부터 초혼 이혼의 위험에 놓이게 되기 때문에 초혼 후 기간이 적절한 분석 단위이기 때문이다.

〈그림 2-2〉의 생존 곡선과 다르게 〈그림 2-3〉의 생존 곡선에서 y축의 최솟값은 0이 아니라 0.96보다 약간 큰 것을 볼 수 있다. 이는 앞서 〈표 2-3〉에서 살펴보았던 것처럼 초혼을 했던 사례들이 대부분 초혼으로 남아 있고 이혼을 하지 않았다는 것을 의미한다. 그럼에도 초혼 이혼의 생존 곡선은 1965년 자료와 1974년 자료에서 유사한 형태를 보이고 있으나 2005년 자료는 이 둘과 커다란 차이를 보이고 있다. 즉, 2005년 자료의 생존 곡선은 그 이전의 자료에서 나타나는 생존 곡선에 비해 높은 지점에 위치하고 있어 초혼으로 남아 있을 확률이 높다는 것, 반대로 이혼을 하게 될 확률이 떨어진다는 것을 보여준다. 이에 더해 특정 결혼 연차에서 생존 확률의 차이가 점

점 커지고 있는 것을 볼 수 있는데 이는 2005년의 자료에서 이혼 위험이 지속적으로 크다는 것을 암시한다.

이러한 부분을 더 자세히 살펴보기 위해 오른쪽에는 이혼 위험 곡선을 제시했다. 우선 1965년을 제외하면 이혼 위험은 결혼 연차가 상승하다 특정 시점이 되면 최댓값을 보이고 이후에 지속적으로 하락하는 곡선인데 이러한 형태는 이혼 위험에 관한 여러 자료에서 일반적으로 관찰되는 형태이다(우해봉, 2011; Goldstein, 1999). 이혼 위험은 가장 큰 경우 0.003보다 약간 높은 정도를 보이는데 이는 약 334명 중 한 명꼴로 이혼을 경험했다는 것을 의미하며 이는 미국의 열 배 이하로 적은 수치이다(Goldstein, 1999). 아마도 한국의 보수적인 성격으로 인해 매우 낮은 이혼 위험을 반영하고 있는 것으로 생각된다.

하지만 생존 곡선과 마찬가지로 이혼 위험 곡선에서도 연도별 차이가 나타나고 있는데 결혼 후 10년차를 전후한 약간의 시기를 제외한 모든 시기에서 1965년과 1974년의 이혼 곡선이 2005년의 이혼 곡선보다 더 높은 수준을 보이고 있다. 이러한 그림은 앞서 제기한 재혼 이상의 사례가 많은 원인 중에 이혼보다는 사별이나 기타의 이유가 큰 부분일 것이라는 추측을 일정 정도 반박하는 증거라고 볼 수 있다. 왜냐하면 이 그림 자체가 1974년 이전의 전통 사회에서 이혼에 대한 위험이 더 컸음을 증명하고 있기 때문이다. 물론 앞서 제시한 것처럼 이와 같은 추정 값이 나타난 배경으로는 다양한 자료적 문제가 개입해 있을 수 있으나 자료에 커다란 문제가 없는 한 〈그림 2-3〉으로만 판단했을 때는 이전 시대에 살던 여성들이 더 많은 이혼을 경험했을 것이라는 잠정적 가설이 지지된다.

〈그림 2-4〉는 어떤 이유에서든 초혼이 소멸되었던 여성들의 재혼으로의 이동에 관한 생존 곡선과 위험 곡선을 보여주고 있다. 〈그림 2-2〉의 생존 곡선과 마찬가지로 〈그림 2-4〉의 생존 곡선에서 독신으로 남을 확률은 0까

〈그림 2-4〉 초혼 소멸 후 재혼으로의 이행

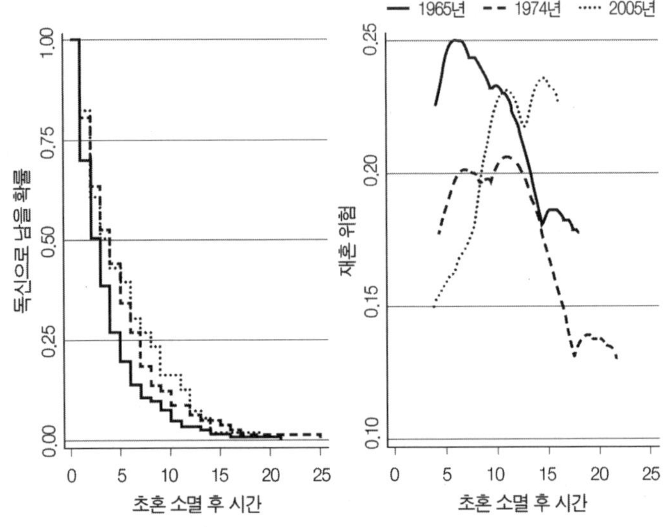

지 떨어지는데, 이는 모든 사례들이 기혼자이기 때문에, 다시 말하면 초혼이 소멸된 여성은 재혼으로 이행했기 때문이다. 두 그림의 x축은 초혼 소멸 후 시간으로 나타나 있는 것을 볼 수 있는데 이는 재혼으로 이행하는 사건은 초혼이 소멸하면서부터 시작되기 때문이다.

재혼의 생존 함수를 보면 1965년의 자료에 들어 있는 여성들이 이른 시간에 재혼으로 이동하고 있으며 2005년의 자료에 있는 여성들이 가장 늦게 이동하고 있는 것을 볼 수 있다. 하지만 일정 시간이 지나면, 대략 초혼 소멸 후 15년쯤 생존 곡선에 역전 현상(cross-over)이 발생하는 것을 볼 수 있다. 즉, 2005년의 생존 곡선이 다른 두 연도의 생존 곡선보다 밑에 있는 것을 볼 수 있다. 이러한 현상은 왼쪽에 제시한 위험 곡선에서 더 명확하게 드러난다. 1965년과 1974년 위험 곡선은 높은 위험에서 시작해서 15년 정도가 지나면 급격히 떨어지는 것을 볼 수 있으나 이와는 상이하게 2005년 위험 곡선은 낮은 수준에 있다 10년 정도가 지나면서 급격하게 상승하는 것을 볼 수 있다. 즉, 과거에는 초혼이 소멸되면 재혼을 빨리하는 경향이 있었으나 현대사회에서는 천천히 재혼을 하는 경향을 띤다고 해석할 수 있다. 이러한 결과 또한 과거의 전통 사회에서 재혼을 엄격하게 금했다는 가설에 배치되는 결과이다.

4. 자녀 수와 출산력의 변화

세 개 연도를 가로질러 가장 많은 변화를 겪었을 것으로 생각되는 인구 현상은 자녀 수와 출산력일 것이다(권태환 · 김두섭, 2002; Kwon, 2003). 1960년대와 1970년대의 폭발적인 출산력과 이를 제어하기 위해 국가적 수준에서 추진된 가족계획은 널리 알려져 있으며, 이에 대조되는 2000년대 초저출산과 이로 인한 인구 감소 위기에 대한 담론 역시 일상에서 친숙하게 들을 수 있다. 이러한 변화가 어떻게 나타나는지 알아보기 위해 이 절에서는 세 연도의 자료를 활용해 자녀 수와 출산력의 변화를 추적해보기로 하자.

〈표 2-4〉는 자녀 수에 따른 여성의 분포를 보여주고 있다. 이때 주의할 부분은 자녀 수는 출생 자녀 수, 즉 사산을 제외하고 산 채로 태어난 자녀의 수를 의미하지 조사 시점에 살아 있는 자녀 수를 의미하지는 않는다는 점이다. 또한 태어나서 바로 죽었거나 1년이 못 되어서 죽었어도 출생 자녀 수에 포함된다는 점을 밝힌다. 세 개 연도의 전체 자녀 수 분포에 더해 아들 수 및 딸 수의 분포도 제시했으나 1974년의 경우 아들과 딸 수를 질문하지 않고 전체 자녀 수에 대해 질문했기 때문에 아들 수와 딸 수에 대한 분포는 제시하지 못했다. 또한 해석을 용이하게 하기 위해 각 연도의 전체 사례 수에서 각 자녀 수를 가진 여성이 얼마나 많은 분포를 차지하는가에 대한 백분율도 제시했다.

〈표 2-4〉 자녀 수 및 기간출산율 비교

	전체 자녀						아들				딸			
	1965		1974		2005		1965		2005		1965		2005	
자녀 수	N	%	N	%	N	%	N	%	N	%	N	%	N	%
0	104	(5.3)	76	(6.2)	266	(7.4)	334	(17.1)	1,026	(28.6)	369	(18.9)	1,331	(37.1)
1	220	(11.3)	197	(16.0)	723	(20.1)	446	(22.9)	1,791	(49.9)	527	(27.0)	1,596	(44.5)
2	261	(13.4)	240	(19.5)	2,204	(61.4)	477	(24.5)	748	(20.8)	458	(23.5)	593	(16.5)
3	302	(15.5)	229	(18.6)	364	(10.1)	335	(17.2)	23	(0.6)	282	(14.5)	63	(1.8)
4	283	(14.5)	206	(16.7)	28	(0.8)	177	(9.1)	1	(0.0)	183	(9.4)	5	(0.1)
5	243	(12.5)	148	(12.0)	3	(0.1)	119	(6.1)			80	(4.1)	1	(0.0)
6	210	(10.8)	68	(5.5)	1	(0.0)	42	(2.2)			35	(1.8)		
7	141	(7.2)	43	(3.5)			16	(0.8)			11	(0.6)		
8	102	(5.2)	16	(1.3)			3	(0.2)			5	(0.3)		
9	51	(2.6)	5	(0.4)										
10	28	(1.4)	1	(0.1)			1	(0.1)						
11	3	(0.2)	0	0.0										
12	2	(0.1)	1	(0.1)										
	1,950	(100.0)	1,230	(100.0)	3,589	(100.0)	1,950	(100.0)	3,589	(100.0)	1,950	(100.0)	3,589	(100.0)
PPR	4.028		3.115		1.771		2.106		0.936		0.835		1.922	

자녀 수에 따른 여성의 분포 및 백분율을 살펴보면 1965년의 경우 세 자녀를 출산한 여성이 가장 많으나 여섯 명을 출산한 여성도 10%를 넘기고 있고 심지어 열두 명을 출산한 여성도 관찰할 수 있다. 이에 비해 1974년의 분포는 한 명부터 다섯 명에 집중적으로 분포하고 있으며 여섯 명 이상은 드물게 나타나고 있는 유형이다. 하지만 2005년으로 오면 과반수가 두 명의 자녀를 출산했으며 일곱 명 이상을 출산한 여성은 한 명도 없다. 이러한 분포만을 살펴보더라도 40년 사이에 출생 자녀 수가 상당히 줄어들었을 것임을 짐작할 수 있다.

자녀 수에 따른 여성의 분포를 전체적으로 살펴보는 것은 출생 자녀 수에 차이가 있을 것이라는 짐작을 가능하게 하지만 어느 정도의 차이가 있을 것인가에 대해서는 쉽게 알 수 없다. 〈표 2-4〉에서 제시한 분포를 활용해 출생 자녀 수에 대한 하나의 요약적인 수치인 순위이행률(parity progression ratios, PPR)을 계산할 수 있다. 순위이행률 기법은 출생 자녀 수가 n명인 여성의 수가 w라고 할 때 이들의 자녀 수는 n×w이고 모든 출생 자녀 수를 더하면 전체 자녀 수가 나오며, 이를 전체 여성 수로 나누면 1인당 출생아 수가 나온다는 원리에 근거를 둔 것이다(Preston et al., 2001: 104~106). 이 기법이 순위이행률이라고 불리는 이유는 위의 원리를 다시 분해해 출생 자녀 수가 한 명 증가할 때, 즉 출산 순위가 하나 증가할 때 변하는 여성의 비율을 활용해 출산율을 계산하기 때문이다. 이러한 순위이행률로 계산한 출산율은 '특정 시기에 관찰한 여러 코호트들이 이전까지 보여주었던 출산력을 그대로 유지한다면 21세부터 45세까지 얼마나 많은 자녀를 낳을 것인가'를 보여주는 지표로 이해할 수 있다.

〈표 2-4〉의 맨 아래 부분에는 각 연도별로 순위이행률을 활용해 구한 출산율을 보여주고 있다. 이를 보면 1965년에는 4.028명, 1974년에는 3.115명, 2005년에는 1.771명을 기록하고 있다. 통계청에서 발간하는 합계출산율 자료가 활용 가능한 연도만을 살펴보면 1974년 3.770과 2005년 1.076로 1974년에는 과소 추정된 반면 2005년에는 과도 추정되었는데 이는 우리의 자료에는 다양한 코호트들의 출산력이 반영되어 있기 때문이라고 생각된다(통계청, 2015). 즉, 통계청에서 발간하는 자료는 해당 연도에 태어난 자녀만을 대상으로 하는 데 반해 현재 자료는 특정 시기에 포함된 모든 코호트들의 역사적 기록을 포함하기 때문이다. 다시 말해 1974년의 자료에는 1930년에 태어난 여성의 출생 자녀 수가 모두 들어가 있는 반면 1950년에 태어난 여성의 출생 자녀 수는 다 들어가 있지 않기 때문에, 또 1930년 코호트들

의 출산력이 1950년 코호트들보다 더 낮기 때문에 출산율이 과소 추정되는 경향이 있는 것 같다. 이에 반해 현재의 자료에서 2005년 출산율이 과대 추정된 것은 이 자료에 포함된 오래된 코호트들이 젊은 코호트들에 비해 출산력이 높았기 때문이라고 판단된다.

이러한 자료의 복합적 성격을 감안해도 〈표 2-4〉의 결과는 한국에서 출산율이 급격히 하락했다는 주장을 뒷받침한다. 이렇게 40년 동안 출산율이 4.0이 넘는 높은 수준에서 인구재생산 수준의 대체 출산율이라고 간주되는 2.1 이하로 떨어진 원인에 대한 많은 연구가 있었으며 앞으로도 다양한 방면에서 진행될 것이다. 그중에서 몇 가지를 들자면 인구학적 측면에서는 영아와 유아사망률의 감소로 인한 생존 자녀 수 증가와 여성의 교육과 노동시장 참여 증대로 인한 성 역할 규범의 변화, 자녀에 대한 가치관의 변화, 효과적인 피임법의 대중적 확산 등이 있다(권태환 · 김두섭, 2002; 전광희, 2002; Eun, 2007). 최근 여성주의 사회 이론의 부상과 더불어 가정과 일터에서의 균형을 강조하는 일 · 가정 양립과 남성의 가사 수행과 돌봄 역할을 비판적으로 바라보는 관점에서 이들이 출산력에 어떠한 영향을 주는지에 대한 연구도 지속적으로 진행되고 있다(Kim, 2015a).

순위이행률을 통한 출산율 추계의 장점은 출산율을 그 구성요소로 분해할 수 있다는 점인데, 이러한 장점을 활용해 〈표 2-4〉의 오른쪽 부분에는 전체 자녀 수를 아들 수와 딸 수로 나누어 살펴본 분포를 제시하고 있다. 이 부분을 보면 전체 자녀 수에 대한 분포와 유사하게 1965년 자녀 수가 2005년 자녀 수에 비해 많다는 것을 볼 수 있다. 한국 사회 출산력에 대한 연구에서 아들 수와 딸 수에 대한 관심은 흔히 남아선호사상과 연관되어 있다. 즉, 남아선호사상으로 인해 출산력이 올라가는지 내려가는지를 연구하고자 하는 목적에서 출산력의 차이를 살펴보거나 자료를 통해 남아선호사상이 어느 정도나 잔존하는지를 파악하고자 출산력 자료를 수집하기도 한다. 우리의 자료에서 남아선호사상에 대한 측정이 없기 때문에 두 번째의 관점에서 과연 〈표 2-4〉를 통해 남아선호사상에 차이가 있는지를 관찰해보자.

우선 맨 밑에 제시한 순위이행률을 통한 출산율을 보면 아들 출산율이 딸 출산율보다 약간 높게 나오고 있으며 이는 두 개 연도 모두에서 관찰되는 특징이다. 통상 자연적인 상황에서 여자 100명당 남자가 105에서 108명 정도로 태어난다는 사실을 염두에 두었을 때(권태환 · 김두섭, 2002: 70~72), 〈표 2-4〉에서 나타나는 성비는 이러한 자연 출생 성비에서 그리 크게 차이가 나는 것 같지 않고 그 차이 또한 연도별로 다른 것 같지 않다. 남아선호사상이 한 사회에 존재하는지의 여부를 보는 가장 보편적인 방법은 자녀 출산 상위 순위에서 출생 성비를 살펴보는 것이다(김두섭, 2011). 이는, 만약 남아선호사상이 강해서 적어도 하나의 아들은 있어야 한다는 생각이 지배적이라면 출산 순위가 올라갈수록 딸이면 인공유산을 실시하고 아들이면 출산하기 때문에 자연적 출생 성비에 왜곡이 생길 것이라는 논리에 근거한다. 하지만 불행하게도 현재의 자료에는 출산 순위에 따른 성비에 대한 정보가 없기 때문에 이를 살펴볼 수 없다는 한계가 있다.

하지만 〈표 2-4〉에는 매우 중요한 하나의 정보가 담겨 있는데 이는 아들과 딸이 없는 여성에 대한 비율이다. 만약 남아선호사상이 존재한다면 적어도 하나의 아들을 낳기 위해서 출산을 지속할 것이고 따라서 아들이 없는 여성의 비율에 비해 딸이 없는 여성의 비율이 자연적 출생 성비가 허용하는 범위보다 커질 것이다. 이러한 맥락에서 〈표 2-4〉를 다시 살펴보면 1965년 아들이 없는 여성은 17.1%이고 딸이 없는 여성은 18.9%로 자연적 출생 성비로 인한 분포에서 크게 어긋나는 것 같지 않다. 하지만 2005년에는 아들이 없는 여성은 28.6%이지만 딸이 없는 여성은 37.1%로 딸이 없는 여성의 비율이 과도하게 높은 것으로 판단된다. 이러한 결과는 1980년대 이후 높은 출산 순위에서 출생 성비의 왜곡이 일어난다는 기존의 분석과 일치한다

〈그림 2-5〉 첫째 자녀 출산으로의 이행

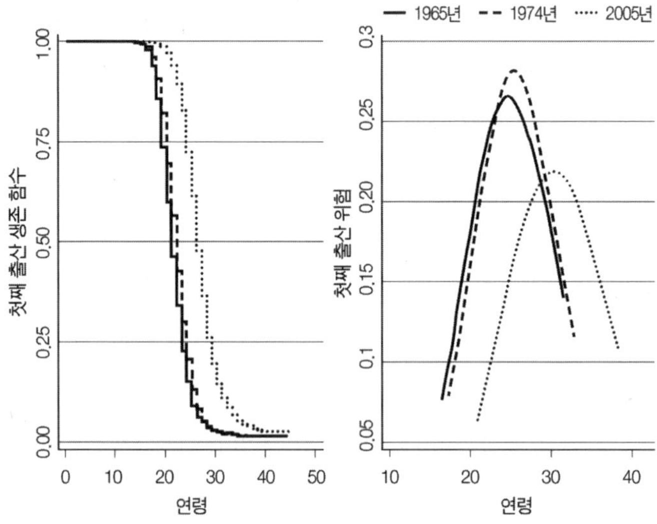

는 점에서 흥미롭다(김두섭, 2011).

〈그림 2-5〉에는 첫째 자녀 출산에 관한 생존 곡선과 위험 곡선을 제시했다. 생존 곡선을 보면 거의 모든 응답자들이 첫째 자녀 출산을 경험했기 때문에 재생산 연령이 끝나는 45세 무렵에는 생존 확률이 0에 가까운 값을 보이고 있다. 물론 2005년의 생존 곡선은 다른 연도의 생존 곡선에 비해 최종 생존 확률이 조금 더 크지만, 그럼에도 2005년 응답자들 또한 0의 값에 가깝다고 말할 수 있다. 이러한 현상은, 최근에 자녀를 낳지 않는 혼인 부부가 서서히 등장하고 있기는 하지만, 배우자가 있으면 적어도 하나의 자녀를 출산하는 사회적 분위기와 연관된 것으로 판단된다.

생존 곡선을 들여다보면 1965년과 1974년의 곡선은 매우 유사해서 각 연령에서 관찰되는 모든 차이들은 자료 혹은 표집의 문제로 취급될 만한 정도이다. 하지만 2005년의 생존 곡선 형태는 이전 두 조사의 생존 곡선 형태와는 상당히 다른 형태를 유지하고 있다. 우선 출산 위험이 시작되는 시기가 달라서 초기 두 조사에서는 첫째 자녀 출산이 20대 이전에 이루어지고 있으나 2005년의 조사에서는 20대 이후에 이루어지는 것처럼 보인다. 또한 생존 곡선이 떨어지는 정도가 더 큰 것으로 판단할 때 이행이 이루어지는 속도가 더 급격해서 단순히 이전의 생존 함수를 연령을 따라 이동시켜 놓은 것 이상의 차이가 있는 것 같다.

이러한 현상은 오른쪽에 제시한 위험 곡선을 살펴볼 때 더 명확하게 나타난다. 세 개 연도 모두에서 연령의 증가에 따라 위험이 증가하다 어느 시점에서 정점에 도달한 후 하락하는 형태를 보이고 있는데 이는 최근의 자료 분석에서도 볼 수 있는 일반적 현상이다(Kim, 2014, 2015a). 또한 1965년과 1974년의 위험 곡선은 매우 유사한 형태를 띠고 있는 것으로 판단된다. 하지만 2005년의 위험 곡선은 이전의 위험 곡선들을 연령을 축으로 오른쪽으로 이동시켜놓은 것에 더해 아래로 밀어놓은 것 같은 형태를 띠고 있다. 이에 더해 정점을 기준으로 위험 곡선이 양쪽으로 더 퍼져 있는 모습을 보이고 있다. 이는 1965년과 1974년 응답자들은 상대적으로 짧은 시기에 모든 여성들이 동시에 첫째 자녀를 출산했으나 2005년에 속한 응답자들은 자신의 생애과정에 따라 출산 행위를 하기 때문에 첫째 자녀 출산에 대한 시기에 있어 편차가 증가했기 때문이라고 해석할 수 있다. 2005년의 위험 곡선의 최대점이 이전 두 시기에 비해 낮지만 이렇게 넓은 폭을 이루고 있기 때문에 이 시대를 산 기혼 여성들에게 첫째 자녀 출산은 여전히 보편적 현상으로 남아 있는 것 같다.

둘째 자녀 출산에 관한 〈그림 2-6〉을 해석할 때는 분석 시간을 보여주는 x축이 첫째 자녀를 출산한 이후의 연도를 나타내고 있다는 점에 주의할 필요가 있다. 첫째 자녀를 출산한 여성들만이 둘째 자녀를 출산할 위험에 놓이게 되기 때문에, 혹은 첫째 자녀를 출산하지 않은 여성은 둘째 자녀를 출산할 위험에 놓이지 않기 때문에 둘째 자녀 출산 위험집단은 첫째 자녀를

〈그림 2-6〉 둘째 자녀 출산으로의 이행

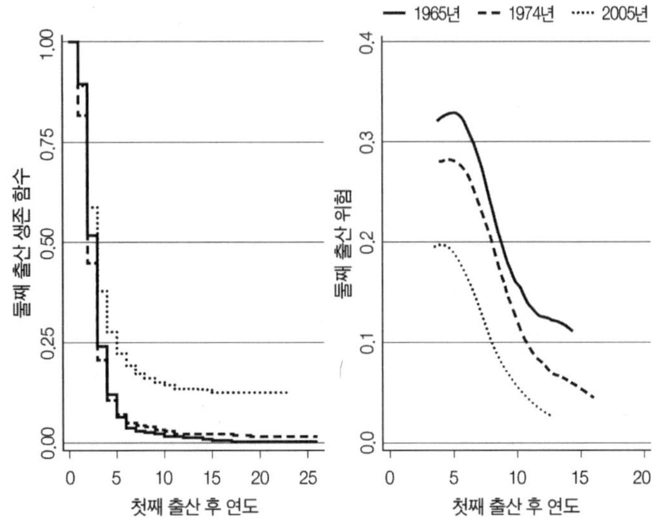

출산한 여성에만 국한하고, 시간적인 측면에서 둘째 자녀 출산 위험은 첫째 자녀 출산 이후부터 시작되는 것으로 인식하는 것이 적절한 분석 방법인 것으로 판단된다.

첫째 자녀에서 둘째 자녀로의 이행에 대한 생존 함수를 보면, 위험에 놓인 후 짧은 시간에 매우 많은 여성들이 출산 사건을 겪고 있다. 둘째 자녀 출산이 그리 광범위하게 이루어지 않았을 것으로 추측되는 2005년 여성들 또한 위험이 시작된 지 5년 이내에 4분의 3 정도가 둘째를 출산하고 있는 것을 볼 수 있다. 하지만 2005년의 위험 곡선은 5년이 지나면서 떨어지는 속도가 급격히 줄어들어, 둘째 출산 위험이 있는 여성 중 약 15% 정도는 둘째를 출산하지 않는 것으로 보인다. 이에 반해 1965년과 1974년의 여성들은 거의 모든 여성들이 둘째를 출산해 생존 함수가 0에 맞닿아 있다.

오른쪽에 제시한 위험 곡선 또한 이러한 경향을 잘 반영하고 있다. 세 개 연도 모두에서 둘째 자녀 출산 위험은 위험에 놓인 시점부터 증가하다 정점

〈그림 2-7〉 셋째 자녀 출산으로의 이행

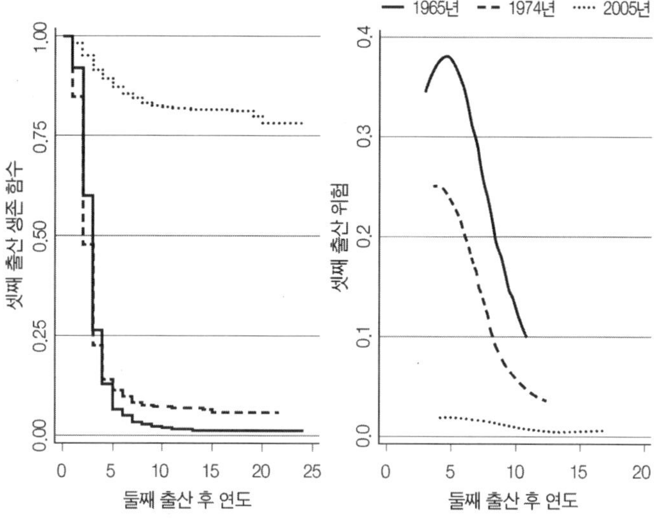

에 달한 후 떨어지는 모습을 보이고 있는데, 이러한 위험 곡선은 왼쪽은 단절된 정규분포처럼 생겼다는 점에서 최근의 자료들에서 발견되는 둘째 출산 위험과 유사한 형태를 보이고 있다(Kim, 2014, 2015a). 과거의 생존 곡선과 비교했을 때 2005년의 생존 곡선은 y축 기준으로 아래로 밀어놓은 듯한 형태를 띠고 있다. 특히 1965년의 위험 곡선과 비교했을 때 2005년의 위험 곡선은 모든 시간에서 일정한 간격을 유지하고 있는 모양이다.

둘째를 출산한 여성은, 혹은 둘째를 출산한 여성만이 셋째를 출산할 위험에 처하기 때문에 〈그림 2-7〉의 생존 곡선과 위험 곡선의 x축은 둘째 출산 후 시간을 보여주고 있다. 셋째 자녀 출산에 관한 생존 곡선과 둘째 자녀 출산에 관한 생존 곡선을 비교해보면 조사 연도에 따라 상당한 차이가 발견된다. 위험에 놓인 시작 시점부터 셋째 자녀 출산으로 빠르게 이동하기 때문에 생존 확률이 급격히 떨어진다는 점과 셋째 자녀 출산 위험에 놓인 거의 모든 여성들이 사건을 겪기 때문에 생존 확률이 0으로 수렴해간다는 점에서 1965년 및 1974년의 셋째 자녀 생존 곡선은 둘째 자녀 생존 곡선과 유사한 형태를 유지하고 있다. 하지만 2005년의 셋째 자녀 출산 생존 곡선은 둘째 자녀 출산 생존 곡선과 매우 큰 차이를 보이고 있는데, 위험에 놓인 초기에 상대적으로 급격한 이행 확률이 있기는 하지만 그 정도의 차가 매우 크고, 생존 곡선이 0.75의 값보다 큰 값을 유지하고 있는 것으로 미루어 셋째 자녀 출산 위험에 놓인 여성들 중 4분의 1정도에 지나지 않는 여성들만이 출산을 한다는 점에서 매우 커다란 차이를 보이고 있다. 이러한 현상은 앞서 제시한 〈표 2-4〉에서도 확인할 수 있는 것처럼 둘째 자녀에서 셋째 자녀로 이행하는 여성들이 상대적으로 소수이기 때문이다.

이러한 연도에 따른 차이가 위험 곡선에서 나타나지 않는다면 매우 놀라울 것이다. 사회과학에서 놀라운 발견은 그리 많지 않은 것처럼 〈그림 2-7〉의 오른쪽에 제시한 위험 곡선 또한 생존 곡선에서 발견할 수 있는 것들을 반복적으로 제시해주고 있다. 1974년의 셋째 자녀 출산 위험 곡선은 1965년의 위험 곡선에 비해 상대적으로 낮은 수준을 기록하고 있으나 1965년의 위험 곡선은 둘째 출산 위험과 유사하게 여전히 높은 위험을 보이고 있다. 심지어 위험의 최댓값에 있어서는 셋째 자녀의 출산 위험이 둘째 자녀의 출산 위험보다 높았던 것으로 판단된다. 하지만 2005년의 위험 곡선은 매우 낮은 수준에 머물러 있어 과거의 여성들과 비교했을 때 커다란 변화가 있었다는 것을 짐작하게 해준다. 하지만 그럼에도 2005년의 셋째 자녀 위험은 초기에 높은 수준이었다가 시간이 갈수록 떨어진다는 점에서, 비록 소수의 여성들이 셋째 자녀를 출산하지만 셋째 자녀를 출산하고자 하는 사람들은 둘째 자녀를 출산한 이후 빠른 시간 안에 셋째 자녀 출산으로 이행한다는 보편적 현상을 보여주고 있다는 점은 언급할 만하다.

5. 태아 사망의 변화

인구학에서 사산과 유산을 통칭하는 태아 사망은 출산율에 영향을 주는 중요한 요인으로 많은 관심을 받아왔다. 여성이 임신할 수 있는 기간은 생물학적으로 정해져 있어서, 임신을 한 이후 태아 사망을 겪게 되면 그 만큼의 시간이 임신 가능 시간에서 줄어들고 태아 사망이 발생한 이후에 새로운 임신을 하기까지 시간이 걸리기 때문에 태아 사망은 출산율을 낮추는 요인으로 알려져 있다. 일례로, 한 번의 인공유산이 얼마나 많은 수의 자녀 출산을 억제하는가를 연구한 포터(Potter)에 따르면, 여성의 연령과 인공유산 후 피임의 기간, 그리고 그 피임법의 효과 정도에 따라 한 번의 인공유산은 0.4에서 0.9명의 자녀 출산을 억제한다고 한다(Potter, 1972). 한 번의 인공유산이 한 명의 출산과 같을 것이라고 생각하는 독자들은 실제 이러한 관계가 성립하지 않는다는 점에 의아해할 수 있으나, 임신에서 유산까지 걸리는 시간은 임신에서 출산까지 걸리는 시간보다 적다는 점, 유산 후에는 바로 임신을 할 수 있으나 출산 후에는 모유 수유로 인한 생리 현상의 변화로 바로 임신하기 어렵다는 점 등을 생각해본다면 쉽게 납득할 수 있을 것이다.

이러한 관심하에 〈표 2-5〉에서는 각 연도별 태아 사망 횟수에 따른 여성의 분포를 제시했다. 여성의 수에 더해 백분율을 함께 제시해 앞서 살펴본 〈표 2-4〉와 유사한 형태로 구성했기 때문에 표의 해석에 큰 어려움은 없을 것으로 생각된다.

태아 사망 횟수의 연도별 분포를 보면 1965년과 1974년이 유사하고 2005년이 상이한, 지금까지 제시되어왔던 결과와 매우 다르게 1965년이 다른 두 개 연도와 차별되어 있는 결과를 보여준다. 예를 들어 1965년 자료에서 태아 사망 횟수가 한 번도 없었던 여성은 전체의 80.4%를 차지하고 있으나 1974년과 2005년에는 각각 58.9%와 48.7%를 이루고 있어 후자의 자료에서

〈표 2-5〉 태아 사망 횟수

횟수	1965		1974		2005	
	N	%	N	%	N	%
0	1,568	(80.4)	724	(58.9)	1,749	(48.7)
1	262	(13.4)	259	(21.1)	1,104	(30.8)
2	68	(3.5)	153	(12.4)	524	(14.6)
3	32	(1.6)	47	(3.8)	132	(3.7)
4	11	(0.6)	26	(2.1)	57	(1.6)
5	4	(0.2)	11	(0.9)	16	(0.4)
6	4	(0.2)	3	(0.2)	3	(0.1)
7			3	(0.2)	2	(0.1)
8	1	(0.1)	4	(0.3)	1	(0.0)
9				0.0	0	(0.0)
10			0	0.0	1	(0.0)
합계	1,950	(100.0)	1,230	(100.0)	3,589	(100.0)
PPR	0.303		0.761		0.809	

나타나는 비율이 훨씬 낮다. 태아 사망에 영향을 주는 요인으로는 여성의 교육 및 소득수준, 건강 상태, 사회의 전반적인 가치관 및 유산에 대한 태도 등 다양한 변수들이 있으나 1965년과 1974년의 차이에 비해서는 1974년과 2005년의 차이가 더 클 것이라는 가설이 설득력이 있기 때문에 1965년의 분포는 태아 사망이 적은 방향으로 과소 추정되어 있을 것으로 생각된다. 이 때문에 〈표 2-5〉에서 나타나는 결과를 해석할 때 주의할 필요가 있다.

하지만 이러한 자료의 문제에도, 과거 사회에서 현대사회로 넘어오면서 태아 사망 횟수가 증가한 것 같다는 가설이 지지되는 것 같다. 이러한 관찰을 하나의 통계 값으로 제시하기 위해, 앞서 논의한 순위이행률 기법에 근거해 평균 태아 사망 횟수를 계산한 후 〈표 2-5〉의 맨 밑에 제시했다. 이 통계 값은 앞선 지표와 유사하게 '특정 시기에 관찰한 여러 코호트들이 이전

〈표 2-6〉 태아 사망 횟수의 분해

	1965	2005
전체 태아 사망	0.303	0.809
- 사산	0.042	0.011
- 자연유산	0.119	0.264
- 인공유산	0.142	0.534

까지 경험했던 태아 사망을 그대로 유지한다면 21세부터 45세까지 얼마나 많은 태아 사망을 경험할 것인가'로 해석할 수 있다. 이러한 평균 태아 사망 횟수를 연도별로 살펴보면 1965년에 0.303명, 1974년에 0.761명, 2005년에 0.809명을 기록하고 있다. 비록 1965년의 자료가 과소 추정되어 있는 것이라고 할지라도, 이러한 결과는 과거 사회에서 현대사회로 넘어오면서 태아 사망 횟수가 늘어났다는 가설을 뒷받침하기에는 충분한 것 같다.

태아 사망에 가장 커다란 영향을 미치는 것이 여성의 건강 수준이라는 점과, 늘어난 기대 수명으로 증명되는 것처럼 과거에 비해 현대사회에서 여성의 건강 수준이 높아졌을 것이라는 점을 생각해본다면 이는 매우 놀라운 결과이다(김현식, 2013; Kim, 2015b). 하지만 태아 사망에는 사산과 유산, 유산에서도 자연유산과 인공유산이 모두 들어가 있기 때문에 세부적인 항목에서의 차이가 전체적인 차이에 대한 변화를 만든다는 시각에서 이들 각각의 항목들을 살펴보는 작업이 필요하다. 순위이행률에 근거한 통계는 이러한 항목 간 분해를 가능하게 해주기 때문에 활용 가능한 정보를 이용해 전체 태아 사망 횟수를 각 항목별로 분해한 다음 그 결과를 〈표 2-6〉에 제시했다. 다만 1974년의 경우 하위항목별 횟수에 대한 질문이 들어 있지 않아 이 표에서는 1965년과 2005년의 분해 결과를 제시한다.

표를 살펴보면 다음과 같은 몇 가지 흥미로운 발견들을 할 수 있다. 전체적인 측면에서 두 개 연도에서 일관되게 태아 사망의 가장 큰 부분은 인공유산이 차지하고 있고 그 다음으로 자연유산, 마지막으로 사산인 것을 볼 수 있다. 하지만 각 항목별 변화는 눈에 띄는 차이를 보여주고 있는데 바로 사산은 줄어든 반면 자연유산과 인공유산은 늘어났다는 점이다. 구체적으로 사산은 거의 4분의 1로 줄어든 반면 자연유산은 두 배로 증가했고 인공유산은 거의 네 배로 변했다. 특히 인공유산 횟수는 매우 커져서 2005년이 되면 한 여성이 0.5번 이상의 인공유산 경험이 있으며, 다른 측면에서 해석하자면 두 명의 여성당 한 명은 일생 동안 한 번의 인공유산을 경험하고 있다고 할 수 있다. 이러한 결과는 매우 다양한 해석을 가능하게 해준다는 점에서 중요하게 논의될 필요가 있다.

먼저 사산의 절대적인 수치가 줄어들었다는 사실을 해석할 때, 사산은 임신과 출산을 하고자 했으나 임산부가 의도하지 않은 원인에 의해 태아가 사망하는 경우를 일컫는다는 점을 생각해볼 필요가 있다. 이러한 맥락에서 세 가지 항목 중 사산이 여성의 건강에 의해 가장 크게 영향을 받는 반면, 다른 두 요인에 비해 사회적 낙인이나 용인, 질문에 대한 응답 태도 등에 의해 영향을 적게 받을 것이다. 따라서 사산의 감소는 사회 전반에 걸친 영양분 높은 식생활 증진 및 건강 수준 향상, 의료 기술의 발전 등과 밀접한 관련이 있는 것 같다.

이에 반해 인공유산의 증가는 원치 않는 임신의 증가와 안전하게 인공유산을 할 수 있는 기회의 확대로 인한 결과로 해석된다. 특히 두 시기 사이 피임법에 대한 지식이 확산되고 인공유산에 대한 사회적 낙인이 여전히 존재한다는 점에서 2005년의 인공유산 수준은 놀랍다. 이러한 결과는 영양분 섭취와 건강 증진 행위의 확산으로 생리학적인 측면에서 여성의 가임기간이 늘어났으며 남녀 간 성(性)행위가 줄어들었을 것이라는 신뢰할 만한 증거가 없다는 면에서 임신 가능성이 늘어난 것과 연관되어 있을 것으로 생각된다. 이에 더해 출산과 양육으로 인해 발생하는 사회경제적 책임과 의무에 대한 부담의 증가도 중요한 요인으로 작용하고 있는 것 같다.

그 주요 원인이 무엇이든 인공유산의 증가는 이미 임신한 이후 출산을 억제하는 방법이라는 점에서 두 시기 사이에 출산율이 급격하게 떨어진 근접요인으로 중요한 축을 담당하고 있다. 예를 들어, 1965년 인공유산이 자연적인 인공유산 수준이라고 가정하고 1965년의 인공유산 수준이 과소 추정되어 있어 2005년과의 차이가 0.3이라고 가정하자. 이에 더해 포터가 계산했던 현대사회에서 인공유산으로 인한 손실된 자녀 수가 0.7에서 0.9 수준이라고 가정하자(Potter, 1972). 이러한 가정하에 2005년 인공유산으로 사라진 출산율은 0.21에서 0.27정도라고 볼 수 있다. 합계출산율 1.3 밑을 걷도는 초저출산 현상이 한국을 지배하고 있는 현실을 고려할 때 이 정도의 출산율 손실은 상당한 부분이라 생각된다.

마지막으로 자연유산의 증가는 위에서 논의한 모든 요인들이 복합적으로 얽혀 있는 것 같다. 자연유산은 비자발적 유산 행위로 정의된다는 점에서 사산과 유사한 성격을 공유하고 있어 실제 자연유산이 증가했을 것이라고 믿을 만한 근거는 많지 않다. 이런 점에서 1965년의 자료가 과소 추정되어 있을 것이라고 추측해볼 수 있다. 만약 1965년의 전체 태아 사망이 과소 추정되어 있고 원래의 수준이 1974년의 수준이었으며 각 하위항목들의 과소 추정 정도가 같다고 한다면 1965년의 자연유산 정도는 2005년의 수준과 유사해질 것이다. 하지만 그럼에도 다양한 사회경제적 변화는 자연유산이 줄어들었을 것이라는 추측을 강하게 뒷받침한다는 점에서 그 이론적 감소분만큼은 차이가 있을 것이다. 향후 더 많은 연구가 필요하지만 이는 실제 인공유산을 경험한 여성들이 사회적 낙인으로 인해 자연유산으로 응답했을 가능성이 있다는 점을 언급하고자 한다.

6. 논의 및 결론

지금까지 세 자료를 분석하는 과정에서 나타난 발견들을 요약하면 다음과 같다. 향후 더 많은 연구가 절실하지만, 기혼 여성의 재혼 상태별 분포를 보면 과거 자료에서 초혼에 비해 재혼 여성의 비율이 더 높은 것으로 나타났다. 이는 어느 정도 2차 세계대전과 한국전쟁과 같은 정치적 격변과 연관이 있는 것이지만, 이혼으로 인한 재혼에서도 상당한 차이를 보였다. 초저출산율을 기록했던 2005년에도 기혼 여성은 한 명의 자녀는 출산했으며 두 명의 자녀를 출산한 경우도 드물지 않았다. 하지만 셋째 자녀 출산으로 이행하는 경우는 매우 적어서 과거의 높은 출산율과 최근의 낮은 출산율에 있어서의 차이는 대부분 셋째 자녀의 출산에 있는 것으로 밝혀졌다. 즉 셋째 자녀 출산이 보편적이었던 과거에는 높은 출산율을 기록했던 반면 셋째 자녀 출산이 극히 드문 최근에는 초저출산율을 경험하고 있다. 마지막으로 기혼 여성 1인당 태아 사망 횟수가 눈에 띄게 증가했으며 이는 인공유산의 증가에 기인한 것으로 나타났다.

앞서 논의를 시작하는 부분에서도 밝혔지만 여기에서 나타난 결과들은 제한적인 자료를 분석하는 과정에서 도출된 결과이기 때문에 해석에 주의를 요한다. 무엇보다 우리의 자료는 기혼 여성들로만 이루어져 있기 때문에 조심스러운 접근이 필요하다. 예를 들어, 결혼과 이혼에 대한 행위를 더 명확하게 알기 위해서는 결혼을 한 번도 해보지 못한 여성에 더해 이혼이나 여타의 이유로 인해 이전 혼인 상태가 소멸된 여성 등의 모든 인구를 포괄하는 자료가 필요하다. 그렇게 함으로써 초혼이나 재혼의 위험이 있는 위험집단을 적절하게 구성할 수 있고 신뢰할 수 있는 이혼율이나 재혼율을 구할 수 있을 것이다. 향후 이러한 분석을 할 수 있는 자료가 개발되어 더 명확한 결론을 이끌어낼 수 있기를 바란다.

이에 더해 1965년과 1974년 자료는 이천읍 한 곳만을 대상으로 실시한 조사이기 때문에 전국을 모집단으로 실시한 2005년의 조사와 직접적으로 비교하는 것은 무리가 있을 수 있다. 조사가 실시되던 당시 이천읍이 농촌과 도시의 특성이 공존해 한국을 대표할 수 있는 자료라고 하더라도(이해영 외, 1967; Kwon et al., 1977) 한 지역의 조사가 전국을 대표한다고 보기에 어느 정도의 무리가 있을 수 있다. 따라서 각 조사의 원 보고서들과 신창우와 동료들이 연구한 시계열 비교분석과 같은 선행 연구를 이 글과 병행해 읽어보고 각 연구의 장단점을 비교함으로써 균형 잡힌 시각을 얻을 수 있기를 바란다.

이러한 자료상의 한계가 있음에도 1965년과 1974년, 그리고 2005년을 가로지르며 시대를 반영하는 자료를 분석한 이 연구는 다양한 시사점과 향후 필요한 연구 방향을 제공하고 있다. 무엇보다 출산율의 가장 중요한 요소라고 할 수 있는 혼인과 이혼에 대한 세밀한 분석이 가미된 연구가 이루어져야 할 필요가 있다. 혼외 출산력이 상당히 낮은 한국 사회에서 혼인의 형성과 소멸에 대한 연구는 매우 중요한 함의를 가지고 있다. 특히 이 연구에서는 분석할 수 없었던 초혼으로의 이동에 대한 연구를 통해 초혼의 하락이 얼마나 많은 출산력의 하락과 연관되어 있는지 밝힐 필요가 있다.

복잡한 논의가 이어져서 논지가 흐트러지는 것을 방지하고 전체적인 사회 변화를 추적하기 위해 이 글에서는 세 시기에 걸친 변화만을 추적했을 뿐 다양한 변수들의 관계를 고려하지 않았다. 예를 들어 교육 수준이나 여성의 노동시장 지위에 따라 출산력이 어떻게 달라지는지 살펴보는 것은 매우 중요한 정책적 함의를 지니고 있다(Kim, 2014, 2015a). 특히 여성의 가정 및 노동시장에서의 위치와 가족 구조가 역사적으로 어떻게 변화했는지, 그리고 그 변화에 따라 출산력이 어떻게 달라졌는지 살펴보는 것은 한창 관심의 대상이 되고 있는 일 · 가정 양립과 출산력의 관계를 이해하는 데 도움을 줄 수 있다. 다행히 이러한 변수들이 자료에서 가용하기 때문에 향후 연구는 이러한 부분에 초점을 맞추어 진행할 수 있을 것이다.

| 참고문헌 |

권태환 · 김두섭. 2002. 『인구의 이해』. 서울: 서울대학교 출판문화원.

김두섭. 2011. 「출생 성비의 최근 변화와 시뮬레이션을 통한 성선별 출산행위의 추정: 영남 지역을 중심으로」. ≪한국인구학≫, 34권 1호, 159~178쪽.

_____. 2014. 「인구 영역의 주요 동향」. 통계개발원 엮음. 『한국의 사회동향 2014』. 대전: 통계개발원.

김현식. 2013. 「제3장: 사망률 변천과 차별사망률」. 계봉오 · 김중백 · 김현식 · 이민아 · 이상림 · 조영태. 『인구와 보건의 사회학: 건강한 사회를 위하여』. 서울: 다산출판사.

나성은. 2015. 「유자녀 '전쟁미망인'의 재혼과 모성: 1920년대 출생 여성의 구술 생애사를 중심으로」. ≪한국여성학≫, 31권 1호, 161~200쪽.

변화순. 2002. 「제7장: 혼인상태」. 김두섭 · 박상태 · 은기수 엮음. 『한국의 인구 1』. 대전: 통계청.

서문희. 1993. 「부인의 이혼과 재혼에 영향을 미치는 사회인구학적 및 결혼 관련 요인」. ≪보건사회론집≫, 13권 2호, 1~19쪽.

신창우 · 이삼식 · 이난희 · 최효진. 2012. 『출산력 시계열 자료 구축 및 분석』. 서울: 한국보건사회연구원.

우해봉. 2011. 「한국인의 성별 및 교육 수준별 이혼 패턴에 관한 연구」. ≪사회복지 정책≫, 38권 4호, 139~163쪽.

이삼식 · 정윤선 · 김희경 · 최은영 · 박세경 · 조남훈 · 신인철 · 도세록 · 조숙경 · 강주희. 2005. 『2005년도 전국 결혼 및 출산 동향조사』. 서울: 한국보건사회연구원.

이해영 · 권태환. 1968. 「한국가족형태의 한 연구: 이천읍의 경우」. ≪동아문화≫, 8호, 1~34쪽.

이해영 · 권태환 · 김진균. 1967. 「가족가치 변용에 관한 고찰: 중간도시, 이천읍을 중심으로」. ≪진단학보≫, 31호, 143~164쪽.

전광희. 2002. 「제3장: 출산력」. 김두섭 · 박상태 · 은기수 엮음. 『한국의 인구 1』. 대전: 통계청.

통계청. 2015. 각종 통계 자료. http://kosis.kr(검색일: 2015.8).

Cleves, M. A., W. W. Gould and R. G. Gutierrez. 2004. *An Introduction to Survival Analysis*, revised ed. College Station, TX: Stata Press.

Eun, K. S. 2007. "Lowest-low Fertility in the Republic of Korea: Causes, Consequences and Policy Responses." *Asia-Pacific Population Journal*, Vol. 22, No. 2, pp. 51~72.

Goldstein, J. R. 1999. "The Leveling of Divorce in the United States." *Demography*, Vol. 36, No. 3, pp. 409~414.

Kim, H. S. 2014. "Female Labour Force Participation and Fertility in South Korea." *Asian Population Studies*, Vol. 10, No. 3. pp. 252~273.

_____. 2015a. "Women's Wages and Fertility Hazards in South Korea." *Asian Women*, Vol. 31, No. 2, pp. 1~27.

_____. 2015b. "Active Life Expectancy of Elderly Koreans, 1994~2011." *Asian Population Studies*. Accepted as of May, 7, 2015.

Klein, J. P. and M. L. Moeschberger. 2003. *Survival Analysis: Techniques for Censored and Truncated Data*, 2nd ed. New York: Springer.

Kwon, T. H. 2003. "Demographic Trends and Their Social Implications." *Social Indicators Research*, Vol. 62~63, No. 1~3, pp. 19~38.

Kwon, T. H., H. Y. Lee and E. S. Lee. 1977. "Ichon Resurvey: A Summary Report." *Bulletin of the Population and Development Studies Center*, Vol. 6, pp. 17~66.

Potter, R. G. 1972. "Births Averted by Induced Abortion: An Application of Renewal Theory." *Theoretical Population Biology*, Vol. 3, pp. 69~86.

Preston, S. H., P. Heuveline and M. Guillot. 2001. *Demography: Measuring and Modeling Population Processes*. Malden, MA: Blackwell Publishers.

United Nations, Department of Economic and Social Affairs, Population Division. 2015. World Population Prospects: The 2015 Revision, DVD Edition. http://esa.un.org/unpd/wpp/DVD/(검색일: 2015.8).

제3장

한국의 고등교육 팽창과 교육 불평등: '학력주의'의 관점에서*

김두환(덕성여자대학교 사회학과)

1980년『한국 교육의 당면문제에 관한 조사』를 통해 한국의 교육 기회에 대한 불평등을 연구한 이홍구 · 안청시(1980)는 "교육 체제는 사회경제 및 정치체제의 구조적 특징에 의하여 틀 지워지기 마련"이고 "교육의 효과나 기회 구조 및 평등화의 제 문제와 관련된 정책 또한 교육의 차원을 넘는 정치경제적 시각 속에서 수립되어야 한"다면서 교육개혁 및 기회균등화 정책의 효과는 사회경제적 및 정치적 개혁이 함께 이루어질 때 달성될 수 있다고 천명한다(이홍구 · 안청시, 1980: 170). 이러한 입장은 교육이 사회에서 수행하는 기능을 현존하는 계급 구조의 재생산으로 인식하고 전후 미국 자본주의와 미국 교육 구조가 보이는 상관관계를 연구한 *Schooling in Capitalist America: Educational Reform and the Contradictions of Economic Life*(자본주의 미국에서 학교교육: 교육개혁과 경제생활의 제 모순)에서 볼스와 진티스가 "대개 교육에 대한 책들은 정치에 관한 것이기도 하다. 우리의 책도 예외가 아니다"(Bowles and Gintis, 1976: viii)라고 쓴 것과 동일한 선상으로 볼 수

* 본 논문은 ≪사회사상과 문화≫ 18권 3호(2015)에 게재된 「한국 고등 교육팽창의 한계: 대학 교육성과의 양극화」를 수정, 보완한 것임.

있다. 그들은 민주주의가 정치적 차원을 넘어 경제문제에까지 확장되었을 때 비로소 학교교육은 ① 사회적 평등을 육성하고, ② 청소년의 창조적 잠재력이 온전하게 발전하도록 촉진하며, ③ 새로운 세대를 우리 사회의 질서 안으로 통합한다는 세 가지 목표를 달성할 수 있다고 했다. 이러한 볼스와 진티스의 시각은 자본주의 사회를 경제 논리로서만 바라볼 수 없고 정치 논리와 모순적으로 결부된 양상을 파악해야 한다는 입장으로 이해할 수 있다. 즉, 근대 자본주의 사회의 정치적 민주주의는 태생에 기초한 귀속적 특권 지위를 거부하며 인간의 평등을 주장한다. 하지만 이러한 정치적 가치 규범이 내포하는 평등은 자본주의적 경제 질서가 강제하는 실질적으로 불평등한 사회체제와 기능적으로 조화로울 수 없는데 근대사회의 정치체제가 선언한 평등한 인간을 불평등한 경제생활에 배분하는 어려운 일은 어떻게 달성될 수 있을까?

여기서 우리가 떠올릴 수 있는 것이 업적주의이다. 업적주의는 ① 자유방임(Laissez-faire) 시장에 기초한 자본주의 경제에서 이윤을 목적으로 경쟁하는 기업은 신분, 성별, 인종 등 태생적 특성이 아니라 생산성을 고용의 제일 중요한 기준으로 삼는다는 신고전주의 경제학의 입장과, ② 현대사회에서 일어나는 계층 분화, 즉 사회적 지위와 경제적 성공을 결정하는 기제가 연고(緣故) 집단 중심의 배타주의(particularism)에서 능력과 노력이라는 보편주의적(universalistic) 기준으로 대체되면서 태생에 기초한 귀속적 지위는 사라지고 개인들의 노력에 의한 성취 지위가 중심이 된다는 기능주의 사회학의 입장에 기초한다(Bowles and Gintis, 1976: 87~80). 구조기능주의 사회학의 아버지로 불리는 파슨스(Parsons)에게 학교는 이러한 업적주의가 작동하는 대표적 기관이다(Parsons, 1951). 왜냐하면 그에게 학교는 중립적 기관이며, 학교에서 학생이 이루어내는 성취는 개인의 능력과 노력에 따른 것이지 누가 대신해줄 수 없는 것이기 때문이다. 이렇게 해서 공인된 학교에서 이

룩한 성취가 업적(merit)의 중요한 신호로 인식되는 학력주의(credentialism)가 등장한다. 귀속적 지위, 즉 태생에 바탕을 둔 전근대적 불평등이 성취에 의한 불평등으로 전환하면서 현대사회가 만들어내는 불평등은 정당한 것이 되는 것이다.

하지만 프랑스 사회학자 부르디외(Bourdieu)는 학교가 중립적 기관이 아니라고 주장한다. 오히려 학교는 상층이나 중산층에게 친숙한 선호나 태도 또는 행위규범을 보편적으로 가치 있는 것으로 보기 때문에 하층계급 자녀의 언어나 행동 양식은 학교에서 존중되지 않는다(Bourdieu and Passeron, 1977). 학교가 이런 장소가 되는 것은 "자본과 그 재생산에 가장 우호적으로 기능하는 법칙을 부과할 수 있는 권력과 이윤을 전유하는 자본이 수행하는 구체적 효과의 원천이 장(field)의 구조, 즉 자본의 불평등한 분포"(Bourdieu, 1986: 246)에 있기 때문이다. 이러한 부르디외의 입장에서 보면 신고전주의 경제학의 인적자본론이나 사회학의 기능주의 계층론은 가용 자원과 자본의 불평등한 분포가 산출하는 숨겨진 형식의 자본(인적자본, 즉 교육 성취)에 대해 지위와 소득이라는 보상을 주장하는 것이 된다. 이처럼 신고전주의 경제학자들과 기능주의 사회학의 계층론은 교육투자에 대한 보상관계에만 주목한다. 하지만 이런 입장에서는 사회적 위계 구조의 다른 위치에 있는 사회적 행위자들 또는 계급들이 가지고 있는 자원의 구성과 양이 기회 구조를 결정하고 시장에서 이루어지는 투자에 대한 보상의 차이를 만드는 것을 파악할 수 없다. 더구나 "능력이나 재능 그 자체는 시간과 문화 자본을 투자한 산물이기 때문에 경제학자들은 교육체계가 문화 자본의 세습을 후원함으로써 사회구조를 재생산하는 일에 기여하는 점을 인식하지 못한다"(Bourdieu, 1986: 244). 그래서 부르디외에게 가족은 자녀의 학업 성취를 조력하는 기능적 조직이 아니라 불평등의 근원이다. 문화 자본과 아비튀스(Habitus) 개념은 부르디외의 이러한 생각을 담고 있다. 부르디외는 자신이 문화 자본을 개념화한 일차적 의도가 위계적으로 분화된 사회 계급 구조상에 있는 학생들의 불균등한 학업 성취를 설명하기 위한 이론적 가정에 있다고 했다(Bourdieu, 1986). 이렇듯 개인의 행위는 가족의 사회적 계급 구조상 위치에 의해 제약받는 것이고 그 제약을 중심으로 불평등한 사회구조가 재생산된다. 가족 안의 미시적 사회구조가 가지고 있는 폐쇄성과 부모 세대의 사회구조적 지위에 따라 활용 가능한 자원의 양이 다음 세대에게 제약되는 점에 주목해보자. 부르디외의 아비튀스는 사회학적 계층론의 한 축을 이루는 지위 획득 이론이 내세우는 가족 안에서 이루어지는 '지위의 사회화' 이론과 사회구조가 행하는 배분의 힘을 함께 고려할 수 있는 이론적 함의를 지닌다(McClelland, 1990). 부르디외의 눈에서 볼 때 아비튀스는 "의식적으로 목적에 맞추려 하지 않았지만 객관적으로 그 목적에 적응하고 있고"(Bourdieu, 1977b: 72), "구조와 실천 사이를 매개"(Bourdieu, 1977a: 487)하는 것이기 때문이다. 다시 말해 교육 성취는 특정 계급의 부모가 자신이 받은 교육을 통해 형성한 가치 규범과 태도 및 행위 양식(부모 세대 아비튀스)을 가족 안의 사회화 과정을 통해 자녀에게 그 고유한 미래에 대한 전망(자녀 세대 아비튀스)으로 불어넣게 되고 부모로부터 가용한 문화 자본은 그 기대와 전망을 성취하는 수단인 것이다. 요약하면 가족은 성장하는 아이들의 사회화 과정에서 맺는 근접한 사회관계의 중심에 있으며 부르디외는 바로 그 가족을 교육 불평등을 낳는 근원이라고 본다(Bourdieu, 1996).

1. 한국 사회의 학력주의와 고등교육 팽창

위에서 논한 두 가지 관점을 바탕으로 한국 사회를 들여다보자. 한국 사회는 1950년대 말 즈음에 태생에 기반을 두는 우월적 지위와 특권을 지닌

구시대의 상층 계급이 사라지고 유동적이고 계층 이동성이 높은 사회구조를 가진 매우 평등한 사회가 되었다. 해방 후의 정치적 혼란과 전쟁을 경험한 이들에게는 고통스러운 기억일 수 있지만 예외적 수준의 평등 윤리와 강렬한 사회적 계층 이동의 욕구를 가진 사회를 만들어낸 한국 특유의 역사적 경험[1]은 전통적인 지배계급이 사라진 상태에서 당시 대부분의 한국인들을 가난하지만 계층 이동 경쟁의 평등한 출발점에 설 수 있게 했다(Koo, 2007; Kim, 1990). 이후 한국 사회는 학력이 지위 상승의 지배적 통로라는 대중적 지각을 통해 강렬한 교육 경쟁에 빠져들고 이 강렬한 교육 경쟁은 지위 경쟁의 양상을 보이면서 급격한 학교의 팽창을 가져왔다.[2] 이러한 학교의 팽창은 한국 사회에서 교육 기회의 균등화를 이루어낸 것이 사실이다. 특히 해방 이후 한국 사회에서 고등교육에 대한 투자는 1990년대까지의 연구들이 지적하고 있듯이 중산층 이상으로 계층 상승 이동을 이룰 수 있는 유력한 통로였다. 그래서 최근까지도 한국 사회에는 가족 배경과 관계없이 교육 성취의 결과로 사회적 지위의 상층부로 올라갈 수 있다는 믿음이 폭넓게 퍼져 있었으며 고등교육에 대한 욕구와 투자는 계급의 상승 이동에 뚜렷하게 기여했고 중간계급의 확대를 가져온 것이 사실이다(Kim, 1990; Hong, 2003). 하지만 한국의 고등교육이 1980년 신군부에 의한 '7 · 30 교육개혁'에서 이루어진 '졸업정원제'에 의한 대중화 단계를 넘어 1995년 문민정부의 '5 · 31

1 Koo(2007: 37~41) 참조.

2 많은 연구들이 한국 사회의 급격한 학교 팽창의 원인을 교육열에서 찾는다. 그런데 김동춘(1999)은 미군정이 실시되면서 좌익의 정치 운동이 탄압받고, 이로 인해 노동운동과 같은 집합주의적 지위 상승의 기회가 차단된 데다 한국전쟁으로 이 같은 경향이 더욱 강화되어 교육을 통한 계층 상승이 거의 유일한 경로가 되었다고 주장한다[김동춘, 「한국의 근대성과 '과잉교육열': 한국의 국가형성과 '학력주의'의 초기적 형성」, 박영은 외 지음, 『한국의 근대성과 전통의 변용』(성남: 한국정신문화연구원, 1999), 114~115쪽. 김종엽, 「국민의 정부 고등교육개혁 비판」, ≪경제와 사회≫, 43권(1999년 가을), 14쪽 각주 2에서 재인용].

〈그림 3-1〉 소득 불평등 추이(지니계수)

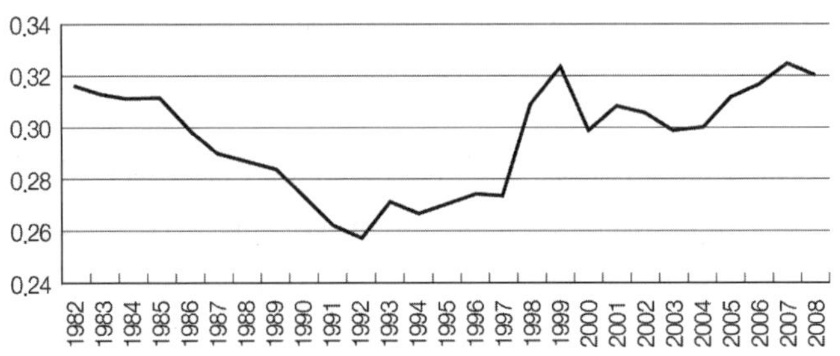

자료: 통계청, 『도시가계조사(1982~2008)』

교육개혁'에서 '대학 설립 준칙주의'와 '대학 정원 자율화' 정책으로 보편화 단계에까지 이른 현재, 우리는 역설적으로 더욱 심각한 고등교육 단계의 불평등을 경험하고 있다. 사정은 그러하지만 한국 사회에서 교육 성취, 특히 대학 진학은 사회경제적 신분 상승의 유일한 통로 구실을 해왔다는 것은 부인할 수 없는 사실이다. 하지만 지난 세기를 마무리하고 21세기를 시작하는 시점에서 한국 사회는 계급 구조가 고착화되면서 계급이 사회를 조직하는 지배적인 원리가 되고 사회 계급 간의 역동적 관계가 정치, 시민사회, 문화의 얼개에 결정적 영향을 미치는 계급사회로 변모했다(Koo, 2007). 한국은 산업화를 경험하던 개발도상국들 중에서 부의 분배가 상대적으로 평등한 국가로 찬사를 받았다(You, 1998). 하지만 1990년대 말 경제위기를 겪으면서 경제적 불평등은 사회적 · 정치적으로 휘발성이 높은 이슈가 되고 이후 소득 불평등의 지표가 악화되어가는 과정을 보였다(Shin, 2004). 〈그림 3-1〉에서처럼 소득 불평등을 표현하는 지니계수는 1997년에 급격하게 악화되고 좀처럼 개선되고 있지 않다.

그러다 보니 학력에 기초한 경쟁은 입시 위주의 교육, 고학력화 내지는 과잉 교육, 대학 입시에 맞추어진 학교 체제와 같은 문제를 만들어내면서 학력주의 또는 학력 사회의 병리적 현상을 노정하고 학력주의를 넘어선 학

〈그림 3-2〉 고등학교 유형별 진학률과 취업률 추이(1965~2009년)

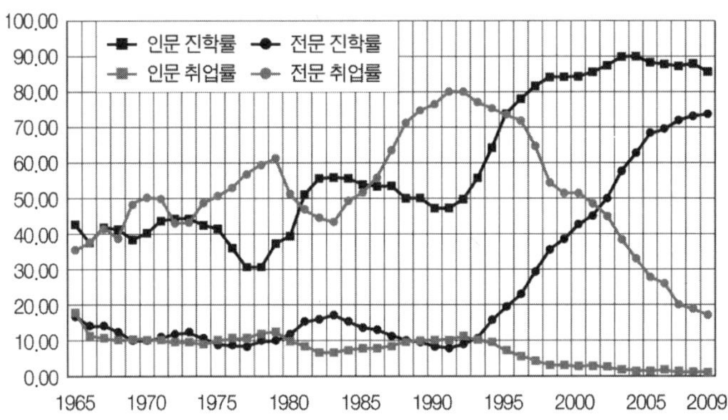

자료: 손준종(2010)

벌에 대한 연구가 1980년대 중반부터 본격적으로 양산되기도 한다(김부태, 2014). 이러한 학력주의의 사회문화적 압력은 고등교육 기회의 양적 팽창으로 이어지고 대학 진학률은 급격히 상승했다(〈그림 3-2〉 참조).

〈그림 3-2〉는 고졸자의 고등교육 진학률이 노동시장의 수요를 넘어선지 오래되었으며, 그렇게 과잉 생산된 대학 졸업자들은 기대 수준에 못 미치는 직업을 선택하거나 실업자로 남아 고학력 청년실업이라는 심각한 사회문제가 되고 있음을 보여준다. 하지만 역설적이게도 이러한 최근의 사회적 과정은 기왕의 더 좋은 대학에 입학하려는 경쟁을 심화시키고 있다. 그런 와중에 대학 입시 준비 과정에서 공식 학교교육 과정의 영향력은 약화되고 사적 가족 배경과 그것을 통해 동원할 수 있는 자원의 영향이 더욱 커지는 양상을 띠고 있다. 학교교육에 대한 신뢰가 떨어지고 학생 개인의 가족 배경이나 그것을 통해 동원할 수 있는 자원의 양에 따라 입학하는 대학의 서열을 결정하는 정도가 높아지는 고등교육의 양적 팽창은 교육 불평등을 완화하기는커녕 심화시키고 있는 것이다. 2011년 "한국의 대학 진학률은 왜 계속 상승하는가?"라는 질문을 던진 박사학위 연구(가와이 노리코, 2011)는 일본

과 비교하면서 한국인들이 취하는 교육 성취와 관련된 행동은 특정 계층이나 지역에 한정된 것이 아니라 한국인 모두가 참여하는 모두의 경쟁이며 그것을 통해 얻으려는 학력은 보편성이 매우 높은 것으로 볼 수 있다고 주장한다. 그렇다면 이 대목에서 우리는 학력주의를 말하기 위한 학력(學歷)의 의미를 분명히 할 필요가 있다. 여기서 학력은 경제학의 인적자본의 의미가 내포하고 있는 학문의 실력을 의미하는 학력(學力) 또는 노력으로 쌓은 능력과 구분되는 제도 교육의 단계를 이수한 이력을 말한다. 물론 이러한 학력이 경제학자들이 사용하는 인적자본의 개념을 포함하고는 있지만 학력주의가 내포하는 학력이란 교육을 받아 쌓은 실력보다는 사회 안에 하나의 체제로 정비된 제도 교육의 단계를 이수했다는 제도적 · 공식적 '증명'을 뜻하는 것으로 본다는 말이다. 이러한 의미의 학력에 기초한 학력주의는 학력의 실질적인 가치보다는 제도적 · 공식적 증명서가 능력과 실력으로 받아들여지고 과도하게 중시되는 사회적 차원의 신념 체계라 정의할 수 있다(이정규, 2003: 17~20).

2. 한국 사회에서 학력주의의 기원과 초기적 형성

한 사회에서 학력주의가 제도화되는 시점은 교육 기회에 대한 신분 차별이 철폐되고 학력이 사회적 지위 배분의 유력한 결정 요인이 되는 근대사회로의 전환 과정과 대개 일치한다(이광호, 1994: 153). 이렇게 볼 때 한국 사회의 학력주의의 기원을 시험을 통해 관리가 될 자격을 부여한 고려 시대의 과거제도 도입으로 보는 경우(이정규, 2003)도 있지만 신분에 따른 차별 없이 모든 계층에게 교육의 기회가 열리고 제도화되는 현대적 개념의 학력주의의 기원은 신분제도가 철폐되고 관리 임용에 관한 법을 개정한 1894년 갑오개혁에서 그 기원을 찾을 수 있다(이정규, 2003; 이광호, 1994). 부연하면 학력이 경제적 특권과 사회적 지위를 얻는 자격으로 자리매김하기 위해서는 신분제도가 철폐되고, 학교교육이 신분의 차별 없이 개방되는 동시에 하나의 체제로 정비되어 교육 체제 내부에서 이전 단계의 학력이 다음 단계의 학력, 즉 상급 학교로 진학하기 위한 학력의 단계적 분화를 이루며, 특정 단계의 학력이 정부 관료, 법관, 교원, 의사와 같은 직업의 자격 요건으로 제도화해야 하는데 그 과정의 출발이 1894년 갑오개혁이라는 말이다. 갑오개혁 이후 이렇게 학력은 다음 단계, 즉 상급 학교의 진학 자격 및 직업 자격으로 제도화되는 과정을 거치는데 한국의 역사적 경험에서 우리가 주목해야 할 것은 조선조 말의 신분 체제가 와해되는 과정이 지배계급을 혁파하고 새로운 사회적 주도세력을 등장시키지는 못했다는 점이다. "18세기 이후에 시작된 사회 전체의 양반 지향화, 즉 양반적 가치관, 생활 이념의 하층 침투"(미야지마 히로시, 2014: 232)는 오히려 양반 문화가 보편적으로 확산되는 양상을 보임으로써 학력을 얻어 관직으로 나가는 전통적 신분 문화를 유지하려는 학력주의 의식이 일반 대중들에게 폭넓게 침투하는 결과를 가져온다(이광호, 1994). 이런 조선 사회 전체의 양반 지향화는 김영모(이정규, 2003: 70에서 재인용)의 연구에 의하면 1858년 조선의 전체 인구 중 양반이 차지하는 비중이 44.6%에 이르는 모습에서 찾을 수 있는데, 이러한 변화는 "양반층의 지방 지배에 도전하려고 새로이 성장해온 계층도 그 목적은 양반을 부정하는 것이 아니라 자신이 양반으로 성장하는 것"(미야지마 히로시, 2014: 232)이었다는 해석을 가능하게 해주는 것이다. 뒤에 좀 더 자세히 논하겠지만 이런 역사적 경험은 한국인들의 평등주의가 '지위 상승의 평등주의'(김종엽, 2007)라는 매우 독특한 성격을 갖는 데 일조했다고 할 수 있다.

이후 일제강점기에는 국가 수준에서 교육제도가 수준별로 체계화되고 다양한 직업을 갖기 위한 자격으로 학력이 명문화된다. 즉, 공공기관에 관리가 되기 위한 선발 시험에 학력을 규정하거나 특정 직책의 임용 규정에 학력을 요건으로 명시하는 등 학교를 이수한 사람에게 유리한 학력 제도가 구축된 것이다. 일본 제국주의는 식민지 한국에서 한국인을 일본의 황국신민으로 만들고 자신들의 제국주의 이념을 한국인에게 주입하기 위한 도구로 교육을 사용한 것이 분명하다. 하지만 한국 사회에 학력주의가 뿌리내리게 되는 측면에서 보면 일제강점기의 학교교육은 형식적이나마 모든 사람에게 기회를 열었고, 지위와 계층 이동을 도모하는 수단이 되어 교육을 통해 누구나 자신의 노력에 따라 사회경제적 지위 상승을 이룰 수 있는 통로가 되었다는 점을 부정할 수 없다. 하지만 학교제도가 개방되어 있다고 해서 그것이 기회의 평등을 의미하는 것은 아니다. 교육 기회가 불평등한 이유로는 식민지 한국에 와 있던 일본인과 비교할 때 한국인에 대해 차별적 교육이 이루어졌다는 점과[3] 중등학교 이상은 도시지역에 더 집중적으로 설립되어 있었다는 점, 또 수업료의 부담이 컸다는 점을 들 수 있다. 즉, 구시대의 신분에 따른 차별 없이 학교교육이 이루어졌고 관료 임용의 자격도 학교교육 이력과 연계된 것은 사실이지만, 중등교육 이상의 교육 기회가 억제되었고 특히 식민지 피지배 대중들에게는 교육비의 부담이 있어 경제적으로 여유로운 계층에게만 기회가 제한된 시기였다(이정규, 2003: 95~114; 이혜영, 1992: 50~52). 그러한 민족 차별이나 교육 기회의 제한 속에서도 일제강점기에 고학력을 획득하고 사회경제적 지위를 획득한 사람들은 해방 이후 미군정 시대를 거쳐 대한민국 정부 수립 후 고위직에 진출해 새로운 지배계층으로 등장하게 된다(이정규, 2003: 118~119).

---

3 예를 들어 식민지 시기 교육의 지속적인 확대가 이루어져 중등교육의 경우 한국인 인구 1만 명당 학생 수가 1912년 1.8명에서 1942년 33.7명으로 증가하나, 재한일본인의 경우 인구 1만 명당 학생 수가 1912년 64.5명에서 1942년 520명으로 증가한다. 자세한 내용은 이정규(2003: 98, 103, 106) 참조.

식민지 체제에서 교육받은 사람들이 해방 후 한국에서 새로운 지배층으로 자리 잡아가는 것을 본 한국인들은 일제강점기의 차별적 교육체계가 사라지자 폭발적으로 교육열을 분출했고, 이는 고등교육에서도 예외가 아니어서 해방 이후 1961년까지 고등교육의 급속한 양적 팽창이 일어나는 데 크게 기여한다. 당시 고등교육의 양적 팽창은 1954년을 기준으로 총인구에 대한 대학생 수의 비율(0.38%)로도 확인할 수 있는데, 이는 전후 독립한 가난한 신생국인 대한민국보다 소득이 높은 다수의 국가들에 비해 현저하게 높은 것이었다(이혜영, 1992: 43).[4] 앞서도 밝힌 것처럼 학력주의를 바탕으로 한 교육 경쟁이 한국인 모두가 참여하는 경쟁이 된 데에는 전통적 신분 질서가 무력화되면서 모두가 가난하지만 평등해진 1950년대가 전환점이 된다. 분단과 전쟁을 겪으면서 집단적 지위 상승이라는 다른 계층 이동의 길은 막힌 상태[5]에서 교육, 즉 학력이 사회적 지위와 물질적 부를 획득하는 사회경제적 가치를 갖는다는 대중적 자각이 중요했다. 2차 세계대전 후 독립한 가난한 대한민국에서 고등교육의 가치에 대한 대중적 인식에는 이를 부추기는 사회적 조건이 있었다. 노동시장의 구조가 그러한 사회적 조건일 수 있는데 당시 한국 경제는 전쟁 이후 미국의 원조에 의존하며 3차 산업의 비중이 높은 초기 산업화 국가로서는 특이한 산업구조를 보인다. 더구나 3차 서비스 산업은 종사자의 소득이 높은 산업으로 상업 · 금융 부문에서 고학력자가 높은 비율로 분포했던 것이다(이혜영, 1992: 72~77).

4 당시의 대학 팽창의 원인에 다양한 요인에 대해서는 이혜영(1992: 41~53) 참조.

5 각주 2 참조.

3. 1960~1970년대 한국 사회에서 학교 팽창과 고등교육 수요의 폭발

5·16 군사 쿠데타를 통해 등장한 박정희 정권은 강력한 사회정치적 통제력을 통해 대학 정원의 확대를 억제했다. 하지만 대학 교육에 대한 수요는 고용·임금의 학력 간 격차로 인해 1960대와 1970년대에도 증대했다(이혜영, 1992: 76~80, 144~151). 더구나 이 시기는 중등교육의 양적 팽창으로 대학 진학 수요가 급증했던 시기다. 알려진 바와 같이 이 시기는 고등교육 아래 단계의 입시 경쟁을 해소하기 위해 중학교 무시험 진학 제도(1969년)가 도입되었고 이후 심화된 고등학교 입시 경쟁을 해결하기 위해 고등학교 평준화 정책(1974년)이 시행된 때이다. 1962년에서 1978년까지의 기간은 고등교육 팽창의 관점에서 볼 때 "4년제 대학보다 2년제 대학이 높은 증가율을 보임으로써, 1962년에 고등교육기관 전체 학생 수 중 8.1%에 불과했던 2년제 대학 학생수가 1978년에는 29.0%를 차지하게 되었다. 이러한 변화는 특히 1970년대의 급속한 증가에 힘입은 것이다"(이혜영, 1992: 124). 더구나 1970년대는 1955년에서 1963년 사이에 태어나 중·고등교육을 마친 베이비부머들의 고등교육 수요가 폭발하던 시기였으며, 이로 인해 대학 입시 경쟁이 더욱 격렬해지며 재수생 문제, 과외 문제가 점점 더 심각해지던 시기였다. 여기에 〈그림 3-3〉이 보여주는 것처럼 4년제 대학의 정원은 증가 속도가 더디어서 고교 졸업자들의 4년제 대학 진학률은 오히려 감소하는 경향을 보이던 시기이다. 예를 들어 〈그림 3-3〉에서 볼 수 있는 바와 같이 1970년의 고교 졸업자 진학률은 25.7%(37,190/144,792)인 데 비해 1978년은 17.7%(70,710/400,421)로 감소한다.

1970년대에 이루어진 경제발전 과정은 1973년부터 국가가 중화학공업화를 강력하게 추진하면서 경제 규모의 확대와 산업구조의 변화가 일어나고

〈그림 3-3〉 대학입학 정원과 교육 수요(1970~1980년)

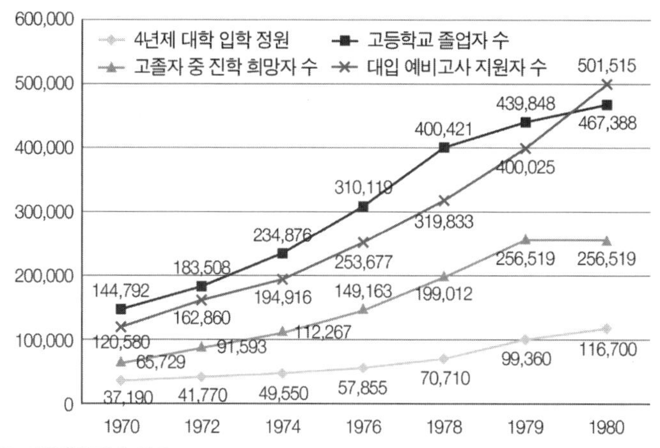

자료: 이혜영(1992)을 정리

고급 인력에 대한 수요가 대폭적으로 증가하는 양상을 보인다. 하지만 박정희 정권의 대학 정원 억제 정책으로 대졸자 공급이 부족하게 되고 대졸 취업자의 임금이 두드러지게 상승한다. 더구나 1974년에 실시된 고교평준화 정책으로 고졸자는 1974년에 비해 1978년 두 배 가까이 증가하지만 좁은 대학의 문은 고졸자와 대졸자 간의 격차를 심화시키는 결과를 초래한다. 그래서 산업과 고등교육 수요자의 요구가 비등한 1979년은 박정희 정권에서 억제되었던 대학 입학 정원이 획기적으로 증가된 해로 1978년에 비해 39%(일반대학 2만 8650명, 전문대학 1만 9450명, 교육대학 2120명 등 총 4만 9450명)나 상승한 해였다(이혜영, 1992: 155). 또한 1980년은 〈그림 3-3〉에서 볼 수 있는 것처럼 처음으로 고교 졸업자보다 대입예비고사 지원자 수가 많아진 해로 재수생 문제가 얼마나 심각한지 알 수 있게 해주는 대목이다.

4. 1980년 한국 사회의 학력주의 진단

이렇게 대학 교육에 대한 수요가 급격하게 상승하던 1980년 서울대학교 사회발전연구소는 『한국 교육의 당면문제에 관한 조사』를 실시하는데 이는 시대적 의의뿐만 아니라 한국 교육의 본질적인 특성을 파악하고 학교교육의 문제점을 여러 측면에서 종합적으로 검토하며, 나아가 학교교육이 나아가야 할 방향을 다루었다는 점에서 의의가 있는 조사라 할 수 있다. 표본은 제주도를 제외한 전국 지역에 거주하는 만 20세 이상 성인 남녀를 대상으로 했고, 다단계층화 표본추출을 통해 1420명의 자료를 수집했다. 1980년은 위에서 살펴본 것처럼 한국 사회의 학력주의의 전개 과정에서 대학 교육의 팽창과 관련해 전환기를 이루는 해이다. 설명한 바와 같이 박정희 정권이 행한 대학 정원 억제 정책이 한계에 달하면서 산업으로부터 또한 교육 수요자들인 학부모와 학생으로부터 대학 교육에 대한 수요가 비등하던 시점이었다.

우선 당시에 우리 국민들 마음에 대학 교육과 관련한 입장과 태도를 살펴보도록 하자. 이 조사는 자녀의 장래 교육과 직업에 대한 의견을 물어본다. 〈그림 3-4〉는 아들이 있다고 했을 때 기대하는 직업과 그 직업을 가진 사람이 되기 위해 필요한 최소한의 학교교육 수준을 물은 항목에 대한 답변을 요약한 것이다. 기타를 포함해 스물네 개 직업을 보기로 제시한 조사에서 ① 농민, 상인, 기술자를 '고졸 직군', ② 엔지니어, 장교, 변호사, 교사, 판검사, 외교관, 고급공무원, 약제사 및 '의사 및 판검사'라고 응답한 한 개 사례를 '대졸 직군', ③ 과학자, 의사, 교수를 '대학원 직군'으로 포함해 묶고, 그 외의 정치가, 기업가, 예술가, 은행원, 언론인, 성직자, 경찰, 체육인, 사회사업자 및 기타는 요구 학력을 확정하기에 애매하다고 보고 제외했다. 물론 이 분류가 절대적이라 볼 수는 없다. 하지만 그래도 아들에게 희망하는

〈그림 3-4〉 희망하는 아들의 직업에 따른 교육 기대(1980년)

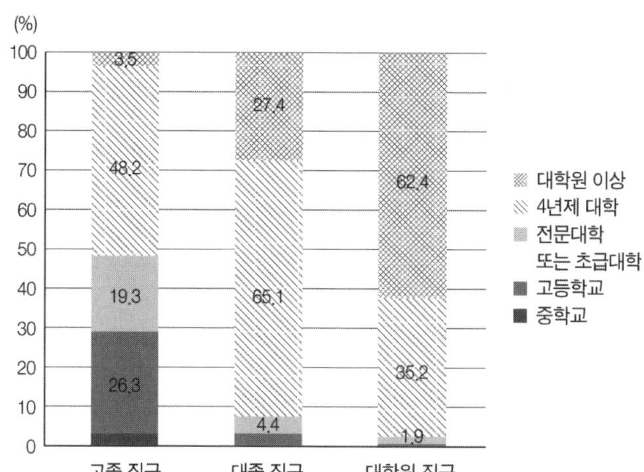

직업과 그에 필요한 교육 수준의 합치 정도를 거칠게나마 파악해볼 수는 있을 것이다. 이 그림을 들여다보자. 우선 눈에 띄는 점은 희망하는 아들의 직업에 따른 교육 기대가 합치하지 않는다는 점이다.

정보의 한계 때문이라 볼 수도 있지만 앞에서 논의한 바와 같이 해방 후 1980년에 이르기까지 한국 사회의 교육열의 폭발과 학력주의의 전개 과정을 고려해보면 고졸 직군의 직업을 기대하는 부모들이 4년제 대학이나 대학원 졸업을 기대하는 비율이 51.7%나 된다는 것은 놀라운 일이 아닐 것이다. 1980년 초등학교에서 중학교 진학률이 95.1%였고 중학교에서 고등학교 진학률이 84.5%였던 것에 비해 고등교육 진학률은 27.2%였다. 앞에서도 살펴본 것과 같이 고등교육을 4년제 대학으로 제한하면 진학률은 1978년 17.7%에 지나지 않았고 1979년의 급격한 정원 증원과 1980년의 정원 증원 후에도 이 해의 4년제 대학 진학률은 25.0%에 머무른다. 대학 교육 기회가 억제된 상태에서 중화학공업화 추진이 가져온 산업구조의 변화로 관리직, 기술직, 사무직의 수요가 증대했기 때문에 대졸자와 고졸자의 임금격차가 커져가던 당시의 상황을 생각하면 대학 교육에 대한 열망이 얼마나 강렬했을지 짐작해볼 수 있는 조사 결과일 것이다.

이 조사는 당시의 이러한 정황을 반영한 듯 '고등학교 동기 동창인 두 사람이 4년 만에 같은 직장에서 서로 만났습니다. 갑(甲)은 고교 졸업 후 바로 취직해 4년간 그 직장에서 일을 해왔고, 을(乙)은 4년간의 대학 교육을 마치고 최근에 그 직장에 취직했습니다'는 정황을 주고 '4년의 경력 고졸자(갑)의 임금에 비할 때, 대졸자 을의 초임금은 어느 정도라야 합당하다고 생각하십니까?'라고 묻는다. 응답은 대졸자의 임금이 '약간 적어야 한다(=1)', '같아야 한다(=2)', '약간 많아야 한다(=3)', '두 배 정도 되어야 한다(=4)', '두 배 이상 되어야 한다(=5)'로 이루어져 있다. 또한 이 조사는 '위의 두 고교 동기 동창이 장차 승진을 할 경우 다음 중 어느 것이 합당하다고 생각하십니까?'라는 질문도 한다. 앞의 질문이 입직에서 학력을 '업적'으로 평가해 능력으로 받아들이는 근대적 업적주의가 '학력'으로 대체되는 것에 대한 수용 수준을 묻는 질문이라면, 승진에 관한 질문은 학력이 입직 이후 경력의 발전에도 중요한 잣대가 되어야 한다는 좀 더 적극적인 학력주의로 판단할 수 있는 질문이다. 응답은 '고졸자가 조금씩 빠르게 승진해야 한다(=1)', '고졸자와 대졸자가 같은 속도로 승진해야 한다(=2)', '대졸자가 조금씩 빠르게 승진해야 한다(=3)', '대졸자가 훨씬 더 빠르게 승진해야 한다(=4)'로 이루어져 있다. 세 번째 질문은 흥미로운데 대학 교육 팽창에 대한 지지 수준을 묻고 있다. '현재 우리나라의 실정으로 보아서 대학생 수를 더 늘리는 것이 좋겠습니까, 줄이는 것이 좋겠습니까?'라는 질문에 대해 '줄이는 것이 좋겠다(=1)', '그대로 두는 것이 좋다(=2)', '약간만 늘리는 것이 좋겠다(=3)', '크게 늘리는 것이 좋겠다(=4)'로 응답을 구성해 지지하는 정도를 4점 척도로 물어보았다. 아래는 이 세 질문에 대해 응답자들의 어떠한 속성이 학력주의를 더 지지하고 또는 지지하지 않는지, 또 대학 교육의 기회 확대에 대해 동일한 응답자의 속성이 어떻게 연관되는지에 대한 회귀분석을 실행한 결과이다. 회귀분석에 포함된 변수들에 대한 기술통계량은 〈표 3-1〉에 요약했다.

〈표 3-2〉는 어떤 특성을 가진 사람들이 대졸 학력자의 초임을 같은 회사에서 4년간 일을 해온 고졸 친구보다 더 높게 혹은 낮게 책정하도록 생각하는지에 대한 결과다.

분석 결과를 요약하면 남성보다 여성이, 나이가 많은 사람이, 당시의 학교교육에 대한 만족 수준이 높은 사람이, 고교평준화에 반대하고 일류 대학의 졸업이 성공에 중요하다고 생각하며, 대학 교육은 평균 이상의 능력이 있는 사람이 받아야 한다고 생각하는 사람들이 대졸 학력자의 초임을 더 주어야 한다는 의견에 긍정적인 것으로 나타났다. 하지만 한국 사회에서 성공하기 위해 중요한 것은 개인이 성취한 능력보다는 가문, 부모의 재산, 연줄 같은 귀속적 지위라고 생각하는 사람, 졸업정원제에 찬성하는 사람들은 4년 경력의 고졸자보다 대졸 학력자의 초임을 더 주어야 한다는 의견에 부정적인 것으로 나타났다. 〈표 3-3〉은 어떤 특성을 가진 사람들이 대졸 학력이 같은 회사에 4년 먼저 입직한 고졸 학력에 비해 경력 발달, 즉 승진에 더 중요한 요인이라고 생각하는지에 대한 회귀분석 결과다.

〈표 3-3〉의 분석 결과를 요약하면 당시의 학교교육에 대한 만족 수준이 높은 사람, 일류 대학 졸업이 한국 사회에서 중요하다고 생각하는 사람들이 대졸 학력을 가진 사람이 같은 회사에 4년 먼저 입직한 고졸 학력자에 비해 더 빠른 속도로 승진해야 한다고 생각하는 것으로 나타났다. 하지만 학교에서 능력별 반 편성을 반대하는 사람이나 한국 사회에서 성공하기 위해 중요한 것은 개인이 성취한 능력보다는 가문, 부모의 재산, 연줄 같은 귀속적 지위라고 생각하는 사람, 졸업정원제에 찬성하는 사람, 성 평등 의식 수준이 높은 사람은 대졸 학력을 가진 사람이 같은 회사에 4년 먼저 입직한 고졸 학력자에 비해 더 빠른 속도로 승진해야 한다는 생각에 부정적인 것으로 드

〈표 3-1〉 기술통계량

변수 명	표본 수	최솟값	최댓값	평균	표준편차
학력 차에 따른 초임금 차에 대한 의견	1,411	1	5	2.26	0.93
학력 차에 따른 승진 속도에 대한 의견	1,389	1	4	2.63	0.69
대학 교육 기회 확대에 대한 지지도	1,299	1	4	2.88	1.05
연령	1,419	1	6	3.68	1.00
교육 수준	1,417	1	7	3.85	1.55
학교교육 만족도	1,410	1	3	1.93	0.69
가장 좋은 삶의 성취 정도	1,410	0	10	5.29	2.13
일류 대학 졸업 성공 중요성	1,415	1	3	2.32	0.66
과외/입시 준비 교육 동의 수준	1,384	0	6	2.42	1.56
대학 교육 기회의 불평등 정도	1,276	1	4	3.23	0.85
정부 교육재정 투자 수준(부족)	1,372	1	5	3.97	0.97
성 평등 의식 수준	1,385	0	5	3.86	1.19

변수 명(가변수)		표본 수	빈도(명)	비율(%)
성별	1=여성	1,420	675	47.5
	0=남성		745	52.5
고교평준화 반대	1=반대	1,403	463	33.0
	0=찬성 또는 모르겠다		940	67.0
능력별 반 편성 반대	1=반대	1,408	570	40.5
	0=찬성		838	59.5
성공에 중요한 것	1=가문, 재산, 연줄 등 귀속지위	1,408	267	19.0
	0=기타(노력, 성실성, 능력 등)		1,141	81.0
아들에 대한 직업 기대	1=전문직	1,405	1,140	81.1
	0=비전문직		265	18.9
대학 교육은 평균 이상이나 아주 뛰어난 사람이 받는 것	1=그렇다	1,232	145	11.8
	0=아니다		1,087	88.2
능력 있지만 가난한 학생의 대학 등록금 스스로 해결	1=그렇다	1,418	103	7.3
	0=아니다		1,315	92.7
졸업정원제 찬성	1=찬성	1,415	975	68.7
	0=반대, 그대로 유지 및 모르겠음		440	31.0
학교교육은 도구적 목적으로 하는 것 (직업, 사회적 지위)	1=그렇다	1,416	213	15.0
	0=아니다		1,203	85.0

〈표 3-2〉 학력 차에 따른 초임금 차에 대한 회귀분석

변수 명	b	(S.E.)	
절편	1.042	(0.316)	**
여성	0.120	(0.060)	*
연령	0.139	(0.031)	***
교육 수준	-0.011	(0.022)	
학교교육 만족도	0.088	(0.045)	+
가장 좋은 삶의 성취 정도	0.001	(0.014)	
고교평준화 반대	0.114	(0.061)	+
능력별 반 편성 반대	-0.085	(0.059)	
성공에 중요한 것(귀속지위)	-0.335	(0.073)	***
아들에 대한 직업 기대(전문직)	0.088	(0.079)	
일류 대학 졸업 성공 중요성	0.132	(0.044)	**
대학 교육은 평균 이상이나 아주 뛰어난 사람이 받는 것	0.222	(0.091)	*
과외/입시 준비 교육 동의 수준	0.030	(0.020)	
능력 있지만 가난한 학생의 대학 등록금 스스로 해결	0.077	(0.118)	
졸업정원제 찬성(더미)	-0.146	(0.064)	*
대학 교육 기회의 불평등 정도	-0.020	(0.035)	
학교교육은 도구적 목적으로 하는 것	0.073	(0.080)	
정부 교육재정 투자 수준(부족)	0.020	(0.032)	
성 평등 의식 수준	0.040	(0.025)	
R^2	0.093		
N	987		

주: +=p〈0.1, *=p〈0.05, **=p〈0.01, ***=p〈0.001

러났다. 〈표 3-4〉는 대학 교육의 기회 확대 의견에 대한 회귀분석 결과다.

〈표 3-4〉에 나타난 1980년 당시 대학 교육 기회의 확대에 대한 회귀분석 결과를 요약하면 학교교육에 만족하고, 아들에 대한 장래 직업을 전문직으

〈표 3-3〉 학력 차에 따른 승진 속도에 대한 회귀분석

변수 명	b	(S.E.)	
절편	2.068	(0.243)	***
여성	0.033	(0.046)	
연령	0.038	(0.024)	
교육 수준	0.009	(0.017)	
학교교육 만족도	0.071	(0.035)	*
가장 좋은 삶의 성취 정도	0.017	(0.011)	
고교평준화 반대	0.073	(0.047)	
능력별 반 편성 반대	-0.111	(0.045)	*
성공에 중요한 것(귀속지위)	-0.213	(0.056)	***
아들에 대한 직업 기대(전문직)	0.041	(0.061)	
일류 대학 졸업 성공 중요성	0.127	(0.034)	***
대학 교육은 평균 이상이나 아주 뛰어난 사람이 받는 것	0.026	(0.070)	
과외/입시 준비 교육 동의 수준	0.008	(0.015)	
능력 있지만 가난한 학생의 대학 등록금 스스로 해결	0.064	(0.092)	
졸업정원제 찬성(더미)	-0.096	(0.049)	+
대학 교육 기회의 불평등 정도	-0.008	(0.027)	
학교교육은 도구적 목적으로 하는 것	0.034	(0.062)	
정부 교육재정 투자 수준(부족)	0.023	(0.025)	
성 평등 의식 수준	-0.039	(0.019)	*
R^2	0.062		
N	968		

주: +=p〈0.1, *=p〈0.05, **=p〈0.01, ***=p〈0.001

로 기대하며, 일류 대학 졸업이 성공에 중요하다고 보고, 대학 입학을 위한 입시 준비 교육을 학교에서 하거나 과외를 받는 것이 문제가 없다고 생각하며, 당시의 대학 교육 기회가 불평등하다고 생각하는 사람들이 대학생 수를 더 늘리는 것이 좋다는 의견에 지지를 보내는 것으로 나타났다. 하지만 교

〈표 3-4〉 대학 교육 기회 확대 지지수준에 대한 회귀분석

변수 명	b	(S.E.)	
절편	1.690	(0.351)	***
여성	0.046	(0.072)	
연령	-0.031	(0.038)	
교육 수준	-0.045	(0.026)	+
학교교육 만족도	0.157	(0.054)	**
가장 좋은 삶의 성취정도	-0.001	(0.017)	
고교평준화 반대	-0.125	(0.074)	+
능력별 반 편성 반대	0.097	(0.071)	
성공에 중요한 것(귀속지위)	-0.041	(0.087)	
아들에 대한 직업 기대(전문직)	0.165	(0.094)	+
일류 대학 졸업 성공 중요성	0.136	(0.053)	*
대학 교육은 평균 이상이나 아주 뛰어난 사람이 받는 것	-0.035	(0.110)	
과외/입시 준비 교육 동의 수준	0.072	(0.024)	**
능력 있지만 가난한 학생의 대학 등록금 스스로 해결	-0.096	(0.141)	
대학 교육 기회의 불평등 정도	0.100	(0.042)	*
학교교육은 도구적 목적으로 하는 것	-0.257	(0.098)	**
정부 교육재정 투자 수준(부족)	0.031	(0.038)	
성 평등 의식 수준	0.037	(0.030)	
R^2	0.062		
N	921		

주: +=p〈0.1, *=p〈0.05, **=p〈0.01, ***=p〈0.001

육 수준이 높고, 고교평준화에 반대하며 학교교육의 목적을 직업 생활이나 사회적 지위 획득을 위한 것(도구적 목적)이라고 생각하는 사람들은 대학생 수를 더 늘리는 것에 부정적이었다.

당시에 본 조사의 책임자로 조사 자료를 분석한 연구를 발표한 이홍구 ·

〈그림 3-5〉 4년 경력 고졸자 대비 대졸자 초임 수준에 대한 의견

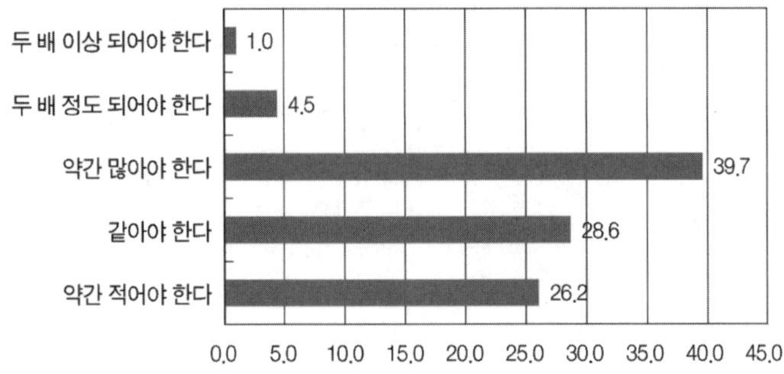

〈그림 3-6〉 4년 경력 고졸자 대비 대졸자의 승진 속도에 대한 의견

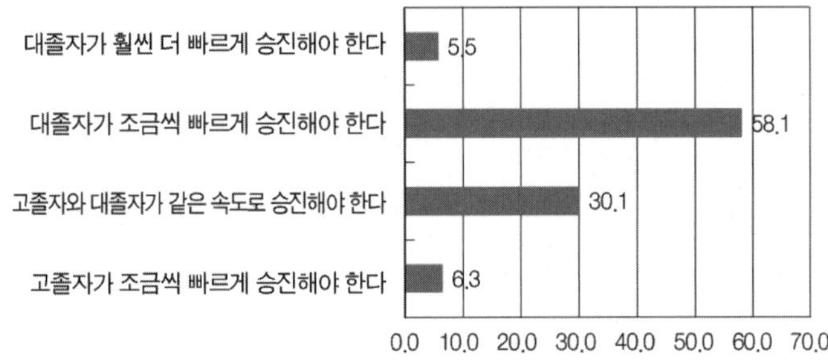

안청시(1980)는 1980년 한국인은 "소득수준과 경제생활에 대한 높은 불만족에도 불구하고 한국인의 교육 가치관이 급격한 평등화를 지향하고 있다는 주장을 뒷받침할 만한 증거는 희박하다"(165쪽)고 말하면서 그 이유를 〈표 3-2〉와 〈표 3-3〉의 종속변수에 대한 분포를 들어 설명한다(〈그림 3-5〉와 〈그림 3-6〉 참조).

그들은 "사람들이 평등의 원칙을 대체로 수용하고 있으나, 그것은 개인의 능력과 사회적 경쟁을 희생시키지 않는 범위에서 추구되어야 하며, 결국 자유와 평등이 조화될 수 있는 가치를 지향하고 있는 것으로 해석된다"고 말한다. 이러한 해석에 동의하면서도 우리에게는 이러한 한국인들의, 어떻

게 보면 모순적으로 보이는 태도에 대한 부가적인 설명이 필요해 보인다. 즉, '한국인들에게 평등주의는 어떠한 것인가?'라는 문제가 제기될 수 있다. 앞에서 밝힌 것처럼 한국은 식민지 경험과 전쟁을 겪으면서 1950년대 말에 이르러 모두가 가난하지만 평등한 사회가 된다. 그런데 그러한 경험을 통해 얻어진 평등주의는 우리 사회가 가지고 있던 연대의 자원을 파괴하는 과정이었다(김종엽, 2007; Kim, 1990). 그래서 우리의 평등주의는 '나도 노력해서 높은 곳으로 올라가겠다!'는 평등주의인 것이다. 그것은 '지위 상승의 평등주의'이고 언뜻 사회적 진화론을 떠올리게 하는 '개인적 적응과 지위 상승 전략'을 추구하는 '연대 없는 평등주의'라고 표현(김종엽, 2007)되기도 한다. 하지만 한국 사회의 불균등한 산업화 과정에서 교육을 통한 지위 경쟁의 행위 주체는 개인이 아니고 변형된 형태의 근대적 가족이었다. 그래서 단기간에 물질적 부와 사회적 지위를 획득하기 위해 격렬한 경쟁에 돌입해 승리하기 위한 가족 수준의 자원 동원은 사회적 연대를 해치면서 진행되어왔다는 의미에서 '비도덕적 가족주의(amoral familism)'라고 표현(Kim, 1990)되기도 한다. 바로 이것이 한국의 교육열의 배후에 놓인 평등주의의 모습이라는 점에 대개의 연구자들이 동의하고 있으며, 따라서 교육열(education fever)은 사실 지위 상승으로 향한 열병(status fever)이었다고 보는 것이 더 정확할 것이다(Lett, 1998).

5. 1990년대의 대학 팽창과 대학 서열 체제의 강화, 그리고 평준화의 해체

1981년에 도입되어 1988년 완전히 환원될 때까지 실시된 1980년대의 졸업정원제 이후, 1990년대 초에 주춤하다 지속된 한국 고등교육의 팽창은 4

년제 일반대학에 비해 2년제 전문대학의 수가 더 증가하고, 여성의 고등교육 진학률이 남성의 경우보다 빠르게 올라가며, 공립대학보다는 사립대학의 수가 눈에 띄게 증가하고, 4년제 대학들 내부에서 서열분화가 이루어져 계층적(stratified) 체제의 모습을 보인다는 특징을 지닌다(Park, 2007). 이렇게 팽창하는 한국의 고등학교 졸업생들의 진학률은 2008년 83.8%로 정점을 찍는데 이 양상은 우리 사회의 다양한 사회집단들이 교육제도를 둘러싸고 벌인 경쟁과 1987년 민주화 이후 변화된 사회적 변화에 중산층 이상의 학부모들이 추구한 계급적 대응의 결과물이기도 하다. 아마도 대표적인 사례는 고교평준화 정책일 것이다. 1987년 민주화 운동 이후 직선제를 통해 집권한 노태우 대통령은 1990년 2월 문교부에 "전국 공 · 사립 고교 가운데 여건이 좋다고 판단되는 학교는 1991년부터 경쟁시험을 통해 신입생을 뽑을 수 있도록 제도를 개선하라"라고 지시한다. 이에 대해 당시 김영철 한국교육개발원 선임연구원은 그 배경을 "직선제를 통해 집권한 제6공화국은 이전 군사정부와 차별화를 시도했다. 제6공화국은 고교평준화 정책처럼 국가가 공권력을 통해 전격적으로 도입한 제도들에 대해 민주화와 자율화 정신에 비추어 거부감을 나타냈다"라고 설명한다. 이에 1990년부터 1995년까지 목포, 군산, 안산, 춘천, 원주, 익산, 천안 등의 지역이 평준화 정책을 폐기했다. 더불어 1992년에는 각종학교였던 외국어고등학교가 정규학교인 특수목적 고등학교로 지정되고 과학고등학교 설치도 확대되었다(국정브리핑 특별기획팀, 2007: 171~172). 현재는 학령인구에서 과학고와 외고, 자사고, 국제고와 같은 학교들의 입학 정원이 차지하는 비중이 평준화 이전이었던 1972년에 세칭 전국의 일류 고등학교들의 입학 정원이 차지하던 비중보다 커졌다. 사실상 평준화는 해체되어버린 것이다(김종엽, 2007). 이러한 사실들은 어떻게 중산층 이상으로 올라선 개별 가족들의 계급적 욕망이 집합적으로 한국 사회의 교육 계층화와 관련된 거시정책의 역사적 변화를 만들어내는지를 보여주는 사례일 것이다. 이처럼 민주화 이후 들어선 정부는 중산층 가족들의 요구, 다시 말해 교육의 공공성보다는 수요자를 우선시해 정책 변화를 시도했다고 할 수 있다. 이 같은 일은 트로(Trow, 1972)가 말한 고등교육의 대중화 단계를 넘어선 1980년대 이후, 명문 대학을 향한 경쟁이 더욱 심화되는 과정에서 벌어진 것이다. 다음은 이러한 문제들을 해명해보기 위해 1990년대 이후 한국의 고등교육 팽창을 이해하는 데 도움이 될 수 있는 이론적 관점을 논하면서, 1990년대 이후 고등교육 팽창의 역사를 살펴보고 유례없는 고등교육의 팽창으로 고등교육의 기회가 보편화된 한국 사회에서 교육 불평등이 더욱 심화된 이유가 무엇인지 살펴보려고 한다.

6. 1990년 이후 한국의 고등교육 팽창을 설명하는 이론적 관점

많은 선진 서구 사회에서는 고등교육 체제가 엘리트 교육 체제에서 대중교육 체제로 탈바꿈한지 이미 오래다(Trow, 1972). 비교적 최근에 고등교육 단계의 계층화에 대한 국가 간 연구를 출판하면서 편집자들은 "교육 팽창에 관한 핵심 질문은 그것이 사회경제적으로 불리한 계층에게 더 많은 기회를 제공해 불평등을 낮추는지, 아니면 기득권자들의 편익을 배가하는지"(Shavit et al., 2007: 1)에 관한 것이라고 말한다. 가령 고등교육의 팽창을 말할 경우, 이러한 변화가 고등교육에 대한 접근 기회를 늘려 교육 수준에 따른 사회경제적 불평등을 완화시키는지를 탐구하는 것이다. 다른 나라의 많은 연구들을 살펴보면 확대된 고등교육의 이수는 뚜렷한 프리미엄, 즉 기대 이상의 수익을 가져다주는 투자라는 증거를 보여준다. 예를 들어 1980년대 이후 미국에서는 대학 졸업자와 고등학교 졸업자 사이의 소득 차이가 계속 벌어지고 있다(Morris and Western, 1999; Autor, 2014). 하지만 1990년대 중반의 고등교육 팽창기에 대학을 졸업한 한국인들에게는 반대의 결과가 나타난다(Chang, 2010). 한국의 노동시장에서 대학 졸업자 수가 증가하면서 대학 졸업장의 가치는 감소하고 있는 것이다. 더 정확히 말하면, 뒤에서 자세히 살펴보겠지만, 양극화하고 있다. 왜냐하면 고등교육이 보편화의 수준으로까지 팽창하고 있는 한국에서 대학 교육 이수자들의 수준에 맞는 양질의 일자리가 늘어난 것은 아니기 때문이다. 오히려 1995년 5 · 31 교육개혁으로 '대학 설립 준칙주의'와 '대학 정원 자율화'가 이루어지며 진행된 한국의 대학 팽창은 1997년의 경제위기에 이은 신자유주의적 경제개혁이 경제적 불안과 사회적 위험에 노출된 비정규직 노동자를 양산하도록 노동시장 구조를 총체적으로 탈바꿈해놓은 변화의 시기에 이루어진다(Shin, 2010). 사정이 이러하다 보니 1990년대 중반 이후 이루어진 고등교육의 팽창은 노동시장의 수요를 과도하게 넘어선 것이었고 고등교육을 이수한 사람들의 초과 공급은 대규모의 사람들이 교육 수준에 비해 질 낮은 일자리를 얻는 결과를 만들었다(Hong, 2003: 48~49; 이주호 외, 2014). 이렇게 볼 때 한국 사회에서 일어난 1990년대 중반 이후의 고등교육 팽창은 상층 계급의 엘리트들을 위한 기회를 지키기 위해 대중화된 고등교육에 대한 수요를 교육기관으로서 축적된 인적 · 사회적 자본이 없는 신설 대학으로 유도하는 '우회로 만들기 과정(a process of diversion)'으로 보는 이론적 입장이 더 타당해 보인다(Brint and Karabel, 1989). 이 경우 설사 고등교육 기회의 확장이 일어난다고 해도 만연한 불평등은 줄어들지 않고 유지될 것이다. 미국의 학교 팽창과 노동시장에 관한 연구를 해온 패멀라 월터스(Pamela Walters)는 서구 선진 산업사회에서 이루어진 학교교육의 팽창이20세기에 있었던 가장 중요한 교육개혁이라고 하면서 다음과 같이 말한다.

가장 기본적으로 교육 시스템의 지속적 팽창은 교육 공무원들과 엘리트 집단이 더 많은 교육 기회에 대한 사회적 약자들의 압력을 수용한 것이고 교육을 통한 형평성(equity), 공평성(fairness) 및 더 큰 사회적 계층 이동 가능성에 대한 사회적 요구를 충족시킨 것이지만, 그 과정은 기존 교육체계가 사회적으로 유리한 위치를 차지하고 있는 사회 집단에게 제공해온 편익을 근본적으로 해치지 않는 방식이었다(Walters, 2000: 242).

그래서 월터스는 학교 팽창을 교육의 사회적 불평등의 견지에서 보려면 "교육 기회가 배분되는 방식에 대한 정치적 결정(정권에 따른 교육정책)"과 "아이들을 학교에 보낼 것인지에 대한 개인들과 가족들(교육 수요자들)의 결정을"(Walters, 2000: 251, 괄호 안은 필자 추가) 함께 고려해야만 한다고 말한다. 이렇게 보면 한 사회의 구체적인 사회정치적 동학에 따라 상이한 고등교육체계가 만들어 질 수 있다(Shavit et al., 2007). 따라서 정치적 성향이 뚜렷한 특정 정권의 교육부에서 만들어지는 교육정책에 대해서는 '교육의 정치화'라는 문제가 제기되는 것이다. 부연하면 교육은 사회정치적 질서를 유지하는 일에서 중심적인 역할을 하기 때문에 정권의 특성(민주적인지 권위주의적인지 또는 정치적 정당성이 있는지 없는지의 여부)은 교육정책에 긴밀하게 연결되어 있다. 현대사회에 살고 있는 사람들은 교육 시스템이 그 사회가 지향하는 민주적 이상을 제대로 뒷받침하고 있는가에 대해서 관심을 가지고 있으며 정치가 교육정책을 이행하는 것을 감시하고 거기에 중대한 압력을 행사한다. 따라서 사회정치적 상황의 변화는 교육 영역에도 영향을 미치고 새로운 정치 질서의 등장은 이전과는 다른 교육정책의 실행에 긴밀하게 연결된다.

7. 1990년 이후 한국의 고등교육 팽창과 교육 불평등

이제 1990년 이후 2014년 현재까지 대학 팽창을 좀 자세히 보도록 하자. 〈그림 3-7〉은 1990년부터 현재까지 전문대학을 포함한 고등교육 진학률의 변화를 보여준다. 흔히 대학 팽창에 대한 논의는 〈그림 3-7〉과 같이 전문대학을 포함한 고등교육 진학률에 근거해 2008년에 고졸자 진학률이 83.8%로 정점을 찍은 것으로 소개된다. 그것은 앞의 〈그림 3-2〉에서 본 바와 같이 전문계(실업계) 고졸자들의 진학률 상승에 힘입은 것이다.

하지만 고교 졸업 후 취업보다는 상급 학교 진학을 목표로 하는 것으로 간주되는 일반계(인문계) 졸업자들의 진학률은 2003년에 90.2%를 찍고 하락세로 돌아섰다. 이 비율은 2008년에 87.9%로 전년도 2007년의 87.1%보다 0.8% 포인트 증가를 보였으나 이후 지속적으로 하락하는 추세를 보여 2009년 84.9%, 2010년 81.5%였다. 2011년부터 진학률 통계를 2월 합격자

〈그림 3-7〉 성별에 따른 고등교육(대학 및 전문대학) 진학률(1990~2014년)

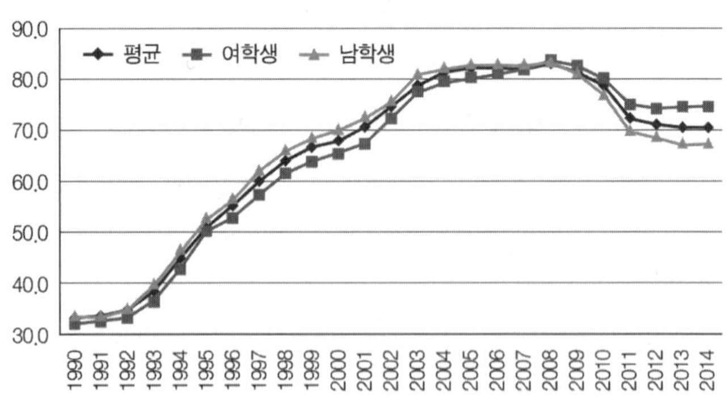

주: 1) 2011년 진학률은 해당 연도 졸업자 중 국내외 상급 학교에 진학한 사람의 비율(재수생 미포함)
2) 2012년 자료는 국내 진학자에 한함
3) 2013년 자료는 교육대학, 산업 대학, 기술대학, 방송통신대학이 포함됨
4) 2011년부터 4월 등록자 기준(종전은 2월 합격자 기준)

자료: 교육부 · 한국교육개발원, 「교육통계연보」(각 연도)

〈그림 3-8〉 성별에 따른 '4년제 대학' 진학률(1990~2014년)

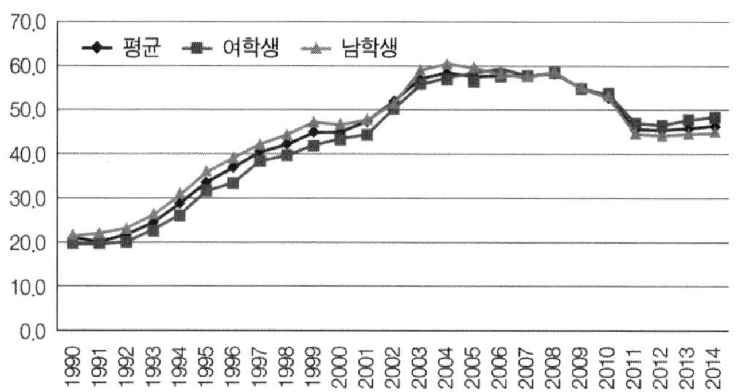

주: 1) 2011년 진학률은 해당 연도 졸업자 중 국내외 상급 학교에 진학한 사람의 비율(재수생 미포함)
2) 2012년 자료는 국내 진학자에 한함
3) 2013년 자료는 교육대학, 산업 대학, 기술대학, 방송통신대학이 포함됨
4) 2011년부터 4월 등록자 기준(종전은 2월 합격자 기준)

자료: 교육부 · 한국교육개발원, 「교육통계연보」(각 연도)

에서 4월 등록자로 바꾸고 학교 유형을 두 가지(일반계고, 전문계고)에서 네 가지(일반고, 특수목적고, 특성화고, 자율고)로 바꾼 후 2014년 현재 고교 유형 구분 없이 고등교육 진학률은 70.9%이다.

〈그림 3-8〉을 보도록 하자. 진학률을 교육대학, 산업 대학, 기술대학, 방송통신대학을 포함시킨 뒤 국외 진학자를 제외한 4년제 대학 진학률로 보면 2004년 59%로 정점을 찍었고 2014년 현재 46.6%로 떨어져 있다. 이러한 4년제 대학 진학률의 변화는 최근에 학령인구 감소로 인한 대학의 위기에 대한 담론이 과연 인구 규모 추세만의 문제일까 하는 의심을 가지게 하는 대목이다. 뒤에 좀 더 자세한 논의를 하겠다.

앞에서도 밝힌 것처럼 1995년 5 · 31 교육개혁의 일환으로 '대학 설립 준칙주의'와 '대학 정원 자율화'로 이루어진 한국의 대학 교육 팽창은 1997년의 경제위기를 이은 신자유주의적 경제개혁이 경제적 불안과 사회적 위험에 노출된 비정규직 노동자를 양산하도록 노동시장 구조를 총체적으로 탈

〈그림 3-9〉 성별에 따른 '전문대학' 진학률

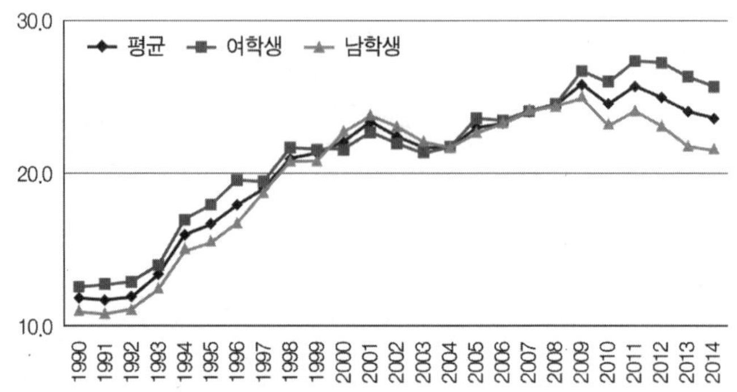

주: 1) 2011년 진학률은 해당 연도 졸업자 중 국내외 상급 학교에 진학한 사람의 비율(재수생 미포함)
2) 2012년 자료는 국내 진학자에 한함
3) 2013년 자료는 교육대학, 산업 대학, 기술대학, 방송통신대학이 포함됨
4) 2011년부터 4월 등록자 기준(종전은 2월 합격자 기준)
자료: 교육부 · 한국교육개발원, 「교육통계연보」(각 연도)

바꿈해놓은 변화의 시기에 이루어진다. 1993년 2월에 취임한 김영삼 대통령은 역사적으로 볼 때 1979년 10월 27일부터 1979년 12월 5일까지 대통령 권한대행으로, 1979년 12월 6일부터 1980년 8월 16일까지 신군부 실권하의 대통령으로 짧게 재임한 최규하 대통령을 제외하면 1961년 5 · 16 군사 쿠데타 이후 처음으로 대통령이 된 민간인이었다. 그래서 문민정부로 명명된 김영삼 정권은 30년간 지속된 권위주의 군사정부 내지는 군인 출신 정치인과 정책적 차원에서 문민정부를 분명하게 구별하기 위해 '규제 완화'를 가장 중요한 정책 목표로 세웠고 이는 교육정책도 예외일 수 없었다. 앞에서 인용한 것처럼 군인 출신이지만 직선제를 통해 대통령으로 선출되어 집권한 제6공화국조차도 이전 군사정부와 차별화를 시도하고 국가가 공권력으로 도입한 제도들에 대해 민주화와 자율화라는 이름으로 거부감을 나타내었는데 김영삼 정권은 그런 경향이 더할 수밖에 없었을 것이다. 그래서 장수명(2009)은 "5 · 31 고등교육개혁의 원리는 자율화로 표방되는 자유주의와 경쟁으로 표현되는 시장 원리를 결합하는 것으로 규제 완화나 철폐가 핵

심이다"라고 말한다. 최근 몇 년간 계속되고 있는 교육부의 대학 구조 개혁, 즉 입학 정원 감축 정책은 학령인구 감소라는 단일한 인구학적 요인에 근거해 대학의 입학 정원을 감축할 것을 압박하고 있다. 그런데 1995년의 대학 설립 준칙주의, 즉 대학 설립의 최소 기준만을 전제로 대학 설립에 대한 규제를 완화한 정책과 대학 정원 자율화 정책은 대학생 수의 폭발적 증가를 가져올 수밖에 없는 것이었다. 대학의 입학 정원 팽창이 불을 보듯 자명한 정책을 추진하면서 인구 추세를 전혀 고려하지 않았던 교육부가 지금은 학령인구 감소라는 인구 추세만을 고려한 구조 개혁 정책을 추진하고 있는 것이다. 왜냐하면 박정희 정권의 산아제한 정책의 효과로 이미 1983년 출산율은 2.06으로 인구재생산 선(2.1) 이하로 떨어졌었고 이후 지속적으로 하락해 1995년의 출산율은 1.63이었기 때문이다.

이러한 대학 설립 준칙주의와 대학 정원 자율화를 통한 대학 팽창 정책은 ① 경쟁력 없는 사립대학을 양산했고, ② 대학생 수의 폭발적 증가를 가져왔으며, ③ 규제 완화에서 기인한 교육 여건의 악화를 발생시켰고, ④ 대학 교육의 학생 부담 및 학부모 부담을 크게 증가시켰으며, ⑤ 지방대학의 위기와 구조조정의 과제를 야기했다(장수명, 2009: 26~32). 더 큰 문제는 대학 교육의 한계 없는 팽창이 일어났음에도 대학 교육 기회에 대한 접근과 그 형평성에 대한 논란은 더욱 강도가 높아졌다는 점이다.

〈그림 3-10〉은 대학의 등록금 상승률이 1997년 경제위기 이후의 2~3년을 제외하고 물가 상승률을 높은 수준에서 상회하는 모습을 보여준다.[6]

---

6 해방 후 우후죽순으로 설립된 사립대학들은 재정을 등록금에 지나치게 의존했고 공공 재정을 고등교육에 투입할 여유가 없었던 당시 정부는 정원 확대를 방임했다(이혜영, 1992). 놀라운 것은 OECD의 일원이 된 대한민국의 1990년대 후반 준칙주의를 통해 신설된 대학들이나 정원 자율화 정책을 통해 규모를 확대한 대학들마저도 유사한 행태를 보인다는 점이다(장수명, 2009: 30~31 참조).

〈그림 3-10〉 대학교 등록금 상승률과 물가 상승률

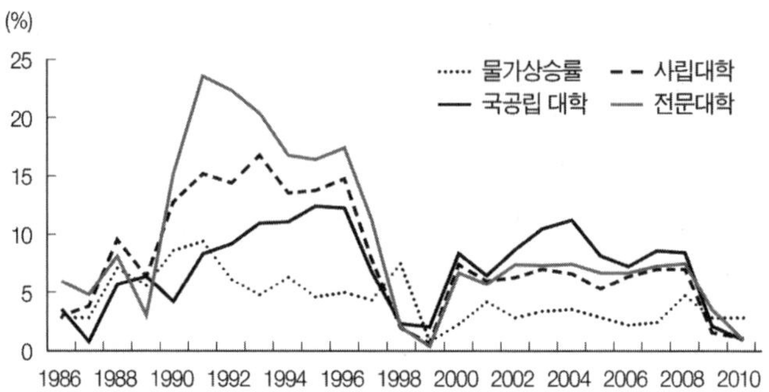

자료: 최용환 외(2011)

〈그림 3-11〉 고등교육비의 민간 부담 대 정부 부담 비율

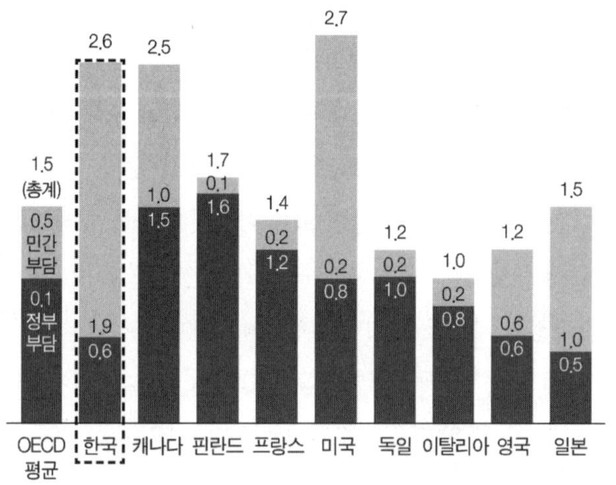

자료: ≪한국일보≫(2011년 11월 25일)

더구나 2000년대는 국공립대학교의 등록금 상승률이 사립대학교보다 더 높은 모습을 보인다. 〈그림 3-11〉은 한국의 국내총생산 대비 고등교육비 수준이 OECD 주요국에 비해 높은 편임에도 정부 부담 대비 민간 부담은 네 배 가까이 높아 비교 대상국 중에서 제일 높은 수준이라는 사실을 보여준다. 이렇게 높아진 등록금 부담은 대학 교육에 대한 접근 기회의 형평성과

〈그림 3-12〉 60위 아래 대학 대비 대학 서열에 따른 임금 효과

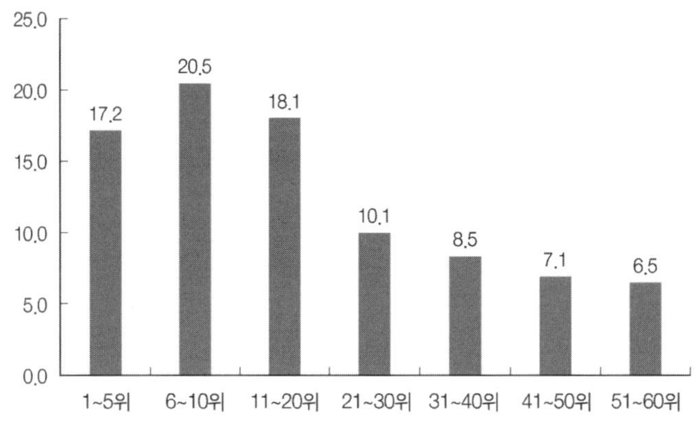

자료: 오호영(2015)

교육의 공공성 논란을 일으키고 커다란 사회적 비용을 초래하고 있다. 이러한 논란에 더해 나타나는 또 다른 문제는, 경쟁력 없는 사립대학의 양산을 통한 대학 교육 기회의 확대는 과거의 대입 경쟁만큼이나 좋은 대학에 입학하려는 경쟁을 격렬하게 만들고 있다는 것이다. 결국 보편화된 대학 교육 체제에서 과거에 형성된 서열 체제는 강화되고 대학 졸업장의 가치는 양극화되고 있다. 이런 사실은 〈그림 3-12〉와 〈그림 3-13〉을 통해 확인해보자.

〈그림 3-12〉는 오호영이 2007년의 연구 결과를 2015년 논문에 요약한 것으로 대학 서열에 따른 임금 효과를 60위권 이하 대학과 비교한 것이다. 간단히 말하면 60위 이하 대졸자와 비교했을 때 다른 조건이 같을 경우 1~5위 대졸자는 월평균 임금이 17.2%, 6~10위 대졸자는 20.5%, 11~20위 대졸자는 18.1%가 높다는 내용이다. 이러한 결과는 왜 대학 입시 경쟁이 상위권 대학에서 격렬한지 알 수 있게 해준다. 〈그림 3-13〉은 과도한 대학 팽창이 가져온 다른 양상인데 그림이 보여주는 바는 1980년부터 2010년까지 34세 이하 청년층 대졸자들 중 고졸자 임금의 평균 또는 중간 값 보다 낮은 임금을 받는 비율의 증가 추세를 보여준다. 예를 들어 2010년 34세 이하 대졸자

〈그림 3-13〉 34세 이하 청년층에서 고졸자 임금의 평균 또는 중간 값보다 낮은 임금을 받는 4년제 대졸자 비중의 변화 추세

자료: 이주호 외(2014)

중에서 고졸자 임금의 평균보다 낮은 임금을 받는 비율은 23%에 달한다. 이러한 추세는 강화되고 있는 대학 서열 체제의 하부를 차지하고 있는 대학을 졸업한 수많은 청년들이 맞닥뜨리는 삶의 상황이다. 이상의 변화들을 함께 고려해보면 2004년 이후 하락 추세로 돌아서 최고점에서 12.4%가 떨어진 4년제 대학의 진학률은 생각해볼 것들이 많다. 이에 대한 논의는 뒤로 미루고 일단 지금까지의 논의를 정리하면 한국 사회가 경험하고 있는 극심한 지위 경쟁으로서 교육 경쟁이 낳은 고등교육의 팽창을 둘러싼 핵심 질문은 다음과 같다. "과연 이 팽창이 한국 사회의 교육 불평등을 완화했는가? 아니면 오히려 이미 사회경제적으로 유리한 고지를 점하고 있는 사람들이 더 많은 기회와 선택권을 갖는 결과를 만들었는가?" 지금까지의 논의를 통해 보면 그 답은 후자이다.

8. 2004년 광복 60주년 국민 의식조사

이미 밝힌 바와 같이 2004년은 4년제 대학의 진학률이 정점에 달한 해이고 2005년은 교육부가 재규제를 통해 대학 설립 준칙주의와 대학 정원 자율화 정책이 양산한 부실 대학의 품질 제고라는 정책으로 변화한 해이다. 이러한 대학 팽창의 사회적 결과를 인지한 듯 서울대 사회발전연구소는 2004년에 실시한 『광복 60주년 국민 의식조사』에 우리 국민의 대학에 대한 신뢰 수준을 묻는 항목을 포함시켰다. 설문은 '○○ 님께서는 다음의 각 기관이나 집단을 얼마나 신뢰하십니까? 혹은 신뢰하지 않으십니까?'였고 응답은 5점 척도로 '전혀 신뢰하지 않는다(=1)', '신뢰하지 않는 편이다(=2)', '무어라 말할 수 없다(=3)', '신뢰하는 편이다(=4)', '매우 신뢰한다(=5)'로 되어 있다. 이 질문에 주목한 것은 4년제 대학 진학률이 정점에 달했지만 고등교육의 양적 팽창이 교육 불평등을 완화하기는커녕 심화시키고 있는 상태였고, 이는 제도 기관으로서 대학에 대한 신뢰 수준을 심각하게 손상하는 일이라 판단되기 때문이었다. 우선 간단하게 살펴보면 ①, ②번 응답자의 비율은 28.3%, ④, ⑤번 응답자의 비율은 34.4%로 신뢰하지 않는 경우보다 신뢰한다고 답한 응답자의 비율이 6.1% 포인트 높았다. 하지만 무어라 말할 수 없다고 응답한 비율이 37.3%로 지식을 생산하고 다음 세대의 고등교육을 담당하는 교육기관에 대한 신뢰 수준으로는 높다고 말할 수 없는 결과라 하겠다. 대학의 신뢰 수준에 대한 질문은 1996년과 2001년에 서울대 사회발전연구소가 실시한 국민 의식조사도 포함하고 있는데 2004년 조사 결과는 앞 선 두 조사들에 비해 급격하게 떨어지는 양상을 보인다(서울대학교 사회발전연구소, 2004). 다음은 2004년의 대학에 대한 신뢰 수준을 종속변수로 회귀분석을 실행한 결과이다. 〈표 3-5〉에는 분석에 포함된 변수들에 대한 기술통계량이 요약되어 있다.

〈표 3-5〉 기술통계량

변수 명	표본 수	최솟값	최댓값	평균	표준편차
대학에 대한 신뢰 수준	1,009	1	5	0.50	0.50
연령	1,009	20	72	41.57	12.79
교육 수준	1,009	1	4	2.41	1.07
주관적 계층 소속감	1,007	1	9	4.34	1.38
생활수준 만족도	1,009	1	5	2.90	0.86
대학 졸업장 가치(30년 전=100)	1,009	0	200	64.26	40.07
대학생 능력(30년 전=100)	1,009	0	200	74.53	38.92
중·고등학교 가치(사설 학원 대비)	1,008	1	5	2.83	0.69
복지 확대	1,009	1	10	3.55	2.51
경쟁이 개인과 사회에 미치는 영향	1,009	1	10	3.03	1.91
부에 대한 의견1: 부모의 재산 자식에게 상속 당연	1,009	1	5	0.70	0.46
부에 대한 의견2: 부자들의 재산 열심히 일한 결과	1,009	1	5	3.15	0.99

변수 명(가변수)		표본 수	빈도(명)	비율(%)
성별	1=여성	1,009	504	50.0
	0=남성		505	50.0
자녀 외국 유학 의사	1=유학 보낼 의사 있다	1,009	704	69.8
	0=유학 보낼 의사 없다		305	30.2

〈표 3-6〉은 1996과 2001년에 비해 하락하고 있던 대학에 대한 신뢰 수준과 관련이 있는 변수가 무엇인지 알아보기 위해 수행한 회귀분석 결과이다. 분석 결과를 요약하면 나이가 많은 사람, 교육 수준이 높은 사람, 30년 전(1974년)과 비교해 2004년 현재의 대학생 능력을 긍정적으로 평가하는 사람, 사설 학원과 비교해 중·고등학교를 평균적으로 뛰어나다고 판단하는 사람, 자녀를 외국으로 유학 보내려는 의사를 가지고 있는 사람, 부모의 재

〈표 3-6〉 대학에 대한 신뢰 수준에 대한 회귀분석

변수 명	b	(S.E.)	
절편	1.206	(0.242)	***
여성	0.022	(0.056)	
연령	0.012	(0.002)	***
교육 수준	0.060	(0.030)	*
주관적 계층 소속감	0.018	(0.022)	
생활수준 만족도	-0.014	(0.034)	
대학 졸업장 가치	0.000	(0.001)	
대학생 능력	0.002	(0.001)	*
중·고등학교 가치(사설 학원 대비)	0.160	(0.040)	***
복지 확대	0.008	(0.011)	
경쟁이 개인과 사회에 미치는 영향	0.018	(0.015)	
자녀 외국유학 의사(더미)	0.127	(0.060)	*
부모의 재산 상속 당연	0.052	(0.028)	+
부자 재산은 열심히 일한 결과	0.081	(0.027)	**
R^2	0.078		
N	1,006		

주: +=p〈0.1, *=p〈0.05, **=p〈0.01, ***=p〈0.001

산을 상속받는 것은 당연하다고 생각하고 부자의 재산은 열심히 일한 결과라고 생각하는 사람이 제도 기관으로서 대학을 신뢰하느냐는 질문에 긍정적인 답변을 한 것으로 나타났다.

위의 분석에 포함된 변수들 중에 흥미를 끄는 것은 중·고등학교의 가치에 대한 평가이다. 이것은 사설 학원과 비교해 담당 과목에 대한 교사진의 전문 지식, 효과적인 교수 방법, 학생 지도에 대한 열의, 전인교육 등 네 개의 항목으로 물어본 중·고등학교의 비교가치를 평균한 항목이다. 최근의 사회적 과정은 기왕의 더 좋은 대학에 입학하려는 경쟁을 심화시키면서 대

〈그림 3-14〉 연령에 따른 사설 학원 대비 중·고등학교 가치 평가(2004년)

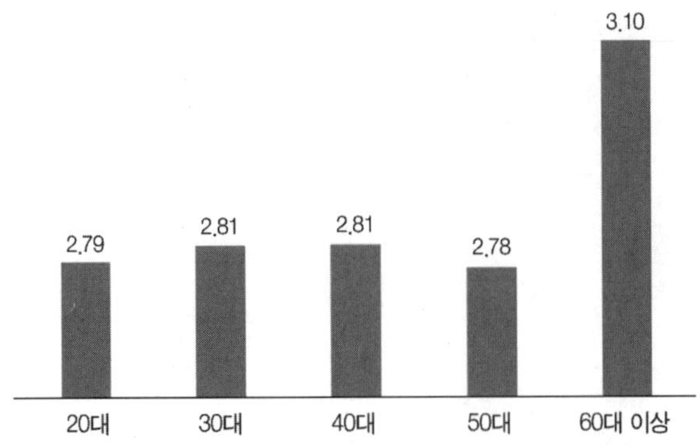

〈그림 3-15〉 교육 수준에 따른 사설 학원 대비 중·고등학교 가치 평가(2004년)

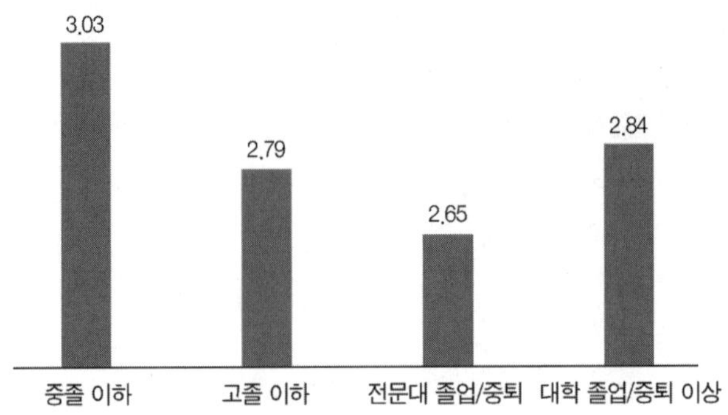

학 입시 준비 과정에서 공식 학교교육과정의 영향력은 약화되고 사교육의 영향이 더욱 커지는 양상을 띠고 있다. 학생 개인의 가족 배경이나 그것을 통해 동원할 수 있는 자원의 양에 따라 입학하는 대학의 서열을 결정하는 정도가 높아지는 고등교육의 양적 팽창은 1994년과 비교해 2004년 학교교육에 대한 신뢰가 하락(서울대학교 사회발전연구소, 2004)했다는 발견을 설명할 수 있는 사회적 변화이다. 〈그림 3-14〉와 〈그림 3-15〉는 그런 결과를 보여준다.

중·고등학교의 가치 평가에 대한 응답은 다섯 종류로, '매우 부족(=1)',

'부족한 편(=2)', '보통(=3)', '뛰어난 편(=4)', '매우 뛰어남(=5)'으로 이루어져 있어 3점 이하는 부정적 의견이라고 볼 수 있다. 그 결과를 보면 연령과 함께 고려했을 때(〈그림 3-14〉)는 60대 이상에서만, 학력과 함께 고려했을 때(〈그림 3-15〉)는 중졸 이하 학력에서만 2004년의 중·고등학교를 사설 학원에 비해 능력이 더 나은 것으로 평가하고 있다는 것을 알 수 있다.

9. 나가는 이야기

2012년 부모의 교육 기대는 어떤 양상인가를 이야기하면서 본 장의 논의를 마무리해보자. 다음의 그림 둘은 OECD에서 2000년부터 3년 주기로 실시하는 국제학업성취도평가(Programme for International Student Assessment, PISA)의 일부로 한국의 부모가 가진 자녀의 교육 기대 수준을 보여준다. 〈그림 3-16〉은 2003년의 결과이고 〈그림 3-17〉은 2012년의 결과이다.

두 그림의 세로축은 자녀 교육 기대 수준인데 2003년은 4점이 전문대를 뜻하고 2012년은 1점이 전문대를 뜻한다. 부모의 교육 수준에 따라 그림을 그렸지만 2003년과 2012년 모두 부모의 교육 수준과 관계없이 자녀의 교육 기대 수준은 전문대학 이상의 고등교육이었다. 차이점이 있다면 2003년에 비해 2012년은 부모의 교육 수준에 따른 자녀의 기대 교육 수준이 더 평등해지고 평균점이 더 4년제 대학 가까이 상승했다는 점이다. 이제 한국 사회에서 부모의 교육 기대는 변수가 아닌 상수로 보아야 하는 시대인 것이다.

그런데 김종엽(1999)은 김대중 정부의 고등교육개혁에 대한 비판을 행한 연구에서 이런 말을 한다. "지금까지는 교육 팽창에 대해서 각자의 능력 범위에서 한 단위 추가적인 투자로 대응해왔던 학부모들이 앞으로도 계속 그런 경향을 보일지는 두고 볼 일이다. 왜냐하면 지난 수십 년 동안의 경쟁적

〈그림 3-16〉 부모의 교육 수준에 따른 자녀 교육 기대 수준(2003년)

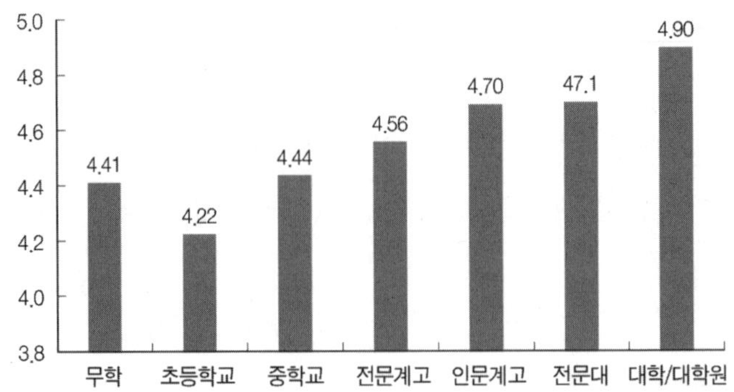

주: 자녀 교육 기대 수준은 1=중학교, 2=전문계고, 3=인문계고, 4=전문대, 5=대학, 대학원이다.
자료: 국제학업성취도평가 2003년 자료

〈그림 3-17〉 부모의 교육 수준에 따른 자녀 교육 기대 수준(2012년)

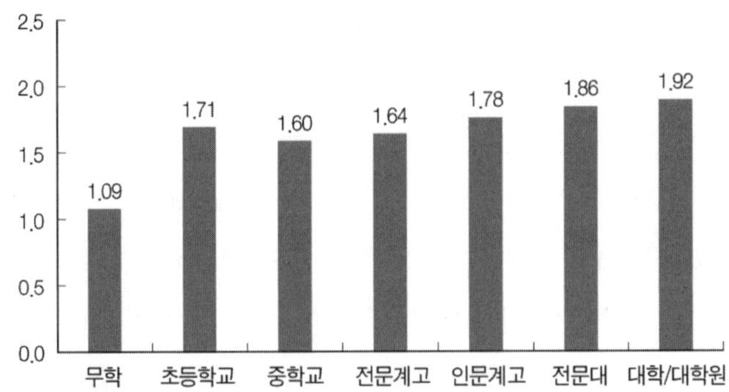

주: 자녀 교육 기대 수준은 0=고졸 이하, 1=전문대, 2=대학, 대학원이다.
자료: 국제학업성취도평가 2012년 자료

인 교육투자의 귀결은 하층계급의 지속적 패배였기 때문이다. 이 경쟁이 처음부터 질 수밖에 없는 싸움이었다는 것을 하층계급이 깨닫는 날이 언젠가 올 것이다. 그때가 되면 지금과는 달리 상당한 정도의 교육투자 철회가 일어날 것이다”(17쪽 각주 8). 앞서서 본 장의 필자는 1990년 이후 이루어진 급속한 대학 진학률의 상승에 대해 4년제 대학만을 따로 보았을 때 2004년 이후 무엇인가 질적인 전환을 이룬 것은 아닌가 하는 의심을 제기했었다. 알려진 바와 같이 우리 사회의 베이비부머는 1955년에서 1963년에 태어난 세대이다. 그들의 자녀로 이루어진 에코 세대는 1979~1992년생으로 정의된다(통계청, 2012). 1979년생은 1998년에 대학에 진학하기 시작했고 2000년대 중반에 노동시장에 나오기 시작했을 것이다. 1992년생은 2011년에 대학에 진학했고 올해 2015년에 노동시장에 나오기 시작했을 것이다. 그런데 4년제 대학 진학률의 하락은 적정 학령인구의 감소와 무관하다. 우선 2011년부터 2월 합격자에서 4월 등록자로 통계의 기준을 바꾼 효과가 있을 것이다. 2010년 53.6%였던 4년제 대학 진학률이 2011년 46.0%로 떨어진 후 2014년까지 변동 폭은 최대 0.6%일 뿐이다. 그렇다면 2010년까지 4년제 대학 진학률은 4~6% 포인트 정도의 거품이 있었다는 것이다. 이 진학률이 더 떨어져서 김종엽이 말한 것 같은 교육투자 철회가 일어날지는 알 수 없다.

하지만 4년제 대학 진학률이 급격하게 높아진 시기는 베이비부머의 자녀들인 에코 세대가 대학에 진학한 기간이다. 즉, 1997년에 4년제 대학 진학률이 전년도보다 4.1% 포인트 상승해 처음으로 40%보다 높은 40.5%였고, 에코 세대가 처음 대학에 진학한 1998년에 42.2%였으며 2004년 59%로 정점을 찍은 뒤(2월 합격자 통계의 거품은 무시하고), 2011년 46.0%를 기록한다. 에코 세대(954만 명)는 베이비부머 세대(695만 명)보다 인구 규모도 클뿐더러 1997년 85.5%였던 고등학교 취학률이 지속적으로 상승해 2005년 처음으로 90%를 넘어선 후 하락하지 않은 점을 고려하면 대졸 노동시장에서 이들의 경쟁은 피를 말리는 것일 수밖에 없다. 이들이 대학에 진학한 시기가 1997년 경제위기에 이은 신자유주의적 경제개혁이 경제적 불안과 사회적 위험에 노출된 비정규직 노동자를 양산하도록 노동시장 구조를 총체적으로 탈바꿈해놓은 변화의 시기였다는 것은 참으로 안타까운 일이다. '양질의 프로그램을 가진 소규모 특성화된 대학의 설립'을 유도한다는 목적을 가진 김영삼 정부의 대학 설립 준칙주의와 대학 정원 자율화 정책의 실패로 노동시장에서 푸대접을 받는 이들은 인구학적 불운까지 엎친 데 덮친 격인 참으로 힘든 세대이다. 그들이 2015년 현재 34세 이하 청년들이다. 2011년에 에코 세대의 마지막 코호트가 대학에 입학하기 시작했으니 재수생을 고려해도 그들의 대학 입시는 이제 마무리되었다고 보아도 무방할 것이다.

에코 세대의 부모 세대 즉, 베이비부머 세대는 학력이 사회경제적으로 커다란 수익을 안겨다주던 시대를 살아왔다. 정확하게 그들은 박정희 정권의 대학 정원 억제기에 엄청나게 상승한 대학 교육의 사회경제적 가치를 경험한 세대이다. 다시 말해 그들은 대학을 졸업하는 것이 장기적인 미래를 계획할 수 있는 대기업이나 공직 및 공사, 금융권 등 공식 부문에서 직장을 잡고 경력을 관리하며 안정된 중산층으로서 살아가는 데 얼마나 유리한 조건이었는지 스스로의 삶을 통해 체화하거나 가까운 주변의 사례들을 추가하면서 실증해온 세대이다. 앞에서 역사를 살펴본 것처럼 이 베이비부머 세대 중에는 이러한 대학 학력의 혜택을 받은 경우도 있지만 그렇지 않은 경우가 더 많다. 하지만 혜택을 받지 못했어도 대학 학력이 능력을 상징하고 부가가치가 높은 지식 노동을 감당할 수 있는 업적의 보증수표라는 것을 수용하고 인정했기 때문에 그들의 자녀가 대학에 진학해야 한다는 강력한 믿음을 내면화할 수밖에 없었다. 사실 대학 졸업장의 가치는 과거에 비해 현저하게 떨어졌다.[7] 하지만 바로 그렇기 때문에, 즉 다수가 소지한 자격이기 때문에 그것은 마치 과거의 고등학교 졸업처럼 자녀가 반드시 갖추어야 하는 필수적인 것이 되어버렸다. 베이비부머 세대는 학력을 통해 부모의 대부분이 농민이었던 사회에서 급격한 계급분화를 경험한 세대이다. 그 과정에

7 서울대학교 사회발전연구소의 2004년 『광복 60주년 국민 의식조사』를 보면, 30년 전(1974년)의 대학 졸업장의 가치를 100으로 놓았을 때 2004년 현재의 대학 졸업장의 가치를 40대는 64.7, 50대 이상은 59.7로 평가했다.

서 학력 경쟁의 승리자도 패배자도 학력주의를 수용하면서 근대사회의 '신화'로서 교육, 즉 학력주의는 더욱 강력한 신화가 된다. 교육은 신화가 되었고, 사람들은 그것이 온갖 목적을 달성할 수 있는 유효하면서도 정당한 수단이라는 믿음 속에서 교육에 투자하게 되었다(Meyer, 1977: 75). 그래서 한국 사회의 모두가 학력 경쟁에 뛰어들었고 격화된 학력 경쟁은 실로 놀라운 속도로 학교 팽창을 가져오며 그 배후에 있는 '지위 상승의 평등주의'는 한 시점에서 중등교육의 평준화를 이루었다. 하지만 가파르게 서열화한 대학은 그 졸업장의 가치가 양극화되어 고등교육 단계의 불평등이 매우 심각한 상황에 놓이게 되었다. 더구나 강력한 대학 서열 체제는 일단 계급 구조의 상층부로 올라선 집단이 계급 구조를 고착화하려 시도하며 고등학교 평준화를 거의 해체해버렸다(김종엽, 2007; Kim and Kim, 2013). 그래서 우리는 더 더욱 우리 아이들의 미래와 행복에 대한 관심이 높다. 아래 뒤르켐(Durkheim)의 글을 인용하며 「한국 사회의 교육 불평등」(2003)이란 논문을 마무리한 김종엽은 인용문에 있는 소유 구조를 교육 구조로 바꾸어놓으면 우리가 처한 교육 상황이 그대로 드러난다고 했다.

> 우리는 우리의 행복만큼 자녀의 행복에 관심을 기울인다. 그러나 이는 현재의 소유 구조에서 기인한다. 현재의 소유 구조가 개인으로 하여금 사회생활에 불평등하게 입문하게 하기 때문에, 우리는 자녀들이 이런 불평등으로 인해 손해를 덜 보게 하는 데 깊은 관심을 갖게 된다. 만일 사회가 평등하다면 이런 관심은 약화될 것이다(김종엽, 2003: 75에서 재인용).

다시 말해 우리는 불평등한 교육 구조로 인해 더욱 자녀의 행복에 관심을 가지며 한국 사회의 높은 교육열은 역설적이게도 교육 구조의 불평등과 긴밀히 연결되어 있는 것이다. 학교교육의 핵심 목표는 다음과 같다. ① 기회의 평등을 제공 · 촉진하고, ② 능력과 흥미에 따라 학생들을 효율적으로 선발하고 분류하며, ③ 노동시장에서 필요로 하는 기능(skill)을 공급하고, ④ 능동적 시민권의 수행자로서 그에 관련된 능력의 숙련을 제공하는 것이다(Van de Werfhorst and Mijs, 2010: 409). 하지만 불평등한 교육 구조로는 이 핵심 목표 중 어느 것도 제대로 성취할 수 없다. 필자는 앞에서 "학교교육에 대한 신뢰가 떨어지고 학생 개인의 가족 배경이나 그것을 통해 동원할 수 있는 자원의 양에 따라 입학하는 대학의 서열을 결정하는 정도가 높아지는 고등교육의 양적 팽창은 교육 불평등을 완화하기는커녕 심화시키고 있"다고 했다. 마이어는 제도 교육의 주 효과는 정당화라고 한다. 그래서 그는 교육체계 그 자체는 어떤 의미에서는 이데올로기일 뿐이라고 말한다(Meyer, 1977: 66). 우리 교육 체제는 마이어의 이러한 말만을 실증하고 있을 뿐이다. 그렇다고 근대사회의 불평등을 정당화하는 것이 교육 체제이니 어쩔 수 없다고 포기할 수는 없다. 우리 아이들의 불행을 내버려둘 수는 없지 않겠나? 그러니 우리 사회는 "질적으로 불균등하고 차별적으로 분포하는 교육적 재화를 가능한 공정하게 분배하는 것"(김종엽, 2007: 192)을 정치의 차원에서, 그리고 전체 사회의 차원에서 고민하고 실행해야 할 것이다.

| 참고문헌 |

가와이 노리코. 2011. 「한국의 대학 진학률은 왜 계속 상승하는가?: 일본과의 비교를 통해 본 한국의 교육열」. 서울대학교 사회학과 박사학위논문.

국정브리핑 특별기획팀. 2007. 『대한민국 교육 40년』. 서울: 한스미디어.

김부태. 2014. 「한국 학력 · 학벌 연구의 사적 고찰: 1980~2007」. ≪한국교육사회학연구≫ 24권 1호, 77~109쪽.

김종엽. 1999. 「국민의 정부 고등개혁 비판」. ≪경제와 사회≫, 43권(가을), 10~42쪽.

_____. 2003. 「한국 사회의 교육 불평등」. ≪경제와 사회≫, 59권(가을), 55~77쪽.

_____. 2007. 「우리에게 해체할 평준화가 남아 있는가?」. ≪사회비평≫, 37호, 190~203쪽.

미야지마 히로시. 2014. 『미야지마 히로시의 양반』. 서울: 너머북스.

서울대학교 사회발전연구소. 2004. 『광복 60년의 회고와 향후 전망: 국민 의식조사 결과 최종보고서』.

손준종. 2010. 「한국 고등학교의 수평적 계층화에 관한 이해와 비판」. ≪교육사회학연구≫, 20권 4호, 139~169쪽.

오호영. 2015. 「대학 서열화와 대학 교육에 관한 연구」. ≪공학교육연구≫, 18권 2호, 8~13쪽.

이광호. 1994. 「근대 한국 사회의 학력주의 제도화 과정에 관한 연구 (I)」. ≪정신문화연구≫, 17권 3호, 151~183쪽.

이정규. 2003. 『한국 사회의 학력 · 학벌주의: 근원과 발달』. 서울: 집문당.

이주호 · 정혁 · 홍성창. 2014. 「한국은 인적자본 일등 국가인가? 교육거품의 형성과 노동시장 분석」. ≪KDI Focus≫, 통권 46호.

이혜영. 1992. 『대학 입학 정원 결정의 사회적 동인에 관한 연구』. 서울대학교교육학과 박사학위논문.

이홍구 · 안청시. 1980. 「韓國의 教育과 機會均等」. ≪한국정치학회보≫, 14호, 141~170쪽.

장수명. 2009. 「5 · 31 대학정책 분석: 규제 완화를 중심으로」. ≪동향과 전망≫, 77호, 9~49쪽.

최용환 · 황상연 · 김을식. 2011. 「대학 진학률 80%의 허와 실」. ≪이슈&진단≫, 8호, 1~25쪽.

통계청. 2012. 「베이비부머 및 에코 세대의 인구 · 사회적 특성분석: 2010년 인구주택총조사 중심으로」. 보도자료(2012.8.2).

≪한국일보≫. 2011.11.25. "경북대 정부 지원금, 서울대의 40%… 사립 연세대보다도 덜 받아", http://media.daum.net/society/view.html?cateid=1001&newsid=20111025223929007&fid=20111025224127635&lid=20111025223929007(검색일: 2015.8.5).

Autor, David H. 2014. "Skills, Education and the Rise of Earnings Inequality Among the 'Other 99 Percent'." *Science*, Vol. 344, No. 6186, pp. 843~851.

Bourdieu, Pierre. 1977a. "Cultural Reproduction and Social Reproduction." in Jerome Karabel and A.H. Halsey(ed.). *Power and Ideology in Education*. New York: Oxford University Press.

_____. 1977b. *Outline of Theory of Practice*. New York: Cambridge University Press.

_____. 1986. "The Forms of Capital." In J. G. Richardson(ed.). *Handbook of Theory and Research for the Sociology of Education*. New York: Greenwood.

_____. 1996. "On the Family as Realized Category." *Theory, Culture & Society*, Vol. 13, pp. 19~26.

Bourdieu, Pierre and Jean-Claude Passeron. 1977. *Reproduction in Education, Society and culture*. London: Sage.

Bowles, Samuel and Herbert Gintis. 1976. *Schooling in Capitalist America: Educational Reform and the Contradictions of Economic Life*. New York: Basic Books.

Brint, Steven and Jerome Karabel. 1989. *The Diverted Dream: Community Colleges and the Promise of Educational Opportunity in America, 1900~1985*. Cambridge: Oxford University Press.

Chang, Kyung-Sup. 2010. *South Korea Under Compressed Modernity: Familial Political Economy in Transition*. London and New York: Routledge.

Hong, Doo-Seung. 2003. "Social Change and Stratification." *Social Indicators Research*, Vol. 62, No. 1~3, pp. 39~50.

Kim, Dongno. 1990. "The Transformation of Familism in Modern Korean Society: From Cooperation to Competition." *International Sociology*, Vol. 5, No. 4, pp. 409~425.

Kim, Doo Hwan and Ji Hye Kim. 2013. "Emerging High-Status Track in South Korea: Social Capital Formation in the Social Contexts of Foreign Language and General High Schools." *The Asia-Pacific Education Researcher*, Vol. 22, No. 1, pp. 33~44.

Koo, Hagen. 2007. "The Korean stratification system: Continuity and change." In Kim, Hyuk-Rae and Bok Song(ed.). *Modern Korean Society: Its Development and Prospect*.

Berkeley: Institute of East Asian Studies.

Lett, Denise Potrzeba. 1998. *In Pursuit of Status: The Making of South Korea's "new" Urban Middle Class*. Cambridge(Massachusetts) and London: Harvard University Asia Center.

McClelland, K. 1990. "Cumulative Disadvantage Among the Highly Ambitious." *Sociology of Education*, Vol. 63, pp. 102~121.

Meyer, John W. 1977. "The Effects of Education as an Institution." *American Journal of Sociology*, Vol. 83, No. 1, pp. 55~77.

Morris, Martina and Bruce Western. 1999. "Inequality in Earnings at the Close of the Twentieth Century." *Annual review of sociology*, Vol. 25, pp. 623~657.

Park, Hyunjoon. 2007 "South Korea: Educational Expansion and Inequality of Opportunity in Higher Education." in Y. Shavit, R. Arum and A. Gamoran(ed.). *Stratification in Higher Education: A Comparative Study*. Stanford: Stanford University Press.

Parsons, Talcott. 1951. *The Social System*. New York: The Free Press.

Shavit, Y., Arum, R. and Gamoran, A. 2007. *Stratification in Higher Education: A Comparative Study*. Stanford: Stanford University Press.

Shin, Kwang Yeong. 2004. "Class and Income Inequality in Korea" *Korea Journal*. Vol. 44, No. 1, pp. 5~21.

_____. 2010. "Globalisation and the Working Class in South Korea: Contestation, Fragmentation and Renewal." *Journal of Contemporary Asia*, Vol. 40 No. 2, pp. 211~229.

Trow, Martin. 1972. "The Expansion and Transformation of Higher Education" *International Review of Education*, Vol. 18, No. 1, pp. 61~84.

Van de Werfhorst, H. G. and J. J. Mijs, 2010. "Achievement Inequality and the Institutional Structure of Educational Systems: A Comparative Perspective." *Annual review of sociology*, Vol. 36, pp. 407~428.

Walters, Pamela B. 2000. "The Limits of Growth: School Expansion and School Reform in Historical Perspective." in M. Hallinan(ed.). *Handbook of the Sociology of Education*. New York: Kluwer Academic/Plenum Publishers

You, Jong-Il. 1998. "Income Distribution and Growth in East Asia." *The Journal of Development Studies*, Vol. 34, No. 6, pp. 37~65.

제4장

한국 노인의 삶의 변화: 1968~2015

김근태(덕성여자대학교 SSK 네트워킹 지원사업단)

1. 머리말

한국 사회에서는 전 세계적으로 그 유례가 없는 빠른 속도로 저출산과 고령화가 진행되고 있다. 이에 따라 최근 학계뿐만 아니라 경제사회 전반의 최대 화두 중 하나는 저출산과 고령화에 대한 대응이 되고 있다. 사실 인구 고령화는 비단 한국에만 국한된 것이 아닌 전 지구적인 추세이지만(United Nations, 2013), 한국 사회의 고령화는 장기간에 걸친 수명 연장 효과보다는 급격한 출산율 저하에 따른 노인 인구 비율의 증가, 그리고 노인 부양을 위한 사회제도적 장치가 제한된 상태에서 급속히 진전되고 있다는 점에서 다른 서구 선진국들의 경우와 구별된다. 실제로 서구 국가들의 경우 고령화사회에서 고령사회로의 진입 기간이 평균적으로 40~100여 년이 걸렸지만 한국은 18년에 불과하다(박창제, 2008; 한국보건사회연구원, 2010). 이렇게 빠른 고령화에 따라 노인들의 빈곤, 질병, 소외, 자살 등의 사회문제들이 확대될 것으로 전망된다. 또한, 베이비붐 코호트가 노년기에 진입하면서 고령 인구의 사회인구학적 구성과 사회적 목소리도 더욱 다양해질 것으로 예측된다(곽인숙, 2012). 되돌리거나 피할 수 없는 도전으로서의 한국 사회 고령화는 그 전개 과정과 방식, 특성 및 함의 등이 더욱 복합적이고 복잡해질 것이다. 따라서 우리는 이 현상을 단순하게 사회문제의 하나로서 인식하는 것이 아니라 노인들의 복지 및 삶의 질에 대한 통합적인 시각과 연구를 바탕으로 앞으로 다가올 초고령사회를 준비해야 한다. 이렇게 노인의 삶이 경제, 건강, 정서 등의 다양한 영역과 중첩되고 상호작용하면서 노년기의 어려움이 형성됨에도, 인구 고령화에 대한 대개의 논의는 개별 영역별로 접근하는 경향이 있다. 또한, 한국 노인들의 삶은 근대화 이후 시대의 흐름에 따라 크게 변화되어 왔으므로, 시간의 연속선상에서 이해되어야 한다. 하지만 그럼에도 이러한 통시적인 관점에서 고령화와 노년의 삶을 조망하는 연구는 그 수가 제한적이다.

이 연구는 한국 사회에서 진행되고 있는 고령화사회의 도래와 노인들의 삶의 변화를 총체적이고 포괄적으로 이해하는 데 그 일차적인 목적이 있다. 더 구체적으로는, 본 연구는 1960년대 말부터 최근까지의 노인 인구의 삶을 추적 조사하고자 한다. 이러한 종적인 접근과 더불어, 노년층의 삶을 가족 구성 변화, 건강, 취업 및 노후 생계 실태 등으로 다각적으로 이해하고자 한다. 궁극적으로 이 연구는 노년층의 다양한 삶의 측면들이 개인들의 사회경제학적 및 인구학적 특성들과 어떤 연관성을 보이고 있는지를 설명하고 그 차이를 서술하고자 하며, 노년층의 복지 향상을 위한 정책적 함의를 제공하고자 한다.

본고의 구성은 다음과 같다. 우선 1960년대 후반부터 최근까지 노년층의 인구학적 변화를 소개한다. 특히 한국 사회에서의 인구 고령화의 지역적 전개 양상을 살펴보고 산업화 및 도시화와의 연관성을 알아보고자 한다. 다음으로 지난 반세기 동안 한국 노인들의 가족관계 변화 양상을 살펴본 뒤, 노인의 사회경제학적 특성들이 자녀와의 동거 희망 여부와 연관되어 있는지, 그리고 그 연관성이 어떻게 변화되어왔는지를 서술한다. 세 번째 절에서는 노인들의 경제적 상황의 변화 양상에 대해 살펴본 뒤, 경제적 노후 준비 여부와 개인들의 특성 간의 연관성을 탐색한다. 그다음으로는 노년층의 건강 상태가 어떻게 지난 반세기 동안 변화해왔는지를 1920년대부터 1940년대까지 출생한 코호트를 비교함으로써 알아보고자 한다. 마지막으로는 연구 결과들을 바탕으로 노인들의 복지 향상을 위한 정책적 노력과 향후 연구에 대해 가질 수 있는 함의를 논의한다.

2. 연구 방법

이 연구는 서울대학교 사회발전연구소가 지난 반세기 동안 축적한 방대한 양의 자료들 중 두 개의 데이터를 주축으로 하고 있다. 첫 번째 데이터는 1968년 9월 1부터 1969년 3월 28일까지 서울시를 포함하는 열한 개 지역 1733 가구를 대상으로 실시된 『사회복지 기초자료 조사』이다. 이 데이터는 사회적 변화에 의한 가구 구조의 변화와 건전 가구의 보전을 위한 문제점의 파악 및 가구를 중심으로 하는 사회복지 기초자료를 얻기 위해 당시 보건사회부에 의해 실시되었다. 두 번째 데이터는 서울대학교 사회발전연구소에서 실시한 『2002년 일류 국가를 향한 국민 의식조사 연구』이다. 이 조사는 제주도를 포함한 전국 160여 개 조사 지역에서 무작위로 선정된 1520명을 대상으로 하고 있다. 이 조사 연구는 일류 국가를 향한 과제를 안고 있는 국민에게 필요한 자질과 덕목을 규명하고자 국민들이 갖고 있는 가치관과 행동 원리, 일과 여가, 사회 현실 인식, 정보사회 인식, 가족 및 여성관의 변화, 사회제도와 공적 권력 평가, 사회활동과 참여, 계층 의식과 IMF를 전후한 경제 사정의 변화 등의 내용을 분석하고 있다. 그러나 이 두 개의 조사는 34년이라는 간격을 두고 이루어진 만큼, 그 사이에 일어난 변화상을 반영할 수는 없을 것이다. 또한 2002년부터 최근까지의 경향성을 보여줄 수 없다는 한계를 지니고 있다. 따라서 본 연구에서는 통계청의 사회조사나 고령화연구패널조사(KLoSA) 등의 대규모 조사 자료를 이용해 『사회복지 기초자료조사』와 『2002년 일류 국가를 향한 국민 의식조사 연구』의 단점을 보완하는 한편, 최근 경향과의 차이점을 탐색하고 있다.

구체적인 연구 절차는 다음과 같이 수행되었다. 우선 각 절에서 빈도 분석을 포함한 기술적 통계분석을 실시했고, 추이를 나타내는 그래프를 제시했다. 그다음 각 절에서 초점이 되고 있는 현상이 어떻게 변화되어왔는지, 그리고 개인의 사회경제적 및 인구학적 특성에 따른 차이점이 무엇인지를 분석하기 위해 로지스틱 회귀분석(logistic regression) 등의 기법을 이용했다.

3. 연구 결과

1) 인구학적 변화

이미 잘 알려진 바와 같이 인구 고령화의 원인은 크게 출산율이 낮아지는 것과 더불어 사망률이 떨어지면서 평균수명이 연장되기 때문이라고 할 수 있다. 〈그림 4-1〉은 65세 이상 고령 인구와 전체 인구에서 고령 인구가 차지하는 비율의 변화 양상과 추계를 보여주고 있다. 1960년 『인구주택총조사』에 의하면 65세 이상 인구는 약 72만 명이었고, 전국 인구의 약 2.9%를 차지하고 있었다. 1960년대까지 높은 출산율로 인해 인구 성장이 빠르게 진행되는 전형적인 개발도상국형 인구구조를 보였다. 주지하다시피 1970년대부터 인구 증가가 사회경제의 발전에 부담이 된다는 이유로 강력한 인구 증가 억제 정책이 도입되었고, 출산율의 저하와 함께 인구 고령화

〈그림 4-1〉 65세 이상 고령 인구와 비율의 변화 추이

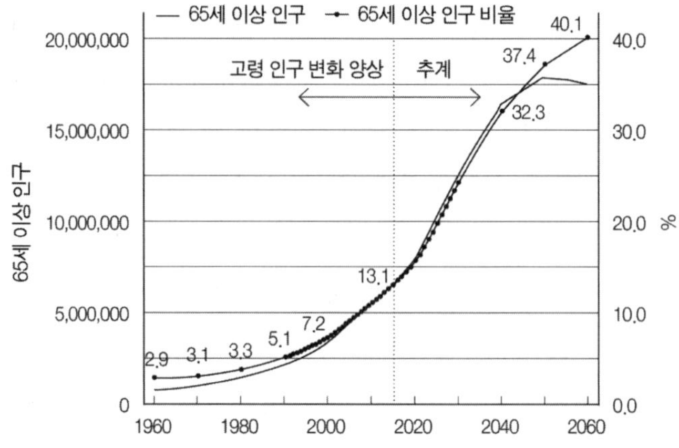

도 빠르게 진행되었다. 1980년대 이후 그 변화는 더욱 가속화되었고, 2000년에는 65세 인구가 340만 명에 이르며, 전체 인구의 7.2%를 차지하게 되었다. 2015년 현재 65세 이상 인구는 660만 명이며, 전체 인구의 약 13.1%를 차지하고 있다. 향후에도 고령 인구는 2050년까지 계속해서 증가할 것으로 예측되며, 2060년경에는 전체 인구의 약 40.1%가 65세 이상일 것으로 예상되고 있다.

인구 구분 기준을 바탕으로 UN은 고령화사회, 고령사회, 초고령사회를 구분하는 기준을 제시했다. UN에 따르면, 65세 이상 인구가 전체 인구에서 차지하는 비율이 7% 이상이면 해당 국가를 고령화사회(aging society), 14% 이상이면 고령사회(aged society), 그리고 20% 이상까지 올라가면 후기 고령사회 또는 초고령사회(super-aged society)로 구분하고 있다(이희연, 2005). 이 기준에 의하면 한국 사회는 2000년에 고령화사회로 진입했고, 2017년에 고령사회, 그리고 2025년경에는 초고령사회로 진입할 것으로 예상되고 있다(〈그림 4-1〉).

고령화에 대한 최근의 사회적 관심과 담론에 비해 고령화의 지역적 차별

〈그림 4-2〉 고령화의 지역적 분포 변화 양상(1960~2010년)

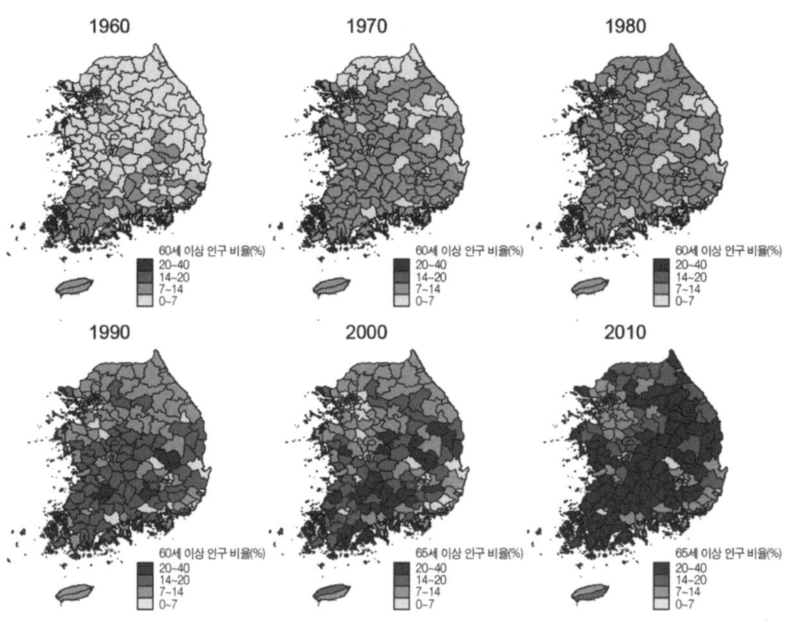

성과 전국적인 고령화의 전개 과정 등에 대한 공간적인 연구는 그 수가 제한적이다(최재헌 · 윤현위, 2012). 〈그림 4-2〉는 통계청 『인구주택총조사』에 나타난 1960년부터 2010년까지 반세기에 걸친 노령 인구의 지역적 분포 변화 양상을 보여주고 있다. 여기에서 주지할 점은 1960년에는 60세 이상의 인구가 고령 인구로 분류되었고, 1990년까지 자료의 통일성을 위해 60세 이상의 비율을 사용했다는 사실이다. 2000년부터는 65세 이상의 인구 비율을 사용했다. 또한 위에서 언급된 UN의 4단계의 사회 고령화 단계를 사용해 시군구별 고령화 정도를 표시했다. 〈그림 4-2〉에 의하면, 1960년 당시 전라남도 구례, 곡성, 담양군과 경상남도 남해, 하동, 거제군, 그리고 경상북도 일부 지역에서 고령화가 시작되었음을 알 수 있다. 이는 이들 지역의 노령 인구가 증가한 결과라기보다는 1960년대에 시작된 산업화로 인해 도시로의 인구 전출이 지속되면서 젊은 연령층과 영유아의 인구구성비가 낮아지고 노인 연령층이 두텁게 된 결과로 보인다(김태헌, 1996). 그러나 더 근본적인 원인은 당시 경부축을 중심으로 한 국토 개발 및 산업화 정책에 따라 지역 간 불균형이 심화된 결과라 할 것이다. 특히 호남 지역의 인구 유출은 다른 지역과는 비교가 안될 만큼 급속하게 진행되었는데, 변변한 산업시설이 없었던 호남에서는 서울로 또는 부산으로 일자리를 찾아 떠나는 방법 외에는 별다른 대안이 없었기 때문인 것으로 보인다(조명래, 2003; 박영구, 2011). 비교적 산업화가 진행된 영남과, 수도권에서 멀지 않은 충청 지역은 인구 유출 속도가 상대적으로 느렸다. 또 당시 광업이 활황이었던 강원도도 인구 유출이 미미했다. 일례로 1960년 당시 강원도 삼척군의 인구는 20만 명에 이르렀으며, 이는 서울시 마포구의 인구와 맞먹는 수준이었다.

1970년대에 들어서면서, 이러한 인구 고령화가 급속하게 전국적으로 확산되고 있는 것을 알 수 있다. 이 시기에는 전라남도, 경상남도, 경상북도 농어촌 지역뿐만 아니라, 충청도와 강원도로 고령화가 진행되고 있는 것을 알 수 있다. 1980년대에 들어서는 서울 · 경기 지역과 부산 · 대구 · 광주 등의 직할시들과 울산, 마산, 여수 등의 신흥 공업지대를 제외한 전 지역이 고령화사회로 진입한 것을 볼 수 있다. 실제로 최재헌과 윤현위(2012)의 연구도 1980년대부터 한국이 고령화사회로 진입했음을 밝히고 있다. 전국적으로 1990년대 중반에 고령사회가 시작되었으며, 흥미롭게도 초기 고령화가 시작되었던 전남과 경남, 그리고 경북 산간 지방에서 초고령사회가 시작되었다. 이는 출산율이 고착된 상태에서 외부로부터 이들 농어촌 지역으로 젊은 연령층의 유입이 극히 제한적이었다는 사실을 반증한다. 2000년대부터 우리나라에서는 초고령사회로 진입한 지역이 나타나기 시작했으며, 1990년대에 고령사회로 진입한 지역을 중심으로 해 점차 그 주변 지역으로 초고

〈그림 4-3〉 고령화의 지역적 분포 변화 추계(2020~2040년)

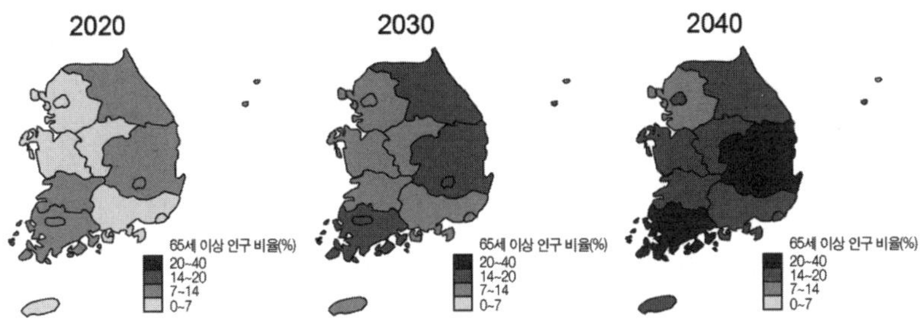

령사회가 확산되었다. 주지할 점은 2000년대에도 서울, 인천, 경기도, 부산, 대구, 대전, 울산 등의 대도시 지역은 고령사회로 진입하지 않았다는 점이다. 2010년대에는 이러한 경향이 더욱 강화되었고, 연구에 의하면 2010년 현재 전국적으로 도시 규모와 고령화 지수는 유의미한 수준에서 반비례하는 것으로 나타나고 있다(최재헌 · 윤현위, 2012). 즉, 수도권 및 대도시와 중소 도시의 경우 고령화사회에 진입한 경우가 대부분인 반면 농어촌 지역의 대부분은 초고령사회에 진입해, 도농 간 차이가 더욱 극명해지고 있다(〈그림 4-2〉).

그렇다면, 향후 고령화의 지역적 전개 양상은 어떻게 진화할 것인가? 〈그림 4-3〉은 시도별 65세 인구 비율을 2040년까지 10년 단위로 나타내고 있다.[1] 또한 이미 한국 사회가 초고령사회로 진입한 만큼, UN 기준으로 고령화를 구분하기보다는 10% 단위로 나누어 나타내고 있다. 2020년경에도 호남 지역과 경북 지역을 중심으로 한 기존의 고령화 지역 인근에서 계속 고령화가 가속화될 것으로 예상되고 있다. 2013년에 이미 광주와 전남 · 전

1 현재 통계청은 시군구 단위의 인구 추계를 제공하고 있지 않으나, 2015년 말경에 각 지자체에서 코호트 요인법, 구성비 시계열 방법, H-P 기법 등을 이용한 인구 추계를 생산해 그 자료를 제공할 예정이다(통계청, 2015).

북을 합친 호남 인구가 대전과 충남 · 충북을 합친 충청권에 추월당했고, 이러한 현상은 앞으로도 지속될 것으로 보인다. 이는 1960년대부터 시작된 불균형 개발이 지속되었고, 이에 따른 교육 · 문화 · 산업 인프라가 상대적으로 부족하기 때문인 것으로 보인다(김성현, 2013). 2040년경에는 충청권과 전북, 그리고 경남에서 65세 인구 비중이 30%를 보일 예정이며, 전남과 경북은 40%가 넘을 것으로 예측되고 있다. 흥미로운 점은 2040년경에도 경기도 지역이 가장 낮은 노인 인구 비중을 보일 것으로 예상되나 서울은 30%대의 노인 인구를 가질 것으로 보인다. 이는 1990년대 이후부터 시작된 서울의 절대 인구 안정화 추세로 인한 서울의 광역화 및 교외화와 밀접히 연관되어 있으며, 이러한 인구 이동의 주축이 젊은 층이라는 사실과 부합되는 결과이다.[2]

요컨대, 한국 사회는 2000년에 고령화사회로 진입했고, 향후 10년 뒤에는 초고령사회로 진입할 것으로 예상되고 있다. 또한 1960년대부터 진행된 한국 사회의 산업화와 도시화는 고령화의 지역적 차별성과 전국적인 고령화의 전개 과정과 그 궤를 같이 하고 있다. 즉, 출산율이 지속적으로 감소하는 상황에서는 젊은 연령층의 이동이 지역의 고령화 정도에 중요한 영향을 미칠 수밖에 없으며, 1960년대에 시작된 불균형적인 경제개발은 호남과 경북 내륙 지방에서 수도권으로의 이주를 촉진시켰다. 이렇게 고착된 인구구조는 앞으로도 지속적으로 지역의 인구구성과 고령화에 중대한 영향을 미칠 것으로 예상된다.

---

2 한 가지 흥미로운 점은 수도권 내에서의 고령화는 서울로부터 멀리 떨어진 수도권 외곽 지역부터 진행되어온 반면, 서울과 인천의 경우 고령화가 그 역방향, 즉 도심부에서부터 외곽으로 진행되는 경향을 보인다는 것이다(최재헌 · 윤현위, 2013).

2) 노인의 가족관계 변화

일반적으로 우리나라 노부모 부양은 여전히 성인 자녀에 의한 가족 부양이 주를 이루고 있으며 성인 자녀가 노부모에게 많은 도움을 제공하는 것으로 나타나고 있다(최정혜, 2009; 한국보건사회연구원, 2010). 하지만 지난 반세기 동안 노부모 부양의 형태와 노년층의 가족관계에는 상당한 변화가 있었다. 〈그림 4-4〉는 자녀별 노부모 부양 비율 추이를 나타내고 있다. 1968년 자료는 『사회복지 기초자료 조사』이고 1998년부터 2012년까지의 자료는 통계청 『사회조사』를 사용했다.[3] 결과에 의하면 1968년에는 장남이 주 부양자인 경우가 72.3%, 그리고 장남 이외의 아들이 22.8%를 차지하고 있어 아들이 부모의 주 부양자인 경우가 95.1%에 이르고 있다. 정확히 30년 뒤인 1998년에는 장남이 노부모의 주 부양자인 경우가 32.8%, 장남 이외의 아들은 17.5%를 차지하고 있어, 아들이 차지하는 비율이 60.3%로 감소한 것을 알 수 있다. 급격한 사회 변화와 더불어 아들에 대한 노령층의 의존도가 현저히 감소하고 있는 것을 보여주고 있으나, 미국을 비롯한 서구와 비교하면 여전히 매우 높은 수준이다(최정혜, 2009; Shuey and Hardy, 2003; Spitze and Logan, 1990). 한편, 딸이 주 부양자인 경우는 1968년에는 1.7%였으나 1998년에는 4.1%를 차지하고 있어, 이 기간에 약 두 배 이상 증가한 것을 알 수 있다. 이렇게 아들에 대한 의존도는 낮아지고 딸에 대한 의존도가 높아지는 경향은 1998년부터 2012년까지 계속되어, 2012년에는 아들이 주 부양자인 경우가 25.6%(장남 15.4%, 장남 이외의 아들 10.2%)를 차지하고, 딸이

3 『사회복지 기초자료 조사』에서는 부친과 모친, 그리고 조부와 조모가 각각 생존해 있는지를 묻고, 생존해 있다면 누가 주로 부양하고 있는지를 물었다. 여기에서는 노부모에 조부와 조모를 모시고 있는 경우도 포함해 계산했다. 이에 반해 『사회조사』는 가족 중 부모를 주로 부양하는 사람만을 사용해 계산했다.

〈그림 4-4〉 자녀별 노부모 부양 비율 추이(1968~2012년)

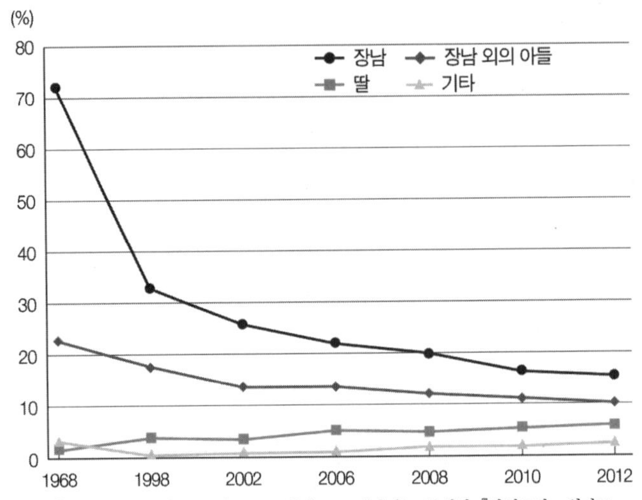

자료: 1968년은 『사회복지 기초자료 조사』, 1998부터 2012년까지는 통계청 『사회조사』 원자료

주 부양자인 경우가 6.0%를 차지하고 있는 것을 알 수 있다. 요컨대, 지난 반세기 동안 한국 노년층의 아들에 대한 의존도는 3분의 1로 줄어든 반면, 딸에 대한 의존도는 네 배 정도 증가한 것을 알 수 있다.

자녀에 대한 노년층의 의존이 줄어들었을 뿐만 아니라, 노부모 세대도 과거에 비해 경제적 · 신체적 · 정신적으로 더욱 독립적으로 변화함에 따라 자녀들과의 동거를 점차 선호하지 않게 되었다. 〈그림 4-5〉는 60세 이상의 노년층을 대상으로 노후에 자녀와 동거할 의사할 의사가 있는지 여부를 조사한 것이다. 1968년에는 60세 이상 응답자의 68.8%가 노후에 자녀와 동거하겠다고 응답한 반면, 2013년에 동일한 연령층을 대상으로 조사했을 때는 26.2%만이 자녀와 동거하겠다는 의사를 밝히고 있다. 따라서 45년 사이에 노후에 자녀와의 동거를 희망하는 비율이 절반 이하로 줄어들었음을 알 수 있다. 한편 자택에서 혼자서 또는 부부끼리 거주하겠다는 응답은 27.8%에서 58.8%로 증가해 두 배 이상 증가했다. 특히 양로원이나 기타 요양 시설

〈그림 4-5〉 자녀와의 동거 의사 변화(60세 이상 응답자)

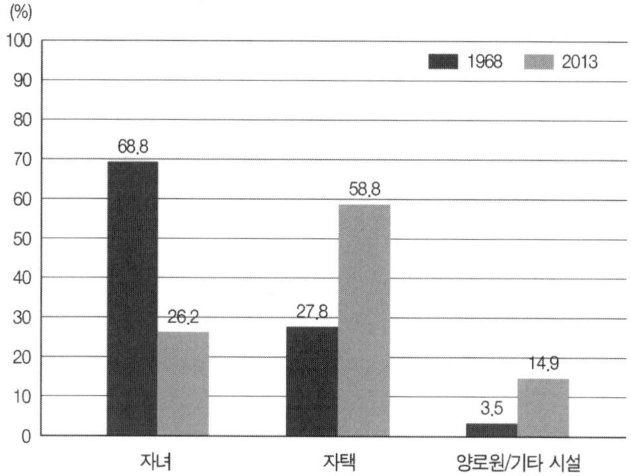

자료: 『사회복지 기초자료 조사』(1968), 『사회조사』(2013)

에서 거주하겠다는 응답도 같은 기간에 네 배 이상 증가했다. 종합해 보건대 노년층도 지난 반세기 동안 매우 독립적으로 변화해왔으며, 그만큼 노후에 자녀와의 동거를 덜 희망하게 된 것이다.

노인의 성인 자녀와의 동거를 결정하는 요인들은 비교적 자세한 연구가 이루어져 왔지만, 시계열적으로 변화를 추적 연구한 경우는 많지 않다(곽인숙, 2012; 김미영 · 이성우, 2009). 이런 기존 연구의 한계를 극복하고자 1968년 『사회복지 기초자료 조사』와 2013년 통계청 『사회조사』를 이용해 성인 자녀와의 동거 희망을 결정하는 개인적 요인들을 분석해보았다. 이런 방법을 통해 두 시점에 나타나는 개인 특성들의 효과를 비교해보고자 했다. 우선, 연구에 사용된 동거 희망을 결정하는 변수들은 기존 문헌들과 곽인숙(2012)의 연구를 참고해 선택되었다. 그리고 그 결과는 〈표 4-1〉의 각 연도에서 동거를 희망하는 그룹과 희망하지 않는 그룹으로 나누어 제시되었다. 우선, 1968년의 경우 동거를 희망하는 여성의 비율(13%)이 희망하지 않는

〈표 4-1〉 자녀와의 동거 희망 여부에 따른 조사 대상자의 일반적 특성들

기준	1968년 사회복지 기초자료 조사				2013년 사회조사			
	동거 미희망		동거 희망		동거 미희망		동거 희망	
	평균	표준편차	평균	표준편차	평균	표준편차	평균	표준편차
성별(여성)*	0.11	0.32	0.13	0.34	0.55	0.50	0.62	0.49
연령	49.71	7.82	51.88	8.11	70.05	7.09	72.01	8.00
교육 수준								
초졸 이하	0.49	0.50	0.72	0.45	0.53	0.50	0.60	0.49
중졸	0.17	0.38	0.13	0.34	0.18	0.39	0.15	0.36
고졸	0.18	0.38	0.09	0.28	0.20	0.40	0.17	0.37
대졸 이상	0.16	0.37	0.06	0.24	0.09	0.29	0.08	0.27
자녀 수	4.05	1.94	4.08	1.87	0.17	0.48	0.55	0.83
배우자 있음	0.96	0.19	0.91	0.29	0.71	0.45	0.57	0.50
총 가계소득								
1분위	0.17	0.38	0.31	0.46	0.77	0.42	0.59	0.49
2분위	0.21	0.41	0.26	0.44	0.18	0.38	0.28	0.45
3분위	0.21	0.40	0.22	0.41	0.04	0.19	0.08	0.28
4분위	0.41	0.49	0.21	0.41	0.02	0.13	0.04	0.20
주관적 계층								
하층	0.30	0.46	0.40	0.49	0.57	0.49	0.55	0.50
중층	0.59	0.49	0.52	0.50	0.41	0.49	0.44	0.50
상층	0.11	0.31	0.08	0.27	0.01	0.11	0.01	0.12
노부모와 동거	0.09	0.29	0.11	0.32	0.05	0.21	0.33	0.47
N	433		546		6,976		2,480	

주: 1968년의 『사회복지 기초자료 조사』는 가구주를 주 응답자로 설정하고 있어, 남성의 비율이 현저하게 높은 것으로 나타나고 있음
자료: 『사회복지 기초자료 조사』(1968), 『사회조사』(2013)

여성의 비율(11%)보다 높았다.[4] 2013년에는 같은 비율이 각각 55%와 62%로 나타났다. 이는 성별에 따른 자녀와의 동거 희망은 큰 차이를 보이지 않

는다는 기존 연구(가령 곽인숙, 2012)와 일치하는 부분이다. 대체로, 기존 연구는 노인의 연령이 동거 희망 여부를 결정짓는 주요한 요인으로 제시하고 있다(김미영 · 이성우, 2009; 유성호, 2000). 이러한 경향이 두 조사에서도 발견되고 있다.[5] 즉, 1968년 응답자 중 동거를 희망하는 그룹이 그렇지 않은 그룹보다 평균 연령이 2세 많았고, 2013년 응답자 역시 약 2세 정도의 차이를 보이고 있다. t-test 분석 결과 1968년과 2013년에서 두 그룹의 연령 차이는 통계적으로 유의미한 것으로 밝혀졌다($p < 0.001$). 곽인숙(2012)의 연구에서는 교육 수준에 따라 동거 희망률이 유의미한 차이를 보이지 않았으며, 다변량 로지스틱 회귀분석에서도 베이비부머에서만 교육의 효과가 유의미한 것으로 나타났다. 이와는 대조적으로 1968년 『사회복지 기초자료 조사』에서는 교육 수준이 증가할수록 동거 희망률이 감소하며, 이는 통계적으로 유의미했다($\chi^2=64.17$, df=3, $p < 0.001$). 2013년 통계청 『사회조사』에서도 교육과 동거 희망률은 대체로 통계적으로 유의미한 부의 상관관계를 보이고 있었다($\chi^2=38.34$, df=3, $p < 0.001$). 지난 반세기의 출산율 하락을 반영하듯 1968년에 비해 2013년의 평균 자녀 수가 확연히 적은 것을 알 수 있다.[6] 과거 연구들에 의하면 평균적으로 자녀 수가 적을수록 자녀의 부양을 기대하기 힘들어지므로 성인 자녀와의 별거를 선택할 가능성이 높은 것으로 보고되고 있다(이인수, 2003). 1968년도에는 동거 희망률과 자녀 수가 통계적으

4 1968년 『사회복지 기초자료 조사』는 응답자를 세대주로 한정했고, 세대주가 부재할 경우에만 다른 가족 구성원이 응답할 수 있도록 했다. 그 결과 84.2%의 응답자가 남성으로 나타났다.

5 1968년 『사회복지 기초자료 조사』에서는 이 분석을 위해 응답자의 연령을 40세 이상으로 필자가 제한했고, 2013년 통계청 『사회조사』의 경우에는 설문 자체가 60세 이상의 응답자만 동거 희망 여부를 묻는 질문에 답하도록 설계되었다.

6 여기에서 주지할 점은 1968년 『사회복지 기초자료 조사』에서는 모든 자녀에 대해 질문한 반면, 2013년 통계청 『사회조사』에서는 현재 동거하고 있는 자녀 수를 묻고 있다. 따라서 자녀와의 동거 희망을 묻는 질문은 60세 이상의 대상자에게만 했으므로, 2013년 데이터의 경우 많은 수의 자녀들이 성장 후 분가했을 가능성이 높아 평균 자녀 수는 낮게 나타날 수 있다.

로 유의미한 관계를 보이지는 않았으나($p=0.82$), 2013년에는 유의미한 차이를 보이고 있었다($p < 0.001$). 자녀와의 동거 여부를 결정짓는 가장 주요한 요소 가운데 하나는 배우자의 유무이다(곽인숙, 2012). 자녀들이 성장해 노부부만 남을 가능성이 높아지는 노후에는 배우자의 존재와 지지가 중요해지며, 따라서 배우자가 있는 경우에 그렇지 않을 경우보다 자녀들과의 별거를 선택할 가능성이 높아지는 것이다. 실제로 1968년과 2013년 샘플 모두에서 동거를 희망하는 집단에서 배우자가 있는 비율이 통계적으로 유의미한 수준에서 더 낮았다($p < 0.01$). 대체로 소득이 높아질수록 독립적인 생활이 가능해지므로 자녀와의 동거 희망률은 낮아지는 것으로 알려져 있으며, 여기에서도 이런 경향성이 발견되었다. 그러나 주관적 계층 의식과 자녀와의 동거 희망률은 뚜렷한 상관관계를 보이지는 않았다. 마지막으로 흥미로운 점은 노부모를 현재 모시고 있는 응답자의 경우 자녀와의 동거 희망률에서 1968년과 2013년 사이에 역전 현상이 일어났다는 사실이다. 다시 말해, 1968년에는 노부모와 동거하는 응답자와 그렇지 않은 응답자 간에 자녀와의 동거 희망률에는 차이가 발견되지 않았다. 그러나 2013년에는 후자, 즉 노부모를 현재 모시고 있는 응답자가 통계적으로 유의미한 수준에서 더 자녀와의 동거를 원하고 있다. 이는 선별효과(selection effect)가 작용하고 있는 것으로 보인다. 즉, 1968년에는 전 사회적으로 노부모를 모시고 사는 것이 당연한 일로 받아들여졌으나 2013년에는 노부모를 모시고 사는 경우가 감소했으므로, 이런 사람들은 선별된(selected) 집단일 가능성이 있다. 다시 말해, 2013년에 노부모를 모시고 있는 이들은 다른 사람들과 구별되는 특성을 지니고 있을 가능성이 있으며, 그 특성은 한층 가족지향적이고 전통 의식이 높은 사람들일 가능성이 있다는 의미이다.

성인 자녀와의 동거 희망에 영향을 미치는 특성들을 파악하기 위해 동거 희망을 종속변수로 설정하고 이에 영향을 미칠 것으로 예상되는 요인들을

〈표 4-2〉 성인 자녀와의 동거 희망에 대한 로지스틱 회귀분석

	1968년 사회복지 기초자료 조사		2013년 사회조사	
	OR	SE	OR	SE
성별	0.792	(0.189)	0.986	(0.060)
연령	1.020**	(0.010)	1.032***	(0.004)
교육 수준 (초등교육 이하 생략)				
중졸	0.699*	(0.140)	0.890	(0.069)
고졸	0.466***	(0.105)	0.843**	(0.066)
대졸 이상	0.420***	(0.110)	0.842	(0.090)
자녀 수	1.059	(0.040)	2.498***	(0.110)
배우자 유무	0.380***	(0.128)	0.776***	(0.051)
총 가계소득(1분위 생략)				
2분위	0.737	(0.149)	1.253***	(0.092)
3분위	0.740	(0.161)	1.106	(0.140)
4분위	0.424***	(0.096)	1.517**	(0.266)
주관적 계층(하층 생략)				
중층	0.961	(0.153)	1.153**	(0.067)
상층	0.942	(0.260)	1.123	(0.262)
노부모와의 동거 여부	1.652**	(0.381)	7.834***	(0.641)
상수	2.180	(1.736)	0.025***	(0.008)
N	979		9,456	
Log-likelihood	-622		-4,520	
Nagelkerke R^2	0.130		0.259	

주: *=p〈0.1, **=p〈0.05, ***=p〈0.01
자료: 『사회복지 기초자료 조사』(1968), 『사회조사』(2013)

독립변수로 로지스틱 회귀분석을 실시했다. 그 결과는 〈표 4-2〉에 제시되었다. 우선 1968년 코호트의 경우 여성이 남성에 비해 약 20.8% 덜 자녀와의 동거를 희망했으나, 이는 통계적으로 유의미한 수준은 아니었다. 응답자

의 연령이 1세 증가할 때마다 자녀와의 동거를 희망할 승산비(odds ratio)가 2.0% 증가했고, 이는 유의미했다. 또한 교육 수준이 증가할수록 자녀와의 동거를 희망하는 승산비는 유의미하게 감소했다. 특히 대학 이상의 교육을 받은 응답자는 초등학교 이하의 교육을 받은 응답자보다 약 58% 덜 자녀와의 동거를 희망하고 있는 것으로 나타났다. 하지만 기술적 통계에서 나타났듯, 자녀 수는 자녀와의 동거 희망률에 중대한 영향력을 보여주지는 않고 있다. 총 가계소득이 4분위에 속하는 응답자는 1분위에 속하는 응답자과 비교할 때 57.6% 덜 자녀와의 동거를 희망하고 있는 것으로 나타나 경제적 능력과 자녀와의 동거 희망은 부의 관계를 이루고 있음을 보여주고 있다. 하지만 주관적 계층 인식은 자녀와의 동거 희망 여부와는 상관관계를 보이지 않고 있다. 마지막으로, 현재 노부모를 모시고 있는 응답자는 그렇지 않은 경우보다 65.2% 더 자녀와의 동거를 희망하는 것으로 밝혀졌다. 이는 자신이 노부모를 부양하는 모습을 자녀들에게 보여줌으로써 자신의 노후에 자식들에게 부양을 받으려는 의지가 표현된 것일 수 있다. 또는 현재 노부모를 부양하는 응답자는 가족에 대해 더 전통적인 가치관을 가지고 있을 가능성이 높고, 따라서 자신의 노후에도 당연히 자식들로부터의 부양을 기대하는 것일 수도 있다. 2013년 코호트의 경우 대체로 1968년 결과와 일치하는 경향을 보여주고 있다. 그러나 연령이 1세 증가할 때마다 자녀와의 동거를 희망하는 승산비가 3.2% 증가하는 것을 알 수 있다. 이는 『사회조사』에서는 자녀와의 동거 희망 여부를 60세 이상의 응답자에게 물어보았으므로, 응답자의 평균 연령이 『사회복지 기초자료 조사』의 응답자들보다 높은 것에 기인할 가능성이 큰 것으로 보인다. 2013년 결과와 1968년 결과의 가장 큰 차이점은 자녀 수의 효과이다. 1968년 코호트에서는 자녀 수가 자녀와의 동거 희망에 통계적으로 유의미한 영향을 미치고 있지 못했지만, 2013년의 경우 자녀가 한 명 증가할 때마다 자녀와의 동거 희망 승산비가 약 2.5배 증가하는 것을 알 수 있다. 이는 출산율이 지난 반세기 동안 지속적으로 감소해 자녀를 낳는 것은 이제 필수가 아니라 선택의 문제가 된 것과 연관이 있을 것이다(Caldwell and Schindlmayr, 2011; McDonald, 2000; Miller, 1992). 이런 저출산 사회에서는 자녀를 상대적으로 많이 생산하는 사람들은 더 가족 지향적이거나 노후에 자녀에 의지하고자 하는 성향이 높은 사람일 가능성이 있다. 따라서 자녀를 많이 낳은 사람일수록 노후에 성인 자녀와의 동거를 더 많이 희망할 가능성이 있는 것이다. 또 다른 차이점은 2013년 코호트의 경우 가구 총소득이 증가할수록 동거 희망률이 증가한다는 것이다. 즉, 소득 1분위에 비해 소득 4분위에 속한 응답자가 약 57.2% 더 많이 동거를 희망하고 있다. 이는 경제적 자원이 풍부할수록 자녀에게 제공할 수 있는 이득이 많기 때문에 동거의 확률도 올라갈 수 있다고 주장한 김미영 · 이성우(2009)의 연구와도 일치하는 부분이다. 마지막으로 현재 노부모를 모시고 살고 있는 응답자가 그렇지 않은 응답자에 비하여 약 7.8배 더 많이 자녀와의 동거를 희망하고 있다. 앞서 설명했듯이, 이런 집단은 평균적인 경우보다 다른 특성들을 지니고 있는 선택된 그룹일 가능성이 있으며 시간이 지남에 따라 이런 선택성(selectivity)이 증가한 결과라고 생각된다.

3) 노인의 경제 상태 변화

가족 구조와 경제 시장의 변화로 인해 노인의 경제 상태 또한 큰 변화가 예상된다. 또한 노인의 건강 상태가 향상되고 수명이 연장되었으며 사회적 가치관도 동시에 변화하고 있기에 노동시장 참여 등 노인들의 전반적인 경제 상태도 큰 변화를 겪어왔다. 〈그림 4-6〉은 1968년 『사회복지 기초자료조사』와 『제4차(2012년) 고령화연구패널조사(KLoSA)』를 이용해 월평균 총가구소득 중위값(median)과 지니계수(Gini index)의 변화를 나타내고 있다.[7]

〈그림 4-6〉 월평균 총 가구소득 중위값과 지니계수의 변화

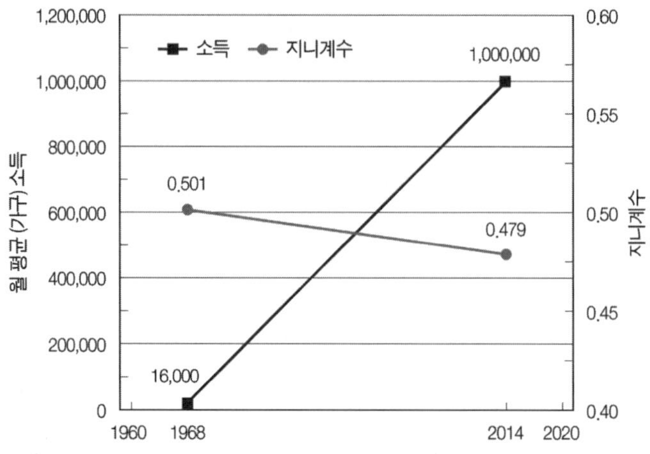

자료: 1968년은『사회복지 기초자료 조사』, 2012년은『제4차 고령화연구패널조사』

결과에 의하면 1968년 당시 노인들이 거주하는 가구의 총소득의 중위값은 1만 6000원으로 나타났다. 한국은행 화폐가치 계산 시스템에 의하면 2015년 화폐 기준으로 약 42만 5456원에 해당하는 금액이었다.[8] 2012년 결과에 의하면 총 가구소득 중위값은 100만 원이었고, 이는 2015년 기준으로 103만 3000원에 해당하는 금액이었다. 따라서 이 기간에 노년층의 총 가계소득은 약 2.4배 증가한 것을 알 수 있다. 한편 소득 불평등 지수 중의 하나인 지니 계수는 이 기간에 0.5에서 0.48로 소폭 감소한 것으로 나타나고 있다. 보통 노인 집단은 다른 인구 집단보다 불평등 격차가 훨씬 큰 것으로 알려져 있다. 실제로 2002년도 65세 이상 노인가구의 소득 지니계수는 0.529이

7 여기에서 주지할 점은 1968년『사회복지 기초자료 조사』는 노년층의 응답자에게 직접 질문하지 않았다는 사실이다. 이 조사는 가구주에게 노인들에 관한 전반적인 인식과 그들의 상황을 묻는 형식으로 진행되었다. 따라서 노인들 본인들의 소득에 관한 질문이 없으므로, 여기에서는 65세 노인들과 동거하고 있는 가구주의 총 가구소득을 이용했다.

8 http://ecos.bok.or.kr/jsp/use/monetaryvalue/MonetaryValue.jsp

〈그림 4-7〉 고령 인구의 취업 형태 변화(1968~2012년)

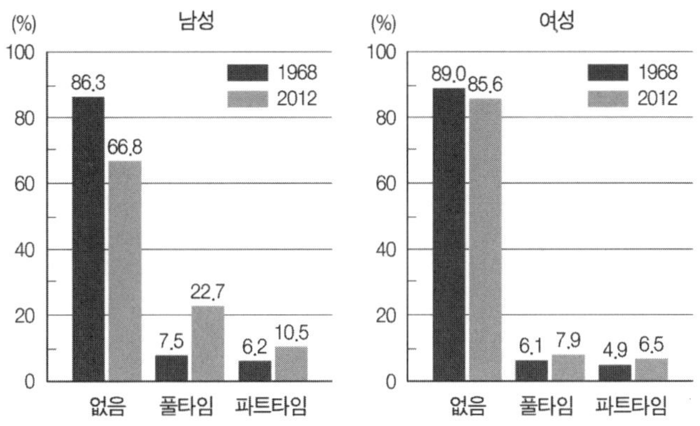

자료: 『사회복지 기초자료 조사』(1968), 『제4차 고령화연구패널조사』(2012)

었던 반면 전체 가구 대상 지니계수는 0.417로 나타났다(손병돈, 2009).

〈그림 4-7〉은 1968년과 2012년 코호트 사이에 나타난 고령 인구의 취업 형태 변화를 보여주고 있다. 파트타임 근로자는 노동시간이 주당 35시간 이하인 근로자를 나타내므로(최희선, 2012), 2012년 KLoSA 응답자의 주당 근로시간을 『사회복지 기초자료 조사』에서 제시한 세 그룹으로 나누고, 성별로 각 항목의 비율을 조사했다. 1968년 당시 65세 이상의 고령 남성 중 86.3%가 소득을 목적으로 하는 노동을 하지 않고 있었지만, 이 비율이 2012년에는 66.8%로 감소했다. 반면 풀타임 노동을 하는 고령 남성은 7.5%에서 22.7%로 세 배 이상 증가한 것을 알 수 있다. 파트타임 노동도 2012년에 1968년보다 약 1.5배 증가했다. 그러나 여성들의 경우 남성과 같이 풀타임 노동과 파트타임 노동이 증가했으나, 그 차이는 남성들에 비해 두드러지지는 않았다. 따라서 고령 인구의 노동시장 참여율 증가는 주로 남성들에게만 국한되어 나타나고 있다는 사실을 반증하는 결과이다.

한국 사회는 노인을 위한 공적 소득 보장 제도가 성숙되어 있지 못해 공적으로 노후를 보장하는 것이 매우 힘들다(박창제, 2008). 2014년 현재 65세 인구 중 공적 연금(국민연금, 공무원연금, 사학연금) 수급자는 약 252만 명으로 65세 이상 인구의 38.7%가 공적 연금을 받고 있으나(통계청, 2014), 급여 수준이 매우 낮은 관계로 노후 빈곤 방지와 같은 연금제도가 추구하는 기본 목적을 달성하지 못하고 있는 실정이다(우해봉, 2015). 한국 사회에서 노인들의 공적인 소득 보장 제도를 보완해온 것은 가족의 지원과 노인들의 높은 경제활동 참여였으나, 개인주의 의식이 확산되고 노동시장 구조가 변화함에 따라 이러한 형태의 비공식적 소득 보장의 효과는 급격히 감소하고 있다. 이러한 맥락에서 중·노년층의 경제적 노후 준비의 결정 요인들을 파악하고 기술하는 것은 중요한 작업이라고 판단된다. 〈표 4-3〉은 2002년 『일류 국가를 향한 국민 의식조사 연구』와 2013년 통계청 『사회조사』를 이용해 중·고령자의 경제적 노후 준비 여부 결정 요인 분석에 사용된 변수들의 정의와 기술적 통계치를 보여주고 있다. 우선 종속변수의 경우, 『일류 국가를 향한 국민 의식조사 연구』에서는 응답자에게 '노후를 위해 별도의 돈을 저축하고 있습니까?'라는 질문에 5점 척도(1=매우 아니다, 5=매우 그렇다)로 답하도록 요구하고 있다. 이를 바탕으로 이항변수(1~3=0, 4~5=1)를 만들었다. 2013년 통계청 『사회조사』는 60세 이상의 응답자를 대항으로 '귀하는 노후를 위해 어떤 준비를 하고 계십니까?'라고 묻고, 만약 노후를 위해 준비하고 있다면 어떤 방식으로 하고 있는지(국민연금, 기타 공적 연금, 사적 연금, 퇴직급여 등)를 묻고 있다. 이 항목에 대한 응답을 기반으로 2002년 데이터와의 비교 연구를 위해 이항변수(준비하고 있다=1, 준비하고 있지 않다=0)를 만들었다. 〈표 4-3〉에 나타난 결과에 의하면 2002년 응답자의 33%가 경제적인 노후 준비를 하고 있는 것으로 나타났으며, 2013년 응답자는 49%가 준비하고 있는 것으로 밝혀져 최근 코호트로 올수록 경제적으로 노후 준비를 하는 비율이 증가하는 것을 알 수 있다. 2002년 조사 대상자의 51%가 여성이었으나 2013년에는 그 비율이 57%로 나타났다. 2002년 조사 대상자의

〈표 4-3〉 노후 준비 결정 요인 분석에 사용된 변수의 정의, 측정 방법, 기술적 통계

변수 범주	변수 명	변수 설명	2002		2013	
			평균	표준편차	평균	표준편차
종속변수	노후 준비 여부	0=준비를 하지 않음 1=준비를 하고 있음	0.33	0.47	0.49	0.50
독립변수	성별	남성=0, 여성=1	0.51	0.50	0.57	0.50
	연령	연속변수(2002=40세 이상, 2013=60세 이상)	50.53	6.96	70.56	7.39
	교육 수준					
	초등교육 이하		0.16	0.36	0.55	0.50
	중졸		0.19	0.39	0.17	0.38
	고졸		0.46	0.50	0.19	0.39
	대졸 이상		0.19	0.39	0.09	0.28
	배우자 있음	배우자 없음(미혼 포함)=0, 배우자 있음=1	0.95	0.22	0.67	0.47
	가계 총소득	2002=가족이 없을 경우 본인 소득				
	100만 원 미만		0.43	0.50	0.72	0.45
	100~200만 원		0.29	0.45	0.20	0.40
	200~300만 원		0.20	0.40	0.05	0.22
	300만 원 이상		0.08	0.27	0.02	0.15
	주택 소유	전세, 월세, 무상=0, 자택=1	0.79	0.41	0.80	0.40
	주관적 사회계층	2002=1~4(하층), 5~6(중층), 7~10(상층)				
	하층		0.29	0.45	0.57	0.50
	중층		0.52	0.50	0.42	0.49
	상층		0.19	0.39	0.01	0.11
	N		732		9,456	

자료: 『일류 국가를 향한 국민 의식조사 연구』(2002), 『사회조사』(2013)

평균 연령은 50.5세였으나, 2013년 응답자의 평균 연령은 70.6세로 나타나 약 20년의 차이가 있는 것으로 나타났다.[9] 이러한 연령 차이는 교육 수준의

차이로 이어져, 2002년 응답자의 65%가 고졸 이상이었던 반면 2013년 응답자의 경우 28%만이 같은 수준의 교육을 받은 것으로 나타났다. 주택 소유 여부는 두 그룹에서 큰 차이가 발견되지 않았으나, 가계 총소득의 경우 100만 원 이하의 비율이 2013년 『사회조사』에서 압도적으로 더 높은 것으로 나타났다. 이러한 특성들을 반영하듯, 2013년 응답자 중 자신이 사회 전체와 비교해서 하층에 속한다고 답한 비율이 2002년에 비해 월등히 높았다.

중·고령층 인구의 경제적 노후 준비를 결정하는 특성들을 파악하기 위해 노후 준비 여부를 종속변수로 설정하고 이에 영향을 미칠 것으로 예상되는 요인들을 독립변수로 로지스틱 회귀분석을 실시했으며 그 결과는 〈표 4-4〉에 제시되었다. 결과에 의하면 2002년 샘플에서는 여성과 남성의 경제적 노후 준비를 할 승산비는 유의미한 차이를 보이지 않았다. 그러나 2013년 샘플에서는 여성이 남성에 비해 약 40% 정도 덜 노후 준비가 되어 있는 것으로 밝혀졌으며, 이 차이는 통계적으로 유의미했다. 그러나 연령의 효과는 두 샘플에서 모두 유의미한 것으로 나타났으며, 연령이 1세 증가할 때마다 각각 4% 와 6%씩 경제적 노후 준비를 한 승산비가 감소했다. 대체로 응답자의 교육 수준이 증가할수록 경제적 노후 준비를 할 가능성이 증가했지만, 그 차이는 2013년 샘플에서 훨씬 두드러지게 나타났다. 가령 2013년 샘플에서 대학 교육 이상을 받은 응답자는 초등학교 이하의 교육을 받은 응답자보다 경제적으로 노후 준비를 할 승산비가 세 배가량 높았다. 가계 총소득도 교육 수준과 마찬가지로 경제적 노후 준비 여부와 정의 관계를 보이고 있었으며, 그 경향성은 2002년 샘플에서 더 확실하게 나타났다. 월 소득

---

9 2002년 『일류 국가를 향한 국민 의식조사 연구』에서 응답자의 연령을 60세 이상으로 제한할 경우 샘플의 수가 너무 작아져 의미 있는 비교가 불가능했다. 또한, 경제적 노후 준비 여부의 결정 요인을 파악하는 것이 주요 목적이었으므로 노년기에 아직 진입하지 않은 중년기의 응답자를 포함하는 것이 적절하다고 판단된다.

〈표 4-4〉 노후 준비의 결정 요인에 대한 로지스틱 분석

	2002		2013	
	OR	SE	OR	SE
성별(여성)	1.056	(0.215)	0.599***	(0.032)
연령	0.964***	(0.013)	0.936***	(0.003)
배우자 있음	0.801	(0.300)	1.495***	(0.086)
교육 수준 (초등교육 이하 생략)				
중졸	1.228	(0.376)	1.340***	(0.088)
고졸	1.348	(0.385)	1.841***	(0.125)
대졸 이상	1.926**	(0.641)	3.031***	(0.320)
총 가계소득 (100만 원 이하 생략)				
100~200만 원	1.456*	(0.325)	1.422***	(0.090)
200~300만 원	1.312	(0.328)	1.291**	(0.155)
300만 원 이상	3.338***	(1.100)	1.400*	(0.251)
주택 소유	1.399	(0.294)	1.982***	(0.128)
주관적 계층(하층 생략)				
중층	1.032	(0.199)	2.792***	(0.142)
상층	1.052	(0.267)	7.393***	(2.202)
상수	1.434	(1.388)	44.170***	(13.289)
N	732		9,456	
Log-likelihood	-441.7		-5,225	
Nagelkerke R^2	0.079		0.326	

주: * = p 〈 0.1, ** = p 〈 0.05, *** = p 〈 0.01
자료: 『일류 국가를 향한 국민 의식조사 연구』(2002), 『사회조사』(2013)

300만 원 이상의 응답자는 100만 원 이하의 경우보다 약 3.3배 더 노후 준비를 하고 있는 것으로 나타나, 박창제(2008)의 결과와 일치하고 있다. 흥미로운 점은 주관적 계층 인식은 2002년 샘플에서는 유의미한 효과를 보이지

않았으나, 2013년 샘플에서는 매우 강력한 영향력을 지니고 있는 것으로 나타났다. 2013년 샘플의 경우 자신이 한국 사회에서 상층이라고 생각하는 사람들은 자신들이 하층이라고 생각하는 사람들보다 약 7.4배 더 경제적으로 노후 준비를 하고 있었다.

요컨대, 남성이 여성에 비해 노후 준비를 할 가능성이 높은 것으로 나타났으며, 이는 남성이 여성에 비해 경제활동 참가율이 높고 임금수준이 높기 때문에 경제적으로 노후를 준비할 재무 여력이 더 크기 때문으로 보인다. 연령이 증가할수록 노후 준비 가능성이 떨어지는 것으로 나타났으며, 이는 연령이 상승할수록 경제활동이 떨어지고 가족 부양에 대한 기대감도 더 크기 때문인 것으로 생각된다. 또한 교육 수준과 가계소득은 모두 노후 준비 여부에 긍정적인 효과를 보이고 있어, 경제적 자원의 양과 노후 준비는 정비례하는 패턴을 보이고 있다. 하지만 일반적으로 주관적 경제 상황 인식이 높을수록 소득이 높고 따라서 더 많이 노후 준비를 할 것이라는 일반적 가설과는 달리 주관적 계층 의식의 효과는 2013년 샘플에서만 발견되었다.

4) 노인 건강 상태의 변화

주지하다시피 우리나라는 1960년대부터 경제적 고도성장을 일구어냈고, 이와 더불어 국민들의 영양 상태와 의료 기술이 비약적으로 향상되었다. 이러한 건강 상태의 향상은 기대 수명의 증가로 나타났다. 실제로 1970년 이후 한국의 기대 수명은 OECD 30개국 중 터키를 제외하고 가장 빠른 속도로 증가했다(강은정 · 조영태, 2008). 〈그림 4-8〉은 통계청 「장래인구 추계」(2010)와 세계보건기구(World Health Organization: WHO)에서 발간한 *World Health Statistics*(2014)를 이용해 1970년부터 2060년까지의 기대 수명과 건강 수명 추계를 나타내고 있다. 결과에 의하면 1970년도 당시에 한국 남성

〈그림 4-8〉 평균수명과 건강 수명 추계(1970~2060년)

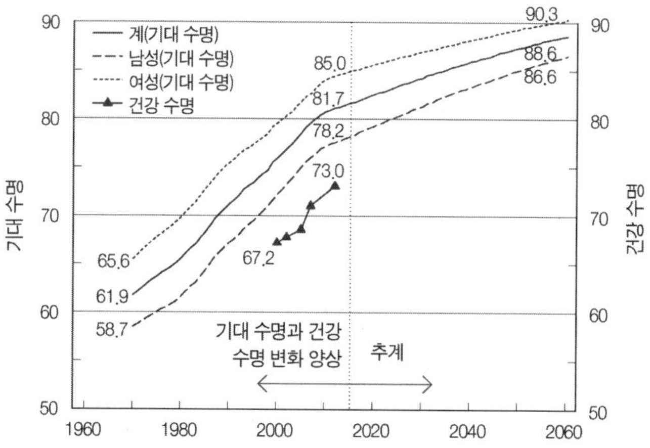

자료: 평균수명은 「장래인구 추계」(2010), 기대 수명과 건강 수명은 세계보건기구의 *World Health Statistics*(2014)

의 기대 수명은 58.7세였고, 여성의 경우 65.6세였다. 그리고 전체 평균은 61.9세에 머물렀다. 1980년대와 1990년을 거치면서 경제성장과 더불어 기대 수명은 가파르게 상승했고, 향후 2060년까지도 지속적으로 상승할 것으로 예상된다. 다만, 2010년 이후 그 증가 속도는 남녀 모두에게서 둔화될 것으로 예상된다. 2015년 현재 여성의 기대 수명은 85.0세, 남성은 78.2세였으며, 전국 평균은 81.7세였다. 현재로부터 45년 뒤인 2060년경에는 여성의 기대 수명이 90세, 남성은 86.6세, 그리고 인구 전체는 88.6세에 이를 것으로 예측되고 있다. 이러한 기대 수명은 사망률을 기반으로 산출되는 결과이다. 그러나 과거에는 전염성 질환이 주된 사망 원인이었으므로 사망률이 핵심적인 건강지표가 되었으나, 경제가 발전할수록 암이나 순환계 질환 등의 만성질환이 주된 사망 원인이 되었고(Wilmoth, 2000), 이러한 시대 변화상을 반영한 삶의 질을 반영할 수 있는 새로운 건강지표의 개발이 요구되었다. 이러한 요구를 반영해 개발된 여러 가지 지표 중 건강 수명(healthy adjusted life expectancy: HALE)은 전체 평균수명에서 질병이나 부상으로 고통받은 기

〈그림 4-9〉 노인의 건강 상태 변화(1968~2006년)

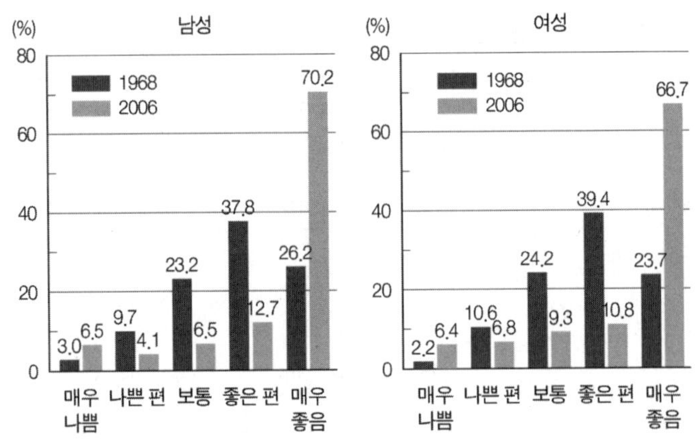

자료: 『사회복지 기초자료 조사』(1968), 『제1차 고령화패널조사』(2006)

간을 제외하고 건강한 삶을 유지한 기간을 의미하는 것이다(WHO, 2004; 강은정 · 조영태, 2008). 건강 수명은 사망률 이외에도 건강과 삶의 질에 관한 방대한 자료가 필요하므로 매년 계산되지는 않는다. 그러나 통계청에 의하면 2000년 전국 평균 건강 수명은 67.2세였고 2005년에는 68.6세로 증가했으며, WHO(2014)는 한국의 건강 수명은 2007년과 2012년에 각각 71세와 73세였다고 보고하고 있어 지난 15년간 한국의 건강 수명이 지속적으로 증가해온 것을 알 수 있다. 따라서 이런 연구 결과들은 지난 반세기 동안 단순히 수명만이 증가한 것이 아니라, 질병이나 부상으로 인한 장애로 고통받는 기간이 줄어 그만큼 삶의 질도 향상되었다는 것을 보여주고 있다.

〈그림 4-9〉는 1968년 『사회복지 기초자료 조사』와 『제1차(2006년) 고령화패널조사(KLoSA)』를 이용해 실제 노인들의 건강 상태가 어떻게 변화해왔는지를 보여주고 있다. 『사회복지 기초자료 조사』에서는 응답자에게 생존해 있는 조부, 조모, 부친, 그리고 모친의 건강 상태를 다음의 다섯 가지 범주로 묻고 있다. ① 매우 건강해 다소 힘든 일을 할 수 있음, ② 힘들지 않은

일은 할 수 있을 정도로 건강함, ③ 건강하나 일은 할 수 없는 정도, ④ 겨우 걸어 다니실 정도, ⑤ 걷지도 못하실 정도. 이를 바탕으로 더 높은 수치가 건강하다는 것을 나타낼 수 있도록 역산(reverse code)했다. 하지만 『고령화패널조사』의 경우 노인에 대한 응답자의 건강 평가는 존재하지 않으며, 응답자에게 직접 식사 준비(재료 준비, 요리, 상 차리기 등), 빨래(세탁, 널기, 말리기 등), 금전 관리(용돈, 통장, 재산 관리 등) 등과 같은 일상생활 수행 능력(instrumental activities of daily life: IADL)을 물어 이를 11점의 척도로 제공한다. 이 척도를 『사회복지 기초자료 조사』와 비교하기 위해 다섯 개 그룹으로 분류했다. 결과에 의하면 1968년 당시에 노인 남성의 26.2%만이 건강이 매우 좋음, 즉 매우 건강해 다소 힘든 일도 할 수 있는 정도였으나, 2006년에는 70.2%가 이 범주에 속하는 것으로 나타났다. 물론 1968년과 2006년에 같은 척도가 사용된 것은 아니므로 직접적인 비교는 불가능하지만, 이 기간에 건강의 최상위에 속하는 비율이 약 세 배 정도 증가한 것으로 보인다. 일반적으로 여성은 남성에 비해 수명은 길지만 더 많은 질병과 장애에 시달리는 것으로 보고되고 있다(Case and Paxson, 2005). 이런 과거 연구와 일치하듯 각 연도에서 여성의 건강 상태는 남성보다 낮은 것으로 나타나고 있다. 그러나 여성 노년층의 건강 상태 역시 이 기간에 괄목할 만하게 향상된 것을 알 수 있다. 1968년의 경우 23.7%만이 건강 상태가 매우 좋은 것으로 나타났으나, 2006년에는 66.7%가 이 범주에 속하고 있어 남성과 같이 약 세 배 정도 건강이 향상된 것으로 보인다. 그런데 흥미로운 점은 1968년과 비교할 때 2006년에 '매우 나쁨' 범주의 비율이 남녀 모두에서 약 두 배 정도 증가했다는 사실이다. 물론 측정 척도가 상이하므로 직접적인 비교는 할 수 없지만, 만일 이것이 사실이라면 이는 지난 반세기 동안 한국 노년층의 평균적인 건강 상태는 극적으로 향상되었으나 각 시기에서의 사회계층에 따른 건강 양극화는 더 심화되었다는 의미를 내포하게 될 것이다.

〈표 4-5〉 출생 코호트별 주관적 건강 상태의 로지스틱 회귀분석

	1920~1929		1930~1939		1940~1949	
	OR	SE	OR	SE	OR	SE
성별(여성=1)	1.647***	(0.129)	1.528***	(0.070)	1.521***	(0.064)
연령	1.022***	(0.005)	1.036***	(0.002)	1.029***	(0.002)
교육 수준 (초등교육 이하 생략)						
중졸	0.660***	(0.065)	0.682***	(0.029)	0.668***	(0.021)
고졸	0.544***	(0.061)	0.509***	(0.023)	0.462***	(0.016)
대졸 이상	0.416***	(0.059)	0.339***	(0.022)	0.281***	(0.016)
배우자 있음	1.549***	(0.111)	1.097**	(0.044)	0.816***	(0.031)
1인 가구	1.523***	(0.093)	1.243***	(0.053)	1.021	(0.046)
주거형 (자가=0, 전세·월세=1)	1.186***	(0.073)	1.314***	(0.048)	1.365***	(0.041)
농어촌 지역	1.232***	(0.063)	1.265***	(0.037)	1.207***	(0.032)
전문직 또는 관리직	1.013	(0.237)	0.768**	(0.099)	0.722***	(0.063)
취업	0.479***	(0.032)	0.578***	(0.019)	0.551***	(0.015)
흡연	1.309***	(0.080)	1.314***	(0.052)	1.458***	(0.058)
음주	0.632***	(0.034)	0.578***	(0.017)	0.632***	(0.017)
상수	0.101***	(0.043)	0.056***	(0.011)	0.101***	(0.016)
N	8,358		25,915		36,532	
Log-likelihood	-5,308		-16,056		-20,555	
Nagelkerke R^2	0.130		0.178		0.164	

주: *=p〈0.1, **=p〈0.05, ***=p〈0.01

자료: 통계청, 『사회조사』(1992, 2003, 2006, 2008, 2010, 2012)

〈표 4-5〉는 출생 코호트별로 건강 상태의 결정 요인들의 변화 양상을 보여주고 있다. 1968년 『사회복지 기초자료 조사』에는 노인들의 건강 상태를 노인들 자신에게 직접 질문한 결과가 없다. 따라서 앞에서와 같은 데이터 간의 직접 비교가 불가능했다. 필자가 선택한 대안은 1968년 『사회복지 기

초자료 조사』 대상과 같은 시대를 살아온 출생 코호트를 비교하는 것이었다. 이런 목적을 달성하고자 주관적 건강 상태를 나타내는 변수가 존재하는 1992년, 2003년, 2006년, 2008년, 2010년, 2012년 통계청의 『사회조사』 자료를 이용했다. 각 자료를 모두 합친 후 조사 연도에서 응답자의 나이를 빼는 방식으로 응답자의 출생 코호트를 계산했다. 1920년대 코호트의 경우는 1968년 당시 39세에서 48세였을 것이다. 그러나 이들은 사회조사의 가장 이른 시점인 1992년에는 63세에서 72세에 이르렀을 것이다. 그리고 1940년대 코호트는 가장 최근에 65세에 이른 코호트이기에 선정되었다. 1900년대와 1910년대 코호트도 존재하기는 하나 그 숫자가 너무 적어 이 분석에서는 사용되지 않았다. 비록 다른 각기 다른 시점에서 사회조사에 응답했겠지만, 출생 코호트들은 비교적 유사한 시대 상황을 겪었을 것이므로, 이들을 비교하는 것은 한국 사회가 변화함에 따라 개인들의 건강에 미치는 영향의 변화 양상을 잘 보여줄 수 있다고 보인다. 이 분석에서 건강 상태는 응답자가 자신의 건강 상태를 평가한 주관적인 건강 상태(self-rated health status)를 사용했다. 주관적인 건강 상태는 신체적 · 생리적 · 심리적 · 사회적 측면에 대한 포괄적인 평가를 내림으로써 의학적인 방법으로 측정할 수 없는 건강 상태에 대한 개인적 견해를 보여주는 것으로 총체적인 건강 상태를 나타낸다(이해정, 2002; Idler and Benyamini, 1997). 기존의 많은 연구에서 주관적 건강 상태가 의료진이 진단한 객관적 건강 상태와 밀접한 상관관계를 보이고, 성인의 사망률뿐 아니라 노화 과정 및 신체적 기능을 예측하는 유용한 지표라는 사실이 밝혀졌다(Idler and Benyamini, 1997; Kawachi et al., 1999). 조사에서 주관적 건강 상태는 응답자에게 스스로의 건강을 5점 척도(1=매우 좋음, 2=좋음, 3=보통, 4=나쁨, 5=매우 나쁨)로 평가하도록 해 측정되었다. 이를 바탕으로 매우 좋음부터 보통까지를 하나의 카테고리로 묶고 나머지를 다른 카테고리로 묶어 이항변수를 구성했다.

로지스틱 회귀분석 결과 모든 코호트에서 여성이 남성에 비해 건강이 나쁘다고 평가하는 경향이 강한 것으로 나타났다. 1920년대 코호트부터 1940년대 코호트까지 각각 64.7%, 52.8%, 52.1%의 여성이 남성에 비해 건강이 나쁘다고 보고할 승산비가 증가했다. 이는 여성은 남성보다 기대 수명이 더 길지만, 여성 자신의 건강이 나쁘다고 보고하는 비율이 남성보다 높다는 기존의 연구와 일치하는 부분이다(김승곤, 2009; Case and Paxson, 2005). 1920년대 코호트에서 여성의 효과가 다른 코호트들보다 높게 나타나고 있으나 코호트별로 비교해보면 뚜렷한 경향성이 발견되는 것은 아니다. 이는 시간적인 흐름과는 상관없이 여성이 남성에 비해 주관적인 건강 상태가 나쁘다는 사실을 반영한다. 같은 맥락에서 연령의 증가는 건강 상태를 악화시키는 것으로 모든 코호트에서 발견되었다. 그리고 각 코호트 내에서 많은 과거 연구들(Kawachi et al., 1999; Mirowsky and Ross, 2008; 이해정, 2002)이 발견한 바와 같이 교육 수준과 건강 상태는 정의 관계를 보이고 있다. 즉, 교육 수준이 증가할수록 나쁜 건강을 리포트할 가능성이 감소하는 것이다. 그리고 코호트 간의 비교를 해보면 교육 수준에 따른 건강 수준의 간극이 최근 코호트로 올수록 증가하는 것처럼 보인다. 가령 1920년대 코호트의 경우 대학 교육 이상을 받은 사람은 초등교육 이하를 받은 사람보다 58.4% 덜 나쁜 건강을 리포트하는 것으로 나타났고, 이 비율은 66%와 72%로 각각 1930년대와 1940년대 코호트에서 증가하는 것을 알 수 있다. 그러나 승산비를 직접 비교하는 것은 생략된 범주를 구성하는 응답자가 코호트별로 동일한 것이 아니므로 바람직한 방법이 아닐 수 있다. 따라서 승산비를 확률로 치환한 후 각 코호트별로 비교해보았을 때는 교육 수준별 건강의 간극이 더 증가하거나 감소하지 않았고 일정한 간격을 유지하는 것을 알 수 있었다.[10]

10 지면 관계상 확률로 치환한 결과는 여기에 나타내지 않았다.

한 가지 흥미로운 점은 1920년대와 1930년대 코호트에서는 배우자가 있는 응답자의 건강이 배우자가 없는 경우보다 더 나쁘게 나타났으나, 1940년대 코호트에서는 반대의 결과가 나왔다. 일반적으로 배우자가 있을 때 더 많은 물질적 · 정서적 · 사회적 지원을 받을 수 있기에 건강 상태가 좋은 것으로 알려져 있다(이해정, 2002). 따라서 이 결과는 통계적 결함(statistical artifact)이거나, 만일 사실이라면 1920년대와 1930년대 코호트의 경우 연애결혼보다는 중매결혼이 더 보편적이었으므로 부부 간 갈등이 많았고, 그래서 노년에도 이러한 부부 간 갈등이 건강을 저해하는 요인으로 작용했을 수도 있을 것이다. 이 부분은 후속 연구에서 더 자세히 다루어져야 할 것으로 보인다. 경제적인 요인들 중 취업해 있는 경우와 전문직 또는 관리직에 종사하는 경우는 모두 건강에 긍정적인 영향을 미치는 것으로 나타났으며, 이러한 효과는 코호트별로 차이가 나지 않았다. 이는 경제적 자원이 건강을 위해 중요하며 그 효과는 시대의 변화에 영향을 받지 않는 것을 의미한다. 그리고 대표적인 건강 행위인 흡연은 모든 코호트에서 건강에 부정적인 영향을 미쳤지만, 음주의 경우 오히려 반대의 결과가 나왔다. 즉, 음주를 하는 경우 그렇지 않은 경우보다 건강이 더 좋은 것으로 나타나고 있다. 이는 데이터의 한계로 인해 음주 변수를 음주량으로 측정한 것이 아니라 단순히 음주를 한 적이 있는지 또는 아닌지만을 물어본 결과인 것으로 보인다.

4. 결론

이 장에서는 서울대학교 사회발전연구소에서 지난 50년간 실시한 여러 가지 연구조사 중 『사회복지 기초자료 조사』와 『2002년 일류 국가를 향한 국민 의식조사 연구』를 이용해 한국 사회에서 노년층의 삶이 어떻게 변화해 왔는지를 분석해보았다. 이 과정에서 최근 경향과의 비교 연구를 위해서 통계청 『사회조사』와 『고령화패널연구』 등의 자료도 함께 사용했다. 분석 결과를 요약하면 다음과 같다.

첫째, 고령화의 지역적 차별성과 전국적인 고령화의 전개 과정 등에 대한 분석을 실시한 결과 1960년 당시 전라남도와 경상북도 일부 지역에서 고령화가 다른 지역들보다 빨리 시작되었음을 확인할 수 있었다. 이는 이들 지역의 노령 인구가 증가한 결과라기보다는 1960년대에 시작된 산업화로 인해 도시로의 인구 전출이 지속된 결과로 보인다. 특히 호남 지역의 인구 유출은 다른 지역과는 비교가 안될 만큼 급속하게 진행되었는데, 근본적인 원인은 당시 경부축을 중심으로 한 국토 개발 및 산업화 정책에 따라 지역 간 불균형이 심화된 결과라 할 것이다. 이렇게 지난 반세기 동안 한국 사회에서 진행된 고령화의 지역적 전개 양상은 출산율이나 이주율 등의 단순 인구학적 요인들(demographic determinants)뿐 아니라, 한층 거시적인 사회경제적인 요인들과 밀접히 연관되어 있음을 알 수 있었다. 더욱이 이러한 구조적인 요인들은 600년 만에 충남과 호남의 인구수가 역전되었듯 향후에도 지속적으로 영향력을 발휘하며 인구구조를 형성해나갈 것으로 보인다.

둘째, 노인들의 가족관계 변화 양상을 살펴본 결과, 지난 반세기 동안 한국 노년층의 아들에 대한 의존도는 3분의 1로 줄어든 반면, 딸에 대한 의존도는 네 배 정도 증가한 것을 확인할 수 있었다. 한편 노년층도 이 기간에 매우 독립적으로 변화해왔으며 그만큼 노후에 자녀와의 동거를 희망하는 비율도 감소했다. 성인 자녀와의 동거 희망에 영향을 미치는 개인적 특성들을 분석한 결과 최근 코호트에서 자녀의 수가 많은 경우와 현재 노부모를 모시고 사는 경우에 성인 자녀와의 동거를 원할 확률이 높은 것으로 확인되었다. 이는 지난 50여 년 동안 출산율과 노부모를 모시는 경우가 지속적으로 감소해온 한국 사회에서 많은 자녀를 양육하고 노부모까지 모시는 사람들은 평균적인 경우보다 전통적인 가족 중심적 가치관을 지니고 있을 가능성이 높고, 따라서 그들은 노후에 자녀들과의 동거를 더 간절히 희망할 수 있다는 점을 시사한다.

셋째, 1960년대 후반부터 최근까지 노년층의 총 가계소득은 약 2.4배 증가했으나 소득 불평등 지수는 소폭 감소하는 데 그쳤다. 일반적으로 노인 집단은 다른 집단보다 불평등 격차가 월등히 큰 것으로 알려져 있기는 하지만, 한국 사회에서는 노년층의 소득 불평등이 지난 50년 동안 괄목할 만할 정도로 개선되지는 않았다는 사실을 알 수 있다. 같은 기간에 남성과 여성 노년층의 노동시장 참여율은 모두 상당히 증가했으나, 그 정도는 남성들에게서 더 두드러지게 나타났다. 또한 남성이 여성에 비해 경제적으로 노후 준비를 할 가능성이 높은 것으로 확인되었으며, 연령이 증가할수록 그 가능성이 떨어지는 것으로 나타났다. 또한 교육 수준과 가계소득은 모두 노후 준비 여부에 긍정적인 효과를 보이고 있어, 경제적 자원의 양과 노후 준비는 정의 상관관계를 보이고 있음을 확인했다.

마지막으로 지난 반세기 동안 한국 노년층의 단순 기대 수명만이 증가한 것이 아니라, 질병이나 부상으로 인한 장애로 고통받는 기간이 줄어 그만큼 건강한 삶을 향유하는 기간도 길어졌다는 사실을 확인했다. 노년층의 주관적 건강 상태를 결정짓는 요인들을 출생 코호트별로 분석한 결과 교육 수준, 흡연, 성별, 그리고 연령이 중요한 영향을 미치는 것으로 나타났다. 그러나 이러한 개인의 사회경제적 특성에 의한 건강 불평등은 악화되거나 개선되지 않은 채 지속되고 있는 것으로 확인되었다.

『사회복지 기초자료 조사』와 『2002년 일류 국가를 향한 국민 의식조사 연구』를 비롯한 다양한 자료를 분석해본 결과 지난 50년간 노인의 삶에는 많은 변화가 나타났다. 이와 같은 노인 세대의 변화는 향후에도 지속적으로 이루어질 것으로 예상되며, 특히 베이비부머 세대가 노인층으로 흡수되면 지금의 노인 세대와는 여러 측면에서 다른 특성을 보일 수도 있다. 이와 함께 이 연구는 노인 인구가 하나의 동질적 집단(homogeneous group)이 아니라는 점을 시사하고 있다. 노인층은 연령, 교육 수준, 경제 수준, 건강 상태 등에 따라 유형화될 수 있으며, 이러한 다양성에 기반을 두어 세분화되고 사용자 중심적인 노인복지 정책이 수립되어야 할 것으로 보인다. 또한 노인들의 경제적 양극화, 건강의 양극화 등 불평등을 완화시킬 수 있는 제도적 장치를 마련하기 위한 사회적 논의가 한층 더 적극적으로 이루어져야 할 것으로 보인다.

| 참고문헌 |

강은정 · 조영태. 2008. 「성별 교육 수준별 건강 수명의 형평성과 정책 과제」. ≪보건복지포럼≫, 149호, 15~25쪽.

곽인숙. 2012. 「베이비부머 세대와 노인의 성인 자녀와의 동거를 결정하는 요인」. ≪한국가족자원경영학회지≫, 16권 4호, 23~44쪽.

김미영 · 이성우. 2009. 「노부모-자녀 동거의 결정 요인과 지역 간 차이, 1985~2005」. ≪농촌계획≫, 15권 4호, 89~107쪽.

김성현. 2013.8.21. "600여 년 만에 호남 인구가 충청에 추월당한 이유는?" ≪조선닷컴≫, http://news.chosun.com/site/data/html_dir/2013/08/21/2013082101570.html?Dep0=twitter&d=2013082101570.

김승곤. 2009. 「왜 여성의 주관적 건강이 더 나쁜가?」. ≪여성연구≫, 76권 1호, 177~199쪽.

김태헌. 1996. 「농촌인구의 특성과 그 변화, 1960~1995: 인구구성 및 인구 이동」. ≪한국인구학≫, 19권 2호, 77~105쪽.

박영구. 2011. 「공업화와 지역: 1970년대 중화학공업기지를 중심으로」. ≪지역사회연구≫, 19권 2호, 1~23쪽.

박창제. 2008. 「중 · 고령자의 경제적 노후 준비와 결정 요인」. ≪한국 사회복지학≫, 60권 3호, 275~297쪽.

손병돈. 2009. 「노인 소득의 불평등 추이와 불평등 요인분해」. ≪한국노년학≫, 29권 4호, 1445~1461쪽.

우해봉. 2015. 「국민연금의 노후소득 보장 효과 전망과 정책과제」. ≪보건복지포럼≫, 224호, 26~36쪽.

유성호. 2000. 「노인과 성인 자녀의 별거를 결정하는 요인, 그 이론적 탐색 II」. ≪노인복지연구≫, 8호, 169~185쪽.

이신영. 2009. 「도시거주 노인의 경제적 노후 준비에 영향을 주는 요인 연구」. ≪사회과학논총≫, 28권 1호, 205~224쪽.

이인수. 2003. 「유료 노인 주거 복지시설에 거주하게 된 이유에 관한 연구」. ≪한국주거학회지≫, 14권 2호, 121~132쪽.

이해정. 2002. 「노인의 주관적 건강평가의 관련 요인」. ≪대한가정의학회 학회지≫, 23권 10호, 1210~1218쪽.

이희연. 2005. 『인구학』. 서울: 법문사.

조명래. 2003.「도시화의 흐름과 전망: 한국 도시의 과거, 현재, 미래」. ≪경제와 사회≫, 60권, 10~39쪽.

최재헌 · 윤현위. 2012.「한국 인구 고령화의 지역적 전개 양상」. ≪대한지리학회지≫, 47권 3호, 359~374쪽.

_____. 2013.「수도권 고령인구의 공간 분포와 주거 특성」. ≪대한지리학회지≫, 48권 3호, 402~416쪽.

최정혜. 2009.「한국과 미국 성인 자녀의 노부모와의 관계의 질과 부양행동 비교 연구」. ≪한국노년학≫, 29권 2호, 611~627쪽.

최희선. 2012.『파트타임 일자리 현황과 정책』. 산업연구원.

통계청. 2014.『2014 고령자 통계』.

_____. 2015.『2015년 시군구 인구 추계 개발 및 보급 계획 보고』.

한국보건사회연구원. 2010.『한국 노인의 삶의 변화 분석 및 전망』.

Caldwell, John and Thomas Schindlmayr. 2011. "Explanations of the Fertility Crisis in Modern Societies: A Search for Commonalities." *Population Studies*, Vol. 57, No. 3, pp. 241~263.

Case, Anne and Christina Paxson. 2005. "Sex Differences in Morbidity and Mortality." *Demography*, Vol. 42, No. 2, pp. 189~214.

Franks, Peter, Marthe R. Gold and Kevin Fiscella. 2003. "Sociodemographics, Self-Rated Health, and Mortality in the US." *Social Science & Medicine*, Vol. 56, No. 12, pp. 2505~2514.

Idler, Ellen L. and Yael Benyamini. 1997. "Self-rated Health and Mortality: A Review of Twenty-Seven Community Studies." *Journal of Health and Social Behavior*, Vol. 38, No. 1, pp. 21~37.

Kawachi, Ichiro, Bruce P. Kennedy and Roberta Glass. 1999. "Social Capital and Self-rated Health: A Contextual Analysis." *American Journal of Public Health*, Vol. 89, No. 8, pp. 1187~1193.

McDonald, Peter. 2000. "Gender Equity in Theories of Fertility Transition." *Population and Development Review*, Vol. 26, No. 3, pp. 427~439.

Miller, Warren. 1992. "Personality Traits and Developmental Experiences as Antecedents of Childbearing Motivation." *Demography*, Vol. 29, No. 2, pp. 265~285.

Mirowsky, John and Catherine E. Ross. 2008. "Education and Self-Rated Health: Cumulative Advantage and Its Rising Importance." *Research on Aging*, Vol. 30, No. 1, pp. 93~122.

Shuey, Kim and Melissa A. Hardy. 2003. "Assistance to Aging Parents and Parents-in-Law: Does Lineage Affect Family Allocation Decisions?" *Journal of Marriage and Family*, Vol. 65, No. 2, pp. 418~431.

Spitze, Glenna and John Logan. 1990. "Sons, Daughters, and Intergenerational Social Support." *Journal of Marriage and Family*, Vol. 52, No. 2, pp. 420~430.

United Nations. 2013. *World Population Ageing 2013*.

WHO(World Health Organization). 2004. *The World Health Report 2004: Changing History*. Geneva, Switzerland.

_____. 2014. *World Health Statistics 2014*. Geneva, Switzerland.

Wilmoth, John. R. 2000. "Demography of Longevity: Past, Present, and Future Trends." *5th International Symposium on Neurobiology and Neuroendocrinology of Aging*, Vol. 35, No. 9~10, pp. 1111~1129.

제5장

도시화 과정에서 이웃 공동체 참여의 변화와 그 사회경제적 지위에 따른 분포: 1970년에서 2012년까지

임채윤(위스콘신 대학교 매디슨 캠퍼스 사회학과)

이 장에서는 급속한 경제발전과 함께 도시화가 본격화된 1970년대 이후 한국인, 특히 서울 시민들의 삶에서 이웃 공동체[1]가 갖는 위상과 의미가 어떻게 변화되었는지를 살펴본다. 이웃 공동체라 하면 흔히 산업화와 도시화 과정에서 급속하게 해체되는 과거 농어촌 마을의 공동체적 사회조직과 삶의 양식을 떠올리게 된다. 실제로 시카고학파 혹은 더 멀리 뒤르켐과 짐멜(Georg Simmel) 등 고전 사회학의 거장들로 거슬러 올라가는 도시사회학의 고전적 명제 중 하나는, 도시화가 전통적인 마을 공동체를 파괴하고 개인을 고립시킨 결과 도시의 여러 가지 사회문제들이 일어난다는 것이다(Wirth, 1938). 19세기 사회학이 시작된 이래 주기적으로 등장하는 '상실된 공동체(lost community)' 이론에서도 도시화는 공동체 파괴의 주요 원인으로 지적되고, 소외되고 외로운 도시 생활은 따뜻하고 정겨운 농어촌의 촘촘한 공동체의 이상과 대조되곤 한다(Fischer, 1975). 특히 다른 나라보다 도시화가 더

---

1 이 장에서는 이웃 공동체를 공간적으로 규정되는 사회적 단위와 그 안에서 이루어지는 사회적 관계를 지칭하는 느슨한 개념으로 사용한다. 동네(neighborhood)와 바꿔 써도 큰 지장이 없겠지만, 동네 안에서 이루어지는 사회적 관계를 포괄한다는 의미에서 이웃 공동체라는 개념을 사용한다.

압축적으로 이루어진 한국 사회에서 이웃 공동체는 농어촌에서는 급격하게 와해되고 도시에서는 제대로 발달되지 않거나 기형화되어 현대 한국인의 삶에서 급속하게 사라지는 과거에 대한 향수의 대상 정도로 받아들여지고는 한다(이재열, 2006; 전상인, 2010). 평균 5~6년에 한 번씩 이사를 하는 유목민 같은 주거 생활에 익숙한 한국의 대도시 주민들에게 이웃 공동체가 지속적이고 안정적인 사회적 관계의 장이 되기를 기대하기는 무리일지도 모르겠다(강준만, 2010).

또 최근 인터넷을 비롯한 디지털 커뮤니케이션의 발달과 페이스북 등 디지털 소셜 미디어의 등장은 현대인의 삶에서 공간적 근접성에 기반을 둔 이웃 공동체의 위상에 또 다른 도전을 제기한다. 멀리 떨어져 사는 가족이나 친구와도 언제든지 소통할 수 있고 사회적 관계의 상당 부분이 온라인에서 이루어지는 지금, 도시인들에게 이웃 공동체는 물론 대면적 관계를 중심으로 하는 공동체 전반의 중요성이 쇠퇴할 것이라는 전망을 흔히 접할 수 있다(Turkle, 2011).[2]

그러나 사회적 통념이 되어버린 이 도시사회학의 고전적 가설은 이론적 · 경험적 연구들에 의해 오랫동안 도전을 받아왔다. 미국의 사회학자 피셔는 도시적 생활양식이 사회적 해체와 개인의 소외를 불러온다는 워스의 가설에 정면으로 도전해온 대표적인 학자 중 한 명이다(Fischer, 1975, 1982, 1995). 그는 도시의 사회생활이 촌락의 사회생활과 다른 것은 사실이지만 촘촘한 공동체와 해체된 공동체의 이분법으로 단순화될 수 없다고 본다. 특히 촌락과 도시의 사회적 연결망을 비교한 저작 『친구들 사이에서 살기: 마을과 도시의 개인적 연결망(To Dwell Among Friends: Personal Networks in Town and City)』(1982)에서는 젊고 경제적 · 인적 · 사회적 자원을 많이 보유

2 기술과 사회적 관계에 대한 이런 시각에 대한 비판으로는 Fischer(1997)를 참조.

한 사람들이 도시 거주를 선호하고 또 도시는 그들에게 다양한 사회적 관계의 기회를 제공하기 때문에, 도시 거주자들의 개인적 연결망이 규모도 크고 더 다양한 역할로 구성된다는 것을 보여준다. 즉, 도시화가 사회적 해체와 개인의 고립을 가져오는 것이 아니라 다른 형태의 사회적 조직화로 이어진다는 것이다. 특히 그의 연구에서 시골이나 중소 도시 거주자들에 비해 대도시 거주자의 연결망은 비친족의 비중이 크고 비친족 중 이웃의 비중은 상대적으로 작지만 여전히 중요한 한 구성요소인 것으로 나타난다(Fischer, 1982). 한국의 경우에도 도시화가 이웃 공동체의 파괴로 이어진다는 가설과 상반되는 결과를 보여주는 경험적 연구들이 있다. 대도시, 특히 대형 아파트 단지의 이웃 간 관계를 살펴본 연구들은 대도시의 아파트에서도 이웃 간 교류가 비교적 활발하게 이루어지고 있음을 보여준다(정창수 · 문용갑, 1990; 천현숙, 2004; 김태종, 2006).

또 사회학자 샘슨의 연구를 비롯한 이웃효과(neighborhood effects)에 대한 사회과학적 연구들은 대도시에서도 공간적으로 근접한 이웃 공동체가 개인의 경제적 · 사회적 성과 및 웰빙과 밀접한 관련이 있다는 것을 밝혀왔다. 미국과 유럽, 그리고 국내 연구들도 이웃 공동체의 질이 범죄, 학생들의 학업 성취, 일탈 행위, 주민들의 정신적 및 육체적 건강, 정치적 및 사회적 참여 등 여러 가지 성취들과 강한 상관관계가 있음을 보여준다(Sampson, 2012; 박성훈 · 김준호, 2012; 윤우석, 2012). 이런 이웃효과가 단순한 상관관계인지 인과관계인지에 대해서는 여전히 논란이 있지만, 삶의 여러 영역에서 지속되는 이웃효과는 인터넷과 디지털 미디어의 시대에 대도시에서 이웃 공동체의 중요성이 쇠퇴할 것이라는 예측이 빗나가고 있음을 보여준다.

사회과학자들은 이웃 공동체의 사회적 자본(Putnam, 1993, 2000) 또는 집합적 효능감(Sampson, 2012)을 통해 이런 이웃효과를 설명한다. 사회적 자본을 중심으로 한 접근에서는 이웃 간의 촘촘하고 수평적인 연결망과 결사체를 중심으로 한 활발한 참여, 그리고 상호호혜의 규범과 높은 신뢰를 이웃효과의 핵심 기제로 본다(Putnam, 1993). 집합적 효능감 이론에서는 주민들 간의 대면적 관계보다는 활발한 공동체 내 결사체들과 시민적 리더십, 그리고 강한 공동체의 규범을 더 중시한다. 하지만 이 이론에서도 주민들 간의 연결망과 결사체 등을 통한 적극적 공동체 참여는 여전히 이웃효과의 중요한 요소로 간주된다(Sampson, 2012). 최근 한국에서도 이웃 공동체가 대도시의 여러 사회문제를 해결하고 주민들의 삶의 질을 높이는 중요한 기제로 주목받으면서, 이를 활성화하기 위한 사회적·정책적 노력도 이루어지고 있다(변미리, 2011; 김기홍, 2014).

요약하자면 급격한 도시화와 디지털 소셜 미디어의 발달 등으로 이웃 공동체의 중요성이 쇠락할 것이라는 통념과 달리, 사회학의 이론과 연구들은 공간적으로 근접한 이웃 공동체가 현대 도시인에게도 중요한 사회적 자원이고, 또 그러한 자원이 공동체뿐 아니라 공동체 내 개인의 여러 가지 경제적·사회적 성취와도 밀접한 연관을 가진다는 것을 보여준다. 따라서 지난 40여 년간 급속한 산업화와 도시화를 경험하고, 이제 인터넷 혁명의 최첨단을 걷고 있는 한국, 특히 서울에서 이웃 공동체의 위상이 어떻게 변화해왔고 현재 서울 시민들에게 어떤 의미를 갖는지를 알아보는 것은 여러 모로 의미 있는 작업이라 할 수 있다. 특히 여러 가지 도시문제의 해결과 사회적 혁신의 대안으로 마을의 '재발견'이 부상하고 있는 이 시점에 이웃 공동체의 위상에 대한 역사적 고찰은 더욱 시의적절하다고 하겠다(김기홍, 2014).

이 장에서는 특히 이웃과의 일상적인 사회적 교류와 조직화된 이웃 공동체 참여가 사회경제적 지위에 따라 어떻게 분배되어 있고 그 분배의 구조가 어떻게 변화되어 왔는지를 분석해본다. 이웃 공동체 참여와 사회경제적 지위의 관계에 대해서는 이론적으로 상반된 예측이 가능하다. 도시사회학의 전통적인 사회 해체 가설에서는 교육 수준이 높은 전문직 또는 관리직 종사자들이 공식적이고 비인격적인 도시 문화에 더 높은 친화성을 보이고 또 사회적 관계를 맺을 수 있는 기회도 다양해서 한층 분절적인 연결망을 갖게 되는 경향이 있다고 본다(Litwak and Szelenyi, 1969; 정창수 · 문용갑, 1990). 따라서 교육 및 소득수준이 높은 사람들의 이웃 공동체에 대한 참여가 상대적으로 낮을 것으로 예측할 수 있다.

하지만 정치학자 버바와 그 동료들의 시민 참여 모형에 따르면 사회경제적 지위가 높은 사람들이 여러 형태의 정치적 · 사회적 활동에 더 활발하게 참여할 것으로 기대된다(Verba et al., 1995). 특히 컨버스(Converse, 1972)는 교육을 보편적인 용해제(universal solvent)라고 부르며 교육적 성취가 모든 형태의 시민 참여와 정의 상관관계를 갖는다고 보았다. 이는 학교교육을 통해 사람들이 참여에 필요한 인지적 능력과 기술, 시간과 경제적 자원들을 습득할 뿐 아니라, 참여를 용이하게 해주는 사회적 연결망도 갖추게 되기 때문이다. 실제 미국과 유럽의 많은 연구들이 교육 수준과 여러 형태의 정치적 · 사회적 참여 사이의 긍정적인 관계를 보여준다(가령 Campbell, 2006).

이웃 공동체 참여에 한정해서 보아도 미국과 유럽의 연구들에서는 사회경제적 지위가 높은 사람들의 참여가 더 활발한 것으로 나타난다. 가령 피셔의 연구(Fischer, 1982)는 교육 수준이 높은 사람들의 연결망이 상대적으로 더 많은 이웃을 포함하고 있음을 보여준다. 저자가 영국 맨체스터 대학의 제임스 로렌스 박사와 함께 영국의 최근 자료를 분석한 논문에서도 사회경제적 지위가 높은 지역에 사는 주민들이 조직적 자원 활동에 더 활발하게 참여할 뿐 아니라, 주변 사람들과 일상적으로 서로 도움을 더 자주 주고받는다는 것을 보여주고 있다(Lim and Laurence, 2015).

국내 연구의 경우 사회경제적 지위와 참여 간의 부정적 · 긍정적 관계를 보여주는 연구가 모두 존재한다. 강대기 · 홍동식(1982)의 연구에서는 사회경제적 지위가 높을수록, 특히 소득이 높아질수록 이웃과의 관계가 소원해지는 것으로 나타났지만, 다른 연구들에서는 특별한 관계가 없거나 긍정적인 관계가 있는 것으로 나타나기도 한다. 정창수 · 문용갑(1990)의 연구에 의하면 대도시에 사는 가정주부들 사이에서 소득은 이웃과의 관계와 통계적으로 유의한 정의 상관관계가 있는 반면, 교육 수준은 통계적으로 유의한 관계가 없는 것으로 나타났다. 더 최근의 연구에서 김태종(2006)은 동네 주민단체에 참여하는 비율이 고소득 및 고학력층에서 높게 나타난다는 것을 보여준다. 요약하자면 해외, 특히 미국과 유럽 중심 연구들이 대체로 사회경제적 지위와 이웃 공동체 참여 간에 긍정적인 관계를 보여주는 반면, 국내 연구의 경우 그 결과들이 엇갈려 뚜렷한 결론을 내리기 어렵다. 게다가 기존 국내 연구들은 작은 편의적 표본에 의존하는 경우가 많고, 아파트에 사는 여성 응답자를 대상으로 하는 경우가 많아 일반화하기에는 어려움이 있다. 또 대부분이 횡단적인 연구여서 도시화 과정에서 이웃 공동체의 참여, 그리고 그 분포가 어떻게 변화되어 왔는지에 대해서는 체계적인 연구가 부족한 실정이다. 이 장에서는 1970년대 이후 수집된 여러 설문 조사 자료를 이용해 기존 연구의 이런 문제점을 부족하나마 보완해보려고 한다.

1. 자료와 연구 방법

1970년 이후 이웃 공동체 참여의 경향을 살펴보기 위해 이 장에서는 사회발전연구소와 그 전신인 인구 및 발전 문제 연구소에서 실시한 여러 가지 사회조사를 이용한다. 우선 1970년대에서는 다음의 세 자료를 활용한다. ① 1970년 『도시화 과정에 있어서의 적응 문제』, ② 1971년 『이주와 도시생활에 관한 조사』, ③ 1975년 『이주에 관한 조사』. 이 세 조사 자료는 모두 서울 시민만을 대상으로 한 조사이다. 1970년대 자료에서 확인되는 경향들이 최근에 와서 어떻게 변화했는지 알아보기 위해 1998년『현대 한국인의 의식과 관행 조사』, 2012년『삶과 사회에 관한 조사』를 분석한다. 이 조사들에서는 특히 이웃과의 친분 관계 및 사회적 교류, 그리고 결사체를 통한 이웃 공동체에의 조직적 참여를 묻는 문항들에 초점을 맞춘다. 또 이 자료들의 분석 결과가 사회발전연구소의 자료에서만 독특하게 발견되는 것인지를 확인하기 위해서 2000년대 한국 사회종합조사의 문항들도 비교분석한다. 1998년 이후의 자료들은 모두 전국 대표 표본을 상대로 이루어진 조사이다.

각 문항에 대해 우선 기본적인 빈도 분포를 분석해 전반적인 이웃 공동체 참여 정도를 살펴본다. 이 조사들에서 묻는 문항들이 서로 동일하지 않기 때문에 시간에 따른 이웃 공동체 참여 정도의 변화를 추적하기는 쉽지 않다. 하지만 다양한 자료에서 나타나는 여러 문항을 기술적으로 분석한 결과를 통해 도시화 과정에서 이웃 공동체의 위상이 어떻게 변화해왔는지를 어느 정도 파악할 수 있을 것이다.

이웃 공동체 참여가 사회경제적 지위에 따라 어떻게 분포되어 있는지를 보기 위해서는 회귀분석 기법을 활용한다. 이웃 공동체 참여를 측정하는 각 문항 결과를 종속변수로 삼아, 연령, 성별, 결혼 여부, 그리고 종사상 지위 등 기본적인 인구학적 변수를 통제하고, 교육 및 소득수준과 종속변수 간의 관계를 살펴본다. 1998년 이후의 자료에서는 지역별, 특히 서울, 경기, 대도시, 그리고 여타 지역 간의 차이도 보도록 하겠다.

〈표 5-1〉은 각 자료의 기본적 특징들, 그리고 각 자료에서 활용되는 주요 종속변수들에 대한 기술적 정보를 제공하고 있다.

〈표 5-1〉 분석에 사용된 주요 자료들과 종속변수들

자료 명	연도	표본	문항
도시화 과정에서의 적응 문제	1970	417명(서울)	이 동네에 어떤 (친목)계나 모임(회)이 있습니까? 있다면 거기에 참가하고 계십니까?
이주와 도시생활에 관한 조사	1971	586명(서울)	귀하께서는 이웃, 친척, 친구, 고향을 얼마나 자주 방문하시며 또한 그분들은 귀하의 댁을 얼마나 자주 방문하십니까?(주: 이웃, 다른 동리 친척, 다른 동리 친구에 관해서도 같은 질문)
			이 동네에 어떤 (친목)계나 모임(회)이 있습니까? (있다면) 참가 정도는 어떻습니까?
			이 동네(또는 아파트)에서 귀하가 느끼시기에 다음의 각 항목이 어떤 상태라고 생각하십니까? ① 이웃 간에 협동하는 정도, ② 서로 신뢰하는 정도, ③ 서로 친하게 지내는 정도
이주에 관한 조사	1975	950명(서울)	다음에 말씀드리는 모임 중 댁이나 댁의 배우자가 가입하고 있는 것이 있습니까? ① 동창회, ② 동창들의 개인적인 모임, ③ 동향회, ④ 종친회, ⑤ 계, ⑥ 기타
현대 한국인의 의식과 관행 조사	1998	800명(제주를 제외한 전국)	귀하는 다음 같은 모임이나 단체의 회원으로 활동하고 계십니까? 활동한 경험이 있다면 얼마나 적극적이십니까? ① 종친회, ② 향우회, ③ 동창회, ④ 계 등 상부상조 모임, ⑤ 취미 또는 문화 또는 연구 모임, ⑥ 자선, 사회봉사 모임, ⑦ 정당 등 정치단체, ⑧ 시민단체, ⑨ 노동조합 또는 직능단체, ⑩ 반상회 등 이웃 모임
			흔히 우리는 취업 문제나 사업의 상담, 은행 대출, 물건의 구입, 법적 분쟁, 병원 예약, 고민의 상담 등을 위해 남의 도움을 받고는 합니다. 지난 5년간을 돌아보실 때 이러한 여러 가지 어려운 문제를 풀어나가기 위해 누군가로부터 도움을 받으셨으리라 생각됩니다. 귀하가 도움을 받은 분은 누구입니까? 가족, 친지, 이웃, 동료 등 가까운 주위 사람들 중에서 중요한 순서대로 다섯 명까지 그 이름을 오른쪽 네모 칸에 적으시되, 이름을 밝히는 것이 곤란하시면 성만 써주셔도 됩니다.
			이분들은 귀하와 어떤 관계에 있습니까? 오른쪽의 ①에서 ⑩까지의 항목에서 골라 그 번호에 O표를 해주십시오. 만일 중복되는 항목이 있는 경우에는 모두 골라주십시오. ① 가족, ② 친척, ③ 이웃, ④ 동창, ⑤ 동향, ⑥ 동호회(계, 취미 조직 등), ⑦ 직장 동료, 거래처, ⑧ 사회단체 동료(노조, 시민단체 등), ⑨ 관공서 직원, 창구 직원 등, ⑩ 기타
			이분들과는 얼마나 자주 만나서 이야기하는 편입니까? ① 거의 매일, ② 매주 한두 번 정도, ③ 매달 한두 번 정도, ④ 매년 한두 번 정도

자료 명	연도	표본	문항
삶과 사회에 관한 조사	2012	1,000명(전국)	귀하와 함께 살지 않는 다음의 사람들과 직접 만나거나 또는 전화, 우편, 이메일 등으로 연락하는 빈도는 얼마나 됩니까? ① 가족, ③ 친구, ③ 이웃
			지난 1년 동안 귀하가 아래 단체 또는 모임과 관련된 활동을 하신 적이 있는지를 묻고자 합니다. 각각에 대해 답변해주시기 바랍니다. ① 스포츠, 레저, 문화 모임, ③ 종교 모임, ③ 정당 등 정치적 모임 또는 단체, ④ 시민단체, ⑤ 동문회, ⑥ 향우회, ⑦ 기타

2. 연구 결과

1) 1970년대 서울 시민들의 이웃 공동체 참여

우선 1970년대 자료를 통해 서울 시민들이 이웃과 교류하는 정도와 모임 등을 거쳐 이웃 공동체에 참여하는 정도를 살펴보기로 한다. 〈표 5-1〉에서 보듯이 1970년대에 유용할 수 있는 자료가 모두 서울 거주자들만을 대상으로 한 조사여서, 도시와 비도시 지역의 이웃 공동체 참여를 직접 비교할 수는 없다. 하지만 이 자료를 통해 한창 서울로 인구가 집중되던 이 시기, 이웃 공동체가 서울 시민들의 사회생활에서 차지하는 위상을 엿볼 수 있다.

1971년 조사는 약 500여 명의 서울 시민을 대상으로 친지, 친구, 그리고 이웃의 집을 얼마나 자주 방문하고 또 그들이 응답자 자신의 집을 얼마나 자주 방문하는지를 물어, 이웃과의 비공식적 교류 정도를 살펴보기에 적합하다. 〈표 5-2〉는 이웃과 왕래하는 빈도를 친지 및 친구와의 왕래 빈도와 비교하고 있다.

〈표 5-2〉에서 보듯이 1970년대 초반 서울 시민들이 이웃과 왕래하는 빈도가 친지나 친구에 비해 높았던 것으로 나타난다. 20% 미만의 응답자들이 친지나 친구의 집을 일주일에 한두 번 이상 방문한다고 응답한 반면, 이웃

〈표 5-2〉 응답자들이 이웃, 친척, 친구와 왕래하는 빈도(%)

	이웃		친척		친구	
	응답자 방문	이웃이 방문	응답자 방문	친척이 방문	응답자 방문	친구가 방문
전혀 방문 안 함	33.1	19.1	31.2	31.6	28.9	30.7
1년에 몇 번 이하	4.0	4.4	27.7	27.4	26.1	27.5
한 달에 한두 번	12.3	8.8	27.3	25.8	28.7	28.2
일주일에 한 번에서 네 번	27.6	31.8	11.5	12.7	15.3	11.4
매일 혹은 거의 매일	23.0	36.0	2.3	2.5	0.9	2.2

주: '응답자 방문'은 응답자가 각 대상을 방문하는 빈도를, '이웃/친척/친구가 방문'은 각 대상들이 응답자의 집을 방문하는 빈도를 나타냄

자료: 『이주와 도시 생활에 관한 조사』(1971)

을 매주 한두 번 이상 방문한다는 응답자가 50%를 상회했다. 이웃이 응답자의 집을 방문하는 경우도 마찬가지인데, 세 명 중 둘 이상의 응답자들이 이웃이 매주 한두 차례 이상 자신의 집을 방문하고 있다고 했다. 이웃을 매일 방문한다는 응답자는 23%, 이웃이 매일 방문한다는 응답자도 36%에 이르러, 1970년대 초반 서울 시민들 사이에서 이웃 간의 왕래가 매우 활발했던 것을 알 수 있다.

물론 이웃과 전혀 왕래가 없다고 한 응답자도 상당수 있고, 또 연결망에서 접촉의 빈도가 관계의 강도보다는 지리적 · 사회적 근접성과 더 밀접한 관련이 있다는 기존 연구를 고려해볼 때(Marsden and Campbell, 1984), 〈표 5-2〉의 결과를 놓고 이웃이 친구나 친척에 비해 더 중요하거나 강하고 가까운 관계라고 해석할 수는 없다. 하지만 〈표 5-2〉에서 나타나는 이웃과의 빈번한 왕래는 1970년대 초반 서울 시민들 사이에서 이웃이 매우 중요한 사회적 연결망의 일부였음을 보여준다. 또 표에서 보여주지는 않았지만, 이웃이 응답자의 집을 방문하는 빈도와 응답자가 이웃을 방문하는 빈도 사이에 높은 상관관계가 있어(피어슨의 상관계수 0.57), 이웃 간의 왕래가 상호적인 경우가 많았다는 걸 알 수 있다.

〈표 5-3〉 응답자들의 동네에 대한 평가(%)

	낮음	보통	잘됨/높음
이웃 간에 협동하는 정도	10.5	43.9	45.5
서로 신뢰하는 정도	13.9	61.9	38.1
서로 친하게 지내는 정도	13.6	62.6	37.9

자료: 『이주와 도시 생활에 관한 조사』(1971)

같은 1971년 조사에서는 또 응답자들에게 자신이 사는 동네에서 이웃 간에 서로 얼마나 친하게 지내는지, 얼마나 신뢰하는지, 그리고 얼마나 잘 협동이 이루어지는지에 대해서 물었다. 〈표 5-3〉에서 보듯이 45.5%의 응답자가 자신이 사는 동네에서 이웃 간에 친하게 지낸다고 응답한 반면, 거의 서로 친하게 지내지 않는다고 응답한 비율은 10% 정도로 나타나 대체로 이웃과의 사교 관계에 대한 만족도가 높았던 것으로 드러났다. 이웃 간에 신뢰감이 높다고 한 응답자는 37%였는데, 비교할 수 있는 자료가 없어 이 정도의 신뢰가 얼마나 높은 것인지 평가하기는 쉽지 않다. 하지만 이 수치가 이웃 간에 친하게 지낸다는 응답보다 낮고, 또 사회자본 연구에 많이 쓰이는 미국의 2000년 사회적 자본 공동체 벤치마크 조사(Social Capital Community Benchmark Survey)에서 이웃을 얼마나 신뢰하느냐는 질문에 45%는 아주 많이, 35%는 어느 정도 신뢰한다고 응답한 것에 비하면 이 시기 이웃 간의 신뢰에 대한 평가가 아주 높은 것은 아니라고 볼 수도 있겠다. 또 이웃 간 협력이 잘 이루어진다는 비율도 신뢰의 비율과 비슷해, 이웃과의 사회적 교류가 꼭 이웃에 대한 일반적 신뢰나 문제 해결을 위한 협력으로 이루어지는 것은 아니었다는 점을 암시한다.

이웃 공동체 내에서 문제 해결을 위한 집합적인 협력이 이루어지기 위해서는 이웃 간의 조직화되지 않은 일상적 교류뿐만 아니라 공동체 내에서의 리더십, 그리고 무엇보다도 조직적인 기반이 중요할 것으로 짐작된다. 이

〈표 5-4〉 1970년대 이웃 공동체 내 결사체 참여(%)

	1970년 조사	1971년 조사
동네에 계나 모임이 없음	81.9	78.6
모임이 있지만 참가 안 함	6.7	8.6
소극적 참가	3.7	5.0
적극적 참가	7.7	7.8

자료: 『도시화 과정에 있어서의 적응 문제』(1970), 『이주와 도시 생활에 관한 조사』(1971)

중 후자, 특히 서울 시민들의 모임이나 결사체를 통한 이웃 공동체 참여의 정도를 1970년대 조사 자료를 통해서 살펴보도록 하겠다.

1970년과 1971년 조사는 동네에 계나 모임이 있는지, 있다면 그런 모임에 소극적 혹은 적극적으로 참여하고 있는지에 대해 거의 동일한 문항이 포함되어 있다. 〈표 5-4〉에서 보듯 두 조사 모두 대다수의 응답자들(81.9%와 78.6%)이 자신이 사는 동네에 그런 모임이 없다고 응답했고, 있는 경우에도 적극적으로 참여하는 비율은 7%에서 8%에 지나지 않았다. 결과적으로 전체 응답자의 12% 정도만이 소극적 혹은 적극적으로 동네 모임들에 참가하고 있었다. 즉, 이 시기 이웃들 간의 비공식적인 사교적 관계는 활발한 편이었지만, 집합적 효능감의 중요한 기반이 되는 결사체의 밀도나 조직적 참여의 정도는 상대적으로 낮았던 것으로 보인다.

하지만 이런 낮은 이웃 공동체 내 조직적 참여가 반드시 서울 시민들의 자발적 결사체 참여가 전반적으로 낮았다는 것을 의미하지는 않는다. 시민들의 자발적 결사체 참여가 이웃 공동체가 아닌 다른 곳에서, 다른 조직들을 중심으로 이루어지고 있었을 가능성이 있기 때문이다. 1975년 인구 및 발전 문제 연구소의 조사는 이러한 추측을 뒷받침해준다. 1970년과 1971년 조사와 달리 1975년 조사에서는 동네로 한정하지 않고 서울 시민들의 다양한 종류의 자발적 결사체 참여에 대해서 물었다. 〈표 5-5〉는 기타를 포함한

〈표 5-5〉 1975년 조사에서 나타난 일반적 결사체 참여(%)

동창회	22.4
동창들의 개인적인 모임	24.7
동향회	4.9
종친회	3.4
계	15.4
기타	1.6
최소한 한 가지 조직에 가입	45.8

자료: 『이주에 관한 조사』(1975)

여섯 가지 종류의 자발적 모임이나 조직들에 참여하고 있다고 응답한 비율을 보여준다. 동창회와 동문들 간의 친교 모임 등 출신 학교를 중심으로 한 조직에 참여하는 비율이 가장 높게 나타났고, 다음으로는 계 모임에 참여한다는 응답자가 많았다. 동향인들의 모임이나 종친회 모임에 참여하는 비율은 3%에서 5% 사이로 낮게 나타났다. 어떤 종류의 모임이든 최소한 한 가지 이상의 모임에 참여하는 응답자는 전체의 45%였는데, 1970년 및 1971년 조사와 비교해볼 때 이는 서울 시민들의 자발적 결사체 참여의 상당 부분이 이웃 공동체 내에서보다는 밖에서 이루어지고, 특히 출신 학교의 동문들을 비롯한 연고형 조직들을 중심으로 이루어지고 있음을 보여준다.

이상의 분석 결과는 1970년대 서울 시민들의 이웃 공동체 참여가 주로 이웃과의 일상적인 교류를 통해 이루어졌고, 모임이나 결사체를 통한 참여는 상대적으로 저조했음을 보여준다. 자발적 결사체 활동은 이웃 공동체 밖에서, 주로 출신 학교를 중심으로 이루어졌던 것으로 보인다. 그럼 이런 조직적 · 비조직적 이웃 공동체 참여는 사회경제적 지위에 따라 어떻게 분포되어 있었을까? 이에 대해 알아보기 위해 이웃과의 왕래의 빈도, 그리고 결사체 참여를 종속변수로 하고, 소득과 교육 수준 및 연령, 성별, 그리고 혼

〈표 5-6〉 1970년대 이웃 공동체 참여에 대한 회귀분석 결과: 소득 및 교육 수준에 따른 참여도[1)][2)]

종속변수	친척/친구/이웃 방문	이웃 방문	이웃이 방문	동네 결사체 참여	동네 결사체 참여	일반 결사체 참여
조사 연도	1971	1971	1971	1970[3)]	1971	1975
소득 (1분위 생략)						
2분위	0.139 (0.112)	-0.305 (0.237)	-0.241 (0.228)		0.503 (0.418)	0.404+ (0.214)
3분위	0.137 (0.109)	-0.284 (0.232)	-0.263 (0.221)	-0.077 (0.402)	0.446 (0.402)	0.503* (0.241)
4분위	0.203+ (0.116)	-0.212 (0.256)	-0.086 (0.243)	0.358 (0.462)	0.477 (0.426)	1.429*** (0.268)
교육 수준 (초등교육 이하 생략)						
중등교육	0.117 (0.103)	0.004 (0.220)	-0.140 (0.209)	0.625 (0.453)	0.274 (0.359)	0.647** (0.238)
고등교육	0.269* (0.109)	-0.088 (0.232)	0.139 (0.222)	1.151** (0.433)	0.685+ (0.362)	1.588*** (0.227)
대학 재학 이상	0.350* (0.147)	-1.110*** (0.315)	0.321 (0.302)	-	0.553 (0.484)	2.826*** (0.309)
상수항	-0.147 (0.210)	1.978*** (0.452)	3.080*** (0.432)	-3.875*** (0.803)	-4.381*** (0.748)	-2.224*** (0.612)
사례 수	492	543	543	371	535	882
R^2	0.073	0.081	0.076	비 해당	비 해당	비 해당

주: 1) 통제변수(연령, 성별, 결혼 여부, 종사상 지위)에 대한 결과는 지면 관계상 생략했다.
2) 이웃 및 친구, 친척 방문에 대한 분석은 OLS를, 결사체 참여에 대한 분석은 로지스틱 회귀분석을 이용했다.
3) 1970년 조사는 사례 수가 적어 소득을 3분위로 구분했다. 또 대학 재학 이상 응답자의 숫자가 너무 작아 고등학교 교육 이상 응답자와 같은 범주로 분리했다.

인 상태와 같은 인구학적 변수를 예측 변수로 하는 회귀모형을 구성해보았다. 공간의 제약 때문에 〈표 5-6〉에 회귀분석 결과 중 소득과 교육 수준과 관련된 결과만 제시했다.

우선 친구, 친지, 그리고 이웃을 모두 포함해 왕래하는 전반적인 빈도는 소득수준, 교육 수준 모두와 정의 상관관계를 보인다. 특히 교육 수준에 따른 차이가 더 큰 것으로 나타나는데, 대재 이상 및 고등학교 교육 소지자들이 초등교육 이하의 응답자들에 비해 친구, 친지, 이웃과 더 자주 왕래한다고 응답했다. 하지만 이웃과의 왕래로 한정하면 소득이나 교육 수준에 따라 큰 차이가 없다. 유일한 예외는 대학 교육 이상의 학력을 가진 사람들이 이웃집을 방문하는 빈도가 낮다는 것인데, 반면 이웃들이 그들의 집을 방문하는 빈도는 통계적으로 유의한 수준은 아니지만 약간 높게 나타난다. 표에 제시되지는 않았지만 상호 방문을 결합해서 보면 대학 교육 소지자와 초등교육 이하 응답자 간의 차이는 통계적으로 유의하지 않다. 이웃과의 왕래와 소득 간에는 별다른 관계가 없는 것으로 드러났다.

이웃과의 일상적 교류가 사회경제적 지위와 뚜렷한 관계가 없거나 특정 고학력층에서 오히려 낮게 나타나는 반면, 모임이나 조직을 통한 참여는 고등 및 대학 교육 소지자들 사이에서 초등학교 교육 이하 응답자들에 비해 다소 높게 나타난다. 1970년 조사에서는 고등학교 교육 이상을 받은 응답자들이 초등교육 이하 응답자들에 비해서 2.5배 이상 동네의 계나 모임에 참여하는 비율이 높은 것으로 나타난다. 1971년 조사에서는 그 차이가 통계적으로 유의한 수준은 아니지만 여전히 교육 수준과 참여도 간에 정의 상관관계가 있다. 이웃 공동체 내로 한정하지 않고 결사체 참여 일반에 대해 물은 1975년 조사에서는 상관관계가 훨씬 더 뚜렷하게 나타나서, 다른 변수들을 통제했을 때 대학 교육 이상 응답자의 80%가 적어도 한 가지 종류의 모임에 참여하고 있는 반면, 고등학교 교육 소지자는 56%, 초등교육 이하의 학력을 가진 응답자는 24.4%만이 참여하고 있었다. 표에 제시되지 않은 추가 분석에 의하면, 학력에 따른 격차가 가장 큰 결사체는 동창회와 동창들 간의 친목 모임이었지만 동향인들 모임이나 종친회 참여도에서도 학력에 따른 차이가 상당히 컸다. 소득의 경우 동네 안에서의 계나 친목 모임 참여와는 뚜렷한 관계가 없는 반면, 일반적인 결사체 참여와는 학력을 통제하고서도 정의 관계가 나타나, 같은 교육 수준을 가진 응답자들 중에서도 고소득 응답자들의 참여가 좀 더 활발했다. 하지만 전반적으로 결사체 참여는 소득수준보다는 교육 수준과 더 밀접하게 관련되어 있었다.

이상의 결과들을 종합해보면, 1970년 서울에서 이웃 공동체 내에서의 사회적 참여는 결사체를 통한 조직적 참여보다는 이웃 간의 교류를 통한 일상적이고 비공식적인 형태로 더 활발하게 이루어졌으며, 조직적 참여에서 어느 정도 학력에 따른 차이가 나타나기는 하지만, 이웃 내에서의 참여, 특히 비공식적 참여는 사회경제적 지위에 따른 큰 차이 없이 비교적 고르게 이루어졌던 것으로 보인다. 결사체를 통한 참여는 이웃 공동체보다는 다른 조직적 초점[organizational foci(Feld, 1981)], 특히 출신 학교를 중심으로 활발하게 이루어졌는데, 이웃 공동체 참여와는 달리 일반적 결사체, 특히 동문회나 종친회와 같은 연고 집단형 결사체를 통한 사회 참여에서는 사회경제적인 지위, 특히 학력 수준에 따른 격차가 컸다. 이러한 결과는 이웃 공동체가 1970년대 서울 시민들의 중요한 사회적 자원이었음과 동시에, 고학력자들에게는 학교를 통해 형성된 인맥이 이미 중요한 조직적 · 사회적 자원의 역할을 했음을 말해준다. 즉, 이미 1970년대부터 동문회와 그를 통한 인맥이 한국 사회에서 중요한 사회적 자본이었고, 또 교육 수준에 따른 사회적 자본의 불평등에 크게 기여하고 있었음을 암시한다. 이에 비해 이웃 공동체 내의 사회적 자원, 특히 이웃 간의 비공식적인 교류와 협력은 한층 균등하게 분배되어 있었다. 다음으로는 이러한 경향이 1990년대와 2000년대 이후에 어떻게 변화되었는지 살펴보도록 하겠다.

〈표 5-7〉 필요할 때 도움을 주는 연결망의 주요 특징들

	전체 연결망	가족	친척	이웃	직장 동료	학교 동창
평균값	2.98	1.09	0.31	0.36	0.295	0.52
표준편차	1.63	1.09	0.63	0.72	0.688	0.82
중위값	3	1	0	0	0	0
최소한 한 명을 거론한 비율(%)	92.25	63.25	23.62	25	20.12	36.75
전체 연결망에서 차지하는 비중(평균 %)	100	38.11	11.05	12.97	9.08	17.06
비친족 연결망에서 차지하는 비중(평균 %)	N/A	N/A	N/A	23.63	16.86	35.27
최소한 일주일에 한두 번 이상 만나는 빈도(평균 %)	54.88	65.83	25.93	65.51	47.06	59.91

자료: 『현대 한국인의 의식과 관행 조사』(1998)

2) IMF 사태 직후 한국인의 이웃 공동체 참여

1998년에 이루어진 『현대 한국인의 의식과 관행 조사』는 이름 지목형 문항(name generator question: NGQ)을 통해 응답자들이 일상에서 여러 가지 도움을 받는 가장 중요한 주위 사람에 대한 정보를 다섯 사람까지 수집했다. 응답자가 거론한 주위 사람 각각에 대해 그 사람의 인구학적 정보 및 응답자와의 관계 등을 물었다. 이 문항들을 이용해 1990년 후반 한국 사회에서 이웃이 일상적인 사회적 지원망에서 차지하는 위상을 살펴보도록 한다. 〈표 5-7〉은 이웃을 비롯한 여러 연결망의 주요 특징들을 비교해서 보여주고 있다.

우선 연결망의 규모와 전반적인 특징을 간단히 살펴보면, 대부분(92.25%)의 응답자들이 도움을 주는 사람을 적어도 한 명 이상 언급했는데, 평균값은 세 명이었다. 가장 흔하게 언급된 관계는 가족과 친족이었지만, 비친족

연결망도 전체 연결망의 평균 51.4%를 차지해 응답자들에게 도움을 주는 가중 중요한 사람의 둘 중 하나는 친족이 아니었다. 이 장의 주된 관심사인 이웃을 보면, 네 명중 한 명의 응답자가 적어도 한 명의 이웃을 일상에서 도움을 주는 가장 중요한 사람으로 꼽았다. 보통 NGQ가 강한 관계를 포착하는 경향이 있다는 점을 고려하면 적어도 한 명의 이웃을 언급한 응답자가 25% 정도 된다는 것은 상당히 높은 것으로 보인다. 이웃이 전체 연결망에서 차지하는 비중도 평균 13%, 가족을 제외한 연결망의 24%여서 언급된 빈도나 비중에서 학교 동문과 함께 가족을 제외하고는 응답자들의 가장 중요한 사회적 자원의 하나인 것으로 드러났다. 또 이웃은 사회적 지원망에서 응답자가 가장 빈번하게 만나는 사람 중 하나였다. 최소한 한 명의 이웃을 언급한 응답자 중 이웃과 적어도 일주일에 한두 번 이상 만난다고 응답한 비율은 65.51%로 가족(65.83%)과 비슷하고 직장 동료(47.06%)보다도 훨씬 높게 나타났다. 1998년의 조사는 NGQ를 이용했고 또 전국을 대표하는 표본을 상대로 이루어졌기 때문에 1970년대 조사 결과들과 직접 비교가 불가능하지만, 〈표 5-7〉에 나타난 결과들은 1990년대 후반에도 이웃이 한국인의 사회적 자원에서 여전히 중요한 위상을 차지하고 있다는 것을 보여준다.

결사체를 통한 조직적 참여로 초점을 옮겨보면, 1998년 조사에서는 상부상조 모임과 시민단체, 그리고 이웃 모임 등 모두 열 가지 종류의 결사체에 대한 참여 여부를 물었다. 이 문항 중 명백하게 이웃 공동체 참여와 관련된 것은 마지막 이웃 모임인데, 반상회가 예로 제시된 것이 1970년대 조사의 설문 문항들과 다르다. 이웃 모임과 동문회와 같은 연고형 결사체 외에도 시민단체와 같은 공적 성격이 더 강한 조직들이 포함된 점도 1970년대 설문 문항과 구분된다. 이러한 문항이 포함되었다는 사실 자체가 민주화 이행 이후 한국 시민사회의 변화를 반영한다고 하겠다. 또 단순히 참여의 여부를 묻기보다는 참여의 정도를 소극적 참여부터 적극적 참여의 5점 척도로 물

〈표 5-8〉 1998년 조사에 나타난 이웃 공동체 안팎의 결사체 참여도

모임의 종류	소극적 참여 이상	적극적 참여 이상
종친회	52.1%	14.9%
향우회	51.4%	16.0%
동창회	77.0%	30.8%
계 등 상부상조 모임	76.8%	38.4%
취미/문화/연구 모임	69.3%	27.9%
자선, 사회봉사 모임	55.8%	15.6%
정당 등 정치단체	35.9%	3.9%
시민단체	38.9%	5.0%
노동조합/직능단체	38.0%	6.6%
반상회 및 이웃 모임	68.1%	25.6%
적어도 한 가지 조직에 참여	96.8%	68.9%

자료: 『현대 한국인의 의식과 관행 조사』(1998)

어, 참여의 수준을 1970년대 조사와 직접 비교하기는 어렵다.

이런 점을 염두에 두고 〈표 5-8〉의 결과를 보면, 종류에 상관없이 적어도 한 종류의 조직에 소극적으로라도 참여한다고 한 사람이 전체 응답자의 96.8%에 이르는데, 이런 높은 수치는 아주 소극적으로 참여한다고 응답한 사람이 실제로는 비참여자를 다수 포함하는 게 아닌지 의심케 한다. 적극적 혹은 아주 적극적 참여로 한정할 경우, 한 종류 이상의 조직에 참여하는 비율은 69%로 줄어드는데 1970년대 결과에 비하면 여전히 매우 높은 것으로 경제발전, 그리고 무엇보다도 정치적 민주화와 더불어 한국인의 결사체 참여가 매우 활발해졌음을 짐작해볼 수 있다. 적극적 참여도를 결사체의 종류별로 살펴보면, 계 등 상부상조 모임이 38.4%로 가장 높고, 동창회와 취미/문화/연구 모임이 그 뒤를 이었다. 이웃 공동체 내의 조직적 참여인 반상회 및 이웃 모임의 경우도 25.6%로 1970년대 조사 결과에 비하면 높은 참여도

를 보였다. 여전히 동창회와 같은 연고 집단이 한국인의 결사체를 통한 참여의 중요한 부분을 차지하지만, 상부상조 모임, 취미 모임과 같은 연고적 성격이 약한 대면적 사회조직 참여도 활발하게 나타났다. 하지만 시민단체와 같은 공적 성격이 강한 결사체 참여는 상대적으로 낮게 나타났다.

1998년 조사 자료에 나타난 이웃 공동체에의 조직적·비조직적 참여의 사회경제적 지위에 따른 분포를 알아보기 위해 연결망의 규모와 특징, 그리고 결사체 참여도를 예측하는 회귀모형을 구성해보았다. 위에서처럼 연령, 성별, 결혼 여부 등을 통제변수로 포함했다. 또 서울 시민만을 대상으로 한 1970년 조사와 달리 전국 대표 표본을 상대로 조사가 이루어졌다는 점을 고려해 서울과 다른 대도시들, 경기 지역, 그리고 여타 비대도시 지역을 나타내는 가변수들을 포함했다.

우선 지역에 따른 연결망의 차이를 보면, 서울 및 경기 지역 응답자들이 다른 지역 응답자들에 비해 전반적인 연결망 규모가 더 작았다. 다른 변수들을 평균치에 고정하고 예측된 연결망의 규모를 계산해보면, 서울 지역 응답자는 2.5명으로 대도시 아닌 지역 응답자의 3.2명에 의해 0.7명 정도 작았다. 이 차이는 주로 가족이나 친척보다는 비친족 연결망의 차이에서 기인하는 것으로 보인다. 서울 및 경기 지역 응답자들의 이웃 연결망의 규모도 다른 대도시나 비대도시 응답자들에 비해 통계적으로 유의한 수준에서 작았다. 즉, 이웃과의 비공식적 교류는 대도시와 비대도시의 차이보다는 서울 및 경기 지역과 여타 지역의 차이가 더 두드러지는 것으로 나타난다. 이 같은 차이, 특히 전반적인 연결망의 규모 및 비친족 연결망 규모에 대한 결과는 피셔의 연구를 비롯한 사회연결망 연구의 기존 통념과 상반된다(Fischer, 1982). 미국을 중심으로 한 기존 연구에서는 도시인들이 촌락이나 작은 마을 주민들에 비해 더 크고 다양한, 비친족 중심의 연결망을 가지고 있음을 보여줘 왔다. 1998년 자료 분석 결과는 이런 통념이 한국 사회에서는 적용되지 않을 가능성을 제기한다. 하지만 도시에서 이웃 공동체에 대한 참여가 더 낮다는 결과는 기존 연구와 대체로 일관된다.

연결망 규모의 학력과 소득수준에 따른 차이를 보면, 우선 소득과 학력이 높은 사람들의 전반적 연결망 규모가 더 큰 것으로 나타난다. IMF 직후 한국에서 일상생활 속에서 여러 가지 도움을 받을 수 있는 사회적 자원은 학력 및 소득과 정의 상관관계를 가지고 있었다는 것이다. 교육 수준에 따른 격차가 더 두드러지기는 하지만 소득에 따른 격차도 작지 않아서 소득수준 1분위 응답자에 비해 4분위 응답자는 도움을 줄 수 있는 사람이 평균 0.6명 정도 더 있는 것으로 나타났다. 반면에 친족 연결망의 규모는 소득이나 교육 수준에 따라 크게 차이가 나지 않았고, 전반적 연결망 규모의 사회경제적 지위에 따른 차이는 동창 연결망을 비롯한 비친족 연결망, 특히 동창 연결망의 차이에서 주로 기인하는 것으로 나타났다.

그러나 비친족 연결망 중 이 장의 핵심 관심사인 이웃을 보면 학력 수준이 높은 사람일수록 거론한 이웃의 숫자가 적은 것으로 나타난다. 다른 변수들을 평균치로 고정했을 때, 중등교육 이하의 응답자가 평균 0.43명의 이웃 연결망을 가진 것으로 예측된 데 비해 4년제 대학 교육 이상을 받은 응답자는 평균 0.2명 이하의 이웃에게 도움을 받는 것으로 예측된다. 고학력자는 더 적은 숫자의 이웃을 거론했을 뿐 아니라 도움을 주는 이웃과 접촉하는 빈도도 상대적으로 낮아서, 중등교육 이하의 응답자 중 45%가 자기에게 도움을 주는 이웃과 매일 접촉한다고 답한 반면, 대재 이상 응답자 가운데는 그 비율이 23.6%에 지나지 않았다.

〈표 5-9〉는 1998년 조사에서 나타난 결사체 참여도에 대한 회귀분석 결과도 보여주고 있는데, 우선 지역별로는 대도시가 아닌 지역에 사는 응답자들의 전반적인 참여도나 이웃 모임 참여도가 서울, 경기 및 다른 대도시 지역 응답자들에 비해 높았다. 이웃 모임 참여도의 경우 서울 응답자의 20.5%

〈표 5-9〉 1998년 자료를 이용한 이웃 공동체 참여의 회귀분석 결과[1)]

종속변수	전체 연결망 규모[2)]	친족 연결망 규모[2)]	비친족 연결망 규모[2)]	이웃 연결망 규모[2)]	이웃 연결망 접촉 빈도[2)]	결사체 참여 요인 점수[3)]	이웃 모임 참여[4)]
소득 (1분위 생략)							
2분위	0.018 (0.062)	-0.115 (0.089)	0.140 (0.086)	0.515** (0.173)	0.487 (0.420)	0.053 (0.087)	0.178 (0.159)
3분위	0.095 (0.062)	-0.016 (0.089)	0.201* (0.086)	0.435* (0.177)	0.015 (0.436)	0.019 (0.088)	-0.043 (0.160)
4분위	0.200** (0.061)	0.096 (0.088)	0.299*** (0.086)	0.303 (0.194)	-0.085 (0.438)	0.207* (0.091)	0.180 (0.166)
교육 수준 (초등교육 이하 생략)							
중등교육	0.144+ (0.074)	-0.054 (0.104)	0.332** (0.104)	-0.034 (0.174)	-0.737* (0.367)	0.139 (0.099)	-0.398* (0.180)
고등교육	0.195* (0.091)	0.066 (0.129)	0.325* (0.127)	-0.294 (0.249)	-0.614 (0.515)	0.242+ (0.128)	-0.411+ (0.234)
대학 재학 이상	0.268** (0.084)	0.124 (0.121)	0.409*** (0.119)	-0.795** (0.251)	-1.032* (0.509)	0.202+ (0.119)	-0.676** (0.216)
지역 (서울 생략)							
경기 지역	0.233*** (0.059)	0.124 (0.084)	0.336*** (0.083)	0.562** (0.175)	-0.503 (0.379)	0.103 (0.085)	0.228 (0.155)
대도시 (서울 제외)	0.046 (0.074)	-0.119 (0.108)	0.192+ (0.101)	0.136 (0.234)	-0.725 (0.446)	-0.006 (0.103)	0.092 (0.188)
여타 지역	0.235*** (0.057)	0.088 (0.082)	0.371*** (0.080)	0.327+ (0.173)	-0.608+ (0.337)	0.420*** (0.081)	0.496*** (0.148)
상수항	0.888*** (0.170)	0.695** (0.245)	-0.280 (0.236)	-1.963*** (0.475)	생략	-0.727** (0.239)	1.794*** (0.436)
사례 수	800	800	800	800	285	800	800
R^2	NA	NA	NA	NA	NA	0.173	0.267

주: 1) 연령, 성별, 결혼 여부 등 통제변수에 대한 결과는 생략되었다.
2) Poisson 회귀모형을 이용해 분석
3) OLS 회귀모형을 이용해 분석
4) 로지스틱 모형을 이용해 분석

가 적극적 혹은 아주 적극적으로 참여한다고 한 반면 여타 지역 응답자의 경우 30% 가까이가 그렇다고 했다. 즉 대도시, 특히 서울 주민들이 중소 도시나 농어촌 지역 주민들에 비해 평소에 도움을 주고받는 사람의 숫자도 적고 결사체 참여, 특히 이웃 내에서의 결사체 참여에서도 더 소극적이었다. 또 경기 지역 응답자들은 서울 응답자들과 비슷한 경향을 보이는데, 이는 경기 지역 응답자들의 상당수가 서울 근교 지역 및 위성도시에 사는 사람들이기 때문이 아닐까 짐작된다.

결사체 참여도와 사회경제적 지위의 관계를 보면, 전체적인 참여도는 고소득 및 고학력층에서 조금 더 높게 나타나는데, 반상회와 이웃 모임의 참여도만 보면 고학력층의 참여도가 더 낮아서, 대재 이상 응답자의 19%, 중졸 이하 응답자의 33% 정도가 이웃 모임에 적극 참여한다고 응답했다. 이웃 모임의 참여도와 소득수준은 별 관계가 없는 것으로 드러났다.

요약하자면, 이름 지목형 문항을 이용한 1998년 조사에 따르면 한국 사회에서 이웃은 친족과 학교 동문과 더불어 여전히 중요한 사회적 자원의 하나인 것으로 드러났다. 전반적인 사회적 지원망은 고소득 및 고학력층에서 더 큰 반면 도움을 받을 수 있는 이웃의 숫자는 학력과 역의 상관관계를 가지고 있어, 고학력자일수록 도움을 주는 이웃의 숫자도 적고 접촉하는 빈도도 더 낮았다. 이러한 경향은 교육 수준과 이웃과의 교류 사이에 별다른 관계가 없거나 오히려 정의 상관이 있었던 1970년대 조사 결과와는 상반된 것이다. 결사체 참여도 유사한 경향이 나타나는데, 전반적인 참여 정도는 고학력층에서 훨씬 높지만 이웃 모임 참여는 고학력층에서 오히려 낮았다. 대신 고학력층은 다른 비친족 연결망, 특히 학교 동문들에게서 더 많은 도움을 받고 동창회 조직에도 활발하게 참여하고 있었다. 즉, 고학력층이 저학력층에 비해 전반적인 사회적 지원망도 더 크고 결사체 참여도 다 활발했지만, 그들의 참여는 이웃 공동체 밖의 다른 조직적 초점을 중심으로 이루어지고 있었고, 이웃 공동체 내의 참여는 상대적으로 저조했다. 끝으로, 지역별로 보면 이웃 공동체 내외에서의 비공식적 교류와 결사체를 통한 참여 모두에서 서울 및 경기 지역이 대도시가 아닌 지역에 비해서 더 낮은 것으로 드러났다. 특히 서울 및 경기 지역 응답자들의 전체 연결망 규모 그리고 비친족 연결망 규모가 다른 대도시나 여타 지역에 비해서 더 낮게 나타난 것이 주목할 만하다. 적어도 사회적 지원망과 관련해서는 대도시냐 아니냐보다는 수도권과 비수도권의 차이가 더 큰 것으로 보인다.

3) 이웃 공동체 참여: 최근의 경향

1998년 자료에서 확인되는 이러한 경향이 가장 최근 자료인 2012년에도 나타나는지 살펴보도록 하자. 2012년 조사는 1000여 명의 전국 대표 표본을 대상으로 이루어졌는데, 독일, 이탈리아, 터키, 그리스 등 네 나라에서도 같은 조사가 이루어져 한국의 이웃 공동체 참여를 비교적인 관점에서도 조망해볼 수 있는 장점이 있다.

우선 이웃과의 비공식적 교류에 대해서 2012년 조사에는 같이 살지 않는 가족 및 친지, 친구, 이웃과 얼마나 자주 연락하느냐는 문항이 포함되어 있다. 대부분의 응답자들이(85%) 최소한 1년에 한두 번 이상은 어떤 식으로든 연락하는 이웃이 있다고 했다. 매주 연락하는 이웃이 있다고 답한 비율도 50%가 넘었고, 매일 연락한다는 사람도 18.7%나 되었다. 이러한 빈도는 비동거 가족에 비하면 낮은 편이지만, 여전히 이웃이 한국인의 사회연결망에서 중요한 한 부분을 차지하고 있음을 보여준다. 이웃과 연락하는 빈도를 다른 나라와 비교해보면, 독일보다는 약간 높거나 비슷한 반면, 다른 세 나라에 비해서는 상당히 낮은 편이다. 특히 이웃과 전혀 혹은 거의 연락하지 않고 사는 비율이 독일에 비해서도 높아서, 한국인의 이웃과의 교류가 다른

〈표 5-10〉 이웃과의 접촉 빈도 5개국 비교(%)

관계 / 국가 / 접촉 빈도	가족/친척	친구	이웃				
	한국	한국	한국	독일	이탈리아	그리스	터키
전혀 접촉 안 함/ 해당되는 사람 없음	1.4	3.2	15.2	9.3	4.3	5.7	7.8
1년에 한두 번	5.0	3.3	7.2	8.8	2.8	1.8	2.5
1년에 여섯 번에서 일곱 번	6.4	4.2	6.2	15.3	4.7	5.8	3.3
한 달에 한두 번	19.3	26.8	21.1	25.8	18.5	12.9	17.2
일주일에 한두 번	41.1	41.1	31.6	30.4	38.7	39.7	37.4
거의 매일	26.8	21.4	18.7	10.3	31.1	34.1	31.8

자료: 『현대 한국인의 의식과 관행 조사』(1998)

나라들과 비교해 활발한 편은 아니라고 할 수 있겠다.

결사체 참여의 경우, 이전 자료들과는 달리 2012년 조사는 이웃 공동체에 한정된 모임이나 조직 참여 여부를 묻지 않고 취미 모임, 동문회, 시민조직 등 일곱 가지 종류 조직에 대한 일반적 참여만을 물어 이웃 공동체 내에서의 조직적 참여를 살펴볼 수 없다. 일반적 참여를 보면, 응답자의 67%가 최소한 한 종류 이상의 결사체에 회원으로 가입하거나 활동한 적이 있다고 응답했는데, 이는 1998년 조사에서 적극적으로 참여한다고 응답한 비율과 유사하다. 활동한 적이 있다고 응답한 사람으로 한정할 경우에도 65%로 비슷한 참여도가 나와 여전히 한국인들의 결사체 참여도가 상당히 활발한 것을 알 수 있다. 비교적으로도 한국인의 참여도는 독일을 비롯한 다른 네 나라보다 월등히 높았다. 한국인의 이렇게 높은 참여도는 다른 네 나라에서 참여율이 낮은 종교 조직이나 동창회와 향우회 같은 연고형 조직에 많은 한국인들이 참여하는 데 주로 기인하지만, 다른 형태의 조직, 특히 스포츠, 레저, 문화 모임에의 참여도도 상당히 높았다. 이에 비해 정치 관련 조직이나 시민단체 등 공적 성격이 강한 결사체 참여율은 다른 나라와 큰 차이가 없

〈표 5-11〉 2012년 조사 자료에 나타난 결사체 참여도 5개국 비교(%)

국가	적어도 한 조직에 회원 가입	적어도 한 조직에서 활동
한국	66.7	65.0
독일	48.0	46.1
이탈리아	34.4	32.3
그리스	31.6	31.6
터키	22.8	22.4

자료: 『삶과 사회에 관한 조사』(2012)

거나 오히려 한국에서 낮게 나타났다.

끝으로 이웃과 연락하는 빈도, 그리고 전반적 결사체 참여를 예측하는 회귀분석 결과를 보면, 지역별로는 서울 및 경기 지역 응답자들이 이웃과 연락하는 빈도가 약간 낮은 편이지만 통계적으로 유의한 차이는 아니었다. 소득수준에 따라서도 큰 차이가 없었지만, 교육 수준과 이웃과 연락하는 빈도 사이에는 부의 상관관계가 있었다. 고등학교 미만의 학력을 가진 응답자의 60%가 최소한 일주일에 한 번 이상 연락하는 이웃이 있는 반면, 대재 이상의 응답자 중에는 48%만이 그렇게 자주 이웃과 연락한다고 했다. 연락하는 이웃이 없다는 비율도 대재 이상의 응답자 중에는 15%로 고졸 미만 학력자의 9.5%보다 높게 나타났다. 고학력자들이 이웃과 교류하는 정도가 낮게 나타나는 이런 결과는 앞서 본 1998년 자료와 아주 일관된다.

결사체 참여의 경우 1998년 조사와는 달리 지역 간 차이가 크게 나타나지 않았는데, 이는 부분적으로 2012년 조사에 이웃 모임이 포함되어 있지 않은데 기인하는 것이 아닐까 짐작할 수 있다. 하지만 학력에 따라서는 여전히 큰 차이가 나타나는데, 대재 이상 학력 소지자의 80%가 적어도 한 가지 유형의 결사체에 참여한 경험이 있다고 응답한 반면, 고졸 학력 소지자는 62.7%, 중졸 이하 학력은 47%만이 참여 경험이 있다고 했다. 불행하게

〈표 5-12〉 2012년 자료에 나타난 이웃과의 교류 및 결사체 참여 회귀분석 결과[1)]

	이웃과 접촉 빈도[2)]	결사체 참여[3)]
소득(1분위 생략)		
2분위	0.078 (0.171)	0.013 (0.204)
3분위	0.101 (0.182)	0.074 (0.219)
4분위	0.240 (0.184)	0.246 (0.222)
교육(초등교육 이하 생략)		
중등교육	-0.459* (0.194)	0.558* (0.228)
고등교육	-0.784** (0.247)	0.860** (0.295)
대학 재학 이상	-0.574* (0.226)	1.371*** (0.279)
지역(서울 생략)		
경기 지역	0.301+ (0.176)	0.103 (0.214)
대도시(서울 제외)	-0.231 (0.181)	0.111 (0.223)
여타 지역	0.258 (0.171)	0.102 (0.208)
상수항	생략	-0.609 (0.585)
사례 수	960	960

주: 1) 연령, 성별, 결혼 여부 등 통제변수 결과 생략
2) Ordinal logistic 회귀모형을 이용해 분석
3) 로지스틱 모형을 이용해 분석

도 2012년 조사에서는 이웃 공동체 내에서의 조직적 참여에 대한 질문이 포함되어 있지 않아 학력에 따른 조직적 이웃 공동체 참여의 차이를 살펴보기

는 어렵다.

1998년과 2012년 분석 결과를 종합해보면 이웃 공동체 및 결사체 참여에서 대도시와 다른 지역, 그리고 사회경제적 지위에 따른 상당히 일관된 경향이 관찰된다. 우선 도시 규모에 따라서는 공식적·비공식적 이웃 공동체 참여 및 결사체 참여에 큰 차이가 없거나 오히려 중소 도시 및 농어촌에서의 참여도가 높았다. 사회경제적 지위와 관련해서는 1970년대와 마찬가지로 소득수준보다는 교육 수준이 참여도와 더 밀접한 관련이 있는데, 고학력자들이 전반적으로 조직적·비조직적 사회참여가 높은 반면 이웃 공동체의 참여로 국한해서 보면 일관되게 낮은 참여율을 보인다. 이는 이웃과의 비조직적인 사회적 교류에서뿐만 아니라 이웃 공동체 내에서의 조직적인 결사체 참여에서도 발견된다.

일반적으로 교육 수준이 높은 사람들의 사회적 연결망이 더 크고 다양할 뿐더러, 피셔(Fischer, 1982)를 비롯한 서구의 다른 연구들에서 이웃과의 관계나 지역 공동체 참여도 더 활발한 것으로 나타난다는 점을 고려하면, 교육 수준과 이웃 공동체 참여 간의 부의 상관관계는 상당히 예외적인 결과라고 하겠다. 고학력자들 사이에서의 낮은 이웃 공동체 참여가 다른 자료에서도 확인되는지 아니면 사회발전연구소 조사에서만 나타나는지 보기 위해, 『한국종합사회조사』의 몇 가지 지표를 추가로 살펴보도록 한다.

4) 『한국종합사회조사』에 나타난 이웃 공동체 참여

『한국종합사회조사』에도 이웃 공동체 참여에 관한 질문은 흔하지 않지만 몇 개의 문항을 통해서 사회발전연구소의 두 조사 사이의 기간(2000년대 중반)에도 유사한 학력별 참여도의 차이가 나타나는지 살펴볼 수 있다.

우선 2004년 조사에서는 응답자들에게 가깝게 지내는 이웃 사람의 수를 물었는데, 73%의 응답자가 적어도 한 명 이상의 가깝게 지내는 이웃이 있다고 응답했다. 평균값은 다섯 명이 약간 넘었고 중위값은 세 명이었다. 사회발전연구소 자료들과 마찬가지로 이웃이 한국인의 중요한 사회적 자원의 일부라는 것을 보여준다. 〈표 5-13〉에서 보듯이, 지역별로는 서울에 비해 다른 지역, 특히 비경기 · 비대도시 지역 응답자들이 더 많은 이웃과 가깝게 지낸다고 했다. 우리의 주요 관심사인 사회경제적 지위에 따른 차이를 보면 고학력자일수록 가깝게 지내는 이웃의 숫자가 적어 1998년 및 2012년 조사와 일관된 경향이 나타났다. 하지만 고소득자들이 가깝게 지내는 이웃의 수가 저소득층에 비해 높아서, 소득과 교육이 이웃 공동체 참여에 미치는 영향이 다를 수 있음을 보여준다.

또 2004년 『한국종합사회조사』에서는 아플 때, 돈이 필요할 때, 그리고 우울할 때 어떤 사람에게 도움을 청하는지 묻는 문항들이 포함되어 있는데, 중복 응답이 허용되는 이 문항에서 19%의 응답자가 이웃에게도 도움을 청한다고 대답했다. 이는 1998년 NGQ를 이용한 사회발전연구소 자료에서 나타난 25%에 비해 낮은데, 도움을 받을 수 있는 세 가지 상황만을 예시한 2004년 『한국종합사회조사』와는 달리 1998년 조사에서는 아홉 가지의 상황이 제시된 데 그 부분적인 원인이 있는 것으로 짐작할 수 있다. 역시 서울 사람에 비해 중소 도시나 농어촌 지역의 응답자 중 이웃에게 도움을 청한다는 비율이 높았다. 또 학력별로 보면 고학력자, 특히 고등학교 학력을 가진 응답자 중 이웃에 도움을 청하는 사람의 비율이 낮게 나타났다(〈표 5-13〉).

『한국종합사회조사』에는 주관적으로 이웃 공동체를 얼마나 중요하게 생각하고 가깝게 느끼는지에 대한 문항들도 포함되어 있어, 행위적 참여뿐 아니라 인지적 참여에 대해서도 알아볼 수 있다. 2003년에는 이웃이 인생에서 얼마나 중요하냐는 문항이 포함되었는데, 역시 지역별, 학력별 차이가 통계적으로 유의한 수준에서 나타난다. 특히 학력 간의 차이가 두드러지는

〈표 5-13〉 『한국종합사회조사』에 나타난 이웃 공동체의 회귀분석 결과[1)]

	가깝게 지내는 이웃의 수[2)]	이웃에 도움 청한 적 있음[3)]	인생에서 이웃의 중요성[4)]	거주 지역 친밀도: 읍면동[4)]
소득 (1분위 생략)				
2분위	0.093** (0.034)	-0.517* (0.222)	-0.212 (0.152)	-0.079 (0.147)
3분위	0.076* (0.037)	-0.251 (0.228)	-0.002 (0.155)	-0.055 (0.150)
4분위	0.167*** (0.040)	-0.297 (0.251)	-0.047 (0.173)	0.171 (0.171)
교육 수준 (초등교육 이하 생략)				
중등교육	0.034 (0.036)	-0.197 (0.223)	-0.132 (0.183)	-0.358* (0.177)
고등교육	-0.515*** (0.061)	-0.848* (0.379)	-0.694** (0.235)	-0.801*** (0.229)
대학 재학 이상	-0.382*** (0.044)	-0.540* (0.273)	-0.780*** (0.204)	-0.668*** (0.197)
지역(서울 생략)				
경기 지역	0.205*** (0.041)	0.366 (0.244)	0.276+ (0.156)	-0.158 (0.154)
대도시(서울 제외)	0.369*** (0.042)	0.068 (0.270)	0.073 (0.167)	-0.414* (0.167)
여타 지역	0.450*** (0.038)	0.579* (0.233)	0.377* (0.151)	0.182 (0.149)
상수항	1.039*** (0.084)	-0.725 (0.509)	생략	생략
사례 수	1,310	1,305	1,308	1,299

주: 1) 연령, 성별, 결혼 여부 등 통제변수에 대한 결과 생략
2) Poisson 회귀모형을 이용해 분석
3) 로지스틱 모형을 이용해 분석
4) Ordinal logistic 회귀모형을 이용해 분석

데, 대학 교육 이상의 응답자 중 이웃이 인생에서 아주 중요하다는 응답자

가 27%였던 반면 고등학교 학력 소지자 중에서는 40.6%, 중졸 이하 학력자 중에서는 43.6%였다. 같은 해 조사에서 거주 지역으로서 동·읍·면에 대한 친밀도도 물었는데, 이 문항에서도 유사한 학력별 차이가 확인된다. 대학 교육 이상의 응답자의 26.4%가 아주 가깝게 느낀다고 한 반면 중등교육 이하 응답자의 40.7%가 아주 가깝다고 답했다. 소득에 따라서는 별다른 차이가 없는 것으로 나타났다.

『한국종합사회조사』는 사회발전연구소가 아닌 다른 기관에 의해 독립적으로 수행된 조사이고 분석에 사용된 문항도 다르다는 점을 고려하면, 이런 일관된 결과들은 사회발전연구소 자료에서 확인된 결과들이 우연한 표본추출 오차에 의한 것은 아님을 말해준다. 따라서 1990년 후반 이후 이웃 공동체에의 인지적·행위적 참여, 그리고 조직적·비조직적 참여 모두에서 서울, 경기 및 대도시 지역의 주민들의 참여도가 중소 도시나 농어촌 주민들에 비해서 낮고 특히 이웃 공동체의 사회적 자원으로서의 중요성이 고학력자들 사이에서 상대적으로 낮다는 결론을 내릴 수 있다. 이러한 경향은 적어도 1990년대 후반 이후의 많은 자료들에서 공통적으로 확인되는데, 1970년대의 자료에서 발견된 결과들과는 상반된다. 1970년대 이후 한국 사회가 경험한 급속한 사회적·문화적 변화의 일면을 보여준다고 하겠다.

3. 결론

이 장에서는 1970년대 이후 사회발전연구소에서 실시한 여러 조사 자료를 활용해 이웃 공동체 참여가 얼마나 활발하게 이루어져 왔고, 또 참여가 사회경제적 지위에 따라 어떻게 분포되어 있는지를 살펴보았다. 분석의 결과를 간략히 요약하자면, 급격한 도시화와 아파트 중심의 주거 형태에도 불구하고 이웃은 서울 시민들에게, 나아가 한국인 일반에게 중요한 사회적 자원의 일부였고 또 여전히 그러한 것으로 확인되었다. 대도시 인구가 전 국민의 50%를 넘어서기 시작한 1970년대 이래 최근까지 많은 도시 주민들이 이웃들과 친교를 나누며 도움을 주고받고 있는 것으로 나타나서, 이웃들이 한국인의 개인적 공동체(personal community)의 중요한 한 축을 이루고 있음을 알 수 있었다. 이렇게 비교적 활발한 이웃과의 비공식적 교류와는 달리 결사체를 통한 이웃 공동체에의 조직적 참여는 1970년대에나 최근에나 그리 활발하지 않은 것으로 드러났다. 한국인의 결사체 참여는 이웃 공동체 내에서 지역적으로 이루어지기보다는 학교 동문회 등 다른 사회조직, 특히 연고형 조직들을 중심으로 형성되는 연결망과 결사체를 통해 이루어지고 있는 것으로 나타났다.

이 장에서 확인된 1970년대와 1990년대 이후 간의 가장 큰 변화는 이웃 공동체 참여의 사회경제적 지위에 따른 분포이다. 1970년대에는 조직적·비조직적 이웃 공동체 참여에서 소득이나 교육 수준에 따른 큰 차이가 나타나지 않거나 조직적 참여의 경우 고학력층 사이에서 오히려 높게 나타났던 데 비해, 1990년대 이후에는 반대로 고학력층의 이웃 공동체 참여가 더 낮게 나타났다. 1990년대 이후의 이런 경향은 일상적인 교류뿐만 아니라 조직적 참여에서도 확인된다. 또 유사한 경향이 2000년대 중반에 수행된 『한국종합사회조사』에서도 확인되는데, 고학력층은 이웃과 교류를 덜할 뿐 아니라 이웃 공동체에 대한 소속감도 약했다. 끝으로 1970년대와 최근 자료 모두에서 소득보다는 학력이 사회적 참여와 더 밀접한 관련이 있는 것으로 드러났다. 이러한 고학력층의 상대적으로 저조한 이웃 공동체 참여는 그들의 높은 일반적 사회적 참여, 특히 높은 이웃 공동체 외부에서의 조직적 참여와 대조를 이룬다.

왜 1990년대 후반 이후 교육 수준이 높은 사람들 사이에서 이웃 공동체 참여와 소속감이 상대적으로 낮을까? 이 연구에서 사용된 자료로 이 질문에 대답하기에는 한계가 있지만, 후속 연구를 위해 몇 가지 가능성에 대해 간략히 논의해보도록 하겠다. 미국의 정치학자들은 개인을 분석 단위로 하는 횡단적 연구에서 교육 수준이 여러 형태의 정치적 · 사회적 시민 참여와 정의 상관관계를 보이고 20세기 후반부 미국 사회의 교육 수준이 꾸준히 향상되었음에도, 시민들의 정치 및 사회적 참여도는 1960년대 이후 하락해온, 이른바 '교육의 역설(Paradox of education)'에 주목해왔다. 정치학자인 나이, 준, 스텔릭-베리는 이 교육의 역설을 설명하고자 '분류 모형(sorting model)'을 제시한다(Nie et al., 1996). 이 이론에 따르면 시민 참여는 절대적 교육 수준과 함께 상대적 교육 수준에 영향을 받는다. 한 사회에서 소수만이 대학 교육을 받는 경우 대학 졸업자는 상대적으로 높은 사회적 지위를 갖게 되어 더 적극적으로 정치 및 사회활동에 참여하지만, 다수가 대학 교육을 받는 경우 대학 교육과 사회적 지위의 상관관계가 약해져 교육 수준과 참여의 관계도 약해진다는 것이다. 1970년대 이후 한국 사회에서 대학 교육이 급격히 보편화되어 최근 코호트에서는 대학원 교육을 마치는 비율도 매우 높다는 점을 감안하면 이 '분류 모형'에 기반을 둔 설명이 일면 타당성을 갖는 듯도 하다. 하지만 이 이론은 왜 교육과 참여가 무관함을 넘어 부정적으로 연관되어 있는지를 설명하지 못한다. 대학 교육이 아무리 보편화되었어도 대학 졸업자들의 상대적 사회적 지위가 고졸자나 중졸자보다 평균적으로 더 높을 것으로 예상되기 때문이다. 또 왜 이런 부정적 관계가 이웃 공동체에의 참여에만 주로 나타나는지도 설명하기 어렵다.

좀 더 설득력 있는 가설은 교육 수준에 따라 서로 다른 연결망을 우선시해 시간과 자원을 다르게 배분한다는 것이다. 연결망을 유지하기 위해서는 지속적인 시간과 노력의 투자가 요구되고, 긴 노동시간으로 시간 예산의 제약이 강한 한국 사회에서는 투자의 우선순위를 정하는 게 특별히 중요할 수 있다. 이런 제약 속에서 고학력자들이 이웃보다는 정보나 자원 교환 등의 측면에서 더 유용할 수 있는 동창과의 연결망 및 직장 동료들과의 관계를 개발하고 유지하는 데 우선적으로 투자할 수 있다. 또 교육 수준이 낮은 사람들은 상대적으로 관계를 맺을 수 있는 기회의 영역이 제한되어 있고, 따라서 이웃이 주는 연결망 형성의 기회가 더 중요할 것으로 짐작할 수 있다. 이런 자원 배분을 중심으로 한 접근은 고학력자들 사이에서 동문 연결망이 차지하는 비중이 특별히 높고 이웃 연결망의 중요성은 상대적으로 낮게 나타나는 이 장의 주요 결과들과 일관된다. 하지만 왜 이런 경향이 1970년대에는 나타나지 않고 1990년대 이후에 나타나는지를 설명하기가 쉽지 않다.

끝으로 1990년대 이후에 나타나는 고학력층의 낮은 이웃 공동체 참여가 현대 한국 사회의 고학력 중산층들의 문화와 연관되어 있을 가능성을 생각해볼 수 있다. 미국에서 다양한 사회계층의 암 환자들이 수술 이후 어떻게 사회적 자본을 활용하는지를 연구한 맥도날드(McDonald, 2012)는 노동계급 암 환자들이 이웃을 비롯한 다양한 연결망으로부터 도움을 받는 반면, 중상층, 특히 대학을 졸업한 전문직 종사자들은 이웃이나 친구, 혹은 친지들의 도움 없이 핵가족을 중심으로 수술 이후의 어려운 시기를 힘들게 넘기는 경향이 있다는 것을 보여준다. 맥도날드는 이런 현상이 부분적으로 미국의 중상층이 자신의 커리어를 위해 고향과 먼 곳에 정착해 가족이나 친구들로부터 멀리 살고, 따라서 이웃 공동체 내의 연결망이 상대적으로 제한되어 있는 데 기인한다고 말한다. 하지만 맥도날드는 이와 함께 핵가족 외부의 사람들에게 도움을 청하기를 꺼려하는 미국 중산층의 문화적 가치관이 더 중요한 역할을 한다고 주장한다. 한편으로 사회적 지위와 체면에 민감한 중산층들이 자신의 곤란한 처지를 이웃이나 친구들에게 노출하거나 그들의 도움을 받음으로써 자신의 사회적 지위가 손상되는 것을 꺼려하고, 또 이웃들과 서로 곤경에 처했을 때 도움을 주고받는 감정적으로 깊은 호혜적 관계보다는 얕은 관계를 유지하고 도움이 필요할 때는 핵가족과 시장에서 구매할 수 있는 서비스에 의존하기를 선호한다는 것이다.

1990년대 후반 이후 자료들에서 발견되는 고학력층의 낮은 이웃 공동체 참여는 비슷한 문화적 변화를 반영하는 것일 수 있다. 우선 주택, 특히 아파트가 주거의 공간보다 투자의 수단이 되어 자주 이사를 하게 되면서 이웃과의 관계에 안정적이고 장기적인 안목으로 투자할 유인이 낮아졌을 가능성이 있다. 또 대다수의 고학력 중상층들이 대규모 아파트 단지에 사회경제적 지위가 유사한 이웃들과 살게 되면서 그들을 지위 경쟁의 대상으로 보게 되고 그 결과로 서로 도움을 주고받으며 상호호혜적인 관계를 형성하기가 어려워졌을 수 있다.

물론 이런 가능성은 아직 경험적으로 검증되지 않은 가능성들에 지나지 않고, 또 여러 가지 다른 기제들이 복합적으로 작동했을 가능성도 크다. 하지만 어떤 이유에서든 교육 수준이 높은 사람들 사이에서 이웃과의 교류가 더 뜸하고 이웃 공동체 참여가 낮으며 소속감도 약하다는 것은 몇 가지 중요한 함의를 가질 수 있다.

우선 사회경제적 지위가 상대적으로 높고 여러 가지 중요한 자원들을 많이 가지고 있는 사람들이 이웃 공동체와 거리를 두면 이웃 공동체가 여러 가지 문제를 집합적으로 해결할 수 있는 능력이 떨어질 가능성이 높다. 그 결과로 사회적 자본이 많은 공동체에서 상대적으로 쉽게 자율적으로 해결할 수 있는 문제들도 사회적·경제적 비용이 높은 해결책에 의존하게 될 수 있다. 한국 사회, 특히 서울과 같은 대도시에서 집합적 효능감의 중요한 기반이 되는 이웃 공동체 내 결사체적 참여가 저조하다는 것은 이웃들 간의 효과적인 문제 해결을 더 어렵게 만들 가능성이 높다.

또 동거 가족 및 직장 동료와 함께 일상생활 속에서 접근성이 가장 좋은 이웃과의 관계가 멀어질 경우, 필요할 때 적시에 도움을 줄 수 있는 중요한 대상을 잃게 된다. 물론 우리가 연결망에서 얻을 수 있는 여러 가지 혜택은 다른 친구들이나 친지로부터도 얻을 수 있지만, 이웃은 그 지리적 근접성 덕분에 윈쉽(Winship, 2009)이 말한 '일정 짜기의 제약(scheduling constraint)'에서 상대적으로 자유롭다는 장점이 있다. 노동시간이 길고 유연성도 강해 일정 짜기의 제약이 상대적으로 높은 한국에서 이웃은 다른 관계로 쉽게 대체할 수 없는 중요한 사회적 자원일 수 있다.

또 사회경제적 지위가 높은 사람들의 사회적 연결망이 배타적 성격이 강한 동창회 및 다른 연고 집단을 중심으로 이루어진다는 것은 학벌이 좋지 못한 사람들을 중요한 사회적 자본으로부터 배제하는 효과를 더 강력하게 만들어 사회경제적 불평등을 심화할 가능성이 높다. 이런 점들을 고려해 사회경제적 지위에 따른 사회적 자본의 분배, 특히 다양한 조직적 초점에서 형성되는 연결망의 분배에 대한 연구가 더 활발하게 이루어져야 할 것이다.

끝으로 1990년대 이후 자료에서 나타나는 지역별 차이를 보면, 대도시와 비대도시의 차이보다는 서울 · 경기와 다른 지역, 즉 수도권과 비수도권의 차이가 더 두드러지게 나타나는데, 서울과 경기 지역 응답자들의 이웃 공동체 참여도가 상대적으로 낮을 뿐 아니라 전반적인 사회적 지원망의 규모도 더 작고 또 일반적인 결사체 참여도도 낮은 것으로 나타난다. 일부 사회발전연구소 자료와 『한국종합사회조사』에서 확인되는 이러한 경향은 한국의 도시화가 전반적인 사회적 · 시민적 참여에 미치는 영향이 부정적일 것으로 예측하는 도시사회학의 고전적 가설과 더 부합할 가능성을 제시한다. 물론 이런 차이가 모든 자료와 변수에서 일관되게 나타나는 것은 아니고 따라서 다른 자료들을 활용한 추가적인 분석이 요구된다. 특히 수도권과 비수도권의 차이를 설명할 수 있는 요인들에 대한 연구가 이루어져야 할 것이다.

| 참고문헌 |

강대기 · 홍동식. 1982.「대도시의 주거 환경과 근린관계형성에 관한 연구」. ≪한국사회학≫, 16권, 123~140쪽.

강준만. 2010.「아파트의 문화정치학: 아파트가 공공 커뮤니케이션에 미친 영향에 관한 연구」. ≪사회과학연구≫, 21권 1호, 1~25쪽.

김기홍. 2014.『마을의 재발견』. 서울: 올림.

김태종. 2006.『한국의 사회적 자본 실태 조사』. 서울: 한국개발연구원.

박성훈 · 김준호. 2012.「범죄현상에 관한 사회생태학적 접근」. ≪형사정책 연구≫, 23권 2호, 259~293쪽.

변미리. 2011.『사회 통합을 위한 지역공동체 역량 강화』. 서울: 서울시정개발연구원.

윤우석. 2012.「지역사회의 집합적 효율성과 범죄피해의 관계검증: 대구지역을 중심으로」. ≪형사정책 연구≫, 23권 1호, 319~353쪽.

이재열. 2006.「지역사회 공동체와 사회적 자본」. ≪지역사회학≫, 8권 1호, 33~67쪽.

전상인. 2010.「우리 시대 도시담론 비판: 동네의 소멸과 감옥도시에의 전조」. ≪한국지역개발학회지≫, 22권 3호, 21~34쪽.

정창수 · 문용갑. 1990.「대도시 주민들의 이웃관계와 그 관련 변인들에 대한 연구: 서울의 8개 주거지역 가정주부들을 대상으로」. ≪한국사회학≫, 23권, 171~214쪽.

천현숙. 2004.「대도시 아파트 주거단지의 사회자본」. ≪한국사회학≫, 38권 4호, 215~247쪽.

Campbell, David E. 2006. "What is Education's Impact on Civic and Social Engagement?" in Richard Desjardins and Tom Schuller(eds.). *Measuring the Effects of Education on Health and Civic Engagement*. OECD.

Converse, Philip E. 1972. "Change in the American Electorate." in A. Campbell and P. E. Converse(eds.). *The Human Meaning of Social Change*. New York: Russell Sage.

Feld, Scott L. 1981. "The Focused Organization of Social Ties." *American Journal of Sociology*, Vol. 86, No. 5, pp. 1015~1035.

Fischer, Claude S. 1975. "Toward a Subcultural Theory of Urbanism." *American Journal of Sociology*, Vol. 80, No. 6, pp. 1319~1341.

_____. 1982. *To Dwell among Friends: Personal Networks in Town and City*. Chicago: University of Chicago Press.

_____. 1995. "The Subcultural Theory of Urbanism: A Twentieth-Year Assessment." *American Journal of Sociology*, Vol. 101, No. 3, pp. 543~577.

_____. 1997. "Technology and Community: Historical Complexities." *Sociological Inquiry*, Vol. 67, No. 1, pp. 113~118.

Lim, Chaeyoon and James Laurence. 2015. "Doing Good When Times Are Bad: Volunteering Behaviour in Economic Hard Times." *British Journal of Sociology*, Vol. 66, No. 2, pp. 319~344.

Litwak, Eugene and Ivan Szelenyi. 1969. "Primary Group Structures and Their Functions: Kin, Neighbors, and Friends." *American Sociological Review*, Vol. 34, No. 4, pp. 465~481.

Marsden, Peter V. and Karen E. Campbell. 1984. "Measuring Tie Strength." *Social Forces*, Vol. 63, No. 2, pp. 482~501.

McDonald, Cameron. 2012. ""If we're not calling you...We don't need you": Habitus and Deficits in Middle-class Social Support". Unpublished Manuscript.

Nie, Norman H., Jane Junn and Kenneth Stehlik-Barry. 1996. *Education and Democratic Citizenship in America*. Chicago: University of Chicago Press.

Putnam, Robert D. 1993. *Making Democracy Work: Civic Traditions in Modern Italy*. Princeton: Princeton University Press.

_____. 2000. *Bowling Alone: The Collapse and Revival of American Community*. New York: Simon and Schuster.

Sampson, Robert J. 2012. *Great American City: Chicago and the Enduring Neighborhood Effect*. Chicago: University of Chicago Press.

Turkle, Sherry. 2011. *Alone Together: Why We Expect More from Technology and Less from Each Other*. New York: Basic Books.

Verba, Sidney, Kay Lehman Scholozman and Henry Brady. 1995. *Voice and Equality: Civic Voluntarism in American Politics*. Cambridge, MA: Harvard University Press.

Winship, Christopher. 2009. "Time and Scheduling." in Peter Hedstrom and Peter Bearman(eds.). *The Oxford Handbook of Analytical Sociology*. Oxford: Oxford University Press.

Wirth, Louis. 1938. "Urbanism as a Way of Life." *American Journal of Sociology*, Vol. 44, No. 1, pp. 341~353.

제6장

산업화 이후 한국 노동 체제 변동과 노동자 의식 변화

권현지(서울대학교 사회학과)

1. 머리말

산업화가 본격화된 이래 지난 반세기는 한국 사회에 심대한 사회적 · 정치적 · 경제적 변화가 연속해 몰려온 변동의 시대였다. 때로는 오래 집적된 내부의 요구가 폭발하면서, 때로는 예상치도 못했던 외부의 충격에 의해 한국 사회는 선발 산업국들이 족히 두 세기는 걸려 경험했을 체제적 변동의 파도를 거듭 헤쳐 온 것이다. 압축적 성장만큼이나 변동도 압축적이었으며, 시기마다 내용을 달리하는 다양한 갈등과 경쟁이 전개되어왔다. 사회 세력 간 각축은 때로 타협되기도 했으나 대개 어설프게 봉합되었다. 그 위에 다시 갈등이 반복되거나 대상과 내용을 달리하는 또 다른 갈등이 제대로 해소되지 못한 채 겹겹이 쌓여왔다. 사회 구성원들은 매 시기 새로운 도전과 오래된 문제가 만나 빚어내는 모순적 상황에 직면해야 했다. 이들은 변화의 길목에 설 때마다 적응과 생존 방식을 모색해야 했으며, 개인적 · 집단적 의식도 이에 따라 역동적 궤적을 만들어왔다. 그러나 압축적 변동의 과정에서 변화와 새로운 질서가 누적된 갈등과 오래된 규범 위에 터를 잡아왔듯, 사회 구성원들의 의식 역시 저변을 흐르는 어떤 연속성 속에서 변화해왔다.

지난 50여 년의 한국 사회를 일컫는 핵심어가 산업화와 탈산업화였던 것에서 알 수 있듯 성장과 정체, 안정과 위기, 각축적 갈등과 타협적 통합을 아우르는 사회변동의 중심을 노동 레짐의 변화가 관통해왔다. 이 장의 주요 관심은 바로 이 노동 레짐의 변화와 연속성이 한국 사회에서 일하는 사람들에게 미친 영향을 이들의 의식 변화를 통해 간접적으로 들여다보는 데 있다. 본격적인 산업화 이후 노동 체제에 변화를 만들었거나 적응해온 주요 행위자들, 즉 일하는 사람들이 만들어온 의식의 궤적을 살펴보고 이를 통해 지금 우리가 어디에 서 있는지를 조망해보는 데 이 장의 목적이 있다.

이 장은 기존 문헌에서 공통으로 발견되듯 한국 노동 체제의 질적 변동이 일어난 두 분기점을 중심으로 세 개의 질적으로 구분되는 노동 레짐을 구분했다(정이환, 2013a). 1987년 사회 및 작업장 민주화를 중심으로 한 '87년 전후 체제'와 1997년 외환위기 이후 기업의 시장주의적 경쟁과 유연화를 키워드로 현재까지 지속되고 있는 이른바 '포스트 97년 체제'다. 많은 연구자들이 노동 체제의 전후를 분기시킨 위 두 시기를 패러다임적 변동의 시기라고 인식하지만, 세 개의 노동 레짐은 질적으로 다르면서도 시기를 관통하는 연속성을 보여주고 있다.

여기서 우리는 여러 실증 자료를 통해 이 세 시기를 관통하며 한국 사회 노동의 질이 어떻게 변화되어왔는지 고찰한다. 거시 노동 체제, 즉 노동시장 및 노사 관계 시스템의 변화와 노동자들이 경험한 노동의 질은 개개 노동자들은 물론 노동자 집단의 의식을 반영할 뿐 아니라 그 의식의 변화를 형성한다. 이 장의 주된 목적은 노동자 개인 수준의 자료를 분석함으로써 압축적 변동의 시기를 살아온 노동자들 의식의 저변에 흐르는 연속성이 있는지, 있다면 그것은 무엇인지, 그리고 각 노동 체제가 만들어낸 장(field)에서 발현되는 변화된 의식의 특성은 무엇인지를 밝혀보는 데 있다. 2015년 개소 50주년을 맞는 사회발전연구소는 한국의 산업화와 사회변동의 과정을 부지런히 기록하고 연구해왔으며, 특히 거시 노동 체제의 변동을 목도하며 중요한 변화의 요소에서 광범한 설문 조사 작업을 통해 노동자들의 작업장 체제에 대한 인식과 노동자 의식 변화를 추적할 수 있는 귀중한 자료를 구축해왔다. 사회발전연구소와 필자는 그중 1978년, 1987~1989년, 1996년, 2007년 자료가 각 노동 체제의 특성과 변화를 반영하는 적절한 자료라 판단해 사용하기로 했다.

다음에 이어지는 2절에서는 산업화 이후 주요 노동 체제를 권위주의적 성장 동원 체제, 87년 체제, 위기 후 체제 등 세 국면으로 나누어 노사 관계 및 노동시장의 각 시기적 특성과 연속적 흐름을 간략히 개관한다. 이를 바탕으로 3절과 4절에서는 사회발전연구소의 조사 자료를 통해 개인 노동자들이 어떻게 작업장 경험을 받아들이고 그들의 의식을 형성해갔는지 논의한다. 우선 3절에서는 작업장 차원에서 노동자들이 경험한 노동의 질이 세 노동 체제의 국면에 어떤 특성을 보였는지 그 단면을 포착하고 기술한다. 이어지는 4절에서는 각 노동 체제의 특정 국면에서 발견된 노동자 의식을 기술하고 2절과 3절에 제시된 노사 관계 및 노동시장, 그리고 노동의 질에 대한 노동자 태도라는 맥락에서 의식의 흐름을 해석해본다.

2. 노동 레짐의 변화와 불평등: 노동운동의 도전과 각축, 그리고 고립

1) 권위주의적 성장 동원 레짐: 가부장제와 결합한 성별, 직종별 불평등과 노동자들의 순응

1987년 사회 민주화에 촉발되어 전국의 작업장에서 폭발적으로 일어난 노동운동은 1987년 이전의 권위주의적 성장 동원 체제와 이른바 87년 체제를 구분하는 분기점이 되었다. 1987년 이전 체제는 일체의 조직 운동과 집단적 움직임에 대한 억압을 통해 테일러적 대량생산에 복무할 수 있는 순종적 저임금 공장노동자들을 형성하고 동원하는 데 초점을 둔 노동 체제다(구해근, 2002; 송호근, 1991; 신광영, 1990; 임현진 · 김병국, 1991; 최장집, 1988).

저임금 체제의 한편에서 국가와 선도 기업들은 포디즘적 자동화를 지향하는 중화학공업 위주의 대량생산 체제를 조기에 구축하고 수출을 진작해 단기간의 따라잡기형 산업 정책을 추구했다. 이러한 기조의 성장 정책은 엔지니어 · 기술직 노동자와 관리직 화이트칼라 노동자의 안정적인 공급과 헌신을 위한 기업 내부화를 요구했다. 일본식의 온정적 기업 내부 노동시장을 모방해 구축된 한국형 내부 노동시장은 평생직장 개념과 근속에 따른 임금 상승 및 승진 체계, 그리고 각종 기업 복지를 관리사무직과 고급 기술직에 배타적으로 약속했다. 국가의 전반적인 임금 및 물가억제정책은 때로 내부 노동시장의 임금 또한 억제했으나, 사용자들은 각종 부가 급여 지급 등 우회적인 통로를 찾아 억제분을 보상하는 경향을 보였다(1970년대 금융산업노동조합 각 연도 활동보고). 이는 한국의 연공급(年功給)이 낮은 기본급에 더해진 갖가지 추가 요소로 복잡해진 이유를 설명하는 한 요인이 되기도 했다.

직종을 중심으로 분절된 고용 관계 정책은 가부장제적 규범과의 결합을 통해 위계화됨으로써 그 차별적 메커니즘이 정당화되고 안정화될 수 있었다. 가부장제는 대부분의 가족, 특히 농촌 가족이 전후 경제의 피폐 속에서 장자에 집중된 교육투자를 결정함으로써 화이트칼라 · 기술직 노동자를 공급하도록 하는 한편, 그 밖의 자녀들은(특히 딸들은) 집에 남거나 도시의 저임금 공장노동자가 되어 맏아들에 대한 배타적 교육 비용과 가계경제 유지를 위해 헌신하도록 하는, 가족 내 성별로 구분된 위계적 분업을 정당화했다. 기업의 고용 정책과 가족 내 분업 간의 이러한 상호작용은 기업들로 하여금 최소한의 비용으로 노동력 수급을 안정화하는 한편, 관리직 · 기술직과 기능직 간 불평등 구조를 정착하는 데 기여했다. 또 화이트칼라 내에서는 관리직 · 엔지니어와 구분되는 일반 사무직, 블루칼라 내에서는 중화학공업 노동자와 구분되는 경공업 노동자가 가부장적 위계와 성별 분업의 논리 속에서 조직 내의 불평등 구조에 귀착되었다. 일부 중화학공업 노동자들은 1980년대 국가의 중화학 입국 정책 기조 위에 설립된 기술계 고등학교와 산업인력공단 등 대규모 숙련 형성 제도를 통해 배출되었다. 이들은 여전히 혹독한 병영적 노동 체제(송호근, 1991)를 통해 관리되었지만 기능 인력으로서 여타 단순노동과 차별적으로 취급되기도 했다. 즉, 경공업 노동자들에 비해 상대적으로 높은 보상과 고용 안정을 허용하는 제한된 내부 노동시장이 이들에게 제공되기도 했다(신원철, 2004; 정이환, 2013a 등). 상업고등학교나 대학을 졸업한 여성 노동자들은 서비스와 일반 사무, 그리고 관리에 대한 보조 업무 등으로 내부 노동시장에 진입하기도 했으나 이들의 일자리는 대체로 별도의 임금과 직급 체계를 적용하는 계층화된 내부 노동시장의 하층에만 열려 있었고 결혼 퇴직이 암묵적으로 기대되었다(권현지 외, 2008). 여직원, 여행원제는 이렇게 제도화된 조직 내 성별 위계 및 불평등을 지칭하는 용어로 자리 잡았다.

〈그림 6-1〉은 위에 기술한 권위주의 노동 체제에서 학력을 매개로 한 직종 간 임금격차와 남녀 간 임금격차가 얼마나 분명했는지를 보여준다. 그림은 고졸의 임금 총액을 100%로 보았을 때 중졸 이하, 초대졸, 대졸 이상 학력자의 상대적 임금 비율의 추이를 연도별로 나타낸다. 예컨대 1980년 고졸자의 총임금은 17만 7000원, 대졸자의 총임금은 41만 원으로 후자가 전자의 두 배를 상회했다. 중졸 이하 학력자는 고졸의 68% 정도를 받은 것으로 나타났다. 한편, 1980년 현재 비농전산업 여성의 총임금 9만 9000원은 남성의 총임금 22만 4000원의 절반에도 미치지 못했다. 학력별 임금격차와

〈그림 6-1〉 학력별 성별 임금 총액 추이(1980~2010년)

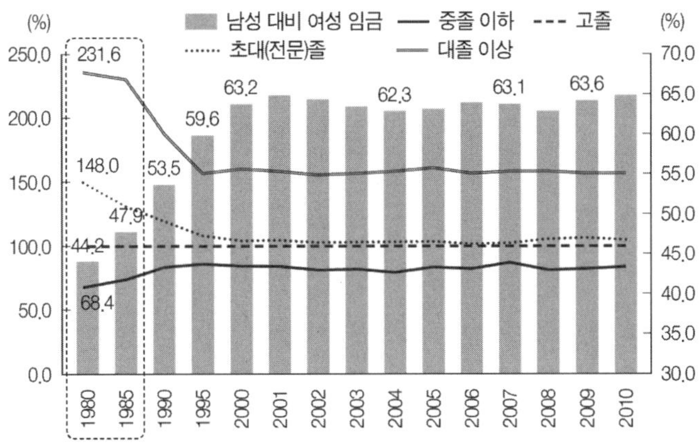

주: 임금 총액 = 정액 급여 + 초과 급여 + 전년도 연간 특별 급여/12
자료: 고용노동부, 『임금구조 기본 통계조사』 및 『고용 형태별 근로 실태 조사』 원자료

성별 임금격차가 현재의 수준으로 축소된 것은 87년 체제에서, 즉 민주화 이후 외환위기 이전까지 10년 동안 만들어진 그림이다. 그 이후 양자 모두 현재까지 거의 정체된 추세다. 이에 대해서는 후술하겠다.

산업화 초기 가부장제를 근간으로 조직 내 혹은 조직 간에 확립된 노동시장의 불평등 구조는 여러 다양한 모습을 통해 현재까지 이어지고 있다. 제도의 개입이 약한 한국 노동시장에서 근대적(즉, 자유시장주의와 민주주의를 근간으로 하는) 기업 조직이 쉽게 피용자에게 납득시키기 힘든 기업 내 혹은 기업 간 불평등의 분절선(예컨대 기업 내 성별 격차, 관리직과 사무직의 격차, 위계적 분업 관계에 있는 대기업과 소기업의 격차 등)은 언제나 비시장적 · 위계적 가부장제의 규범에 접합됨으로써 정당화되고 강화되어왔다(권현지 외, 2015). 틸리가 장기 지속 불평등(durable inequality)[1]이라는 개념을 통해 통

1 틸리는 합리성을 가정하는 기업 내 노동조직의 경계(직종 등)가 사회에 뿌리내린 비시장적 범주(젠더 등과 같은 범주)와 결합되어 경계 내부자에 의한 착취와 기회 매점을 정당화함으로써

찰력 있게 설명했듯이(Tilly, 1999), 한국의 기업들은 직무나 학력으로 대별되는 숙련 혹은 기능의 시장적 경계를 사회적 위계를 배태하는 젠더 등과 같은 사회 범주와 결합시켜 조직 내 분절 구조를 형성해왔다. 가부장제와 같이 규범화된 서열 질서 속에서 위계적으로 구획된 사회 범주(의 차이)를 노동조직의 내부 경계에 접합해 차별적 직급 구조 및 보상 구조를 형성하는 노동시장 분절 전략은 산업화 초기에 정착된 이후 현재까지 조직 내외의 다양한 경계와 교차결합되며 불평등을 유지 혹은 심화시켜왔다. 이러한 사회 범주적 차이는 이를 내면화하고 있는 조직의 구성원들에게 불평등에 순응(adaptation)하게 하는 기제로 작용해 왔다(Tilly, 1999).

전통적 규범인 가부장제의 요소, 즉 나이, 형제 및 젠더 간 서열화가 조직에 결합된 권위주의 시기 불평등 구조는 비용 경쟁력에 기반을 둔 대규모 생산 체제와 수출 기반 산업화에 대한 대다수 저임금 노동자들의 순종을 만들어냈다. 물론 1976년 동일 방직이나 1979년 YH 쟁의가 예시하듯 1987년 이전 이미 소외와 착취에 기반을 둔 노동관계가 극에 달한 노동집약적 산업을 중심으로 여성 노동자들의 노조화 및 작업장 인간화를 위한 문제 제기와 헌신적인 운동이 잇달았던 것도 사실이다(구해근, 2002). 그러나 주류 노동조합의 외면 속에 독립적으로 전개된 이들 여성 중심 노동운동은 대중적으로 확산되지 못한 채 곧 진압되었고, 중화학공업화로 가는 전환기에서 축소되었다. 대부분의 노동자들은 저항하기보다는 저임금과 소외된 장시간 노동을 인내하고 노동을 통해 조직의 성장과 가족경제에 기여한다는 의식을 내재화했다. 단기성장을 위한 대규모 노동자 동원은 국가의 성장주의 전략, 가부장적 규범에 힘입은 기업의 권위주의적 고용 관계 및 대량생산 체제 전략, 그리고 이에 대한 다수 노동자들의 암묵적 동의에 기반을 두고 성공적

조직 내에 불평등이 장기간 지속될 수 있다고 보았다.

으로 진행되었으며 노동조합은 이러한 과정을 지원했다.

2) 87년 체제: 노동의 급격한 조직적 성장과 불평등의 축소, 그리고 그 한계

그러나 사회 전반에 민주주의에 대한 요구가 무르익으면서, 억압적 작업장 체제와 저임금, 그리고 명백한 불평등에 기반을 둔 권위주의적 노동 체제는 더 이상 지속되지 못했고, 널리 알려진 바와 같이 1987년을 기점으로 한국의 노동 체제는 완전히 새로운 국면을 맞았다. 노동조합 조직에 대한 요구가 폭발적으로 일어났으며, 작업장 내 억압적 관리와 화이트-블루칼라의 불평등에 대한 문제 제기를 중심으로 노동운동이 크게 성장했다.

기업과 국가의 저항에도 불구하고 전국적으로 민주적 노동조합운동 조직이 결성되고, 〈그림 6-2〉에서와 같이 1987년 직후 불과 2년간 조직률은 10%대 초반에서 거의 19%까지 수직 상승했다. 이는 〈표 6-1〉이 보여주듯 폭발적인 노동쟁의에 힘입은 것이었다. 1987년의 뜨거웠던 여름, 6월 시민운동에 이어 120만 명을 동원하며 일어난 3749개의 쟁의를 필두로 1988년과 1989년 각기 30만~40만의 노동자를 동원한 2000개에 가까운 쟁의가 이어졌다. 이로부터 15년이 지난 2013년 시점에서 OECD 국가들 중 가장 낮다시피 한 10.3%의 조직률과 연간 72건의 쟁의(같은 해 호주 219건, 영국 114건, 덴마크 197건, 스페인 994건의 쟁의를 보고했다)를 기록하고 있는, 현재의 위축된 노동운동과 대비되는 역사적 경험이다.

쟁의에 참여한 노동조합은 큰 폭의 임금 인상은 물론 단체교섭 체결, 연공적 임금 테이블을 요구하며 사용자와 교섭을 벌였고 상당한 성과를 거두었다. 중화학공업의 남성노동자들을 중심으로 쟁의가 집중되었던 만큼, 제조업의 실질임금 인상률은 1989년에만 18%를 상회했으며, 이런 높은 인상

〈그림 6-2〉 노동조합 조직원 규모 및 조직률(위), 성별 조직률(아래) (천 명, %)

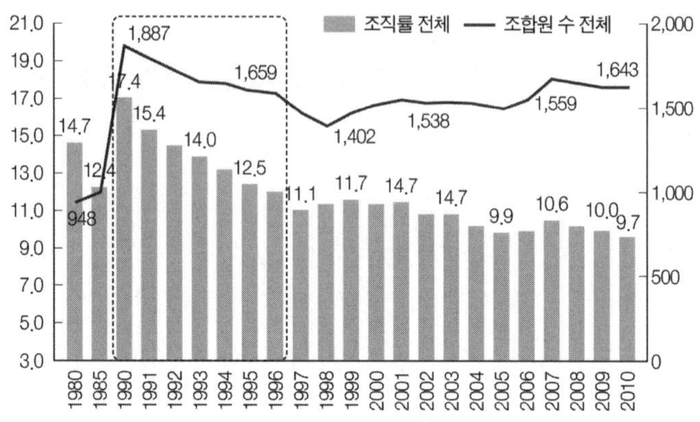

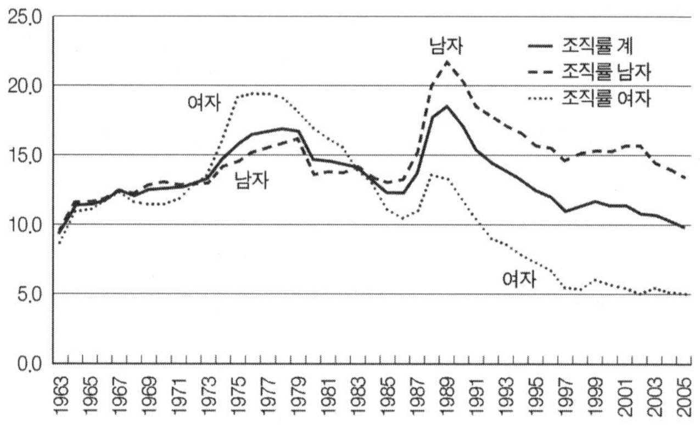

자료: 고용노동부, 『전국노동조합 조직현황』(각 연도); 김유선(2008)

률은 1990년대의 경기 호조와 더불어 1997년 외환위기로 거품이 꺼지고 국가 채무 위기를 맞을 때까지 줄곧 10% 수준에서 유지되었다.

임금 인상과 더불어 이 시기 노동조합의 두드러진 성과는 1987년 이전 화이트칼라를 중심으로 구축되었던 기업의 내부 노동시장을 생산직 노동자들에게까지 확대시킨 것이다. 화이트칼라의 내부 노동시장이 고등교육을 받은 인력의 부족 상태에서 숙련노동력을 확보하고 훈련하며 유지하려는 기업 주도의 숙련 및 고용 정책이었다면, 1987년 이후 확대된 내부 노동시

〈표 6-1〉 1987년 전후 노동조합 조직률과 노동쟁의

	노동조합	노동쟁의		
	조직률(%)	발생 건수(건수)	참가자 수(천 명)	손실 일수(천 일)
1986	12.3	276	47	72
1987	13.8	3,749	1,262	6,947
1988	17.8	1,873	293	5,401
1989	18.6	1,616	409	6,351
1990	17.2	322	134	4,487
(중략)				
2013	10.3	72	113	638

자료: 고용노동부, 『전국노동조합 조직현황』와 『고용노동백서』(각 연도)

장은 노동조합이 조직력을 앞세워 만들어낸 정치적 운동의 산물이었다(정이환, 2013a). 무노조 사업장에 대한 노조의 위협 효과도 상당수 나타났지만, 내부 노동시장의 확산은 노동조합이 강한 대규모 사업장에서 특히 두드러지게 나타났다(이재열 · 권현지, 1996; 정이환, 2013a). 여성 제조업의 노조화는 크게 눈에 띄지 않았지만, 주로 은행 등 금융권을 중심으로 명백한 성차별, 여성에게만 적용되는 별도의 차별적 임금 테이블과 승진 제한에 저항하기 시작한 1980년대 중후반부터의 작업장 내 사무직 여성운동의 움직임이 1987년의 공간 속에서 페미니즘 운동 및 노동조합 민주화와 결합되었다. 그 결과 명백한 차별 기제로서의 여직원(행원)제 등이 폐지되고 '남녀고용평등법'이 제정되기에 이르렀다. 노동운동은 고용평등법뿐 아니라 여러 가지 중요한 제도 변화도 촉진했다(권현지 외, 2008). 예컨대 1953년 5월 제정된 이래 계속되어온 주 48시간 노동을 1989년 근로기준법 개정을 통해 주 44시간으로 축소시키는 데 성공했다.

이렇듯 이 시기 노동조합운동은 임금 및 근로조건 개선과 더불어 화이트

〈그림 6-3〉 10인 이상 사업체 상용 근로자의 실질임금 인상률(1979~2014년)

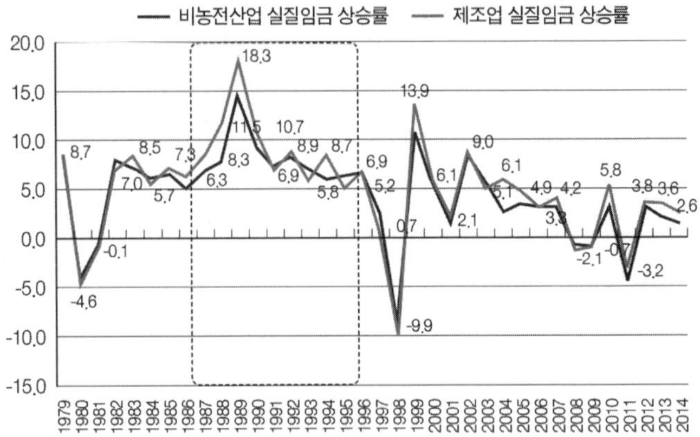

자료: 고용노동부, 『사업체 노동력 조사보고서』(각 호)

칼라와 블루칼라 간, 그리고 남녀 간 임금격차를 비롯해(〈그림 6-1〉 참조) 1987년 이전의 권위주의적 노동조직이 키웠던 불평등을 줄이는 데 기여했다. 〈그림 6-4〉는 이 시기 노동운동으로 촉발된 노동시장의 변화가 임금 소득분배, 즉 노동시장의 불평등 변화에 어떤 영향을 미쳤는지를 보여준다. 1980~1985년 사이 3.75에서 3.52 정도를 기록했던 지니계수는 1987년 이후 빠른 속도로 떨어져 1994~1995년 2.8 정도의 수준으로 당시 한국이 OECD에서도 비교적 평등한 노동시장에 도달했음을 보여준다. 같은 패턴이 소득분위 P90/P10로 본 소득분배 추이에서도 마찬가지로 드러난다. 1997년 외환위기가 발발해 추세가 완전히 역전되기 전까지는 불평등 감소 추세가 계속되었다.

그러나 불평등 축소에 기여한 노동운동이 주로 지불 능력이 있는 대기업의 힘 있는 노조를 중심으로 전개되면서 새로운 불평등의 구조가 자라나기 시작했다. 규모를 달리하는 기업들의 임금 및 근로조건 격차가 드러나기 시작한 것은 두드러진 변화이다(뒤의 〈그림 6-5〉 참조). 바로 뒤에서 다시 이야

〈그림 6-4〉 시기별 노동시장 불평등 추이: 임금 소득분배

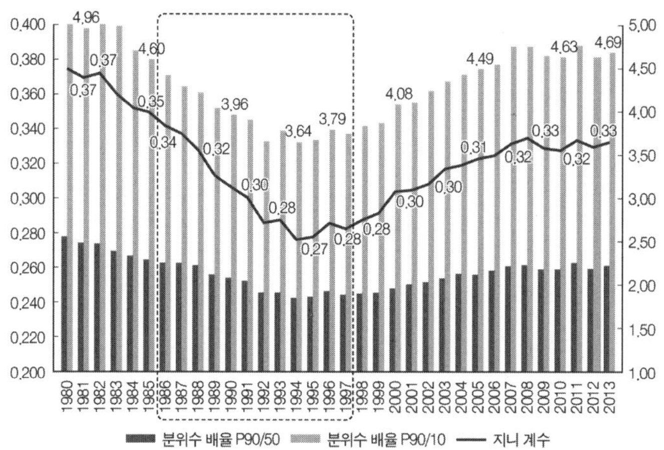

주: 1) 지니계수: 소득분배 상태를 측정하는 지표로 수치가 작을수록 소득 불평등도가 낮음

2) 분위수배율은 대표적인 분위수를 배수화한 수치로 P90/10의 경우 하위 10%의 임금 대비 상위 90%의 임금의 비율을 의미함. 수치가 작을수록 소득 불평등도가 낮음

자료: 고용노동부, 『임금구조기본통계조사』 및 『고용 형태별근로 실태 조사』

기하겠지만 사업장 밖으로 나와 연대하지 못하고 사업장 내부 조합원들의 처우 개선에 집중한 노동조합운동의 새로운 딜레마다.

사회 민주화가 촉발한 넓어진 조직 운동의 공간 속에서 작업장 민주화의 열망과 함께 시작된 1980년대 후반의 노동운동은 조직적 성과는 물론 적지 않은 노동시장 성과를 얻었지만, 이들 성취를 보존하고 가꾸는 데는 실패했다. 〈그림 6-2〉의 노조 조직률과 〈그림 6-4〉의 노동시장 불평등 추이는 공히 1997년 외환위기를 기점으로 1987년 이전의 수준을 회복하는 데 오랜 시간이 소요되지 않았다는 것을 보여준다. 이러한 반전은 1997년의 경제위기로만은 온전히 설명되지 않는다. 특히 노조 조직률이 1989년을 정점으로 하락하기 시작해 외환위기가 발발했을 때 이미 1987년 이전 수준인 12%대(여성 5%대)에 근접했다는 점을 보면 더더욱 그렇다. 노조운동 고양기의 조직률 하락이라는 납득하기 어려운 조합은 외환위기 이후 노동시장 재편에

도 상당한 영향을 미쳤다고 할 수 있다. 노조 조직화 및 노동조합운동의 세력 확대가 1990년대 초 이래 지속적으로 실패한 데는 여러 계급 운동적 수사와 민주 노동운동의 이념을 지닌 리더십의 등장에도 불구하고 1987년 실제 노동운동이 임금 인상 중심의 노동운동이자 공장의 울타리를 넘지 못한 분권적 노동조건 개선 위주의 노동운동이었다는 사실과 민주화의 역설, 즉 리더십을 둘러싼 분파적 경쟁 등으로 수렴된 자체의 한계가 크게 작용했다(김동춘, 1995). 앞에서 제시한 〈그림 6-1〉의 오른쪽 그림이 보여주듯, 1980년대 후반 활성화된 노동조합운동은 남성 중심적으로 진행되었으며, 조직력의 하락을 경험했던 여성 노동력을 적극적으로 포용하지 못한 것도 이 시기 노동조합의 주요 한계로 지적할 수 있다. 87년 체제의 노동조합은 강력했으나 사회운동적 비전과 정책을 제시함으로써 노동자 전반을 포괄하는 연대의 노동조합운동으로 진화하는 데 성공하지 못하고 퇴조의 길을 걸었다고 할 수 있다.

또 권위주의적 · 비인간적 작업장에서 자라난 전투적 노조운동은 작업장 수준에서 노사 간 협조를 강조하는 새로운 기업 문화를 구축하고 기업 내외에 낯선 분절 구조를 시도한 사용자의 도전에 직면해 성장의 동력을 제대로 이어가지 못했다. 87년 체제의 새로운 노사 관계 환경 속에서 사용자들의 달라진 대응은 이미 1990년대 초반부터 모습을 드러내기 시작했다. 노동운동의 임금 인상 및 작업장 민주화 압력을 분산, 약화하려는 사용자의 노력은 직접적인 반노조주의 정책으로도 나타났지만, 새로운 경영 운동과 유연화를 중심으로 추진되기 시작했다. 기업들이 국제적으로 확산된 일본적 린 생산방식과 신인사 제도를 도입하는 데 적극성을 띄기 시작한 것도 이때부터다(이호창, 1995; 원인성, 1995; 정고미라 외, 2000; 조순경 · 이용숙, 1990). 더불어 대기업 노동조합 부문을 중심으로 내부 노동시장의 적용을 받을 정규 생산직 노동자의 신규 채용을 억제하는 한편, 기간제 및 전속형 아웃소싱을 통한 이른바 비정규 노동력의 비중을 증가시키면서 기업 내 노동시장을 새로운 방식으로 분할하기 시작했다. 기업들은 집합주의 약화-개인주의 강화를 위한 능력주의적 인사 제도 등 조직 내 경쟁 요소를 점차 강화하고, 노사 간 협조주의를 강조하는 기업 문화 고취 등 새로운 경영 운동을 전개했다 (신병현, 1995; 이병남 · 박준식, 1994; 박준식, 1996).

3) 위기 후 노동 체제: 노동조합의 고립과 불안정 노동력의 증가, 불평등의 급격한 확대

노사가 팽팽한 경쟁과 긴장 관계를 유지하던 1990년대 중반까지, 비노조 부문 등 노조가 취약한 사업장들을 중심으로 서서히 확대되어 가던 유연화, 개별화, 능력주의화 등 변화의 조짐은 1997년 외환위기를 계기로 노사 간 균형이 완전히 깨지면서 전면화된다. 1997년 이후 현재까지 지속되고 있는 이른 바 위기 후 체제(post-crisis labor regime)[2]는 노동 및 산업 제도와 정책에 대한 탈규제, 집단적 노사 관계의 전반적 약화, 노동시장 유연화 및 개별화, 불평등의 심화로 요약된다. 노동시장 구조 개혁은 위기 후 구조조정의 신호탄이었다. 국제통화기금(IMF)이 우선 조건으로 요구한 노동시장 유연화 조치가 광범하게 시행되었다. 1998년 2월 진통 끝에 도달한 노사정 위원회의 사회적 협약의 결과, 정리 해고가 제반 절차 규정과 함께 합법화된 한편, 그 전까지 소극적으로 시도되던 비정규직 활용의 고삐가 풀리면서 기업들은 가능한 내부 노동시장의 무게를 최대한 더는 방식으로 고용조정을 시행했다. 2007년 비정규직 보호에 관한 법률이 시행되기 전까지 한국 노동

---

2 어떤 이는 이에 대해 신자유 체제라 일컫기도 하지만, 신자유주의라는 개념 사용에 대해서는 한층 더 엄밀한 논의가 필요하며, 이것은 이 장의 주요 논점을 뛰어넘는 것이므로 여기서 다루지는 않겠다.

〈그림 6-5〉 정규직 대비 비정규직 임금 비율 추이 및 2014년 사회보험 가입 현황(%)

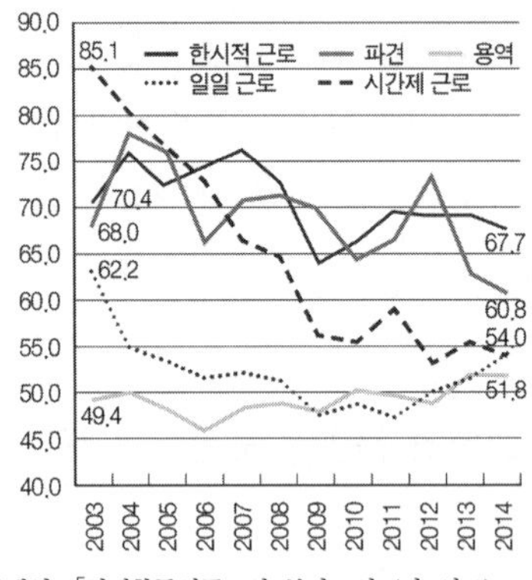

2010년	정규직	비정규직 전체	시간제 근로
국민연금	82.1	38.4	14.6
고용보험	73.5	43.4	19.5
건강보험	84.1	44.7	17.8
시간외수당	58.8	24.3	9.0
유급휴가	50.2	73.7	8.2
퇴직금	82.0	39.5	13.1
상여금	83.5	39.7	16.5
직업훈련	57.0	43.1	32.4

자료: 통계청, 「경제활동인구조사 부가조사」(각 연도)

시장에서 각종 비정규직의 비율이 비교적 보수적으로 추정된 정부의 공식 통계로도 35%에 육박한 것이 단적인 예다. 2007년을 기점으로 비정규직 증가 추세는 다소 꺾였으나, 여성의 경우 2014년 현재 비정규직의 비중이 여전히 40%(남성은 27%)에 달한다. 특히 시간제 근로가 전체 여성 노동력의 17.7%로(남성 5.5%) 그 비중이 크게 높아졌다.

〈그림 6-5〉의 왼쪽 그래프는 여러 형태의 비정규 고용에 연루된 노동자들의 정규직 대비 시간당 임금 비율의 추이를, 오른쪽은 2014년 현재 고용 형태별 각종 사회보험 및 기업 정책의 가입률(혹은 수혜율)을 나타낸다. 대부분의 비정규직이 정규직에 비해 크게 낮은 임금을 받고 있으며, 정규-비정규 간 격차는 시간이 흐를수록 커지고 있다는 점을 지적할 수 있다. 최근에는 빠른 속도로 증가해 2014년 현재 여성 노동력의 17%를 설명하는 시간제 노동력의 저임금화가 특히 눈에 띈다. 그뿐 아니라 사회보험의 가입률을 보면 이들 노동자들은 광범한 사회보험의 사각지대를 형성함으로써 사회적 위험에 빠질 위험 역시 매우 높은 것으로 나타났다.

한편, 87년 체제의 중요한 특징 중 하나로 꼽았던 내부 노동시장의 팽창이 이 시기 역전되어 내부 노동시장의 하락이라고 할 만한 징후들이 나타나기 시작했다. 우선 평생 혹은 장기 고용의 약속이 무너지고(김영미 · 한준, 2008; 정이환, 2002a, 2013a, 2013b) 수많은 40~50대 조기 퇴직자가 배출되었으며, 한국은 OECD 국가 중 장기근속자의 비중이 가장 낮은, 즉 직장 안정도가 매우 낮은 나라가 되었다. 2014년 현재 5~10년 근속자가 14.5%, 10년 이상 근속자가 20% 정도로 5년 이상의 장기근속자는 전체의 35%가 채 되지 않는다. 여성의 장기근속 비율은 이보다 낮아 10년 이상 근속자 비중은 13.8%에 불과하다(OECD 온라인 자료). 내부 노동시장을 구성하던 주요소인 연공급적 요소를 억제하고 능력급의 비중을 높임으로써 경쟁적 고용 관계를 강화하려는 기업의 임금정책이 일반화되고 있다(김동배 · 김정한, 2011).

노사 관계와 노동시장에서 일어난 직접적인 변화뿐 아니라 위기 후 살아남은 기업을 중심으로 한 기업 구조 및 거버넌스의 변화, 즉 기업 구조조정도 노동 체제에 심대한 영향을 끼치고 있다. 기업의 핵심 역량을 제외하고 모두 분리해 느슨한 생산 네트워크로 관리하라는 이른바 기업 구조조정 전략은 각종 사내외 하청 구조를 확대시켰다. 이에 따라 삼자적(triadic) 관계는 기존의 사용자-노동자(조합)를 중심으로 하는 고용 관계의 이분법을 점차 희석시키면서 사용자성과 사용자-근로자 관계를 정의하는 데 한층 복잡성을 더하고 있다.

서구의 비교적 수평적인 기업 간 네트워크와는 달리 한국에서는 기존의 기업 관계에 녹아 있던 전근대적 위계가 독점적 대기업을 중심으로 한 기업 간 수직적 생산 네트워크에 결합되면서 원청기업과 다층의 하청기업들 간에 폐쇄된 위계 서열 구조가 형성되고 그에 따라 원청과 하청 간에 강력한 노동시장 분단 구조가 생겨났다. 한국의 주요 산업인 자동차 산업의 예를 들어 보면, 완성차와 자동차 부품 산업의 고용 격차 및 1인당 인건비 격차가 2000년대 초반 이래 계속 심화되고 있다. 1998년 완성차 업체는 8만

6014명을, 자동차 부품 제조업 사업체들은 총 9만 5883명을 고용해 양자 간의 고용 격차는 1만 명 정도에 지나지 않았지만, 10여 년이 경과되는 동안 완성차 업체는 오히려 고용이 줄어들어 8만 158명, 부품 제조업 사업체들은 20만 2699명을 고용해(2011년) 양자 간 12만 명 이상의 고용 격차를 보여주고 있다(광업제조업 통계조사보고서). 전반적인 산업 규모가 성장했음에도 선도 기업의 고용이 축소된 배경에는 공격적인 아웃소싱과 수직적 생산 네트워크 구축이 있다. 생산 네트워크 내의 중소기업을 육성해 이들의 기술력이나 생산력이 제고되고 있다면 반길 일이지만, 현실은 이와 달리 원-하청 간 일자리 질의 격차가 오히려 확대되는 것으로 나타난다. 안주엽[3]에 따르면 일차 하청 노동자의 월평균 총임금이 원청 노동자의 52%에 지나지 않으며 네트워크 위계의 아래로 갈수록 그 격차가 벌어진다(안주엽, 2015). 고용보험 피보험자 자료를 이용한 한 분석을 보면(이시균, 2015), 2011년 피보험자 중 3년 이내에 원청으로 이동한 경우는 1%를 넘지 않는 것으로 나타나 원-하청 노동시장 간 분절이 매우 공고한 것으로 나타난다. 서비스업의 파견과 사내외 용역·도급 역시 크게 증가하고 있으며, 대개 비용 축소가 최우선 고려사항이다(권현지 외, 2015).

위계적 원-하청 구조와 중첩된 기업 규모 간 상용직의 임금격차를 보여주고 있는 〈그림 6-6〉을 보면, 1987년을 경과하면서 이미 시작된 임금의 기업 간 격차가[이전에는 500인 이상(조사 범주가 변경된 2008년 이후 300인 이상) 대기업의 임금을 100%로 볼 때 대개 90% 수준에 몰려 있었다] 1997년 경제위기 이후 크게 확대되고 있는 것을 볼 수 있다. 2013년 시점에서 10~29인은 300

3 이 문제의 중요성에도 원-하청의 노동 함의에 대한 분석은 그간 제대로 축적되지 못했다. 자료의 미비 때문이다. 안주엽(2015)은 최근 기업 DB를 활용한 생산 네트워크 데이터를 구축하고 이를 근로 실태 조사 자료와 결합해 생산 네트워크 내 위치에 따른 근로조건에 대한 기초 분석 결과를 보고했다.

인 이상 임금의 60%, 30~99인은 67%, 100~299인은 73%에 지나지 않는다.

한편, 노사 관계의 주요 행위자인 노동조합은 1997년 대량 해고와 구조조정 등을 거치며 파편화된 노동운동에 대한 문제의 심각성을 자각하고 산별 노조화를 추진했으나 기업 노조주의의 관성과 분권화된 교섭을 선호하는 사용자들의 비협조로 크게 성공하지 못했다(Lee, 2011; Kwon and Lim, 2014; 조성재, 2006). 오히려 경제의 불안정성이 심화되고 그에 따라 고용 불안이 상시화되면서, 조합원 이해 중심의 제한된 노조운동을 벗어나지 못하고 점차 일하는 다수의 대중과 이반되는 과정을 겪고 있다. 앞에서 제시한 〈그림 6-2〉가 보여주듯 2009년 노조 조직률은 10% 이하로까지 내려갔으며, 비정규[4], 여성 등 다양한 노동시장 취약계층을 포괄하지 못하고 있다. 그 결과 2013년 현재 한국은 OECD 국가 중 임금 불평등이 가장 높은 나라중 하나로 기록되고 있으며, 중위 임금의 3분의 2에 미치지 못하는 저임금노동자의 비중은 24%로 미국과 거의 같은 수준을 기록하고 있다. 최근 통계에 따르면 현재 노동시장에서 가장 현저하게 증가하고 있는 부문은 저임금 서비스 직종이다. 구조조정의 일상화, 정년을 채우지 못하고 퇴직하는 가장들의 행렬로 적어도 저소득 계층에서 1인 남성 생계 부양자 모델은 사라지고 있다(장지연 · 전병유, 2014). 저소득계층 여성의 70% 이상이 이미 노동시장에 참여하고 있으며 이들은 최근 돌봄 노동, 음식 및 청소서비스 등 저숙련 저임금 부문에서 그 비중을 크게 늘려가고 있다. 이들의 고용 형태는 대개 한시 노동, 시간제, 파견, 도급 등의 비전형성을 특징으로 하며, 최저임금 수준의 급여가 지급되고 있다.

이제까지 산업화 이후 거쳐 온 세 단계 노동 레짐의 특성과 흐름을 공식

4 비정규직의 조직률은 2004~2007년간 5% 선을 유지하기도 했으나, 2007년 법 제도 변화 이후 2~3%대로 떨어진 상태로 유지되고 있다(통계청, 「경제활동인구조사 부가조사」 각 연도).

〈그림 6-6〉 사업체 규모별 근로자의 상대임금 추이

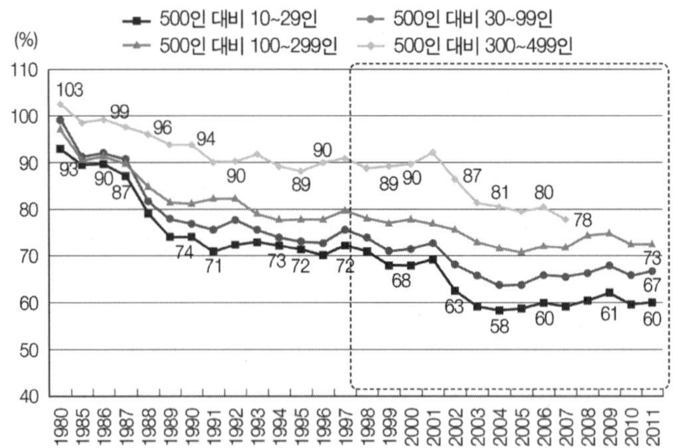

주: 500인 이상(2008년 이후 300인) 사업체의 평균임금을 100으로 했을 때 각 규모별 %를 기록한 것
자료: 통계청, 「경제활동인구조사 부가조사」(각 연도)

노동시장 통계에 의존해 살펴보았다. 또 우리는 87년 체제, 즉 1987년에서 1996년까지의 10년간이 그 자체로 매우 독특한 경험이었을 뿐 아니라 이후 노동 체제의 성격을 결정짓는 매우 중요한 분기점이었음을 논했다. 그 10년 동안 확대된 조직력과 조직노동의 자신감, 그리고 민주적 작업장에 대한 열망에는 기존의 권위주의적 억압과 불평등을 극복하고 한층 더 평등하고 참여적인 작업장과 노동시장을 구축할 잠재력이 충분했다. 그러나 불행히도 87년 체제로 규정되는 10년은 여러모로 모순과 역설의 시기였다. 조직화와 집단행동의 폭발적 성장, 그리고 피부로 느껴지는 노동조합 조직력의 성장이 있었음에도 조직률은 해당 10년 동안 계속 내리막을 걸어 다시 1987년 이전의 자리로 돌아왔다. 각종 노동시장 불평등 지수가 획기적으로 개선되었음에도, 새로운 불평등의 맹아가 자라나기 시작했다. 노조 운동은 단체교섭과 각종 제도의 도입·개선을 통해 전반적인 임금 상승과 노동자 간 격차 축소에 성공했지만, 불평등과 배제를 정당화했던 기존의 조직 기제를 제

거하는데 적극적이지 못했다. 기업 규모 간 격차가 확대되기 시작하고 성별 조직화 정도의 현격한 차이가 수습되지 못했으며, 조직 내에 비정규 형태의 유연 노동력이 특별한 이유 없이 정규직과 근로조건 상의 차이를 보이며 자리 잡게 된 데에는 노동조합운동의 한계도 작용했다. 즉, 기업의 새로운 분절 전략을 인식하지 못했거나 외면하고 각자의 조직 경계에 갇힌 채 운동을 전개함으로써, 노조운동 의제를 사회화하거나 노동시장의 취약계층을 노동조합의 보호 안으로 끌어들임으로써 불러올 수 있는 조직 확대의 실마리를 놓쳤기 때문이다. 현상적으로 사라진(혹은 곧 사라질) 것처럼 보였던 불평등의 사회적 범주, 젠더와 위계는 새로운 조직 경계와 결합해 노동시장의 분절을 가속화했다. 1997년 위기 이후 대폭 확대된 다양한 비정규직이 마치 정규직의 하위 신분 범주와 같이 취급되며 불평등의 대상이 된 것에서도 알 수 있듯이, 87년 체제에서 노동조합이 제대로 다루지 못한 노동시장 불평등의 원천은 위기 이후 체제에서 한층 더 강력한 형태로 돌아와 노동시장의 불평등을 빠르게 확대시켰다. 넓어진 장에서 조직 확대의 기회를 잃은 노동조합은 고립되었으며, 이에 따라 노동자들은 노동조합에 대한 지지와 신뢰를 급격히 철회하고, 집단적 대응이 아닌 개인적 대응을 통해 훨씬 위험해진 경제적 상황에서 생존 전략을 찾아야 했다. 다음 절에서는 이러한 노동체제 변화와 결부된 일자리의 질을 노동자의 직업 만족도를 통해 살펴본다.

3. 각 시기 사회조사 자료를 통해 본 노동자들의 일자리 질에 대한 만족도 비교

서로 다른 노동 레짐은 개인들 혹은 노동시장 내의 집단이 경험하는 일자리의 질을 상당한 정도로 결정하며, 구체적인 일자리의 질은 다시 개인 노동자들의 태도와 행위에 영향을 미친다(Kalleberg, 2000). 일자리의 질은 노동 혹은 노동시장의 사회학이 끊임없이 연구를 축적해온 주제이다. 일자리의 질을 결정하는 가장 중요한 요소 중 하나는 일에 대가가 적정한가와 관련될 텐데, 주요 요소들로는 ① 경제적 보상, ② 일자리의 안정성, ③ 작업장 환경의 양호도(작업량, 노동시간, 안전성 등), ④ 더 나은 일자리로의 승진 가능성, ⑤ 작업장에서 일을 수행하면서 행사할 수 있는 자율성의 정도, ⑥ 일을 통해 자신의 숙련이나 역량을 발휘할 수 있는 여지, ⑦ 일 자체의 내재적인(intrinsic) 가치 등(Gallie, 2007; Kalleberg, 1977; Kalleberg et al., 2015; 방하남 · 김상욱, 2009)을 꼽을 수 있을 것이다. 여기에 직장의 특성(공정성에 기반을 둔 기회 보장 등)이나 직장 내 인간관계 등 역시 일자리의 질이나 일자리에 대한 주관적 만족도에 영향을 미칠 수 있는 요소들이다.

보통 일의 질은 객관적 요소로 측정되는데, 1978년 사회발전연구소가 조사한 자료는 노동자의 주관적 평가에 대한 질문들에 치중해 있다. 따라서 일자리의 질을 객관적으로 측정할 수는 없기 때문에 일(자리)의 질과 일에 대한 주관적 만족도 사이의 긍정적 관계를 보고한 기존 연구들의 결과를 반영해(Kalleberg et al., 2015) 일에 대한 주관적 만족도를 통해 일자리 질의 변화를 추측해볼 수 있을 따름이다. 비교를 위해 공히 만족도 자료를 사용했다. 한국에서와 같이 노동자들이 일터에서 보내는 시간이 길고[5], 개인의 성취감이나 평가가 일에 강하게 결박되어 있는 경우(배규식, 2012) 일자리의 질, 나아가 일에 대한 만족도가 개인의 안녕(well-being)을 좌우할 가능성이 매우 크다. 이 절에서는 앞에서 분류한 세 시기에 노동자들이 자신의 일자리에 대해 어떤 평가를 내리고 있는지를 상호 비교함으로써 거시 노동 체제

5 한국의 장시간 근로는 최근까지도 이어지고 있다. 현재 연 2000시간 이상 일하는 한국의 노동자들은 OECD 국가들 가운데 멕시코에 이어 긴 시간을 일하고 있다. OECD, *Employment Outlook*(2014).

의 특성이 일을 매개로 개인의 복지를 어떻게 좌우해왔는지 분석한다. 또 각 시기 일에 대한 평가가 서로 다른 노동자 집단(예컨대, 성이나 직업집단 등) 사이에 여하히 상이하게 나타나는지를 살펴본다. 이 분석을 위해 1978년 실시된 『노동자와 관리자의 직업의식과 노사 정책에 관한 조사 연구』, 1989년의 『노동문제 및 노사 관계에 대한 근로자 의식조사 연구』, 2007년의 『외환위기 10년 국민 의식조사』 등 사회발전 연구소의 세 가지 조사 자료를 사용했음을 밝힌다.

1) 직장 안정성

직장 안정성을 측정할 수 있는 가장 대표적인 지표는 근속 연수이다. 우선 1970년대 후반 노동자 집단별 근속 연수를 살펴보자. 다음 〈그림 6-7〉이 제시하는 바와 같이 생산직을 당시 칭하던 대로 직공과 기능공/숙련/기술직으로 구분했고, 비생산직의 경우 편의상 표본 수가 너무 작은 서비스직을 사무직과 하나로 묶고(사무/서비스) 마찬가지의 이유로 전문직 및 고위관리직을 중간관리자와 하나의 범주로 묶어 비교했다(중간관리직 이상). 이들을 성, 학력 수준, 노조 유무별로 교차시켜 샘플 수가 다섯 개 이하로 너무 작은 경우는 만족도 결과를 표에 포함시키지 않았다. 그 결과 직종별로는 당연하게도 중간관리자 이상(8.0년)과 숙련기능공(5.8년)의 근속이 긴 편으로 나타났고 직공의 근속이 가장 짧은 것으로 나타났다(4.7년). 앞에서 논의한 바와 같이 관리직으로 진출할 수 있는 사무직과 일부 기술/직능공에게 내부 노동시장이 구축되어 있었을 가능성을 제시한다. 한편 성별 근속 연수 격차가 현저했다. 여성 3.1년, 남성 6.3년으로 남성이 두 배 이상 긴 것으로 나타났다. 같은 사무직이나 숙련공이라도 여성의 근속이 남성에 비해 현저히 짧았다.

〈그림 6-7〉 1978년 노동자 집단별 근속 연수와 일자리 안정성에 대한 만족도

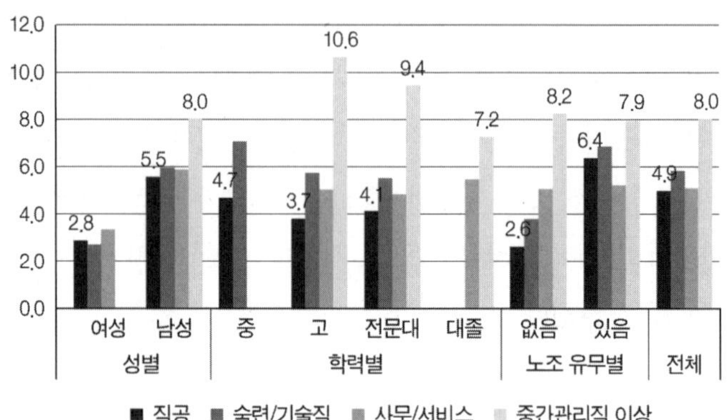

	여성	남성	무노조	노조	전체
직공	3.26	2.70	3.02	2.72	2.85
숙련기능공	-	3.11	3.16	3.04	3.09
사무 서비스	3.65	3.46	3.37	3.77	3.52
중간관리자 이상	-	3.50	3.46	3.53	3.50

일자리 안정성에 대한 노동자들의 만족도(전반적으로 5점 만점에 3.15점)는 전반적으로 보통(3점) 이상이지만, 남성 미숙련 직공은 대체로 낮은 만족도를 나타냈다. 위에 제시한 근속 연수 그림을 보면, 노조 부문 남성 직공의 근속 연수는 그나마 긴 편이지만(6.4년), 앞서 언급했듯 직공의 근속 연수는 다른 어느 직업군에 비해서도 짧다. 특히 무노조 부문 직공의 근속 연수는 2.6년으로 매우 짧다. 미-반숙련 직공들의 낮은 직장 만족도는 이들이 처한 객관적인 직장 불안정을 반영하는 결과라고 해석할 수 있다. 반면 사무직 및 중간관리직의 직장 안정성에 대한 태도는 생산직에 비해 한층 긍정적인 것으로 나타났다. 앞의 2절에서 토론했듯이 내부 노동시장이 배타적으로 제공되어 평생직장의 개념이 이미 정립되어 있었기 때문인 것으로 유추할 수 있다. 한편 객관적인 성별 근속 연수 격차에도, 여성의 경우는 일자리 안

〈그림 6-8〉 87년 체제하 노동자 집단별 근속 연수와 직장 안정성에 대한 만족도

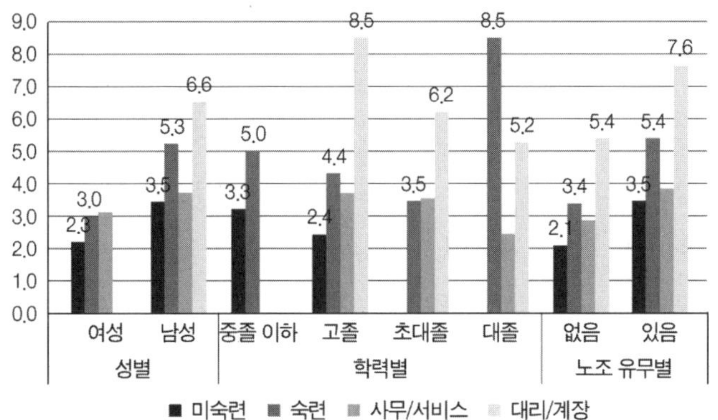

		미숙련	숙련	사무/서비스	대리/계장	전체
성별	여성	3.2	3.2	3.4	-	3.3
	남성	2.9	3.2	3.5	3.5	3.3
노조 유무	없다	3.1	3.1	3.3	3.2	3.2
	있다	3.1	3.3	3.6	3.8	3.4
전체		3.1	3.2	3.5	3.5	3.3

정성에 대해 대체로 높은 만족도를 보였는데, 이는 당시 결혼과 함께 퇴직하는 관행을 자연스럽게 수용한 데 따른 것이 아닌가 한다. 즉, 이 시기 직장 만족도는 직군별로 차별적으로 형성된 직장 안정성의 정도를 반영하는 것으로, 노조나 내부 노동시장의 보호를 어느 정도 받는 일부 직군의 경우 보통 이상의 만족감을 드러냈다. 반면 이 보호 울타리 밖에 있는 노동자들, 특히 다수 미숙련 노동자들의 경우 만족의 정도가 보통 이하로 드러났다.

87년 체제에서 노동자들의 직장 안정성에 대한 만족도는 1978년도에 비해 전반적으로 높아졌다.[6] 무노조 미숙련 남성 생산직의 경우 상대적으로

6 측정치의 변화가 고려되어야 한다. 1989년에는 5점 척도가 아닌 4점 척도로 질문했기 때문이

불만을 내보인 편인데, 이들의 경우 전 시기와 마찬가지로 집단적 특성을 막론하고 여타 직업집단에 비해 근속 연수가 낮은 것과 관련이 있는 것으로 보인다. 그런데 불만의 정도는 이전 시기에 비해 다소 완화된 것으로 보인다. 다시 말하면 짧은 근속 연수가 직장 안정성에 대한 높은 불만으로 직결되지는 않았다. 전반적으로 노동자의 권리가 신장되었다는 자신감 때문인지, 소극적이지만 크게 비관하지는 않는 태도를 엿볼 수 있다. 직장 안정도는 여성들의 경우에도 마찬가지다. 집단을 막론하고 근속이 낮은 편이며, 1978년에 비해 크게 개선되지도 않아 기업의 대 여성 고용 관행에 아직은 특별한 변화가 없다는 것을 보여준다. 이러한 객관적인 상황이 태도에 반영되지는 않고 있다. 이는 1978년 조사와 일관된다. 1978년 이후 조사 시점까지 여성 노동자들의 성 역할 수용에 있어 특별히 의미 있는 변화가 만들어졌다고 보기 어렵다.

한편, 위기 후 10년째인 2007년 조사에서는 응답자들에게 최근 직업 활동의 시작과 끝을 묻고 있어서 그 답변이 근속을 의미하는지는 확실하지 않다. 예컨대 비정규직 판매직의 3년 근속은 공식 통계에 비해 긴 것으로 이 표가 그대로 근속, 즉 직장 안정도의 현실을 반영한다고 보기는 어렵다. 하지만 그럼에도 집단 간 차이의 대체적 패턴에 대해서는 아이디어를 얻을 수 있다. 여성의 경우는 여전히 남성에 비해 대체로 짧은 근속 연수를 보이고 있고, 특히 비정규직의 사무, 판매, 서비스직의 경우[7] 정규직의 해당 직종에 비해 짧은 근속 연수를 보고하고 있다.

다. 1978년과의 비교를 위해 매우 만족 5점, 만족 4점, 불만 2점, 매우 불만 1점 등으로 코드를 수정해 사용했다.

7 최근 20여 년 동안 서비스 경제화가 크게 진전됨에 따라 예전 생산직적 지위를 점하는 판매직과 서비스 고용이 늘었고, 이 분석은 그러한 변화를 반영해 이전 시기와는 다른 직종 분류를 사용했다.

〈그림 6-9〉 위기 10년 후 노동자 집단별 근속 연수와 직장 안정성에 대한 만족도

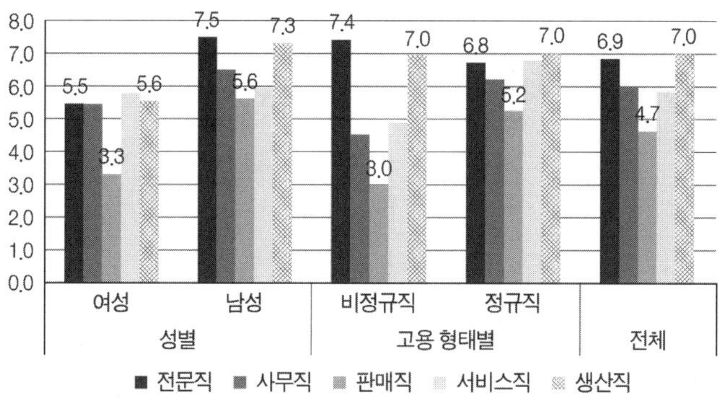

		전문직	사무직	판매직	서비스직	생산직	전체
성별	여자	3.3	3.1	2.8	2.8	3.1	3.0
	남자	2.8	3.2	2.9	2.8	2.6	2.9
고용 형태별	비정규직	2.7	2.7	2.7	2.6	2.3	2.6
	정규직	3.0	3.2	2.9	2.9	3.2	3.1
전체		3.0	3.2	2.8	2.8	2.7	2.9

한편, 87년 체제에서 다소 개선되었던 직업안정에 대한 태도는 다시 부정적인 방향으로 변하기 시작했다. 여성은 남성에 비해 여전히 다소 높은 만족도를 보여주지만, 10년 전 혹은 20년에 비해서는 현실을 다소 반영하는 방향, 즉 낮은 직장 안정도에 대한 불만을 표출하는 방향으로 돌아섰다. 종래의 사무직이나 생산직에 비해 취약 노동자가 몰려 있는 판매직 서비스직의 경우 직업안정에 낮은 만족도를 표하고 있다. 남성의 경우 대체적으로 만족도가 낮은 가운데, 생산직 만족도가 가장 떨어진다. 당연히 정규직에 비해 비정규직의 만족도가 낮았다. 서비스업과 생산직 비정규직은 특히 낮은 만족도를 보고하고 있다. 이는 예전 상태와의 상대적 비교, 혹은 대규모 구조조정을 겪고 난 후의 반응, 전반적인 불안감의 표출일 수 있다. 응답자의 22%가 본인이나 가족의 실업을 겪었고, 46%가 소득의 직접적인 감소를

겪고 난 이후임을 감안한다면 당연한 변화라고도 할 수 있다.[8]

2) 임금 보상에 대한 만족도의 변화

다음에서 제시한 일련의 그림들은 임금 보상에 대한 각 시기 노동자들의 만족도를 나타낸 것이다. 세 시기에 공통적으로 드러나는 것은 임금노동자들의 임금수준에 대한 만족도가 극도로, 그리고 일관되게 낮다는 것이다. 권위주의 체제에서는 모든 집단이 부정적인 응답을 하는 가운데, 여성들의 소득에 대한 만족도가 상대적으로 높다. 일자리에 대한 해석과 같이 성 역할과 성별 분업의 정당성을 내면화한 데 따른 결과라고 할 수 있다. 특기할 것은 중간관리직의 임금 불만이 여타 그룹이나 혹은 그들 자신의 일자리 안정도에 대한 만족보다 크게 낮다는 것이다. 전반적인 저임금 기조 속에서 자신의 헌신이 임금으로 제대로 보상되지 않고 있다는 의식을 보여준다. 1989년 조사는 일자리 만족도에 대한 직접적인 질문을 포함하고 있지 않아 자신이 노력한 것에 대한 경제적 대가가 충분한지를 묻는 질문으로 대체했다. 결과는 거의 모든 그룹에서(응답자의 상위 4분의 1에 해당하는 상대적 고소득자를 제외한) 비슷한 수준으로 임금 보상에 대한 불만이 측정되었다. 이 조사가 1987년에서 2년이 지난 후인, 그러나 여전히 거대한 쟁의의 와중에 수행된 것임을 고려한다면, 저임금, 즉 경제적 보상에 대한 불만이 채 충족되지 않은 상황임을 유추할 수 있다. 이 해의 조사에는 여성의 임금 만족 수준은 남성과 비교해 결코 높지 않은 상태로 다소 간의 의식 변화가 감지된다. 2007년의 그래프는 다시 1978년의 그래프와 비슷한 방식으로 해석할 수 있다. 측정 도구가 유사하기 때문이다. 임금수준이 낮은 서비스직과 생

---

8 안타깝게도, 이전 시기와 학력, 노조 유무별 만족도의 상호 비교는 어려웠다.

〈그림 6-10〉 직종별 직무 만족도: 성별, 교육 수준별, 노조 유무별

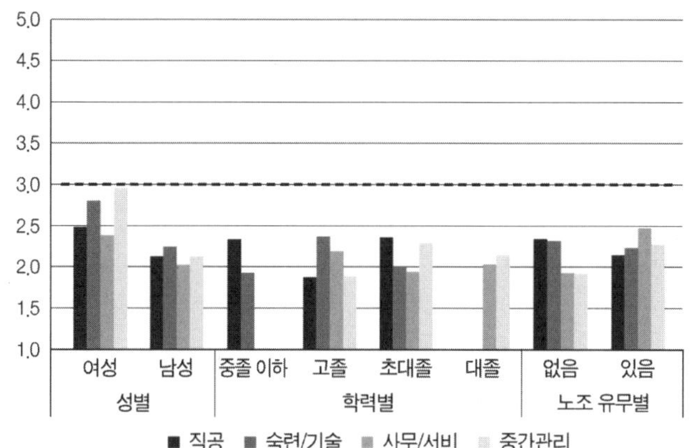

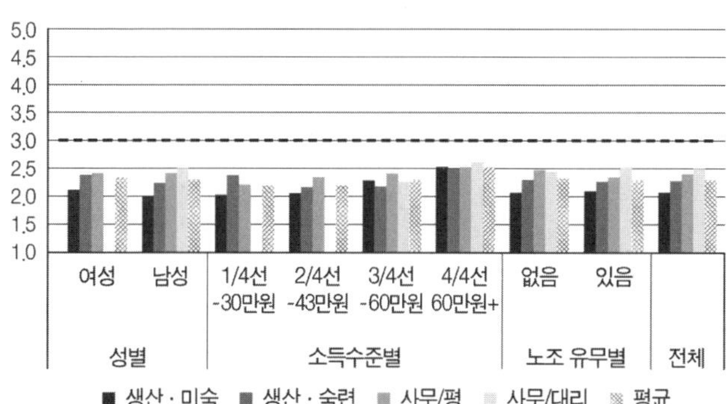

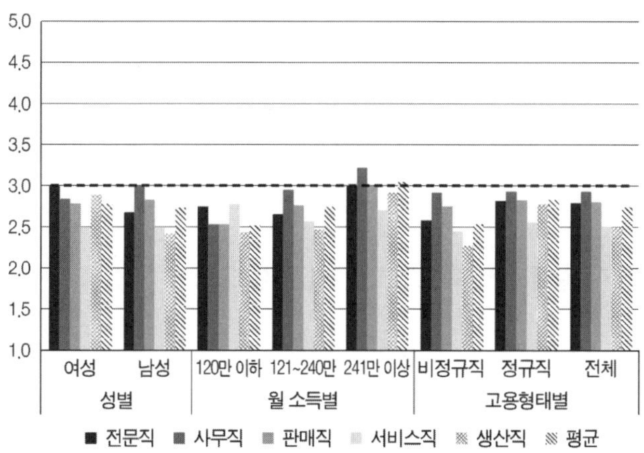

산직의 임금 만족도가 일관되게 모든 그룹에서 낮은 것으로 나타나는데, 이를 차치하고라도 그저 그런 수준인 3점을 올라서는 경우는 거의 없을 정도로 모든 집단에서 임금에 대한 만족도가 낮다.

이러한 결과는 지난 반세기의 산업화를 거치는 과정에서 한국의 거의 모든 노동자들이 한 번도 임금에 만족감을 느끼며 살아오지 않았다는 것을 암시한다. 일반적으로 임금은 직무 만족과 관련된 다른 어떤 요소에 비해서도 만족을 느끼기가 쉽지 않은 것이 사실이다. 그러나 이를 감안하더라도 위의 일관되게 부정적인 결과는 한국의 노동자들이 느껴온 박탈감을 반영한다. 또 이는 왜 87년 체제의 노동조합이 조합원의 임금 인상에 집중할 수밖에 없었는지를 설명하는 데 실마리를 주기도 한다. 2000년대 노동자들의 임금에 대한 불만도는 1970~1980년대에 비해 대체로 다소 완화된 것이다. 그럼에도 전반적으로 낮은 수준의 만족도는 외환위기를 거쳐 상당수 소득 축소를 경험한 노동자들이 여전히 임금에 대한 해소되지 않은 불만을 지닌 채 일하고 있다는 것을 알 수 있게 한다. 또 직장의 안정성에 대한 불안이 여기에 가세하면서 현직에서의 소득 확보가 더욱 중요해짐에 따라 임금에 대한 상대적 불만이 높아졌을 개연성도 있다. 그뿐 아니라 이 시기에 와서는 1980년대에 비해 집단 간의 만족도 차이가 조금 더 두드러진다. 특히 앞에서 논의했듯이 저임금 부분이 늘어나면서, 이들 저임금 부문에서 일하고 있거나 혹은 취약한 고용 관계하에서 일하는 비정규직들의 상대적인 임금 불만이 큰 것으로 나타난다.

3) 그 밖의 일자리 만족도의 패턴과 결정 요소

한편 일의 내용, 즉 일 자체가 주는 흥미 등에 대한 만족도는 세 시기의 응답 패턴이 대략 비슷하게 나타난다.[9] 약간의 집단별 차이는 있지만, 대체로 30~40%에 해당하는 응답자들이 일 자체가 주는 흥미나 보람에 대해 긍정적인 반응을 보였다. 다만 2007년의 경우 비정규직들은 이러한 패턴을 거스를 정도는 아니지만 일의 내용에 대해 만족한다는 응답이 25% 정도여서 대체로 만족한다는 정규직이 38% 정도에 이르는 것과는 상당한 대조를 보여주고 있다.

기타 일자리의 질을 결정하는 요소들 가운데, 상향 이동의 가능성에 대해서는 어느 시대에나 부정적인 인식이 강하다. 내부 노동시장이 특정 집단에 제한적으로만 형성되었던 1970년대는 전반적으로 상향 이동의 가능성에 대해 부정적인 태도가 두드러진다. 내부 노동시장이 임금의 연공성에 따른 인상이나 직장 안정성은 어느 정도 보장하지만, 제한된 승진 기회는 경쟁적 속성을 띠었던 것에 따른 것으로 해석할 수 있다. 또 대체로 처한 객관적인 상태와는 무관하게 높은 직무 만족을 보이던 여성들의 반응에 예외성이 드러나는 것도 이 부분이다. 젠더 차별에 의한 승진 가능성의 봉쇄가 원인을 제공했으리라 생각되는 사무 서비스 여성들의 낮은 만족도가 특히 눈에 띈다. 위에서 주요하게 살펴보았던 권위주의 시기 일자리 안정성이나 보상에 대한 만족도가 매우 낮았던 것과 일관되게 1987년 체제에서도 대부분의 노동자들이 승진에 대해 부정적인 성향을 드러내고 있어, 조직의 임금 외적 보상에 대한 개인들의 태도는 여전히 냉소적인 상태였음을 알 수 있다. 이 점은 1978년 자료를 분석한 김경동(1979)이나 정이환(2002b)이 당시 전반적으로 낮은 한국 노동자들의 직무 만족도를 기술했던 것과 궤를 같이한다. 특히 이 시기 상향 이동 가능성에 대해 생산직이 현저하게 낮은 만족도를 드러내는데, 이는 전 시기 화이트칼라 내부 노동시장 진입이 봉쇄되었던 점에 대한 박탈감과 더불어, 생산직 내부 노동시장의 진전에도 이러한

9 1989년 자료에는 이를 측정할 수 있는 문항이 포함되지 않았다.

〈표 6-2〉 기타 일자리의 질에 대한 만족

1. 권위주의 체제(5점 만점)		직공			숙련직/기능공			사무 서비스		
		여성	남성	전체	노조 없음	노조 있음	전체	여성	남성	전체
상향 이동 가능성	(2.30/5)	2.42	2.17	2.23	2.46	2.31	2.37	1.95	2.51	2.35
동료 관계	(3.66/5)	3.73	3.68	3.69	3.65	3.77	3.73	3.41	3.60	3.55
전반적 만족도	(2.87/5)	2.95	2.80	2.83	2.94	2.92	2.93	3.02	2.79	2.86

2. 87년 체제(%)	숙련 생산직					사무직				
	여성	남성	노조 없음	노조 있음	전체	여성	남성	노조 없음	노조 있음	전체
상향 이동 가능성	9.0	7.0	11.0	6.0	8.0	5.5	26.0	21.0	15.0	18.0
동료 관계	93	89	94	90	90	95	95	95	95	95
전반적 만족도	30	27	22	29	28	40	38	38	38	38

3. 위기 후 체제	남성	여성	비정규직	정규직	평균
개인 발전 가능성	25.3%	25.2%	14.1%	29.5%	25.3%
의사소통/인간관계	40.7%	34.5%	29.3%	41.8%	38.3%

변화가 대개 내부 승진 체계를 포함하지 않았던 것에 대한 불만을 보여준다. 위기 후 체제에서는 다른 요소들과 일관되게 개인 발전 가능성에 대한 평가에서도 비정규직의 박탈감이 두드러진다. 이는 아래 권위주의 체제 및 87년 체제에서 조사된 전반적인 조직 만족도를 낮은 수준에서 유지시키는 데 기여하고 있는 것으로 보인다.

한편, 조직의 직접적인 영향이 다소 약하거나 혹은 조직 위계의 맥락에서 벗어난 몇 가지 요소들에 대한 노동자들의 반응은 일관되게 긍정적이다. 일의 대한 의미 부여가 그 한 예이다. 일의 내용, 즉 일 자체가 주는 흥미 등에 대한 만족도는 세 시기의 응답 패턴이 대체로 비슷하게 나타난다. 집단별로 약간의 차이는 있지만, 대체로 30~40%에 해당하는 응답자들이 일 자체가 주는 흥미나 보람을 긍정적으로 인식한다. 다만 2007년의 경우 비정규직들은 일에 만족한다는 응답이 정규직과 비교해 크게 낮다는 점을 예외로 특기할 만하다(25% 대 38%). 더불어 조직 내 수평적인 사회적 관계, 즉 동료 관계에 대해서도 만족도가 상당히 높다. 실제로 좋았던 관계의 반영일 수도 있고, 동료 간의 관계에 대한 높은 가치 부여가 긍정적 태도로 발현되었을 가능성도 있다. 특히 1970~1980년대의 경우 집단별로 약간 차이는 있지만, 이에 대해 일관되게 긍정적인 반응이 강하다.

그러나 2000년대 위기 후 체제에서 조직 내 인간관계의 만족도에 대해 다른 경향이 나타나는 것에 주목을 요한다. 전반적으로 조직 내 인간관계에 대한 만족도가 상당한 수준으로 떨어졌다. 집단별로도, 과거와는 달리 남성보다는 여성의 조직 내 인간관계에 대한 만족도가 낮다. 또 다른 모든 요소들과 마찬가지로 정규직에 비해 비정규직의 만족도가 한층 낮은 것으로 나타난다. 동료 관계를 중시하며 집합적 · 관계 중심적 성향을 띠던 작업장 내 사회조직이 약화되고 있는 징후로 읽을 수 있다. 즉, 위기 후 기업 조직들의 개인별 고용 관행과 조직 내 경쟁, 조직 내 신분적 분절, 소속을 달리하는 이질적 노동자들과의 같은 사업장 배치 등으로 노동자들 간 거리가 멀어지기 시작한 것을 반영한다. 이는 과거와 달리 조직 내 동료 간의 관계적 성향이 상당히 희석되고, 개인적 문제 해결과 개인적 생존을 집단적 생존과 집단적 · 조직적 문제 해결보다 우위에 두는 성향이 강화되었음을 보여주는 모습이며, 이러한 태도는 향후 개인주의를 강화시킬 개연성을 높인다. 이는 노조나 기업 조직들에게도 함의하는 바가 있다. 노조에게는 노조의 입지가 축소되는 등 변화하고 있는 고용 관계하에서 개별화 · 파편화되고 있는 노동자들을 어떻게 조직하고 연대하게 할 것인가라는 근본적 질문을 던진다. 한편, 기업에게는 그간 강조해온 가족주의에 바탕을 둔 기업에 대한 헌신

등을 더 이상 기대하기 어려운 상황이 전개되고 있음을 암시한다.

4. 노동자 의식과 사회의식 변화 추이

서구 자본주의의 대다수 노동조합이 축소와 재생산의 위기의 길을 걷기 시작한 1980년대 말, 한국에서 벌어진 1987년 노동조합의 폭발적 성장은 노동조합운동의 활성화를 예고하는 예외적인 사건이었다. 계급 운동의 활성화에 대한 기대 혹은 우려 속에서 노동자 계급의식 및 노동자 사회의식에 대한 이론적 · 실증적 연구가 봇물을 이루었다. 그러나 한국의 노동조합은 예외적으로 빨리 시들기 시작했고, 그로부터 10년 후 1990년대 말 위기를 맞아 더욱 위축되고 고립되었다. 앞에서 설명했듯이 경제위기 10년 후 한국의 노동조합은 10% 선 밑으로 내려가는 조직률 하락을 거듭했다. 이렇게 거듭된 노동운동의 하락과 노동자의 의식 변화 간의 관계는 어떤 것인가?

외환위기로부터 10년이 지난 2007년, 국민 의식조사에서 드러난 노동자들의 사회 인식은 이들이 단순히 보수화되었기(조돈문, 2011) 때문에 노동운동이 시들고 있는 것은 아니라는 점을 보여준다. 임금노동자들만을 골라서 분석해보면, 77%의 노동자가 1997년 외환위기 전과 비교할 때 빈부 격차가 늘었으며, 53%의 노동자가 노사 갈등이 커지고 있다고 대답했다. 노사 갈등이 커지고 있다고 인식하는 노동자들의 55%는 경영자와 노동자 간에 권위적인 관계가 직장을 지배하고 있다고 봤다. 또 빈부 격차의 주요 원인으로 지목되고 있는 비정규 노동과 관련해, 67%의 노동자가 비정규직 노동자의 처우 개선을 위해 복지 제도를 확대해야 한다고 했으며, 53%의 노동자가 재벌에 대한 규제는 강화해야 한다는 데 동의했다. 이러한 응답에 비추어볼 때 적어도 다수의 임금노동자가 보수화의 길을 걷고 있다고 볼 수는 없으며, 오히려 한국 사회에서 확대되고 있는 불평등에 대한 비판적 인식을 바탕으로 복지를 확대해야 한다는 의식을 갖고 있는 것을 알 수 있다.

하지만 그럼에도 설문에 응답한 임금노동자의 대부분은 현재 한국 사회의 전개를 냉소적이고 비판적인 시선으로 바라보고 있었다. '노력하면 누구나 한국 사회에서 잘 살 수 있을까요?'라는 질문에 대해 오직 28%의 노동자들만이 그렇다고 대답했으며, 한국 사회에서의 성공에는 연줄과 인맥이 있어야 한다는 데 67%가 의견을 같이 했다. 문제를 인식하고 문제의 해결을 바라면서도 문제 해결에 필요한 합리적 기제에 대한 (낙관적) 전망은 부정적이거나 부재한다.

또 임금노동자들의 대다수는 현재 자신의 사회경제적 위치가 중산층의 밑(열 개의 층으로 나누었을 때 3~4층)에 존재한다고 생각한다. 현재 중산층에 대한 귀속의식을 가지고 있다고 응답한 경우도 25%에 지나지 않았다. 응답자 중 과거 자신에게 중산층 귀속의식이 있었다고 응답한 경우는 34%로 나와 약 10% 정도가 하향 계층 이동을 했다고 믿고 있었다. 앞에서 살펴본 바와 일관되게 대개의 경우 외적으로 드러나는 자신의 일자리 질(일자리의 안정성이나 임금 소득, 개인의 발전 가능성 등에 대해)에 대해서는 부정적인 평가를 내리고 있다. 현재 자신이 처한 중하층의 삶이 일을 통해 개선될 여지가 크게 없다고 보는 것이다.

뒤에서 살펴보겠지만, 87년 체제에서 한국 사회를 변화시킬 견인차로 노동조합에 무한한 신뢰를 보냈던 노동자들은 사라지고 이제 오직 11.2%만이 노동조합을 신뢰하고 있다고(40% 이상이 노동조합은 신뢰할 수 없다고 응답) 응답했으며, 이러한 태도는 대기업에 대한 신뢰나 불신보다 조금 더 부정적인 시선을 보여준다. 같은 맥락에서 경제성장을 위해 노동조합의 활동이 자제되어야 한다고 보는 노동자도 44%에 이른다. 노동조합에 대한 이러한 냉소적 시각 혹은 불신은 위기를 거친 한국의 노동자들 사이에서 기존의

〈표 6-3〉 2007년 노동자 의식

		정규직	비정규직
경영자와 노동자 간의 관계는	권위적이다	43%	47.6%
	민주적이다	20%	18.2%
노조 활동을 자제할 필요가 있다		44.0%	51.6%
더 나은 직장이 나타나면 언제든 옮길 것이다		58%	54.3%
능력급 요소의 강화(5점 만점)		3.6	3.9

노동조합을 통해 자신이 처한 위치나 한국 사회가 처한 문제를 해결할 수 있다는 집합적 문제 해결의 의지가 사라지고 있음을 반영한다.

그렇다면 이들은 어떻게 현실에 적응하는가? 과거 힘들었던 시기나 투쟁의 시기에 노동자들이 일 자체에 의미를 부여하고 그것을 경제적 욕구를 실현하는 도구와는 다른 차원의 것으로 의미를 부여했던 것으로부터 2007년 현재 노동자들은 약간의 거리를 두고 있다. 일에 대한 이들의 시선은 양가적이다. 일을 통해 인생의 만족을 얻는다는 노동자들은 여전히 38% 정도에 이른다. 일이 인생에 만족을 줄 수 없다는 보는 이들(19%)에 비해 아직 다수인 셈이다. 일을 통해 삶의 의미를 찾고자 하는 욕구는 여전히 어느 정도 유지되고 있다고 할 수 있다. 그러나 일하는 이유가 주로 돈 때문이라고 믿는 도구적 의식을 내재하고 있는 노동자가 73%에 달한다. 일에 대한 도구적 시선이 한층 확대되고 있다. 이는 직장에 대한 시선 역시 바꾸어놓는다. 앞서 직무 만족에서 살펴보았듯이 직장 내 인간관계에 대한 만족도가 이전 시기에 비해 크게 줄어든 것과 같은 맥락에서 더 좋은 직장이 나타나면 언제라도 옮길 것이라는 시각이 58%를 차지하고 있어 직장에 대한 귀속감이나 헌신도가 한층 낮아졌음을 보여준다. 보수 지급 방식 역시 과거에 지배적인 방식이던 근속연한을 탈피해 능력에 따라 지급되어야 한다는 인식이 64%로 다수를 차지했다. 다수에게 고루 평등하게 임금을 지급하던 관행을 변경해 개인 성과와 능력에 따라 보수를 지급해야 한다는 개인주의적 인식 변화의 일면을 보여준다. 직업을 고르는 기준의 최우선순위는 직업안정성이며, 보수 수준이 그 뒤를 따른다.

2007년 외환위기 후 10년의 변화를 거치고 또다시 넘어야 할 파도인 글로벌 위기를 마주하고 있던 한국의 노동자들은 단순히 어려운 시기를 거치며 보수화된 것이라 보기 힘들다. 여러 질문에 서로 다른 인식과 태도를 보이기는 하지만, 이들 다수는 문제를 비판적으로 인식하고 더 나은 사회를 바라고 있다. 다만 이를 이끌 사회 세력을 찾지 못한 채 현실에 대한 냉소를 보여주고 있을 뿐이다. 특히 기존의 노동조합에 대해서는 기대감을 상당히 상실했다. 남은 생존의 방식은 개인의 도구주의를 힘껏 밀고 나가는 것이다. 비록 한국 사회가 능력에 의해 성공할 수 있는 사회는 아니라도 개별 노동자들은 변화된 상황에서 나의 이익에 조금 더 부합할 수 있는 기회와 해결책을 모색하면서 생존을 꾀하고 있는 것이라 할 수 있다(장진호, 2009).

이러한 현재 한국 노동자들의 의식과 태도는 이전 시기와는 질적으로 다르면서도 다른 한편으로는 상당한 연속성을 보여주고 있다. 권위주의 시기 노동자들의 의식을 들여다보면, 대체로 '집단적·관계적 지향'을 띤 도구주의적 의식을 지니고 있었다고 할 수 있다. 당시 노동자들은 사용자와는 일종의 거리를 두면서도(미숙련/반숙련의 경우에 더욱 그렇다) 노조에 대해서는 반신반의하는 태도를 보였다. 노조의 필요성은 강하게 인식하면서도 노조가 결사권이나 작업장 민주화에 기여할 수 있을 것이라는 기대는 하지 않는 모습을 보였다. 노조의 역할에 대한 기대는 일자리의 질에서 살펴본 바 있듯이 만족 수준이 가장 낮은 보상 문제에 국한되어 있었다. 즉, 많은 노동자들은 임금 인상을 위한 노조의 노력에 압도적인 기대를 드러냈다. 이와 관련해, 이들은 조직적 저항과 변화를 통해 자신의 처지를 개선하기보다는 성장과 권위주의적 위계가 지닌 정당성을 내면화하고 이러한 질서에 어느 정도 순응함으로써 자신의 경제적 생존을 꾀했던 것으로 보인다. 여기에 노동조합이 약간의 실질적 힘을 보태주기를 기대하고 있었던 것으로 보인다. 작업장에 대한 사용자의 정책에 불만을 품으면서도 '생산원가 축소를 위한 업무량 증대 및 생산성 증대에 협조'한다는 데 다수의 노동자(62%)가 동의하고 있다. 요컨대 1987년 이전 권위주의적 체제하에서 노동했던 노동자들은 사용자와의 계급적 거리감에 근거를 둔 규범적 의식을 키우기보다는 성장주의와 권위주의의 정당성을 의식적 · 무의식적으로 내면화하면서, 개인(가능하다면 노조의 힘을 약간 빌려)의 노력을 통한 경제적 생존 방식을 모색해갔다고 할 수 있다.

이러한 노동자들의 일견 도구주의적 접근이 87년 체제를 거치면서 완전히 사라진 것은 아니었다. 이들은 1987년을 목도하고 작업장 민주주의와 평등에 대한 사회적 어젠다에 동의하면서 사용자와의 거리를 더욱 넓히고(사용자와 거리감이 매우 크거나 큰 편이라고 응답한 노동자가 70% 달함) 노조의 필요성에 대한 인식을 고양시켰다. 노동자들의 의식은 계급적 위치에서 자연스럽게 주어지는 것이 아니라 사회와 조직, 그리고 개인의 상호작용 속에서 끊임없이 형성되고 변화한다는 것을 보여준다(톰슨, 2000). 당시의 노동자들은 단순히 노동조합에 대한 친화적 의식을 갖기만 한 것이 아니라 참여의사, 즉 노조 설립 시 가입 의사를 표현하는 등 노조 활동에 대해서도 적극적인 태도(생산직 53%, 전체 54%)를 보여주었다. 또한 단순히 노동조합에 대한 친밀도와 참여 의사를 표현하는 데 그치지 않고 동료 근로자 전반에 대해서도 긍정적 이미지와 친밀도(60~70%가 긍정적으로 응답)를 표현함으로써 노동자로서의 정체감과 동료 의식을 지녔다는 점을 보여준다. 그러나 다른 한편으로는, 성장과 함께 자신의 경제적 위치를 개선하려던 전 시기 노동자들과 완전히 결별한 것은 아니었다. 전 시기 노동자들과는 달리 양보를 통해 회사의 성장에 헌신하겠다는 의식은 34%로 낮기는 했지만, 경제성장의 중요성과 그에 대한 노조의 역할의 중요성에 인식(61%)을 같이하고 있다. 같은 맥락에서 회사의 품질 개선 활동(QC)에 자발적으로 참여한다든가, 생산성 증대 등 회사가 주도하는 여러 생산성 증진 관련 활동에 자발적으로 참여하려는 의지를 보여줌으로써(70%) 당시 개별 노동자들의 노동조합활동이 단순히 일면적으로 사용자에 대한 적대감에만 기댔던 것은 아니라는 점을 보여준다. 당시 운동을 주도했던 민주 노동운동이 활동과 수사, 그리고 조합원 동원의 초점을 주로 전투성과 계급적 거리에만 맞추었던 것과는 다소간의 괴리를 보여준다. 당시 노동자들의 주관적 계층 의식 역시 복합적이다. 주로 일곱 개 계층 가운데 3~5층에 해당하는 중간층에서 자신의 계층적 정체성을 찾는 경우가 다수였으나(사무직 응답자의 70%, 생산직 응답자의 47%), 생산직 중에는 더 다수인 51%가 자신의 주관적 계층을 하층에서 찾는 등 생산직 내에서의 정체감 분리도 발견된다.

87년 체제의 출현은 권위주의적 체제하에서 사회경제적 박탈감, 낮은 임금, 조직 내 노동자 집단 간 격차 등에 근거했으며, 운동이 경과하면서 다수의 노동자가 사용자와 거리를 두고 노동조합 및 동료 노동자들과의 친밀감을 확인하는 노동자 의식을 발전시켰다. 즉, 전 단계의 도구적 의식에 매몰되지 않는 독자적인 노동자 연대 의식과 사회의식을 발전시키는 데 성공했다. 그러나 다른 한편으로는 성장과 기업 내 협조에 대한 태도 및 행위를 노동자 의식 운동과 대립시키지 않았다는 점에서 성장에 대한 희망과 더 유연한 노동운동에 대한 요구를 계급의식에 기반을 둔 노동자 의식과 결합시킨 노동자가 상당수에 달했을 가능성도 배제할 수 없다. 여기에 1987년으로부터 몇 년 지나지 않아 전개된 사용자의 새로운 사용 전략과 그에 대한 반응에도 주의를 기울일 필요가 있다. 87년 체제의 생성기와 권위주의적 성장 체제에서 강하게 나타났던 집합적 · 관계적 의식이 다양하고도 새로운 기업의 고용 관계 전략에 대응해 약화되는 모습이 1990년대에 나타나기 시작한 것이다. 1997년 위기 이후 급격히 하락한 듯 보이는 노사 관계와 개별화는 사실 87년 체제하에서 서서히 자라고 있었다고 할 수 있다. 10년 후인 1996년 추가적으로 실시된 사회발전 연구소의 국민 의식에 대한 조사가 약간의 실증적 증거를 제시한다. 1996년에 이미 87년 체제를 통해 높아진 직업안정성에 대한 위험 의식이 증가되는 경향을 발견할 수 있다. 특히 앞선 2절에서 언급했던 바와 같이 1990년대 초반부터 점차 늘어나기 시작한 유연 고용과 기업 간의 격차로 노동시장 지위가 약한 생산직과 중장년층을 중심으로 직업안정성에 대한 위험 의식이 증가되었다. 상당수의 노동자들이 직업이나 직장 선택 시 최우선 요소로 직업안정성을 고려하기 시작했고, 이러한 성향은 1990년대 이후 증가한, 그리고 강화된 고용 유연성을 경험한 사무, 판매, 서비스직에서 상대적으로 현저하다. 같은 맥락에서 기존에 50% 이상 올라갔던 중산층 귀속의식이 30~40%대로 1989년 조사 시점에 비해 크게 낮아진 것도 발견된다. 경제 상황과 기업의 고용 관계 전략의 변화와 상호작용하며 진행된 계급의식의 변화는 한편으로는 1987년의 기억을 간직하면서도, 급변하는 환경에서 생존을 최우선 과제로 삼아 적응하는 유연성을 보여주었다. 후자는 외환위기를 거치며 상존하는 일자리의 위기, 가족 재생산의 위험에 직면한 현재의 노동자들이 더욱 강하게 내면화하고 있는 의식의 흐름이라 할 수 있다.

5. 맺음말

이 장에서는 지난 반세기에 걸친 한국 노동 레짐의 변화를 노동운동의 변화를 포함한 노사 관계의 전개와 노동시장 및 불평등의 구조 변화를 중심으로 살펴보았다. 두 번의 경제적 · 사회적 · 정치적 변곡점을 관통하며 온 노동 레짐의 질적 변화 양상을 대략 세 개의 체제(권위주의적 성장 동원 체제, 87년 체제, 그리고 위기 후 체제)로 구분하고 그 각각의 특성을 살펴보았다. 이 장의 더 중요한 관심사는 이러한 노동 레짐의 변화 속에서 노동자들 개인이 작업장 속에서 형성하고 변화시켜온 노동 및 일자리에 대한 인식과 노동자로서의 정체성에 대한 것이었다. 권위주의 시기 억눌렸던 노동자들의 사회의식 및 노동자 의식이 87년 체제가 펼쳐놓은 장에서 폭발적으로 고양되는 양상을 1989년의 조사를 통해 읽으면서, 거대한 사회 민주화의 흐름과 분출하는 조직의 힘을 경험한 노동자들이 노동자로서의 자신의 정체성을 인식하고 또 동료 및 노동조합과의 연대감을 고양시키는 과정을 확인할 수 있었다. 계급적 위치가 의식을 결정하기보다 노동자들의 구체적인 경험과 참여의 과정이 의식을 형성한다는 점을 구체적으로 보여준 경험이었다. 그러나 조사가 말해주듯 이 시기 노동자들은 권위주의 시기부터 키워온 국가 경제 혹은 기업을 통한 성장에 대한 희망을 자본과 대립하는 노동자 의식으로 대체한 것은 아니었다. 오히려 작업장 민주화와 성장이 노동조합을 통한 참여로써 동시에 실현될 수 있다는 낙관적인 전망을 노동운동의 틀 안에서 키운 노동자도 상당수에 이른다. 하지만 이 장은 이러한 노동자 의식을 일면적으로 읽은, 그리고 전 시기 젠더와 서열화에 따른 불평등의 구조를 개선하지 못한 노동조합이 거대한 경제위기를 맞아 87년 체제의 연대성과 노동자 의식에 기반을 둔 운동의 동력과 노동자들의 지지를 상실하게 된 일련의 흐름을 노동자 의식조사의 결과를 근거로 서술했다. 또 이러한 변화의 결과가 노동시장의 구조 변화와 불평등, 그리고 이를 헤쳐 나가는 개별 노동자의 변화된 의식에 연계되고 있음을 살펴보았다. 지난 20년간 지속적으로 지지기반을 상실해온 노동조합과 달리, 1987년 이후 노동조합과 경쟁하는 과정에서 성과주의와 개별화, 유연화를 추구해온 기업들의 전략은 위기 전후 노동자들의 작업장 경험과 의식에 큰 영향을 미치고 있는 것으로 드러난다.

그러나 이러한 전략이 기업에 대한 노동자들의 협조를 강화하고 있는 것으로 보이지는 않는다. 기존 노동조합에 대한 지지를 대부분의 노동자가 철회하고 있듯이, 대다수의 노동자는 자신이 소속되어 있는 조직과 작업장을 더욱 도구적으로 바라보고 있다. 즉, 직장 선택이나 이직 성향을 통해서 보면, 현 직장은 자신과 성장을 같이 할, 즉 직업적 헌신을 줄 수 있는 대상이기보다는 언제든 조금이라도 나은 조건을 제시하는 대안이 나타나면 떠날 수 있는 대상으로 인식되고 있다. 전반적으로 보호가 사라지고 경쟁이 심화된, 그러나 능력에 따른 기회가 보장되기보다 연줄이나 배경이 성공에 더 중요한 역할을 한다는 믿음이 팽배하게 된 위기 후 노동시장에서 노동자 의식의 가장 큰 특징은 냉소와 개별화로 특징지을 수 있다. 어떤 이는 이들의 전반적 변화를 보수화로 규정짓고 있지만, 2007년 조사 결과는 이들이 사회 및 경제 불평등에 대한 인식을 분명히 하고 있고 이에 대한 사회적 · 정책적 개입이 필요하다고 믿고 있음을 보여주기 때문에 그러한 인식과 어긋난다. 노동자들 개인은 이미 크게 이질화되어버린 작업장 내 동료 관계나 자신을 보호해줄 수 없다고 판단한 노동조합 등을 통한 조직적 해결에 자신을 기대기보다는 조금이라도 나은 경제적 조건에 자신의 상황과 움직임을 최적화하는 방식으로 변화된 상황에 적응하고 있는 것으로 보인다. 이러한 상황에서 고용 형태, 세대, 젠더 등 다양한 분절선이 중첩되면서 불평등이 심화되고 있는 현재의 노동시장을 돌려놓을 뚜렷한 해결책을 모색하는 것은 쉽지 않다. 그러나 2007년에는 목도되지 않던 여러 사회운동적 노동운동이 최근 2~3년 동안 청년층을 중심으로 조금씩 모습을 드러내고 있는 점은 주목할 만하다. 점점 더 사용자의 개념이 모호해지고, 기존의 노동자(조합)와 사용자를 중심으로 한 노사 관계의 뚜렷한 경계가 사라지면서, 청년과 취약계층을 중심으로 사회운동적 노동운동, 사회정책과의 연계를 긴밀히 하는 노동운동에 대한 요구가 자라나기 시작했다(박명준 외, 2015). 2015년 최저임금

위원회에 청년유니온이 노동자 대표의 한 축으로서 공식적으로 참여하기 시작했다는 점도 이들의 운동이 점차 표면화하고 사회적으로 수용되기 시작했다는 점을 보여준다. 그러나 조직적 실체가 여전히 모호하고, 조직화 수준이 매우 낮은, 이제 맹아를 보여주기 시작한 이들의 운동이 변화하는 노동 레짐의 중요한 축으로 성장할 수 있을지는 지켜볼 일이다.

| 참고문헌 |

구해근. 2002. 『한국 노동계급의 형성』. 서울: 창작과 비평사.

권현지. 2012. 「장시간 노동 체제: 은행산업의 실태를 중심으로」. ≪노동리뷰≫, 84호, 73~91쪽.

권현지 · 김성훈 · 마크 스튜어트 · 미겔 마르티네즈 루시오. 2008. 『금융서비스산업의 고용 관계 변화: 비정규 대고객 서비스직의 고용 관계 변화를 중심으로』. 서울: 한국노동연구원.

권현지 · 김영미 · 권혜원. 2015. 「저임금 서비스 노동시장의 젠더 불평등」. ≪경제와 사회≫, 통권 107호(가을), 44~78쪽.

김경동. 1979. 「〈일〉과 職業에 대한 態度 : 1967~1978: 韓國 勞動者와 管理者의 職業意識과 勞使政策에 관한 硏究」. ≪한국사회과학≫, 1권 3호, 31~62쪽.

김동배 · 김정한. 2008. 「성과주의 임금도입의 영향요인: 한일비교」. ≪노동정책연구≫, 11권 1호, 25~54쪽.

김동춘. 1995. 『한국 사회 노동자 연구: 1987년 이후를 중심으로』. 서울: 역사비평사.

김영미 · 한준. 2008. 「내부 노동시장의 해체인가 축소인가」. ≪한국사회학≫, 42집 7호, 111~145쪽.

김유선. 2008. 「한국의 노동조합 조직연구」. 서울: 한국노동연구원(전자 형태로만 열람 가능).

박명준 · 권혜원 · 유형근 · 진숙경. 2015. 『노동이해대변의 다양화와 새로운 노사 관계 형성 과정』. 서울: 한국노동연구원.

박준식. 1996. 『생산의 정치와 작업장 민주주의: 작업장 노사 관계 연구의 심화를 위하여』. 서울: 한울.

방하남 · 김상욱. 2009. 「직무만족도와 조직몰입도의 결정 요인과 구조분석」. ≪한국사회학≫, 43집 1호, 56~88쪽.

방하남 · 이상호. 2006. 「'좋은 일자리'(Good job)의 개념구성 및 결정 요인의 분석」. ≪한국사회학≫, 40집 1호, 93~126쪽.

배규식. 2012. 「한국 장시간 노동 체제의 지속요인」. ≪경제와 사회≫, 통권 95호, 128~162쪽.

배무기. 1997. 「한국노동자의 의식구조 분석」. ≪경제논집≫, 37권 1호, 26~71쪽.

송호근. 1991. 『한국의 노동정치와 시장』. 서울: 나남.

신광영. 1990. 『생산의 정치와 한국의 노동조합』. 서울: 문학과 지성사.

신병현. 1995. 『문화, 조직 그리고 관리』. 서울: 한울.

신원철. 2004. 「기업별 노동조합체제의 형성과 전개(1945~1987): 조선산업을 중심으로」. ≪경제와 사회≫, 64권, 118~149쪽.

안주엽. 2015. 「원하청구조와 근로조건 격차」. ≪노동리뷰≫, 통권 126호, 67~83쪽.

원인성. 1995. 「일본적 생산방식의 국내도입 및 활용현황 그리고 그 정착의 가능성과 한계」. 서울노동정책 연구소 엮음. 『일본적 생산방식과 작업장체제』. 서울: 새길

은수미. 2009. 「보건의료 산별교섭 평가와 전망」. ≪노동리뷰≫, 통권 50호, 59~75쪽.

이병남 · 박준식. 1994. 「미국 자동차산업의 조직혁신: 세턴을 중심으로」. ≪경제와 사회≫, 22권, 198~235쪽.

이시균. 2015. 「원하청 고용구조 및 고용변동」. ≪노동리뷰≫, 통권 125호, 56~66쪽.

이재열 · 권현지. 1996. 『90년대 한국의 노동조합』. 서울: 한국노동조합총연맹.

이호창. 1995. 「자본의 유연화 전략과 일본적 생산방식」. 서울노동정책 연구소 엮음. 『일본적 생산방식과 작업장체제』. 서울: 새길

임현진 · 김병국. 1991. 「노동의 좌절과 배반된 민주화」. ≪계간 사상≫, 통권 11호(겨울), 109~168쪽.

장지연 · 전병유. 2014. 「소득계층별 여성 취업의 변화: 배우자 소득 수준을 중심으로」. ≪산업노동연구≫, 20권 2호, 219~248쪽.

장진호. 2009. 『유연한 노동시장, 불안한 직장, 한국사회의 트렌드를 읽는다: 국민 의식조사를 통해 본 외환위기 10년』. 서울: 서울대학교 출판부.

정고미라 · 박홍주 · 정금나 · 김경희 · 조순경 · 김미주 · 전명숙 · 조정아 · 최성애. 2000. 『노동과 페미니즘』. 서울: 이화여자대학교 출판부.

정이환. 2002a. 「한국은 장기근속과 연공임금의 나라인가: 미국과의 비교」. ≪경제와 사회≫, 53권, 262~288쪽.

_____. 2002b. 「1980~1990년대 한국근로자의 직무만족도」. 호산 김경동 교수 정년기념 논총 간행위원회 엮음. 『직업과 노동의 세계』. 서울: 박영사.

_____. 2013a. 『한국 고용 체제론』. 서울: 후마니타스.

_____. 2013b. 「기업 내부 노동시장의 변화, 1982~2007」. ≪한국사회학≫, 47집 5호, 209~240쪽.

조돈문. 2011. 『노동계급형성과 민주노조운동의 사회학』. 서울: 후마니타스.

조성재. 2006. 「산별노조 전환 이후 금속산업 노사 관계」. ≪노동리뷰≫, 통권 19호,

51~64쪽.
조순경 · 이용숙. 1990. 「신노동과정과 한국의 자동차산업」. ≪한국사회학≫, 23집 2호, 73~94쪽.
최장집. 1988. 『한국의 노동운동과 국가』. 서울: 나남.
톰슨, 에드워드 팔머(Edward Palmer Thompson). 2000. 『영국노동계급의 형성』(상 · 하). 나종일 옮김. 서울: 창작과 비평사.
Gallie, D. 2007. "Production Regimes and the Quality of Employment in Europe." *Annual Review of Sociology*, Vol. 33, No. 1, pp. 85~104.
Kalleberg, A. L. 1977. "Work Values and Job Rewards: A Theory of Job Satisfaction." *American Sociological Review*, Vol. 42, No. 1, pp. 124~143.
_____. 2000. "Nonstandard Employment Relations: Part-time, Temporary and Contract Work." *Annual Review of Sociology*, Vol. 26, pp. 341~365.
Kalleberg, A. L., T. Nesheim and K. M. Olsen. 2015. "Job Quality in Triadic Employment Relations: Work Attitudes of Norwegian Temporary Help Agency Employees." *Scandinavian Journal of Management*, Vol. 31, No. 3, pp. 362~374.
Kwon, H. and S. Lim. 2014. "Coordinated Divergences: Changes in Collective Bargaining Systems and Their Labor Market Implications in Korea" in M. Hauptmeier and M. Vidal(eds.). *Comparative Political Economy of Work*. New York: Palgrave Macmillan.
Lee, J. 2011. "Between Fragmentation and Centralization: South Korean Industrial Relations in Transition." *British Journal of Industrial Relations*, Vol. 49, No. 4, pp. 767~791.
Tilly, C. 1999. *Durable Inequality*. Berkeley: University of California Press.

제7장

사회적 위험을 통해 조망한 한국 사회복지의 과거와 현재

최혜지(서울여자대학교 사회복지학과)

1. 서론

산업화는 노동가치가 시장에 의해 계상되는 노동 상품화를 확대해 산업사회에서 노동력과 노동 기회의 상실은 곧 생존의 위협을 의미하게 되었다. 한편, 산업사회에서 노동력과 노동 기회의 상실을 야기하는 질병, 장애, 노령, 실직은 구조적으로 발생하고 보편적으로 경험됨에 따라 생존을 위협하는 사회적 위험으로 자리해왔다. 이를 배경으로 사회복지는 사회연대의 원리를 통해 생존을 위협하는 사회적 위험을 관리하기 위한 제도적 기제로 진화하게 되었다.

후기 산업사회로의 이행에 따라 질병, 장애, 노령, 실직 등 전통적 사회적 위험에 더해 노인 돌봄, 여성 노동 등 새로운 사회적 위험이 출현함에 따라 사회복지는 사회보험을 기제로 한 소득 보장 중심에서 사회복지 서비스 중심으로 변화되었다. 그러나 시대적 요구와 사회적 맥락에 따른 사회복지의 지속적인 변화에도 사회적 위험은 사회복지의 존재 이유로 그 핵심에 위치해왔다.

복지국가는 안정된 국민국가와 성숙한 자본주의를 조건으로 하며(남찬섭, 2005: 40에서 재인용), 사회복지의 전개는 민주주의, 자본주의와의 관계 속에서 이해되어야 한다. 사회복지는 민주주의와의 연정을 통해 진보하기도 하고 자본주의의 성장을 위해 유보되기도 한다. 즉, 민주주의와 자본주의의 발달 궤적에 따라 사회복지는 성장과 퇴행의 질곡을 겪는다.

근대적 형태의 사회복지 제도가 정치적 민주화와 시장에 종속되어 조형된다는 점은 우리나라의 경우도 다르지 않다(이혜경, 1993). 해방과 함께 시작된 짧은 자본주의의 역사 속에 우리나라는 복지국가를 가능한 현실로 조형해온 의미 있는 발전을 이루었다. 그 과정에서 복지국가에 대한 지향은 명목상 비교적 일관되게 유지되었으나 사회복지의 제도적 역량은 정권의 성격에 따라 변화했다.

우선, 권위주의적 발전 국가 체제에서 복지는 경제발전으로 치환되어 개인의 인간다운 삶은 경제성장의 거름으로 묻히기도 했다. 노무현 정부 이후의 정치 민주화는 노동자의 권리 투쟁을 가능하게 했으며, 비로소 노동과 복지는 상생적 연대를 형성하게 되었다. 외환위기는 선별적 복지 제도의 누수점을 가시화하고 보편적 복지로의 변곡점을 제공했다. 신자유주의적 세계화의 흐름은 복지국가로의 운항을 순탄치 않게 했지만 후기 산업사회가 수반한 다양한 새로운 사회적 위험들은 사회복지의 양적 확대와 질적 성장을 채근해왔다. 한국의 경우에도, 자본주의의 확대와 함께 사회복지는 시장실패가 낳은 사회적 위험에 개입해 자본주의 생산 체제를 유지하고 국가가 시장을 조절하는 매개로 기능해왔다(Jessop, 1994).

한국 전쟁 이후 외원에 힘입은 경제성장은 자본주의를 가속화했으며 자본주의의 확대는 1960년대를 이전과 다른 궤도의 시작점으로 위치시켰다. 군사정권은 정권의 정당성에 대한 도전에 대응하고자 민족주의를 선택하면서 국민국가 이념을 강조했다. 이와 같이 1968년은 복지국가 형성의 두 축이 조우하며 근대적 복지 제도의 태동을 이끈 1960대를 가늠케 하는 해이다. 한편, 2012년은 외환위기 이후 진행된 보편주의적 사회복지로의 전환과 신자유의주의의 득세 속에서도 새로운 사회적 위험에 대응한 사회복지 서비스의 확대를 경험한 시기이다.

이 연구는 앞서 설명한 바와 같이 근대적 사회복지 태동의 원인이며 사회복지의 중심 주제인 사회적 위험을 통해 우리나라 사회복지의 과거와 현재를 비교하려는 목적으로 이루어졌다. 자본주의의 본격화로 근대적 사회복지 출현의 사회적 조건이 형성된 1968년과 보편주의적 사회복지의 확대와 신자유주의에 의한 복지 축소를 거친 2012년의 사회적 위험이 경제 계층별로 어떻게 경험되는지 비교분석하고자 했다. 이와 같은 목적에 따라 이 연구는 우선 1968년과 2012년의 경제 계층별 가구주 특성과 소득 상태를 살펴보았다. 둘째, 사회적 위험의 정도와 사회복지 제도를 통한 사회적 위험의 관리 정도를 계층별, 시기별로 비교했다. 끝으로, 사회적 위험이 가족의 경제적 복지에 미치는 영향을 시기별로 분석했다.

2. 시기별 한국의 사회복지

1) 한국 사회복지의 전개 과정

1945년 대한민국 정부 수립 이후부터 2015년 현재까지 우리나라 사회복지는 국내외 정세에 조응하며 성장해왔다. 지난 70년 동안의 사회복지 전개 과정은 정치적 · 경제적 · 사회적 전환점을 준거로 다섯 개 시기로 구분해볼 수 있다. 제1기는 대한민국 정부 수립 이후부터 1961년 경제발전이 시발되기 이전까지의 기간이다. 이 시기 국가는 경제적으로 피폐하고 정치적으로 불안정했다. 국가정책에서 사회복지는 주변화되었으며, 긴급 구호와 외원이 사회복지의 중심을 이루었다(이혜경, 1993).

제2기는 1962년 제3공화국 출범부터 1986년까지이다. 경제개발 5개년 계획을 필두로 급속한 경제성장이 이루어지고 자본주의가 본격화된 시기이다. 풍부한 저임금노동력에 기댄 수출주도형 산업화로 임금 인상은 규제되고 노동운동은 억압되었다. 박정희 정권은 명목상 복지국가 구현을 정책 모토로 제시했으나 국가 총력은 경제발전에 집중되었다. 경제성장의 결과, 절대빈곤율은 1965년 40.9%, 1970년 23.4%, 1976년 14.6%로 감소했으나 복지국가 구현을 위한 정책적 적극성은 제한되었다(이혜경, 1993: 174에서 재인용). '생활보호법' 등 다수의 복지 관련 법령이 제정되었으나 대부분 제도 시행으로 연결되지 못했다. 경제발전은 정권 정당성의 든든한 토대를 제공해 정권은 복지를 통한 국민 회유에 소극적이었으며 복지는 낭비로 인식되었다(이혜경, 1993).

1987년 민주적 정권 이양에 의해 제6공화국이 출범한 이후부터 1997년 외환위기 이전까지가 제3기에 해당한다. 이 시기는 복지가 생산관계 내부로 자리하게 되었으며, 경제성장 몰입적 국가 지향이 복지 통합적 지향으로 전환했다는 점에서 이전 시기와 구분된다. 권위주의적 발전 국가의 종식은 국가와 자본의 동일화를 약화시켜 노동 민주화를 가능하게 했다. 이로 인해 노동운동이 확대되었으며 노동자의 임금 및 복지 증진을 위한 집단적 노력이 시도되었다(서병수, 2011). 특히 제3기에는 국민연금 실시, 의료보험의 농어촌 확대 등 이전 시기에 구상된 복지 제도가 시행되었으며, 기업 복지가 확대되었다(홍경준 · 송호근, 2003).

1997년 외환위기 이후부터 2008년 금융위기 이전까지의 제4기는 보편적 복지국가 지향의 기초가 마련되었다는 점에서 의의를 갖는다(서병수, 2011). 외환위기에 따른 실업, 빈곤의 확대는 잔여적 사회안전망의 한계를 여실히 드러냈으며, 사회적 위험의 보편성을 체감케 했다. 김대중 정부는 '국민기

〈그림 7-1〉 사회보장비 지출 추이

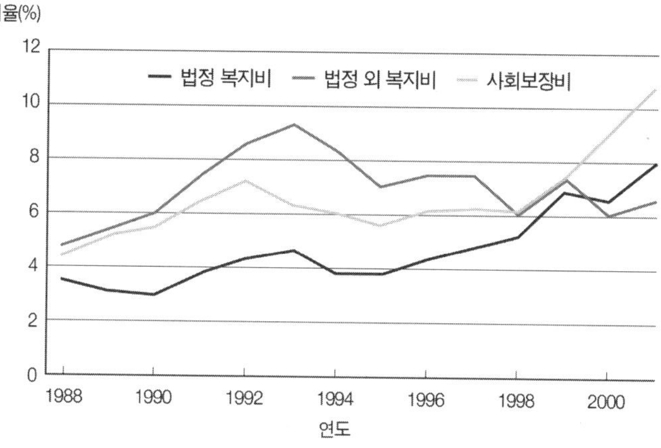

자료: 홍경준 · 송호근(2003)

초생활보장법' 제정을 통해 최저생활의 보장을 국민의 권리로 실제화했으며 국민연금, 고용보험, 산업재해보상보험 등 주요 사회보험의 대상자를 확대했다. 1998년 사회복지비 지출은 GDP의 11%로 확대되었으며 2001년까지 급속히 증가했다(홍경준 · 송호근, 2003). 김대중 정부 시기의 사회보장비 증가는 주로 소득 보장 제도의 확대에 의한 것이며, 사회복지 서비스는 상대적으로 답보 상태에 머물렀다. 노무현 정부는 기본적으로 김대중 정부의 보편주의적 복지 노선을 유지했다. 노인장기요양보험, 보육료 지원 제도의 도입 등 돌봄이 주요한 정책 대상으로 부각되기 시작했으며, 더불어 사회복지 서비스가 확대되었다.

제5기는 2008년 금융위기 이후부터 현재까지이다. 이명박 정부와 박근혜 정부를 포함하는 제5기는 신자유주의적 특성이 최고의 정점을 이루는 시기이다. 이명박 정부의 기초노령연금 도입, 보육료 지원의 확대, 박근혜 정부의 기초연금 대상자 및 급여 확대 등 보편주의적 사회복지 제도도 시행되었으나, 보건 및 사회복지의 민영화 등 신자유주의적 성격이 어느 시기보다 강하게 나타난다.

3. 비교시기의 한국 사회복지

1) 1960년대의 사회복지

1960년대는 한국 사회복지 제도의 발달사적 관점에서 중요한 의의를 갖는다(남찬섭, 2005). 도시 빈민 등 1960년대에 등장한 자본주의형 사회문제는 사회경제적 평등에 대한 요구를 확대해 사회복지의 제도화를 촉구했다(하상락, 1989).

1960년대의 사회복지 성격에 대한 해석은 다양하나 이 시기 사회복지는 정권의 정당성 확보를 위한 정치적 결과라는 해석(권문일, 1989)이 지배적이다. 정당성 확보론은 박정희 정부의 사회복지를 군사정권의 비민주적 집권과정이 야기한 정치적 긴장을 완화하려는 정책적 전략이라고 설명한다(권문일, 1989). 같은 맥락에서 1963년 '산업보험법'과 '의료보험법'의 제정 또한 1963년 대선과 총선을 통해 정권의 정당성을 확보하려는 전략적 대응으로 본다(권문일, 1989).

'생활보호법'을 비롯해 열다섯 개의 사회복지 관련 법령이 제정되었으나 '생활보호법' 등 일부 법령만이 시행되었다. 이 법에 근거해 1968년 한 해에 316만 6264명이 정부의 구호를 받았다. 영유아 시설보호, 아동 급식 지원 등 사회복지 서비스는 아동에게 집중되어 있었다. 1968년 보건사회부 예산은 89억 1740만 원으로 정부 예산의 3.40%에 지나지 않았으며, 군인연금을 포함한 군경원호가 가장 큰 비율을 차지했다(하상락, 1989).

〈표 7-1〉 1960년대의 사회보장 관련 법령 제정 현황

1960	1961	1962	1963	1968
· 공무원연금법	· 보호시설에 있는 고아의 후견 직무에 관한 법률 · 입양특례법 · 군인원호보상법 · 윤락행위 등 방지법 · 아동복리법 · 생활보호법	· 선원연금 · 재해구호법	· 군인연금법 · 사회보장에 관한 법률 · 산업재해보상보험법 · 외국 민간 원조단체에 관한 법률 · 의료보험법	· 자활지도사업에 관한 임시조치법

자료: 하상락(1989)

2) 2010년대의 사회복지

2010년대는 보편주의적 사회복지와 신자유주의적 사회복지의 특성이 혼재된 시기이다. 세금을 재원으로 한 학교급식 제도의 도입, 보육료 지원의 확대 등 보편주의적 제도가 강화되었고 동시에 사회복지 서비스의 민영화 또한 확대되었다. 노동과 복지의 연계를 강조하는 슘페테리안주의적 성격 또한 김대중 정부 이후 지속되었다.

2012년은 이명박 정부의 능동적 복지가 종결된 해이다. 이명박 정부는 복지 수준을 높이고 선진화하겠다는 의지를 담아 능동적 복지를 사회복지 분야의 국정 지표로 선언했다. 능동적 복지는 '빈곤과 질병 등 사회적 위험을 사전에 예방하고, 위험에 처한 사람들이 일을 통해 재기할 수 있도록 돕고, 경제성장과 함께하는 복지'로 정의된다(보건복지가족부, 2008).

기초노령연금, 장애인연금, 근로장려세제, 장애인 활동 지원 제도가 도입되었으나 이전 정부의 정책을 단순 계승한 경로의존적 · 수동적 특성이 강했다(서병수, 2011). 2007년의 실업률 3.0%, 지니계수 0.340, 상대적 빈곤율 17.3%와 비교해 2012년은 실업률 3.2%, 지니계수는 0.338, 상대적 빈곤율

17.6%로 소득 불평등만이 미약하게 개선되었다(통계청, 각 해당 연도).

4. 사회적 위험

1) 사회적 위험의 개념과 유형

사회적 위험은 "자본주의 체제의 시장 결함 또는 구조적 모순에 의해 특정 계급이나 집단이 공유하는 집합적 위험으로 정의된다"(정무권, 2012). 집단적 경험이라는 면에서 사회적 위험은 다음 세 가지 특성을 갖는다. 우선 개인이 경험한 위험이 사회 전체의 안녕을 저해하는 결과의 집단성이다. 둘째, 위험에 대한 인식이 집단적 차원에서 공유되고 사회 구성원에 의해 위험으로 구성되는 인식과 구성의 집단성이다. 셋째, 개인이 위험에 대응하는 것이 불가능하며, 위험에 대한 통제가 집단적으로 이루어져야 하는 위험 통제의 집단성이다(Esping-Andersen, 1999).

후기 산업사회로의 이동, 글로벌 시장의 출현, 노동시장의 유연화, 인구 및 가족 구조의 변화로 생존을 위협하는 비정형적 위험이 다기화되면서 사회적 위험의 개념과 유형에 대한 논의가 촉발되었다(최영준, 2011). 산업사회에 등장한 전통적 사회적 위험은 개인의 생존을 위협하는 소득 중단 또는 소득 감소의 원인으로 노동력을 무력화하는 사건이나 상황을 의미한다. 따라서 산업사회에서 사회적 위험은 가족의 생계를 책임지는 남성 가장의 사망, 장애, 질병, 실직, 노령의 형태로 경험된다(Taylor-Gooby, 2004).

반면 새로운 사회적 위험은 후기 산업사회의 사회경제적 변화로 인해 생의 과정 동안 경험하게 되는 위험을 의미한다(Taylor-Gooby, 2004). 새로운 사회적 위험은 여성 경제활동의 증가와 남성 경제활동의 감소, 인구 고령화

〈표 7-2〉 사회적 위험의 유형

	전통적 사회적 위험	새로운 사회적 위험
시기	· 산업사회	· 후기 산업사회
기반	· 제조업 중심의 완전고용 · 남성 부양자 모델	· 지식정보 중심의 불연속 고용 · 공동 부양 모델
형태	· 부양자의 실업, 질병, 장애, 노령	· 아동과 노인 돌봄 · 고용 불안정 · 교육과 고용의 강한 연계

자료: 남은영(2009)을 재구성

와 가족의 돌봄 기능 약화, 저숙련 일자리의 감소와 국가 간 노동력 이동의 확대, 민간 보험의 오용이라는 네 가지 경로를 통해 발생한다(Taylor-Gooby, 2004).

특히, 새로운 사회적 위험은 발생과 분배 기제에 따라 계급 위험, 생애주기 위험, 세대 간 위험으로 유형화된다(Esping-Andersen, 1999). 계급 위험은 전통적 사회적 위험에 상대적으로 취약한 노동자 계급에게 집중되는 위험을 말한다. 실직, 고용 불안정 등이 계급 위험의 대표적인 예이다. 생애주기 위험은 특정한 생의 단계에 있는 개인에게 집중되는 위험으로 고령화에 따른 빈곤 증가 등이 해당된다. 세대 간 위험은 사회적 위험의 세대 간 전이를 의미하는 것으로 특정 집단에 집중된 사회적 위험이 세대와 세대를 거듭해 경험되는 것이다.

후기 산업사회에서는 전통적 사회적 위험과 새로운 사회적 위험이 공존하고 역동적으로 연계되면서 사회적 위험의 성격이 다변화되었다. 후기 산업사회에서 사회적 위험은 누구나 생의 전 기간에 경험할 수 있는 보편적 성격을 지님과 동시에 특정 계급이나 집단에 복수의 사회적 위험이 중복되는 집중화 특성을 보이기도 한다(정무권, 2012).

2) 사회적 위험의 관리

사회적 위험의 관리는 개인이나 가족이 위험에 대비하거나 대처하는 것을 돕는 정책적 지원을 의미한다. 사회보장 정책과 사회복지 서비스는 사회적 위험의 관리를 목적으로 하는 핵심적 제도이다. 따라서 사회적 위험을 관리하기 위한 집합적 노력으로서 사회복지 정책은 사회적 위험의 발생 가능성을 감소하고 사회적 위험의 영향을 완화할 수 있어야 한다.

사회적 위험이 개인적으로 대처가 불가능한 집합적 위험이며, 사회적 위험의 관리가 공적 지원을 의미한다는 점에서 사회적 위험의 관리는 가족을 비롯한 사적 영역을 벗어난 것으로 이해될 수 있다. 그러나 사회적 위험의 관리는 정부를 포함한 공적 섹터만의 책임이 아니다(남은영, 2009). 사회복지의 전통적 주체인 가족, 정부, 그리고 제3섹터는 사회적 위험 관리의 주체이기도 하다.

5. 연구의 방법

1) 분석 자료

이 연구는 『사회복지 기초자료에 관한 조사 연구』와 『한국복지패널 8차 조사』의 원자료를 분석했다. 『사회복지 기초자료에 관한 조사 연구』는 한국의 생활 실태, 복지 실태, 복지 욕구에 대한 조사를 목적으로 1968년 서울대학교 인구정책 연구소에서 수행했다. 서울, 대전, 전주, 안동, 남원, 밀양, 평택, 청원, 의성, 담양 등 열 개 지역의 1730 가구가 조사에 참여했다. 자료는 1968년 9월부터 1969년 3월까지 약 7개월간 수집되었다.

한국복지패널조사는 한국인의 생활 실태와 사회복지 욕구 분석을 목적으로 2006년 시작된 패널조사이다. 이 연구는 2013년 보건사회연구원과 서울대학교 사회복지연구소가 수집한 8차 조사 자료를 사용했다. 8차 조사에서는 2012년 생활 실태와 복지 욕구를 물었으며 7312 가구로부터 자료가 수집되었다. 이 연구는 6834명의 가구주 자료만을 분석 대상으로 했다.

2) 분석 지표

분석은 경제적 실태, 사회적 위험, 사회적 위험 관리의 세 가지 영역에서 이루어졌다. 경제적 실태는 자본소득과 근로소득을 포함한 전반적인 소득 수준, 십분위분배율(Decile Distribution Ratio)을 이용한 소득 양극화를 중심으로 살펴보았다. 사회적 위험은 가구주의 실직 여부, 장애 여부, 만성질환 여부, 65세 이상의 노령 여부, 여성 여부, 노인 돌봄 여부로 지표화했으며 사회적 위험의 수준은 이들 지표를 총합해 산출했다. 사회적 위험의 관리는 사적 영역과 공적 영역으로 분리해 분석했다. 사적 사회적 위험의 관리는 저축 여부, 연금 가입 여부, 보험 가입 여부, 계 가입 여부로 지표화했다. 공적 사회적 위험관리는 1968년의 경우, 정부의 생계비 지원 여부, 아동 급식 지원 여부, 장애 아동 지원 서비스 이용 여부를 통해 파악했다. 2012년은 생계비 지원 여부, 기초연금 수혜 여부, 국민연금 가입 여부, 의료보험 가입 여부, 6대 바우처 서비스 이용 여부, 노인장기요양 서비스 이용 여부, 기타 아동복지 서비스 이용 여부, 기타 노인복지 서비스 이용 여부, 기타 장애인 복지 서비스 이용 여부로 지표화했다. 사회적 위험 관리의 정도는 지표의 총합으로 조작화했다.

〈표 7-3〉 분석 지표

<table>
<tr><th colspan="2"></th><th>1968</th><th>2012</th></tr>
<tr><td colspan="2">경제적 실태</td><td colspan="2">· 소득 구조
· 소득 양극화</td></tr>
<tr><td colspan="2">사회적 위험</td><td colspan="2">· 가구주의 실직
· 가구주의 질병
· 가구주의 장애
· 가구주의 노령
· 여성 가구주
· 노인 돌봄</td></tr>
<tr><td rowspan="2">사회적 위험 관리</td><td>사적</td><td colspan="2">· 저축/보험/계/공제조합
· 관리 유형
· 가족 돌봄 제공</td></tr>
<tr><td>공적</td><td>· 생계비 지원
· 아동 급식
· 장애 아동 보호</td><td>· 생계비 보조
· 기초연금
· 국민연금
· 건강보험
· 6대 바우처 서비스
· 노인장기요양 서비스
· 기타 노인복지 서비스
· 기타 아동복지 서비스
· 기타 장애인 복지 서비스</td></tr>
</table>

3) 분석 방법

경제적 실태, 사회적 위험, 사회적 위험의 관리로 나뉜 세 영역을 횡적·종적으로 비교분석했다. 횡적으로는 가구의 연평균 소득을 기준으로 상위 20%를 상층, 21%에서 60%를 중층, 61%에서 100%를 하층으로 분류해 계층별로 비교했다. 종적으로는 1968년의 경제 계층별 소득분포, 사회적 위험, 사회적 위험 관리를 2012년과 비교분석했다. 횡적 및 종적 비교분석은 주로 기술 분석을 통해 이루어졌다. 또한 다중회귀분석을 통해 사회적 위험과 사회적 위험의 관리가 경제적 복지에 미치는 영향을 분석했다.

6. 시기별 경제 계층의 사회적 위험

1) 가구의 특성

1968년 가구주의 성별 구성비는 94.0%가 남성, 6.0%가 여성으로 조사되었다. 경제 계층별 여성 가구주의 구성비는 하층이 6.9%, 중층이 4.7%, 상층이 4.5%로 유사했다. 연령대별 분포는 20대 이하가 4.9%, 30대가 27.7%, 40대가 32.1%, 50대가 23.4%, 60대 이상이 12.0%로 나타났다. 상층 집단은 40대와 50대 가구주의 구성비가 각각 38.8%, 26.3%로 중층과 하층보다 상대적으로 높았다. 그 외에 경제적 계층에 따른 가구주의 연령대별 분포는 주목할 만한 패턴을 보이지 않았다.

가구주의 최종 학력은 49.3%가 초졸 이하, 16.2%가 중졸, 17.2%가 고졸, 17.3%가 전문대 이상으로 조사되었다. 초졸 이하인 가구주의 구성비는 상층이 27.6%, 중층이 41.5%, 하층이 70.7%로 경제 계층이 낮을수록 유의미하게 증가했다. 전문대졸 이상의 구성비는 상층, 중층, 하층이 각각 36.0%, 19.8%, 5.1%로 경제적 지위가 높은 집단일수록 높게 나타났다. 미취업 가구주는 하층이 16.9%, 중층이 11.5%, 상층이 9.3%를 차지해 경제적 지위가 낮을수록 미취업 가구주의 구성비가 높았다.

2012년 남성가구주는 69.0%, 여성 가구주는 31.0%를 차지했다. 경제 계층별 여성 가구주 구성비는 하층이 56.0%, 중층이 19.0%, 상층이 4.5%로 경제적 지위가 낮은 집단에서 여성 가구주의 비율이 상대적으로 높았다. 연령대별 분포를 보면 20대 이하가 1.4%, 30대가 10.4%, 40대가 17.5%, 50대가 16.9%, 60대 이상이 53.8%로 조사되었다. 60대 이상 가구주의 구성비는 하층이 85.3%, 중층이 41.1%, 상층이 16.0%로, 경제 계층이 낮은 집단에서 60대 이상 고령 가구주의 구성비는 큰 폭으로 증가했다.

〈그림 7-2〉 1968년 가구주의 인구학적 특성

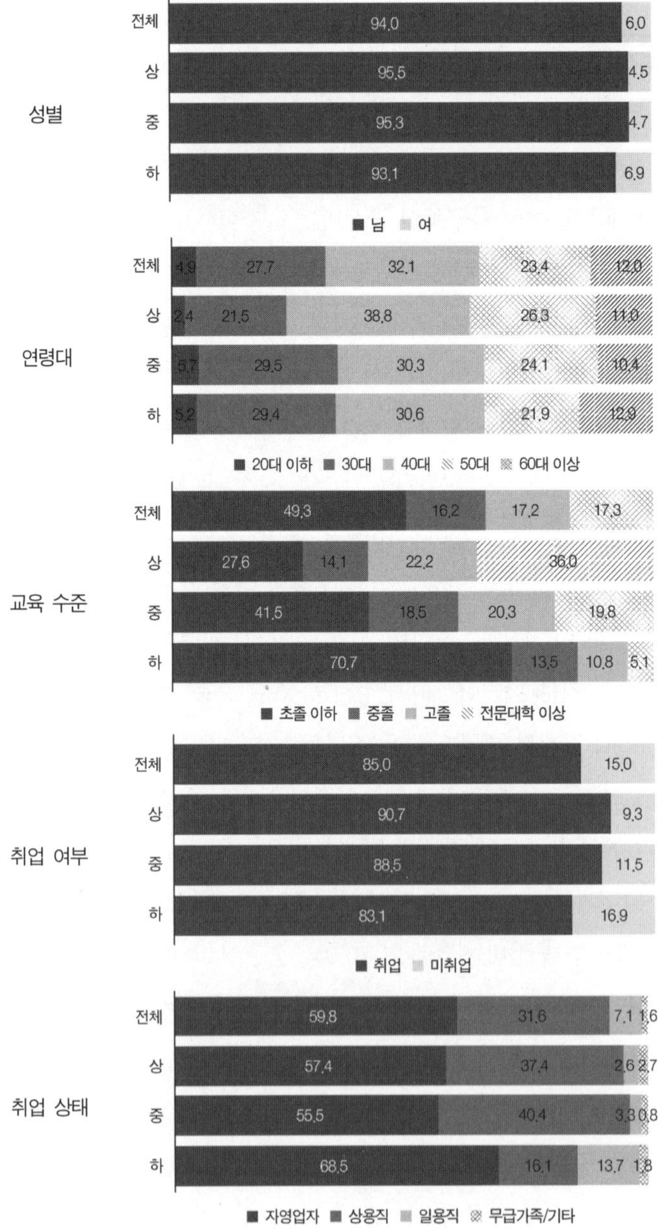

〈그림 7-3〉 2012년 가구주의 인구학적 특성

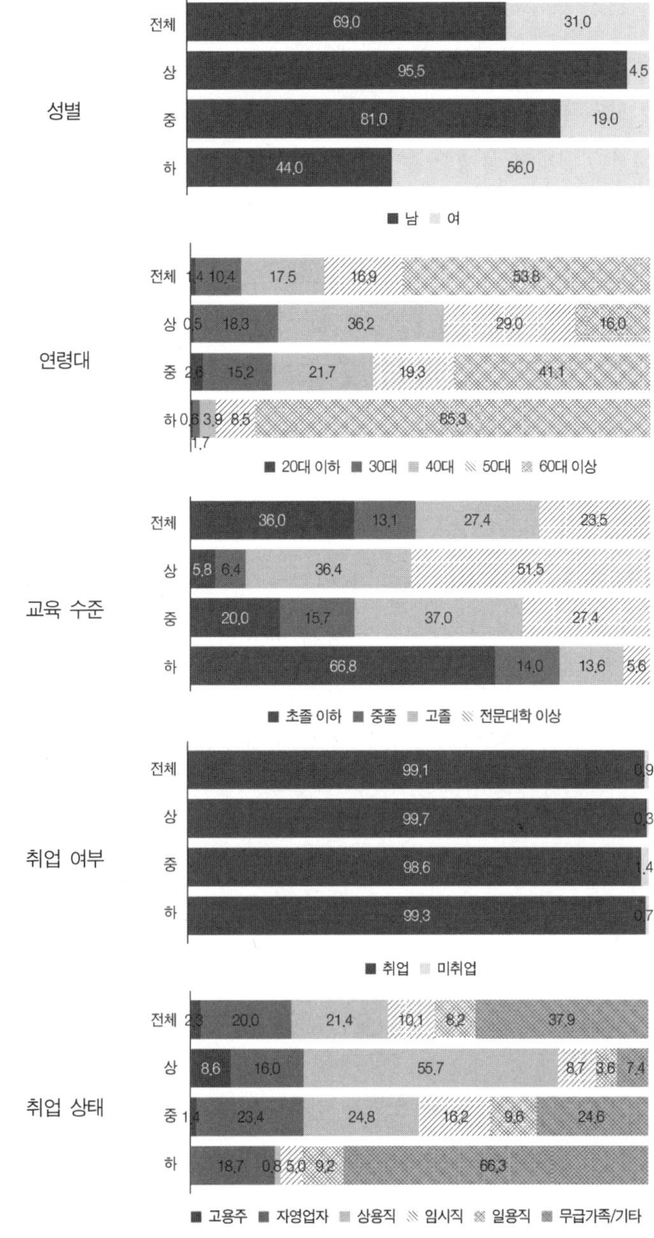

가구주의 학력은 초졸 이하가 36.0%, 중졸이 13.1%, 고졸이 27.4%, 전문대졸 이상이 23.5%를 차지했다. 하층은 초졸 이하의 구성비가 66.8%로 높은 반면 전문대학 이상이 5.6%에 불과해 중층 또는 상층보다 상대적으로 낮은 학력을 보였다. 하층의 학력 분포는 60대 구성비가 높은 하층의 연령대 분포와 연계된 결과로 설명할 수 있다. 상층은 전문대학 이상이 51.5%로 중층(27.4%)이나 하층(5.6%)보다 높은 학력을 보였다. 가구주의 99.1%가 취업 중이었으며, 경제활동 상태는 고용주가 2.3%, 자영업자가 20.0%, 상용직 노동자가 21.4%, 임시직 노동자가 10.1%, 일용직 노동자가 8.2%를 차지했다. 경제 계층이 낮은 집단일수록 상용직 노동자의 구성비는 낮은 반면, 자영업자와 일용직 노동자의 구성비는 유의미하게 증가했다.

1968년 경제 계층별 가구주의 특성은 경제 계층이 낮을수록 초졸 이하의 저학력자, 미취업자 비율이 높은 반면 상용직 노동자의 비율이 낮았다. 2012년은 경제 계층이 낮을수록 여성 가구주, 60대 이상 고령자, 초졸 이하의 저학력자 구성비가 높고 상용직 노동자의 비율은 낮았다. 1968년과 2012년 사이 여성 가구주와 고령 가구주의 구성비가 증가하는 가구주의 여성화와 고령화 현상이 진행되었으며, 특히 경제 계층이 낮은 집단에서 가구주의 여성화와 고령화가 심각한 것으로 드러났다.

2) 소득 특성

1968년 가구주의 연평균 소득은 2만 9271원, 중위 소득은 1만 7000원으로 조사되었다. 상층의 연평균 소득은 8만 5387원, 중층은 2만 1571원, 하층은 7906원으로, 상층의 연평균 소득은 하층의 10.8배에 달했다. 상층에 해당하는 가구 중 주요 소득원이 재산소득이라고 밝힌 34 가구의 연평균 소득은 21만 6988원으로 하층에 해당하는 가구 중 주요 소득원이 재산소득인

〈그림 7-4〉 1968년 가구소득

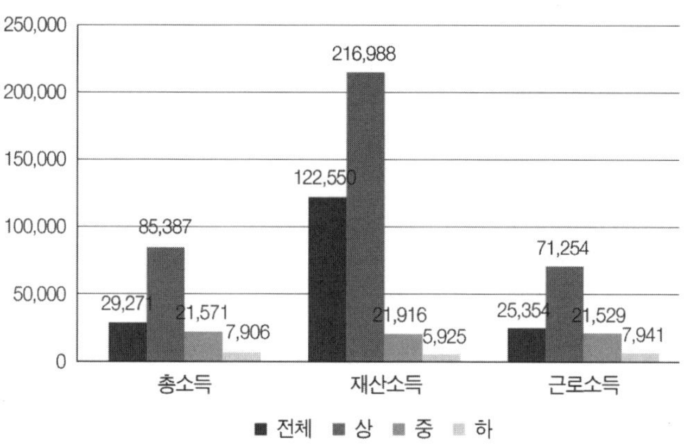

〈표 7-4〉 1968년 가구소득 기술통계(원)

		N	평균	중위수	표준편차	최솟값	최댓값
전체	총소득	1,624	29,271	17,000	55,377	250	815,000
	재산소득	64	122,550	40,800	200,157	1,000	815,000
	근로소득	1,539	25,354	16,000	34,833	250	506,000
상	총소득	336	85,387	50,000	103,053	33,000	815,000
	재산소득	34	216,988	108,500	238,338	40,000	815,000
	근로소득	293	71,254	50,000	59,162	33,000	506,000
중	총소득	634	21,571	20,000	5,444	14,000	32,500
	재산소득	18	21,916	20,000	5,456	15,000	32,000
	근로소득	607	21,529	20,000	5,443	14,000	32,500
하	총소득	654	7,906	8,000	3,142	250	13,350
	재산소득	12	5,925	6,500	3,699	1,000	12,000
	근로소득	639	7,941	8,000	3,126	250	13,350

〈그림 7-5〉 2012년 가구소득

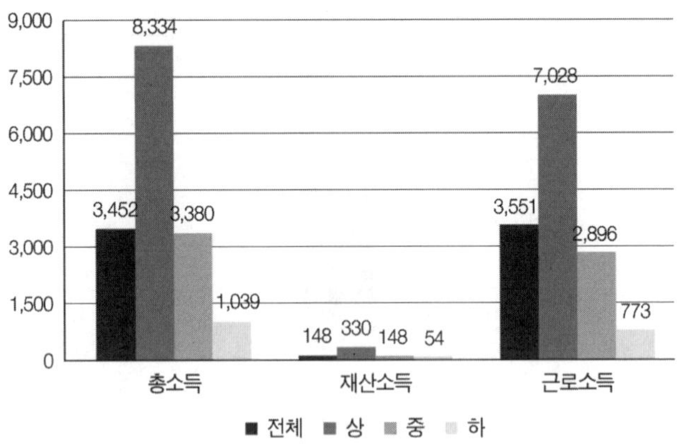

〈표 7-5〉 2012년 가구소득 기술통계(만 원)

		N	평균	중위수	표준편차	최솟값	최댓값
전체	총소득	6,834	3,452	2,480	3,340	-10,163	72,765
	재산소득	6,834	148	0	534	0	11,760
	근로소득	4,653	3,551	2,447	4,548	-9,873	84,430
상	총소득	1,405	8,334	7,254	4,071	5,380	72,765
	재산소득	1,405	330	1	962	0	11,760
	근로소득	1,334	7,028	5,468	6,728	50	84,430
중	총소득	2,665	3,380	3,277	1,001	1,886	5,378
	재산소득	2,665	148	0	435	0	4,270
	근로소득	2,159	2,896	2,506	2,037	-1,100	27,460
하	총소득	2,764	1,039	1,005	504	-10,163	1,885
	재산소득	2,764	54	0	161	0	1,560
	근로소득	1,160	773	643	898	-9,873	10,464

〈표 7-6〉 십분위분배율

	1968년	2012년
하위 40% 총소득	698,037	1,367,655
상위 40% 총소득	11,059,766	10,596,608
DDR(%)	6.31	12.9

12 가구의 연평균 소득 5925원의 36.6배에 해당했다. 반면 주요 소득원이 근로소득이라고 밝힌 가구의 계층별 연평균 소득은 상층이 7만 1254원, 하층이 7941원으로 아홉 배의 차이를 보여, 재산소득으로 인한 경제 계층별 소득 차이가 근로소득보다 상대적으로 높은 것으로 나타났다.

2012년 가구주의 연평균 총소득은 3452만 원, 중위 소득은 2480만 원으로 조사되었다. 계층별 연평균 총소득은 상층이 8334만 원, 중층이 3380만 원, 하층이 1039만 원로 나타났다. 상층 집단과 하층 집단 사이의 소득배율은 총소득 기준 8.02, 재산소득 기준 6.10, 근로소득 기준 9.09로 근로소득의 격차가 좀 더 큰 것으로 분석되었다.

경제 계층 간 소득배율은 1968년 10.8배에서 2012년 8.02로 감소했다. 십분위분배율[1]을 통해 살펴본 소득 양극화의 정도는 1968년 6.31%, 2012년 12.9%로 두 배 이상 높아졌다. 경제 계층 간 소득배율과 십분위분배율을 통해 본 소득 양극화는 1968년에 비해 2012년 다소 개선되었으나, 십분위분배율이 0.35%보다 낮아 여전히 불균등한 분배구조인 것으로 드러났다.

3) 사회적 위험

가구주의 실직, 질병, 장애, 노령, 여성, 노인 돌봄을 통해 본 1968년 우리

---

1 십분위분배율(DDR)은 하위 40%의 총소득을 상위 20%의 총소득으로 나눈 뒤 100을 곱한 값으로, 그 값이 45.0 이상이면 고균등 분배, 35.0 이상 45.0 미만이면 저균등 분배, 35.0 미만이면 불균등 분배로 구분된다.

<그림 7-6> 1968년 사회적 위험의 실태(%)

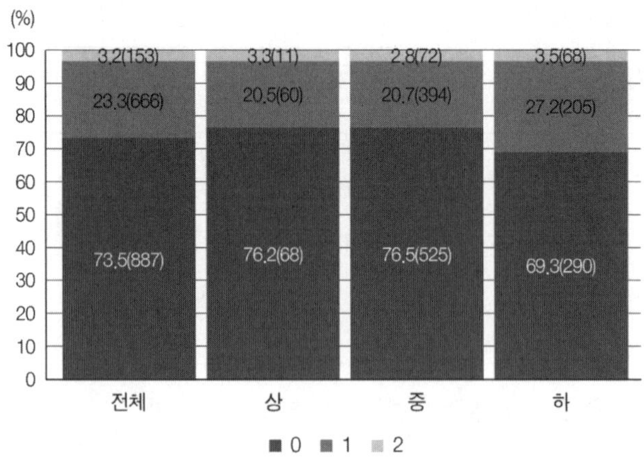

<표 7-7> 1968년 사회적 위험

	N	평균	중위수	표준편차	최솟값	최댓값
전체	1,624	0.30	0.00	0.52	0.00	2.00
상	336	0.27	0.00	0.51	0.00	2.00
중	634	0.26	0.00	0.50	0.00	2.00
하	654	0.34	0.00	0.54	0.00	2.00

나라의 사회적 위험은 평균 0.30으로 나타났다. 경제 계층별로는 하층이 0.34, 중층이 0.26, 상층이 0.27로 하층의 사회적 위험 수준이 가장 높았다. 사회적 위험이 하나 이상 존재하는 가구의 구성비는 하층이 30.7%로 중층(23.5%)과 상층(23.8%)보다 높았다.

사회적 위험의 세부 항목별 분포는 지난 1년간 실직을 경험한 가구주가 10.3%에 달했으며, 하층의 실직 경험률이 11.3%로 중층 8.0%, 상층 6.9%보다 크게 높았다. 가구주의 0.9%만이 장애가 있었으며 경제 계층별로는 하층의 장애율이 2.0%로 상대적으로 높았다. 건강에 심각한 이상이 있는

〈그림 7-7〉 1968년 사회적 위험 세부 항목별 실태(%)

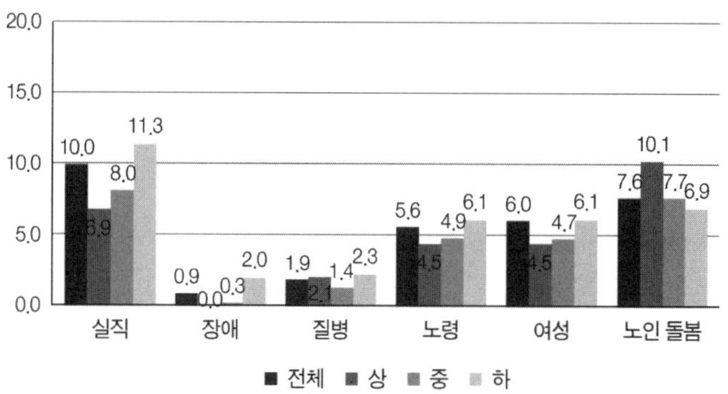

가구주는 1.9%뿐이었으며 경제 계층별로는 하층이 2.3%로 중층(1.4%)과 상층(2.1%)보다 높았다. 65세의 노인 가구주는 5.6%를 차지했으며 하층이 6.1%, 중층이 4.9%, 상층이 4.5%로 하층이 중층과 상층보다 상대적으로 높은 구성비를 보였다. 여성 가구주는 6.0%에 달했으며, 하층이 6.1%로 중층의 4.7%, 상층의 4.5%보다 상대적으로 높았다. 돌보아야 할 노부모나 조부모가 있는 가구는 7.6%를 차지했으며 상층이 10.1%로 가장 높게 나타났다.

2012년 우리나라 가구는 평균 1.63의 사회적 위험을 경험하는 것으로 조사되었다. 경제 계층별로는 하층이 2.46, 중층이 1.27, 상층이 0.66으로 경제 계층이 낮을수록 사회적 위험이 큰 폭으로 증가했다. 경제 계층별 사회적 위험의 분포는 하층의 경우 하나의 사회적 위험을 지닌 가구는 10.4%, 두 개는 34.5%, 세 개는 46.3%, 네 개 이상이 6.9%로 87.7%의 가구가 두 개 이상의 사회적 위험에 노출되어 있었다. 반면 상층은 53.2%의 가구가 어떤 사회적 위험도 경험하지 않았으며, 31.3%가 하나, 두 개 이상은 15.5%에 불과해 사회적 위험은 경제적 지위가 낮은 계층에 광범위하고 밀도 높게 집중된 것으로 나타났다.

세부항목별 사회적 위험의 분포를 살펴보면, 2011년부터 2012년 사이 실

〈그림 7-8〉 2012년 사회적 위험의 실태

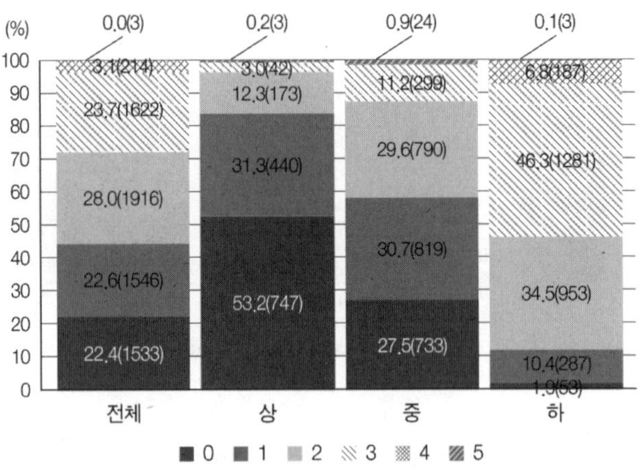

〈표 7-8〉 2012년 사회적 위험

	N	평균	중위수	표준편차	최솟값	최댓값
전체	6,834	1.63	2.00	1.16	0.00	5.00
상	1,405	0.66	0.00	0.82	0.00	4.00
중	2,665	1.27	1.00	1.01	0.00	4.00
하	2,764	2.46	3.00	0.84	0.00	5.00

직을 경험한 가구주는 1.4%에 지나지 않았다. 하층은 1.2%, 중층은 2.0%, 상층은 0.8%로 경제 계층 간 실직 경험률에 큰 차이가 없었다. 장애가 있는 가구주는 13.8%를 차지했으며, 하층 가구주의 장애율은 19.8%로 중층의 11.4%, 상층의 6.8%보다 상대적으로 높았다. 질병이 있는 가구주는 63.1%로 다수를 차지했다. 하층은 86.4%, 중층은 52.7%, 상층은 37.2%로 하층 가구주가 만성질환에 겪는 비율이 상대적으로 높았다. 65세 이상 노인 가구주의 구성비는 46.8%로 조사되었다. 하층이 79.4%, 중층이 33.1%, 상층이 8.4%로 하층 가구주의 노령화 정도가 심각했다. 여성 가구주는 31.0%를

〈그림 7-9〉 2012년 사회적 위험 세부 항목별 실태(%)

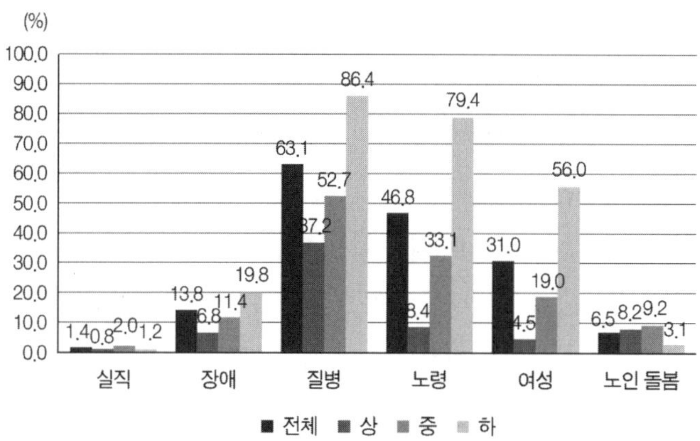

〈그림 7-10〉 사회적 위험의 변화 추이

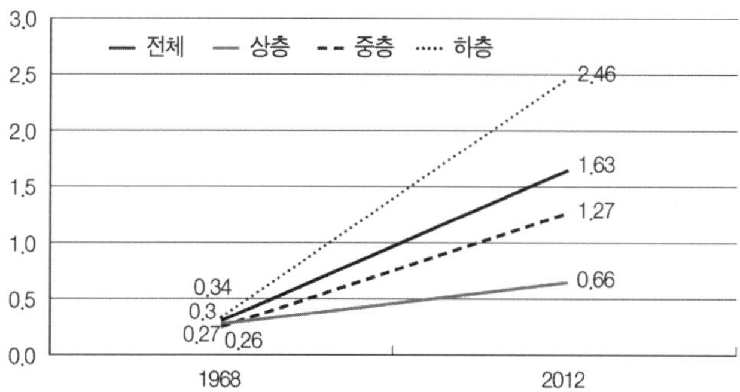

차지했다. 하층은 56.0%로 가장 높았으며, 중층이 19.0%, 상층이 4.5%로 경제 계층에 따라 뚜렷한 차이를 보였다. 돌보아야 할 노인이 있는 가구는 6.5%를 차지했으며 하층은 3.1%, 중중은 9.2%, 상층은 8.2%로 경제 계층에 따라 차이를 보였다.

경제 계층별 사회적 위험에 대한 분석 결과는 현대사회로 갈수록 사회적 위험이 확대되고 있음을 보여준다. 1968년 평균 0.30이었던 사회적 위험은

2012년 1.63으로 다섯 배 이상 높아졌다. 특히 사회적 위험의 확대는 경제적 지위가 낮은 하층을 중심으로 심화되었다. 같은 기간 사회적 위험의 수준은 상층이 0.27에서 0.66으로, 중층이 0.26에서 1.27로 높아진 반면 하층은 0.34에서 2.46로 일곱 배 이상 증가했다. 하층의 88%는 두 개 이상의 사회적 위험에, 53%는 세 개 이상의 사회적 위험에 노출되는 등 경제적 지위가 낮은 집단에서 사회적 위험의 중복성 또한 높게 나타났다. 이는 산업사회에서 후기 산업사회로 이행함에 따라 전통적 사회적 위험과 새로운 사회적 위험이 복합적 · 역동적 경험되며, 사회적 위험이 특정 집단에 집중된다는 에스핑-앤더슨(Esping-Andersen, 1999)의 논지를 경험적으로 재현한다.

1968년에는 사회적 위험이 주로 가구주의 실직으로 경험되었으나 2012년에는 노인 가구주, 여성 가구주가 가장 보편적으로 경험되는 사회적 위험으로 나타났다. 이는 사회적 위험의 질적 속성이 근로 지위의 상실에서 가구주의 노령화와 여성화로 변화되고 있으며, 산업화의 경로에 따라 전통적 사회적 위험에 더해 후기 산업사회의 새로운 사회적 위험의 출현이 증가하고 있음을 시사한다.

7. 사회적 위험의 관리

1) 사적 관리

사회적 위험에 대비한 사적 관리 방법은 개인형, 연대형, 혼합형으로 구분했다. 개인형은 사회적 위험에 대비해 저축에만 의존하는 경우, 연대형은 계, 공제조합, 보험 등 타인과의 연대를 통해 사회적 위험에 대비하는 경우, 혼합형은 저축과 계, 조합, 보험 등을 병용하는 경우이며, 끝으로 어떤 사적

〈그림 7-11〉 1968년 사회적 위험의 사적 관리 방법(%)

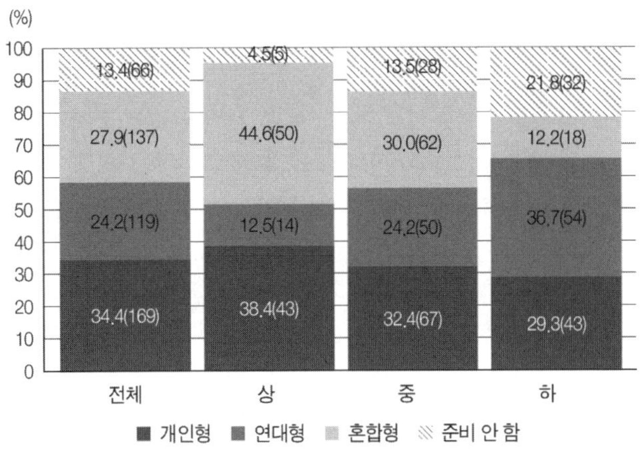

관리도 하지 않는 것을 무관리형으로 분류했다.

1968년에는 개인형이 34.4%, 연대형이 24.2%, 혼합형이 27.9%, 무관리가 13.4%로 개인형이 가장 보편적인 사회적 위험의 사적 관리 방식으로 나타났다. 상층은 혼합형, 중층은 개인형, 하층은 연대형이 가장 높은 구성비를 차지했다. 경제 계층이 낮을수록 연대형과 무관리형의 구성비는 증가하는 반면 개인형과 혼합형은 감소하는 방향성이 관찰되었다.

사적 관리 방법을 내용별로 살펴보면, 71.2%가 미래의 위험에 대비하는 방법으로 저축을 선택하고 있었다. 하층은 48.0%, 중층은 70.0%, 상층은 89.0%로 경제적 지위가 높은 집단에서 저축을 통한 사회적 위험의 대비 정도가 높았다. 보험 가입률은 34.3%로 저축보다 낮았다. 하층은 22.0%만이 보험에 가입해 중층의 34.0%, 상층의 50.0%보다 낮았다. 공제조합 가입률은 19.1%로 비교적 높지 않았고, 하층은 14.0%, 중층과 상층은 각각 23.0%와 20.0%로 계층 간에 의미 있는 차이가 없었다. 계 가입률은 56.4%로 저축에 이어 두 번째로 높았다. 계 가입률은 계층 간에 차이가 없었으며, 하층은 잠재적 위험에 대한 대비 방안으로 계를 선호하는 것으로 나타났다.

〈그림 7-12〉 1968년 사회적 위험의 사적 관리 세부 내용(%)

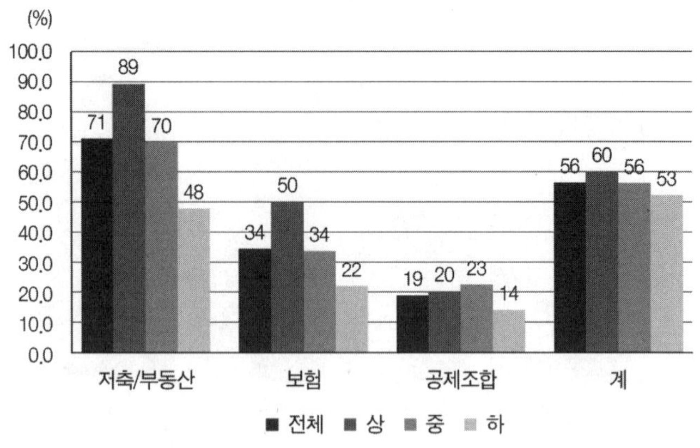

2012년의 경우 사회적 위험에 대한 관리 방안은 개인형이 45.3%, 연대형이 3.7%, 혼합형이 45.8%로 개인형과 혼합형에 집중되어 있었다. 경제 계층이 낮을수록 개인형과 무관리의 구성비는 유의미하게 증가하는 반면 혼합형의 구성비는 유의미하게 낮아 경제 계층과 사회적 위험의 관리 방안 사이에 일정한 방향성이 존재했다. 하층은 다른 계층보다 연대형과 혼합형의 구성비가 상대적으로 낮아 사회적 연대를 통해 사회적 위험을 효과적으로 분산하는 데 한계가 있는 것으로 나타났다.

사회적 위험의 관리 방안을 구체적으로 살펴보면, 모든 계층에서 저축을 하고 있는 가구주의 비율이 90% 안팎으로 높았다. 보험 가입률은 하층은 36.0%, 중층은 80.9%, 상층은 95.4%로 경제 계층이 높을수록 증가했다. 공제조합 가입률은 6.5%로 높지 않았으며, 상층만이 19.9%로 상대적으로 높았다. 계를 들고 있는 비율은 0.8%로 낮았으며 계층별로도 1.9%에서 0.1%로 의미 있는 차이가 없었다.

1968년과 비교해 2012년 사회적 위험의 사적 관리 방법에 나타난 주요 변화는 우선 저축형의 증가와 연대형의 감소로 요약될 수 있다. 저축형의

〈그림 7-13〉 2012년 사회적 위험의 사적 관리 방법(%)

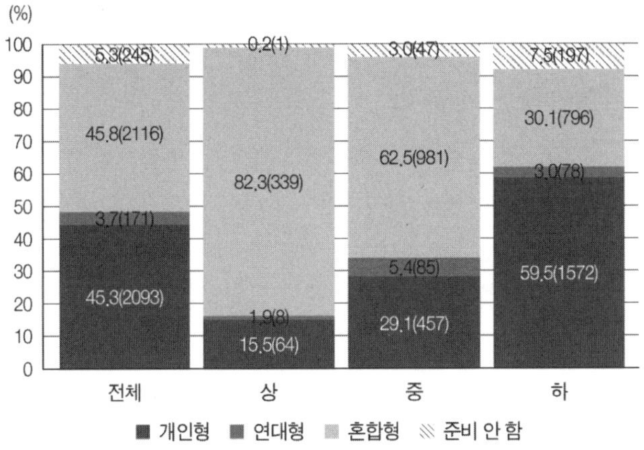

〈그림 7-14〉 2012년 사회적 위험의 사적 관리 세부 내용(%)

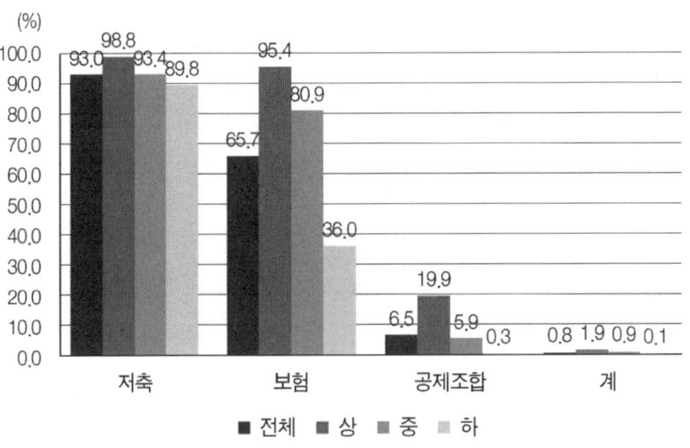

증가는 특히 하층에서 두드러지게 나타났다. 연대형의 감소는 사회적 위험의 관리 방법으로 저축이 증가함에 따라 보험, 조합, 계 등 연대형에 해당했던 가구가 혼합형으로 유입되었기 때문인 것으로 설명된다.

하층의 경우 저축하는 가구는 크게 증가했으나 계와 조합 가입률은 높지 않아 혼합형의 증가로 연계되지 못하고 저축형만이 증가했다. 이는 과거 사회적 위험의 관리 방법으로 주요한 역할을 담당하던 계가 민간 보험 상품의 발달과 민간 보험 시장의 확대로 축소되면서 계의 선호도가 높았던 하층은 연대를 통해 사회적 위험을 관리하는 경로가 축소되었음을 시사한다.

2) 공적 관리

1968년 정부의 생계비 보조, 아동 급식 지원, 장애 아동을 위한 공공서비스 이용 등으로 살펴본 사회적 위험의 공적 관리 수준은 평균 0.14로 낮았

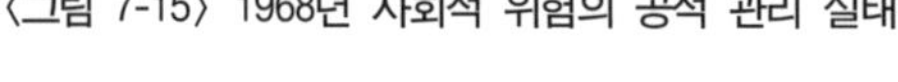
〈그림 7-15〉 1968년 사회적 위험의 공적 관리 실태

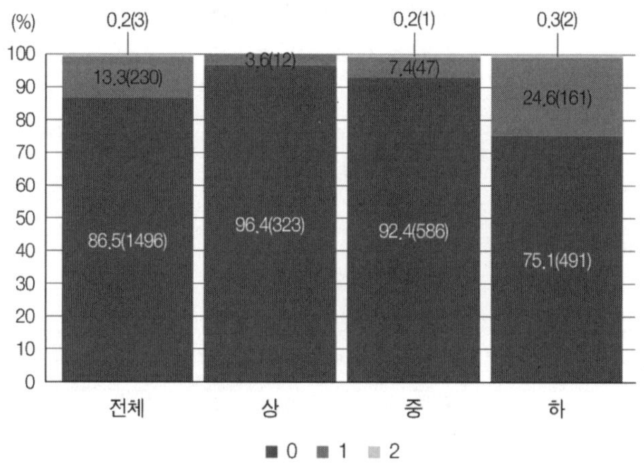

〈표 7-9〉 1968년 사회적 위험의 공적 관리

	N	평균	중위수	표준편차	최솟값	최댓값
전체	1,729	0.14	0.00	0.35	0.00	2.00
상	335	0.04	0.00	0.19	0.00	1.00
중	634	0.08	0.00	0.27	0.00	2.00
하	654	0.25	0.00	0.44	0.00	2.00

〈그림 7-16〉 1968년 사회적 위험의 공적 관리 세부 내용별 실태(%)

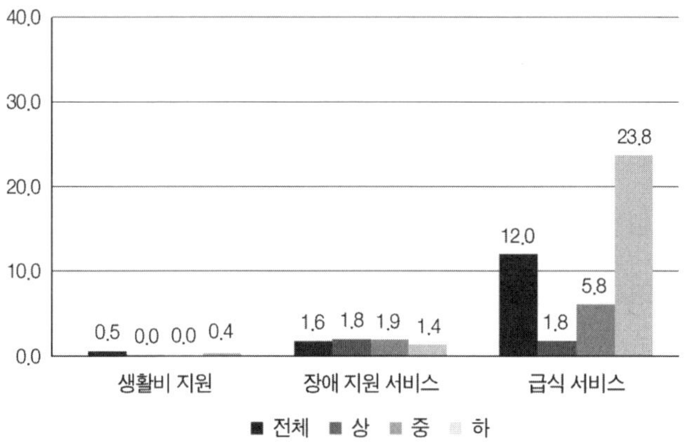

다. 경제 계층별로는 하층이 0.25, 중층이 0.08, 상층이 0.04로 하층의 공적 관리 정도가 상대적으로 높았다. 하층은 한 가지 이상의 사회복지 급여를 제공받은 가구가 24.9%에 달했으며, 중층은 7.6%, 상층은 3.6%에 지나지 않았다.

하층의 0.4%만이 정부로부터 생계비를 지원받았으며, 중층과 상층 중에는 생계비를 지원받은 가구가 없었다. 장애 아동을 위한 공공서비스를 이용한 비율 또한 하층의 1.4%, 중층의 1.9%, 상층의 1.8%에 그쳤다. 아동 급식 서비스는 하층의 23.8%가 이용해 1968년 가장 보편적인 사회복지 서비스인 것으로 나타났다.

2012년 사회적 위험의 공적 관리 수준은 평균 2.96로 조사되었으며, 최소 0에서 최대 8의 넓은 범주를 보였다. 하층은 3.02, 중층은 2.95, 상층은 2.88로 경제적 계층이 낮을수록 사회적 위험의 공적 관리 수준은 증가했으나 유의미한 차이는 없었다.

2012년 정부로부터 기초생계비를 지원받는 가구주는 11.0%이며, 하층은 21.2%, 중층은 5.9%, 상층은 0.5%로 나타났다. 기초연금을 지원받은 비율

〈표 7-10〉 2012년 사회적 위험의 공적 관리

	N	평균	중위수	표준편차	최솟값	최댓값
전체	6,834	2.96	3.00	1.04	0.00	8.00
상	1,405	2.88	3.00	1.00	1.00	8.00
중	2,665	2.95	3.00	1.11	0.00	8.00
하	2,764	3.02	3.00	0.98	0.00	8.00

〈그림 7-17〉 2012년 사회적 위험의 공적 관리 세부 내용별 실태(%)

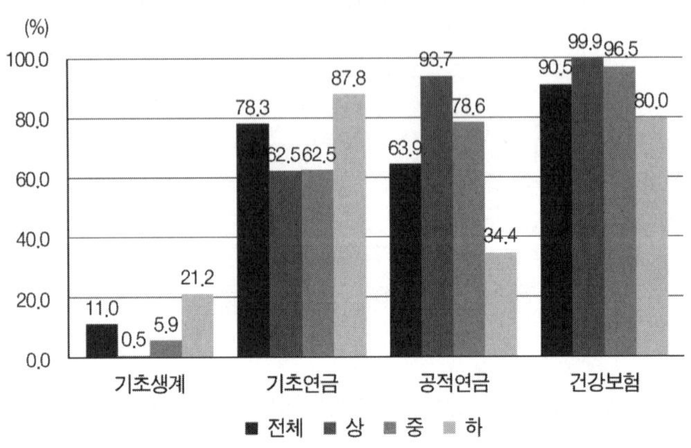

은 78.3%이며 하층은 87.8%로 높았다. 기초생계비와 기초연금을 지원받은 가구의 구성비가 하층에서 높게 나타난 것은 두 제도의 수혜 자격이 가구소득과 연동된 결과이다. 건강보험에 가입된 비율은 90.5%로 나타났으며 하층은 80.0%로 건강보험 가입률이 다른 집단보다 상대적으로 낮았다.

2008년 7월부터 시행된 노인장기요양 서비스를 이용하는 가구는 2.0%에 불과했으며, 경제 계층별로 의미 있는 차이가 없었다. 6대 바우처 서비스 중 하나 이상의 서비스를 이용하는 가구는 12.2%에 달했다. 하층은 4.8%, 중층 15.9%, 상층은 20.0%로 바우처 서비스는 경제적 계층이 높을수록 이용률이 증가했다. 일부 바우처 서비스는 자격 여건이 소득에 의해 제한되지

〈그림 7-18〉 2012년 사회적 위험의 공적 관리 세부 내용별 실태(%)

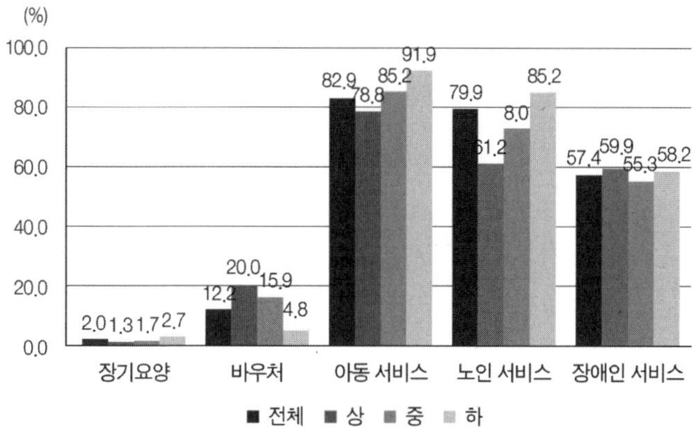

않으며 바우처 서비스는 본인 부담금이 발생하기 때문에 경제력이 높을수록 이용률이 증가한 것으로 설명될 수 있다.

바우처 서비스 이외의 아동복지 서비스 이용률은 82.9%, 노인복지 서비스 이용률은 79.9%로 비교적 높았다. 장애인 복지 서비스는 가구원 중 장애인이 있는 가구의 57.4%가 이용했다. 아동복지 서비스와 노인복지 서비스는 경제적 계층이 낮을수록 이용률이 증가했으나 장애인 복지 서비스는 경제 계층에 따라 이용률의 차이가 없었다.

1968년부터 2012년 사이에 사회적 위험에 대한 공적 관리의 정도는 사회복지 제도의 다양화와 대상자 규모의 증가에 따라 크게 확대되었다. 1968년에는 생계비 지원, 아동 급식 등 전통적인 사회적 위험을 완화하는 사회복지 제도가 주를 이루었으며, 이용자의 규모도 제한적이었다. 노인장기요양 서비스, 한부모 가족 지원 서비스 등 후기 산업사회의 신사회적 위험을 겨냥한 다양한 사회복지 제도가 확대되면서 2012년에 공적 관리의 정도는 크게 증가했다. 사회복지 정책의 기조가 저소득층을 대상으로 했던 선별적 복지에서 보편적 복지로 전향된 것 또한 사회적 위험에 대한 공적 관리의 수준이 증가한 주요 요인으로 이해된다.

8. 사회적 위험과 사회적 위험의 관리의 효과

1968년 사회적 위험은 가구의 총소득, 자본소득, 근로소득과 유의미한 상관관계를 보이지 않았으나, 2012년에는 사회적 위험과 총소득 그리고 근로소득 사이에 부적으로 유의미한 상관관계가 존재했다. 사회적 위험에 대한 공적 관리와 가구소득 사이의 상관관계는 1968년과 2012년 모두에서 유의미하게 나타났다. 1968년에는 총소득과 근로소득이 낮을수록 공적 관리의 정도는 유의미하게 높아졌으나 자본소득과 공적 관리 사이의 상관관계는 유의미한 수준에 미치지 못했다. 2012년에는 사회적 위험에 대한 공적 관리의 수준이 총소득과 근로소득뿐만 아니라 자본소득과도 부적으로 유의미한 상관관계가 존재하는 것으로 분석되었다. 이는 사회적 위험이 높은 가구일수록 총소득, 근로소득, 자본소득 모두 유의미하게 낮아짐을 의미한다.

〈표 7-11〉 사회적 위험, 공적 관리, 소득 사이의 상관관계

		1968년	2013년
사회적 위험	총소득	0.01	-0.51***
	자본소득	-0.03	-0.02
	근로소득	-0.03	-0.44***
	공적 관리	0.08**	0.18***
공적 관리	총소득	-0.11***	-0.06***
	자본소득	-0.13	-0.09***
	근로소득	-0.14***	-0.04**
	사회적 위험	0.08**	0.18***

주: *=p〈0.05, **=p〈0.01, ***=p〈0.001

〈표 7-12〉 사회적 위험, 사회적 위험에 대한 공적 관리가 소득에 미치는 영향

		1968년			2013년		
		b	β	t	b	β	t
근로소득	(상수)	27,750.13	-	25.80***	4,655.02	-	19.47***
	사회적 위험	-1,547.66	-0.02	-0.83	-1,669.59	-0.47	-13.50***
	공적 관리	-15,828.56	-0.16	-5.19***	104.96	0.03	1.32
	상호작용항	4,521.62	0.03	1.00	33.31	0.04	0.86
	F(df) R^2	11.22(3)*** 0.02			543.91(3)*** 0.19		
재산소득	(상수)	134,570.66	-	3.99***	286.28	-	8.30***
	사회적 위험	-8,589.95	-0.03	-0.20	2.85	0.01	0.16
	공적 관리	-102,330.33	-0.18	-0.87	-47.02	-0.09	-4.08***
	상호작용항	23,907.60	0.06	0.29	-0.70	-0.01	-0.13
	F(df) R^2	0.39(3) 0.02			19.96(3)*** 0.01		

주: *=p〈0.05, **=p〈0.01, ***=p〈0.001

특히 2012년에는 사회적 위험에 대한 공적 관리의 수준과 사회적 위험 사이에 정적인 상관관계가 존재해 사회적 위험이 높을수록 공공부조, 사회보험, 사회복지 서비스의 이용 정도도 유의미하게 증가했다.

사회적 위험과 공적 관리가 소득에 미치는 영향 관계를 분석했다. 1968년의 경우, 사회적 위험은 근로소득과 재산소득에 의미 있는 영향을 미치지 못했다. 이는 1965년 절대빈곤율이 40% 이상이라는 사실에서 유출되는 바와 같이, 1968년에는 사회적 여건에 관계없이 대다수 가구가 저소득이었기 때문에 사회적 위험이 소득에 미치는 영향력에 한계가 있었음을 시사한다. 반면 공적 관리 수준은 총소득, 자본소득과 부적으로 유의미하게 연계된 것으로 나타났으며, 이는 1968년 사회복지 서비스가 극빈한 가구에만 선별적으로 제공되었기 때문에 총소득과 자본소득이 낮은 저소득 가구가 주로 공

적 관리의 대상으로 선정되었던 당시 실태가 반영된 결과로 풀이된다.

2012년에는 사회적 위험이 근로소득에는 부적으로 유의미한 영향을 미치는 것으로 나타나, 사회적 위험의 수준이 높은 가구일수록 근로소득은 유의미하게 감소하는 것으로 확인되었다. 사회적 위험이 가구주의 소득 감소를 야기하는 원인이라는 점에서 사회적 위험이 높을수록 근로소득이 감소하는 것은 예견된 결과일 수 있다. 사회적 위험의 공적 관리 수준은 재산소득과 부적으로 유의미하게 연합된 것으로 분석되었다. 이는 사회복지 서비스의 보편화에도 여전히 대부분의 사회복지 서비스가 저소득을 중심으로 선별적으로 제공되기 때문에 높은 재산소득은 사회복지 서비스의 수혜 가능성을 낮추기 때문인 것으로 설명할 수 있다.

9. 결론

이 연구는 사회복지를 사회적 위험에 대한 제도적 대응으로 규정하고 우리나라의 사회적 위험 양상과 사회복지 제도를 통한 사회적 위험 관리의 경험을 경제 계층별로 비교분석했다. 특히 자본주의가 본격화된 1960년대 말과 보편적 복지국가의 토대를 마련했으나 신자유주의 기조에 밀려 복지후퇴를 목격한 2012년을 비교해 사회적 위험과 사회적 위험 관리의 종적 변화를 고찰했다.

비교 시점 사이에 가구주는 점차 고령화, 여성화, 고학력화되는 경향을 보여 가구주 중 65세 이상의 노인, 여성, 전문대 졸업 이상의 고학력 가구주 비율이 2012년 크게 증가했다. 경제 계층이 낮을수록 여성 가구주, 저학력 가구주, 미취업 가구주의 구성비는 높고 상용직에 종사하는 가구주의 비율은 낮아졌으며 이는 두 시기 모두에서 공통적으로 관찰되었다. 십분위분배율은 6.31%에서 12.9%로 증가해 소득 양극화는 다소 개선되었으나 여전히 불균등 분배구조에서 벗어나지 못한 것으로 확인되었다.

사회적 위험의 수준은 비교 시점 사이에 약 다섯 배 이상 증가해 후기 산업사회로의 이행에 따라 사회적 위험이 확대되고 있음을 시사했다. 시기에 관계없이 사회적 위험은 경제 계층이 낮을수록 증가했으며 경제 계층 간 사회적 위험의 격차는 지속적으로 확대되었다. 따라서 2012년 경제 계층이 낮은 집단은 어느 시기의 어떤 집단보다 다양한 사회적 위험을 복합적으로 경험하는 것으로 드러났다.

이 같은 결과는 후기 산업사회로 전환됨에 따라 실직, 노령, 질병의 전통적 사회적 위험과 노인 돌봄 등 신사회적 위험이 혼재되며 사회적 위험이 취약집단에 집중될 것이라는 에스핑-앤더스의 논지를 실증하는 것으로 이해할 수 있다. 1960년대 말 보편적 사회적 위험은 가구주의 실직으로 제한되었으나 2012년 사회적 위험은 노령화, 여성 가구주 등으로 다양화되었다. 이는 후기 산업사회화가 사회적 위험의 양적 증대와 함께 다양한 신사회적 위험의 출현이라는 사회적 위험의 질적 변화 또한 야기했음을 시사했다.

사회적 위험의 양적 및 질적 변화에 따라 사회적 위험에 대한 대응방식 또한 변화했다. 초기 산업화 시기에는 저축을 통해 사회적 위험을 관리하는 개인형이 우세했으며, 2012년에는 저축과 함께 보험, 공제조합 등 복수의 기제를 통해 사회적 위험을 관리하는 혼합형이 보편적이었다. 사회적 위험의 관리 방식은 경제 계층에 따라서도 차이를 보였으며, 하층은 과거에 계에 대한 선호도가 높았으나 현대에는 저축에만 의존하는 개인형이 주를 이루었다. 이는 하층이 사회적 위험을 관리할 때 선택할 수 있는 대안이 많지 않으며, 특히 민간 보험과 공제조합의 접근 가능성이 높지 않아 사회연대에 기초를 둔 위험 분산의 기회로부터도 배제되어 있음을 시사한다.

정치적 민주화와 자본주의의 성숙에 따라 사회적 위험에 대한 공적 관리의 수준은 두 시점 사이에 극적으로 증가했다. 이는 후기 산업화가 양산한 새로운 사회적 위험의 다기화로 이들 사회적 위험에 대응한 사회복지 서비스가 신설되었으며, 보편주의적 사회복지가 강화됨에 따라 사회복지 서비스의 대상자가 확대되었기 때문이다.

산업화 초기인 1968년에는 임금노동자의 비율이 낮았기 때문에 노동시장으로부터의 배제 가능성을 높이는 사회적 위험이 소득 증감에 갖는 효과는 제한적이었다. 후기 산업사회로 이행함에 따라 사회적 위험은 가구주의 여성화, 고령화로 확대되고, 사회적 위험이 특히 여성 가구, 노인 가구 등 취약집단에 집중됨으로써 가구의 소득을 심각하게 위협하는 것으로 확인되었다.

사회적 위험에 대한 공적 개입이 주로 저소득 가구를 대상으로 이루어지는 제도적 특성으로 인해 사회적 위험에 대한 공적 관리는 소득과 부정적인 연합을 보였다. 이는 외환위기 이후 보편주의적 사회복지가 확대되었음에도 여전히 대부분의 사회복지 서비스가 선별적으로 제공되기 때문에 사회복지 서비스의 수혜는 저소득과 연계되어 있음을 의미한다.

| 참고문헌 |

권문일. 1989. 『1960년대의 사회보험』. 서울: 박영사.

남은영. 2009. 「한국의 새로운 사회적 위험(New Social Risk): 노동시장, 소비, 가족을 중심으로」. 한국 사회학회 2009년 추계학술대회 자료집, 957~976쪽.

남찬섭. 2005. 「한국의 60년대 초반 복지 제도 재편에 관한 연구: 1950년대와의 관련성을 중심으로」. ≪사회복지연구≫, 27호, 33~76쪽.

보건복지가족부. 2008. 『일자리, 기회, 배려로 능동적 복지 실현: 복지부, 08년 대통령 업무보고서에서 복지 정책 목표와 실천계획 제시』. 서울: 한국개발연구원.

서병수. 2011. 『한국의 사회복지 정책과 복지체제 성격의 변화』. ≪사회법연구≫, 16~17호, 63~92쪽.

이혜경. 1993. 「권위주의적 자본주의 사회에서의 복지국가의 발달: 한국의 경험」. ≪한국사회복지학≫, 21권, 162~191쪽.

정무권. 2012. 「위험사회론과 사회적 위험의 역동성:사회적 위험의 거시적 연구를 위한 비판적 검토」. ≪한국 사회와 행정연구≫, 23권 2호, 195~224쪽.

최영준. 2011. 「위험 관리자로서의 복지국가: 사회적 위험에 대한 이론적 이해」. ≪정부학연구≫, 17권 2호, 31~58쪽.

통계청. 각 해당 연도. 국가통계포털. www.kosis.kr.

하상락. 1989. 『한국 사회복지사론』. 서울: 박영사.

홍경준 · 송호근. 2003. 「한국 사회복지 정책의 변화와 지속: 1990년 이후를 중심으로」. ≪한국사회복지학≫, 통권 55호, 205~230쪽.

Esping-Andersen, G. 1999. *Social Foundation of Postindustrial Economics*. Oxford: Oxford University Press.

Jessop, B. 1994. "The Schumpeterian Workfare State." in R. Burrows and B. Loader(eds.). *Towards a Post-Fordist Welfare State?* London: Routlege.

Taylor-Gooby, P. 2004. "New Risks and Social Change." in P. Taylor-Gooby(ed.). *New Risks, New Welfare*. Oxford: Oxford University Press.

제8장

정보사회로의 이행, 일상과 사회 변화

배영(숭실대학교 정보사회학과)

1. 들어가는 말

새로운 기술의 출현은 항상 새로운 기대와 함께 다양한 우려를 동반한다. 멀리는 활자의 발명을 통해 지식의 보급이 이루어지던 중세에서부터 기계가 생산 활동에 본격적으로 투입된 산업혁명 시기에 이르기까지, 그리고 비교적 가까이는 사회와 개인의 일상에 커다란 변화를 가져온 라디오와 텔레비전의 출현 속에서도 기대와 우려는 교차하고 있었다. 정보통신 기술의 발전을 기반으로 나타난 정보화 또한 낙관과 비관 속에 이루어졌다. 자신을 둘러싸고 있었던 기존의 굴레에서 벗어나 완전히 새로운 시도가 가능할 거라는 기대가 있었는가 하면, 이용 유무와 접근 여부에 따라 기존의 불평등과 격차가 오히려 심화될 것이라는 우려도 있었다.

기술이 사회에 미치는 영향에 대한 연구를 위해서는 기술 이외에도 다양한 차원에 대한 고려가 필요하다. 기술이 가진 완성도나 혁신성은 뛰어나지만 오랜 시간에 걸쳐 사회에 배태된 기존 요소와의 조응이 원활하지 못한다면 그 기술은 받아들여지기 어렵게 된다. 이러한 의미에서 사회를 구성하는 복잡한 요소들 속에 영향을 받고 또 새로운 요소들을 생성하며 연계시킨다는 의미에서 기술은 사회적 조건과 분리될 수 없다. 기술과 사회의 관계를 상관적이며 순환적인 입장에서 설명하는 대표적 이론이 사회적 구성주의(social constructivism)라 할 수 있다. 이와는 달리 기술이 사실상 독립변인으로서 사회적 조건에 우선해 모든 것을 결정한다는 기술결정론도 있다. 하지만 기술결정론은 기술과 사회적 관계를 분리, 고정된 것으로 생각하고 기술 우위의 지나친 환원주의적 성격을 띠기 때문에 실제적 적용에 어려움이 많다. 따라서 기술과 사회를 상황과 조건에 따른 일종의 결합(configuration)으로 간주하는 시각이 정보화와 관련된 논의에 있어서 지배적인 양상을 나타내고 있다.

일반적으로 정보통신 기술의 이용이 개인들의 일상과 사회 운영에 보편적으로 이용되는 것을 정보화라 한다. 정보화로 인해 가능해진 다양한 차원에서의 새로운 변화는 개인들의 일상과 가치관의 변화로 연결되었다. 일과 학습은 물론이고 교류와 거래, 나아가 여가의 내용과 구성까지도 달라져왔다. 아울러 전통적 사회의 개인들이 사회화를 통해 체득한 내용을 바탕으로 변화하는 제도나 환경에 어떻게 적응하고 대처할 것인가에 행위의 주안점이 우선 있었다면, 정보사회의 개인들은 정보 수집 능력을 기반으로 사회적 이슈나 자신의 관심사에 대해 능동적이고 적극적인 행위자로서의 특징을 나타낸다. 이때의 개인은 단순한 개인이 아니라 정보의 비대칭성을 극복한 네트워크된 개인이라는 점에서 차별적이다. 정보화를 통해 지식과 정보로 무장한 네트워크된 개인들이 주도하는 사회의 변화는 이전의 어느 시기보다 급격하고 전면적으로 이루어지고 있다.

본 장에서는 정보화가 미친 사회적 영향과 정보화의 수용과 이용에 영향을 미친 요인들을 중심으로 1980년대에서 2000년대에 걸쳐 조사된 세 가지 프로젝트를 분석해 정보화를 중심으로 한 개인과 사회의 변화에 대해 살펴보고자 한다. 먼저 정보화가 무엇을 포괄하고, 어떤 의미로 구성되어 있는지에 대해 개괄적으로 살펴보고 세 차례 조사를 통해 나타난 내용을 두 가지 주제에 기반을 두고 분석한다. 두 가지 주제는 초기 정보화 논의에서부터 꾸준히 제기되어오던 정보격차의 문제와 정보화가 과연 개인들의 영역별 일상과 사회를 얼마나, 또 어떻게 변화시켰는지에 대한 부분이다.

2. 정보화의 의미와 논의 주제

정보화 개념은 시기별, 분야별로 다양하게 나타나고 있으나, 일반적으로 기존의 산업사회가 기술의 도입과 확산을 매개로 삼아 정보사회로 이행되는 과정으로 정의된다(배영 외, 2009). 초기에는 정보화의 의미가 자료 처리, EDP 등 컴퓨터에 기반을 둔 정보기술의 활용으로 한정되었지만 1980년대 후반 이후 정보기술에 의한 경제적 · 사회적 영역 전반에 걸친 변화로 표현되기 시작했다. 이때 비슷한 의미 또는 범위로 전산화, 정보사회(information society)의 개념이 혼용되었는데, 사회적인 관심이 급증하게 된 배경에는 개인용 컴퓨터의 본격적인 보급과 함께 학교와 가정에서 관련 교육이 시작된 것이 주된 원인으로 작용했다. 1990년대 이후로는 개인들의 일상을 넘어 한층 더 거시적이고 정책적인 차원에서 정보화 관련 논의가 활성화된다. 이때 정보화의 가장 중요한 요소이자 기반이라고 할 수 있는 인터넷의 보급이 본격적으로 시작된다. 정보화에 의한 변화가 전 사회에 걸쳐 나타나면서 아날로그와 대비되는 개념인 '디지털'이라는 용어가 일반화, 일상화되어 디지털 시대(digital age), 디지털 혁명(digital revolution), 디지털 패러다임(digital paradigm) 등 정보화로 인해 가능해진 새로운 패러다임에 사회 각 영역의 관심이 급증했다.

이러한 양상들을 전반적으로 고려할 때 정보화란 정보를 생산, 관리, 전달, 활용하는 인간 활동을 의미하며, 정보사회는 정보화가 사회 전체적으로 큰 비중을 차지하는 상태로서 정의된다. 즉, 산업 및 경제활동을 중심으로 한 고전적 시각에서 본다면 '첨단 정보기술을 이용한 정보의 창조나 개발이 일반 기계나 자연에너지를 이용한 재화나 서비스의 산출보다 부가가치나 인력 분포의 면에서 큰 비중을 차지함으로써, 전체 사회가 정보 가치의 창출에 주력하는 상태'로 정보화된 사회를 규정할 수 있다. 하지만 비교적 최근 컴퓨터 및 원격 통신 기술의 결합으로 경제 외적 영역으로까지 널리 파급되어, 이제 정보화는 정치, 경제, 교육, 문화 등 사회 제반 영역에서 관찰되는 일련의 정보기술적 효과들로 폭넓게 인식되고 있다(웹스터, 1997).

이렇듯 정보통신 기술의 발전으로 사회경제적 측면에서 물리적 자원보다 정보의 중요성이 커지고 그 활용의 범위가 획기적으로 확장되는데, 제반 논의를 정리하자면 시간의 경과에 따라 기술적인 차원에서는 전산화와 자동화, 네트워크화가 전개되고 그 과정에서 인간의 자유와 창의, 그리고 자아실현의 의미가 부가되는 것이 정보화의 과정이다. 아울러 정보화 환경에서는 정보의 수집과 축적, 가공을 통해 증대된 합리성이 개인의 생산 활동과 소비 활동의 효율성 향상에도 크게 기여한다.

세 가지 조사를 통해 나타난 우리나라에서의 정보화와 그로 인한 변화를 한층 효과적으로 살펴보기 위해 다음의 두 가지 주제, 즉 정보격차의 양상과 추이에 대한 분석과 정보화로 인한 일상과 사회의 변화를 중심으로 논의를 진행하려 한다. 먼저 정보격차는 정보화가 이루어진 초기부터 지속적으로 논의되어온 것으로 경제적 · 지역적 · 신체적 또는 사회적 여건으로 인해 정보통신망을 통한 정보통신 서비스에 접근하거나 이용할 수 있는 기회의 차이를 의미한다(유지연, 2003). 정보화 관련 인프라 및 서비스에 대한 기술적인 접근의 문제에서 시작된 논의는 이용자들의 수입이나 언어, 시간적 여유와 같은 사회경제적 요인에 의한 사회적 접근 격차로 연결되었다(오철호,

2002). 또 시간의 경과에 따라 접근 관련 격차가 해소되어가면서 활용 능력이나 사회적 효용과 관련된 리터러시(literacy) 차원의 질적 이용 격차 논의로 발전했다(Foster, 2000).

정보격차에 대한 논의는 기술 및 서비스의 접근의 차이에서 비롯되었기에 결국 불평등의 문제와 밀접한 연관이 있다. 불평등한 조건에서 비롯된 접근의 차이가 시간의 경과에 따라 기존의 사회적 불평등을 심화시키는 또 하나의 기제로 작용할 것이라는 논의와 함께 TV나 라디오 등 새롭게 나타난 다른 매체와 마찬가지로 정보기술이 보편화되면 대중적 수용과 함께 이용의 차별은 사라질 것이라는 논의가 계속되어왔다. 이러한 논의를 실질적인 차원에서 시계열적으로 살펴보기 위해 여기에서는 현실 속에 존재하는 격차의 양상을 주요 요소 및 시기별 특성을 통해 살펴보기로 한다. 아울러 한층 효과적인 논의를 위해 접근 및 이용 정도에 따라 경이용자 집단과 중이용자 집단을 구분하고 비교분석을 실시한다. 다만, 기술의 변화에 민감하게 반응할 수밖에 없는 정보화의 특성이나 독립적으로 이루어진 세 가지 조사 내용의 특성상 공통된 조건에서 이용 집단의 분류를 실시할 수 없다는 근본적 한계가 존재한다. 하지만 공통된 속성 변수를 통해 해당 시기의 이용 격차에 대한 내적 특성을 비교적 일관되게 살펴볼 수 있다는 측면에서 의의는 충분하다고 생각한다.

다음으로는 정보화로 인한 일상과 사회 변화에 대한 부분이다. 기술이 목표로 하고 있는 궁극적 지향은 사회 구성원들의 편익을 증진시켜 윤택한 삶을 제공하는 것이다. 정보화 이전에 이루어져오던 일상 행위들이 정보화로 인해 어떤 변화를 겪게 되었고, 변화된 영역은 기존의 방식이나 결과를 대체한 것인지 아니면 새로이 창출된 것인지를 분석하는 것은 급격하게 진행된 정보화의 내용을 파악하고 변화의 의미를 살펴보는 데 매우 효과적일 것이다. 기술의 도입과 발전으로 가능해진 정보화가 개인들의 삶에 구체적으로 어떤 영향을 미치고 있는지는 우리 사회에서 정보화가 갖는 의미를 보다 성찰적으로 파악할 수 있게 할 것이다. 아울러 개인들의 미시적 일상변화와 함께 구조적인 사회 변화에 정보화가 미치는 영향에 대해서도 조사 내용 중 가능한 부분을 추출해 분석에 활용했다. '네트워크'가 일반화되면서 다른 이용자들과의 교류 및 참여가 가져다주는 효과는 사회 제 분야에 미치는 영향으로 나타났다. 1994년과 2003년에 이루어진 조사를 중심으로 주요 영역별 변화에 대한 정보화의 영향을 살펴보기로 한다.

3. 연구 자료의 구성과 내용

본 연구에 이용되는 자료는 1985년에 조사된 『정보화 사회에 대한 국민의식조사』, 1994년에 이루어진 『정보화, 민주화와 삶의 질에 대한 연구』, 그리고 2003년에 시행된 『국민의 가치관과 의식에 대한 조사』 등 총 세 가지 조사 자료이다. 1985년과 1994년의 조사는 서울대학교 사회과학연구소에서 수행했고, 2003년 조사는 서울대학교 사회발전연구소가 주관했다. 다음의 〈표 8-1〉은 세 가지 조사에서 나타난 응답자들의 특성을 주요 속성 변수별로 정리한 것이다.

1985년 조사는 전화 이용자를 대상으로 제주도를 포함한 전국 지역에 대한 다단계층화 표본추출 방식을 통해 최종 1498개의 사례를 수집했고, 조사 방법은 면접 조사와 자기기입식 조사를 병행했다. 2003년 조사 또한 전국 지역(제주도 제외)을 대상으로 조사업체인 (주)한국리서치의 패널을 대상으로 만 20세 이상의 성인들 중 표본을 할당, 추출해 모두 1200개 사례에 대해 조사했고, 조사 방법은 우편조사로 이루어졌다. 반면, 1994년의 조사는 서울 지역의 20세 이상의 성인 남녀만을 대상으로 실시되었는데, 특히 성별

〈표 8-1〉 설문 응답자들의 주요 속성 분포

구분		1985년 조사	1994년 조사	2003년 조사	구분		1985년 조사	1994년 조사	2003년 조사
연령	10대	441 (29.4%)	6 (1.0%)	0 (0.0%)	성별	남성(1)	739 (49.3%)	513 (85.5%)	603 (50.2%)
	20대	361 (24.1%)	314 (52.4%)	263 (21.9%)		여성(0)	759 (50.7%)	87 (14.5%)	597 (49.7%)
	30대	243 (16.2%)	89 (14.8%)	305 (25.4%)	직업	농림, 어업자	118 (7.9%)	0 (0.0%)	88 (7.4%)
	40대	201 (13.4%)	152 (25.3%)	309 (25.8%)		자영업자	133 (8.9%)	0 (0.0%)	72 (6.1%)
	50대	138 (9.2%)	39 (6.5%)	188 (15.7%)		판매직, 서비스직	44 (2.9%)	0 (0.0%)	187 (15.6%)
	60대 이상	144 (7.6%)	0 (0.0%)	135 (11.2%)		기능직, 작업직	53 (3.5%)	29 (4.9%)	103 (8.7%)
거주지/ 성장 지역	서울	339 (22.6%)	219 (36.5%)	267 (22.3%)		사무직, 기술직	150 (10.0%)	80 (13.3%)	254 (21.5%)
	부산	126 (8.4%)	53 (8.8%)	100 (8.3%)		경영자, 관리직	14 (0.9%)	165 (27.5%)	31 (2.6%)
	대전	65 (4.3%)	16 (2.7%)	36 (3.0%)		전문직, 자유업	20 (1.3%)	44 (7.3%)	41 (3.4%)
	인천	43 (2.9%)	8 (1.3%)	65 (5.4%)		가정 부인	315 (21.0%)	0 (0.0%)	248 (20.7%)
	경기	154 (10.3%)	29 (4.8%)	238 (19.8%)		학생	567 (37.9%)	282 (47.0%)	104 (8.7%)
	강원	71 (4.7%)	16 (2.7%)	39 (3.3%)		무직	84 (5.6%)	0 (0.0%)	55 (4.6%)
	충북	57 (3.8%)	24 (4.0%)	39 (3.3%)		기타	0 (0.0%)	0 (0.0%)	14 (1.2%)
	충남	118 (7.9%)	21 (3.5%)	48 (4.0%)		무응답 (모름)	0 (0.0%)	0 (0.0%)	3 (0.3%)
	전북	90 (6.0%)	38 (6.3%)	51 (4.3%)	학력	초졸(국졸) 이하	338 (22.6%)	0 (0.0%)	69 (5.8%)
	전남	149 (9.9%)	42 (7.0%)	81 (6.8%)		중졸 이하	369 (24.6%)	0 (0.0%)	66 (5.5%)
	경북	136 (9.1%)	68 (11.3%)	136 (11.4%)		고졸 이하	460 (30.7%)	12 (2.0%)	420 (35.0%)
	경남	132 (8.8%)	50 (8.3%)	100 (8.4%)		대졸 이하	331 (22.0%)	171 (28.5%)	576 (48%)
	제주	18 (1.2%)	12 (2.0%)	0 (0.0%)		대학원졸 이상	0 (0.0%)	417 (69.5%)	69 (5.8%)
	무응답	0 (0.0%)	4 (0.7%)	0 (0.0%)	N(명)		1,498	600	1,200

〈표 8-2〉 세 가지 조사의 주요 변수 리스트

1985 정보화 사회에 대한 국민 의식조사	1994 정보화, 민주화와 삶의 질에 대한 연구(3차)	2003 국민의 가치관과 의식에 대한 조사
· **전화 이용 기간** · **전화 이용 인원** · **전화 서비스 관련 인지와 이용: 고장 신고, 시보 전화, 사정 안내, 긴급 전화, 114 등** · **전화 기능 관련 인지와 이용: 단축, 착신 통화, 부재 중 안내, 통화 중 대기 등** · **전화 개통 후의 변화: 안부, 사업적 연락, 사적 연락, 신고, 상담, 정보, 민원, 구매 등** · **전화로 인한 불편과 불안: 도청 포함** · **새로운 정보 서비스 수용 태도** · 정보화 사회에 대한 전망	· 삶의 행복감 인식 · **삶의 만족도** · 근래의 감정 상태 · **정보통신 이용 정도** · 민주화 성취 평가 · **정보화 수준 평가** · 민주화 수준 평가 · **삶의 질에 대한 정보화, 민주화의 영향 정도** · **정치, 경제, 개인의 삶에 정보화, 민주화의 영향 정도**	· **현재의 삶에 대한 만족도** · 행복의 요소 인식 · 결혼, 가족 인식 · 개인 성향 측정 · 단체 참여도 · 일탈 정도와 인식 · 지역감정 여부 · 한국 사회에 대한 인식 · 직업 인식 · 소비 인식 · **제도 및 대인 신뢰** · **컴퓨터 · 인터넷 이용 정도** · **인터넷에 대한 인식** · 대외 관계 인식 · 선거 인식 · **선거 시 지지후보 결정 요인(인터넷 포함)** · 국가관, 향후 전망

주: 굵은 글씨는 분석에 직접 활용된 변수임

비율에서 남성의 비중이 매우 크게 나타나고 있다. 표본 구성에서 1994년의 조사가 성별 등이 편포되어 있다는 한계가 존재하지만, 정보화의 전반적 흐름을 살펴본다는 기본적인 취지를 고려할 때 조사 자체를 제외하기보다는 포함시키는 것이 더 효과적이라는 판단하에 분석을 수행했다.

〈표 8-2〉는 세 가지 조사에 나타난 주요 변수들과 분석에 활용한 변수들에 대한 리스트이다.

4. 보편화된 전화 서비스 속에서의 정보화: 1980년대

정보화와 관련한 논의에서 1980년대는 전화, 그중에서도 유선전화의 시대였다. 1948년 체신부의 설립과 함께 일반인들의 전화 이용이 증가되기 시작했는데, 당시 남한의 전신 전화 취급국 수는 527국, 종사원 수는 5600명이었으며, 전화 가입자 수는 3만 8000여 명이었다. 이렇게 시작된 전화 서비스는 1960~1970년대를 거쳐 비약적으로 증가해 〈표 8-3〉에서 볼 수 있듯이 1987년에는 전화 가입자 수가 862만 명을 넘어서 100명당 전화 가입자를 따졌을 때 20.5인에 이르게 되었다. 당시 가입자 1인의 의미가 한 가구라는 점을 고려하고, 한 가구의 구성이 5인 가족이라고 가정하면 전 국민이 전화의 혜택을 받게 된, 다시 말해 전화 서비스가 보편적 서비스로 자리매김했던 시기라고 할 수 있다.

이용이 보편화되면서 전화는 두 사람 사이의 대화 도구로 활용되었을 뿐만 아니라 다양한 목적과 필요에 맞게 그 쓰임새를 넓혀간다. 크게 보면 연결되어 있는 지점의 특성과 성격에 따라 사적 이용과 공적 이용으로 구별되

〈표 8-3〉 1980년대 전화 가입자 추이

항목(단위) / 연도	가입전화 시설(회선)	전화 가입자(명)	100인당 전화 가입자(명)	공중전화기(대)	1,000인당 공중전화기(대)
1982	4,492,660	4,079,590	10.4	70,864	1.8
1983	5,337,450	4,809,897	12.0	88,227	2.2
1984	6,290,172	5,594,973	13.8	101,478	2.5
1985	7,538,598	6,517,395	15.8	117,761	2.9
1986	8,905,462	7,520,699	18.1	138,491	3.3
1987	10,221,746	8,625,496	20.5	160,165	3.8
1988	11,239,443	10,306,028	24.6	180,165	4.3
1989	13,354,150	11,791,674	27.8	212,165	5.0
1990	15,293,127	13,276,449	31.0	237,074	5.5

었는데, 가정에 설치된 전화는 사적이고 개인적 목적의 통화가 주로 이루어지고 직장에 설치된 전화는 기본적으로 공적인 활용이 주목적이다. 이러한 전화의 위치적 고정성은 휴대전화와는 달리 공사 영역의 분리와 함께 일과 여가의 분리를 비교적 명확하게 만들었다. 또한 가정에서의 전화는 가족 모두의 공동재로 이용되었다는 점에서도 휴대전화와의 차별적 특성을 보였다. 김현주(2000)는 전화로 인한 사회문화적 영향에 대해 연구했는데, 전화라는 대인 통신 매체가 시간의 경과에 따라 공적 매체로 진화하는 과정에 대해 분석했다. 즉, 전화의 보급과 이용이 보편화되면서 생활 매체로서의 위치가 확고해진 점, 나아가 생활의 편리성을 담보해주는 것을 넘어 정보 제공 및 거래 서비스와 관련된 기능이 부가된 점, 끝으로 전화를 통한 상호작용의 대상도 차츰 인지 관계에 있는 기존의 연결망에서 '낯선 타인'으로 확장되는 개방성에 주목했다. 전화가 단순히 특정 대상과 친목을 도모하기 위한 커뮤니케이션 도구로서의 의미에서 나아가 목적과 대상의 다양화를 통해 사회적인 매체로 전화(轉化)하게 되었다는 것이다(김현주, 2000).

1) 전화 관련 정보격차의 양상

1980년대 정보화에서 가장 중요한 매체이기도 했지만, 1985년 조사에서는 정보화 관련 변수가 모두 전화 서비스에 집중되어 있었다. 먼저 설문 응답자들이 전화 서비스 관련 제도와 전화기의 기능 등에 대해 얼마나 알고 있는지를 통해 정보격차 논의에서 중요한 요소인 성별 격차의 양상에 대해 살펴보았다. 전화 관련 제도에 대한 변수는 '전화 고장 신고 번호', '화재 시 긴급 전화번호', '도난 시 긴급 전화번호' 등을 아는지에 대해 물어본 문항을 활용했다. 그리고 전화기의 기능에 대해서는 '단축 다이얼', '착신 통화 전환', '부재 중 안내' 등을 알고 있는지에 대한 문항을 이용했다.

〈그림 8-1〉 전화 관련 성별 정보격차 추이: 제도 인지(왼쪽)와 기능 인지(오른쪽)

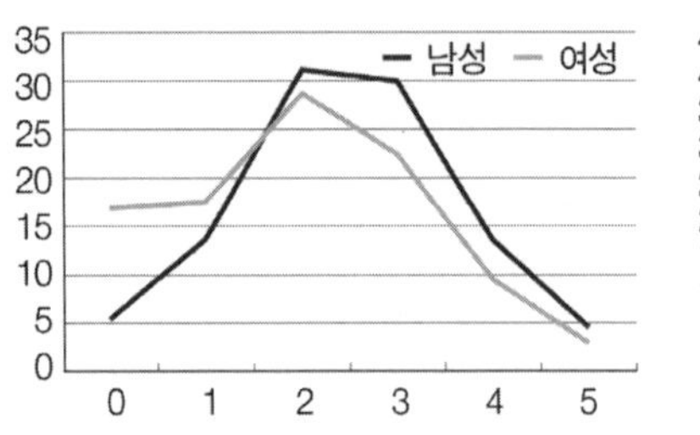

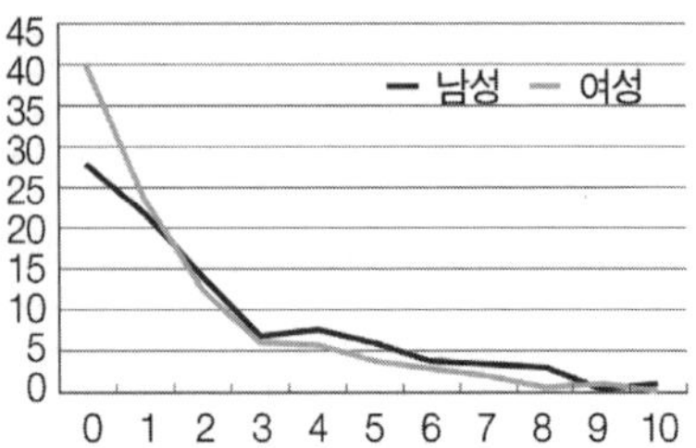

〈그림 8-1〉에 나타난 것처럼 제도 인지 부분, 즉 각종 전화 관련 신고 번호에 대한 인지 정도는 남성이 여성에 비해 높게 나타났고, 전화기의 기능에 대한 부분 또한 신고 번호의 인지에 비해 그 정도가 낮기는 했지만, 성별에 따른 차이가 존재했던 것으로 보인다. 이러한 결과가 통계적으로 유의미한 차이를 나타내는지에 대해 살펴보기 위해 남성과 여성 집단에 대한 평균차 검증을 실시했다. 〈표 8-4〉에서 볼 수 있듯이 검증 결과, 그림에 나타난 남성과 여성 집단의 두 가지 부문에 대한 인지 정도의 차이는 통계적으로 유의미한 것으로 나타났다.

흥미로운 점은 〈표 8-5〉에 나타난 이용과 관련한 부분이다. 즉, 해당 제도나 기능을 인지하고 있는 사람들 중 실제로 이용해본 경험에 대해 질문한 결과, 두 집단 간의 차이는 통계적으로 유의미하게 나타나지 않았다. 오히려 평균값에서는 '화재 긴급 신고'를 제외하고는 여성들의 이용이 더 높게 나타났다. 아울러 〈그림 8-2〉에서 나타난 바는 앞에서 말했던 전화 관련 기능들을 이용하고 난 후의 이용 만족도를 조사한 결과인데, 성별에 따른 차이가 거의 존재하지 않음을 나타내고 있다.

이러한 결과가 갖는 함의를 정리하면 다음과 같다. 정보격차에 대한 논의에서 중심이 되는 것은 이용 격차와 관련한 부분이다. 이제까지 여성이 남성에 비해 새로운 기기에 대한 태도나 사회적 조건이 미약한 것으로 많이

〈표 8-4〉 전화 관련 제도 및 기능의 인지 정도에 대한 성별 차이 검증

		성별	N	평균	표준편차	t
제도 인지	전화 고장 신고 번호	남자	723	0.456	0.498	2.704***
		여자	742	0.387	0.487	
	화재 긴급 신고 번호	남자	723	0.891	0.312	7.621***
		여자	742	0.739	0.439	
	도난 긴급 신고 번호	남자	723	0.689	0.463	7.864***
		여자	742	0.491	0.500	
기능 인지	단축 다이얼	남자	739	0.217	0.412	5.681***
		여자	759	0.109	0.312	
	착신 통화 전환	남자	739	0.142	0.349	5.078***
		여자	759	0.063	0.243	
	부재 중 안내	남자	739	0.257	0.437	4.072***
		여자	759	0.171	0.377	

〈표 8-5〉 전화 관련 제도 및 기능의 이용 정도에 대한 성별 차이 검증

		성별	N	평균	표준편차	t
제도 이용	전화 고장 신고 번호	남자	330	0.793	0.405	-0.338
		여자	287	0.804	0.396	
	화재 긴급 신고 번호	남자	644	0.048	0.214	1.325
		여자	548	0.032	0.178	
	도난 긴급 신고 번호	남자	498	0.054	0.226	-0.556
		여자	364	0.063	0.243	
기능 이용	단축 다이얼	남자	160	0.275	0.447	-0.486
		여자	82	0.304	0.463	
	착신 통화 전환	남자	105	0.161	0.370	-0.389
		여자	48	0.187	0.394	
	부재 중 안내	남자	190	0.084	0.278	-0.504
		여자	129	0.100	0.302	

〈그림 8-2〉 전화 관련 기능에 대한 이용 편의(만족도)

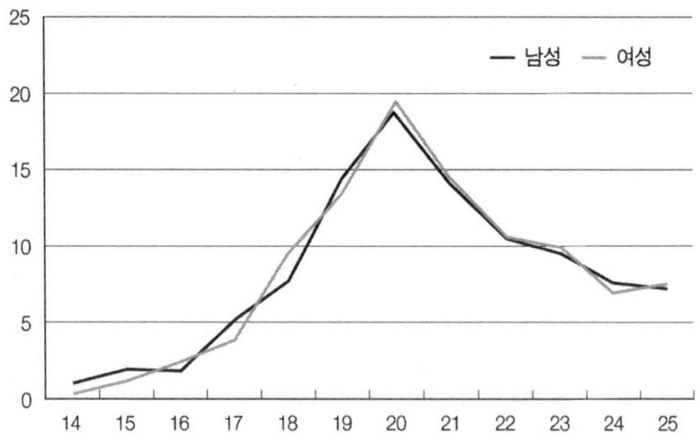

논의되었지만, 1980년대의 상황 속에서 전화 서비스 이용과 관련해 이 부분을 살펴보면 기존의 논의와 다른 차원의 분석이 가능한 것으로 볼 수 있다. 즉, 해당 제도나 인지에서 차이가 존재하지 않는다면 이용에서의 격차 또한 나타나지 않을 것이라는 점이다. 어떤 서비스가 있고, 또 어떤 편리한 기기나 기능이 존재하는지에 대한 정보가 있다면 성별에 따른 이용 격차는 나타나지 않을 수 있다는 점이다. 다만, 해당 내용에 대한 정보 인지에서 성별 차이가 나타난다는 점을 고려한다면, 정보격차가 성별에 따른 생물학적 특성에 기반을 둔다기보다는 해당 정보를 인지할 수 있는 기회의 차이에서 비롯되었다는 것으로 판단할 수 있을 것이다.

이번에는 앞서 살펴본 전화 관련 제도 및 기능에 대한 이용 정도를 중심으로 경이용자와 중이용자로 구분해 각각의 집단에 속한 이용자들이 갖는 특성을 비교했다. 〈표 8-6〉에서 볼 수 있듯이 비교에 활용된 변수는 개인 속성 변수인데, 연령과 학력, 소득을 중심으로 분석했다. 연령과 학력, 그리고 소득을 활용한 것은 이것들이 기존의 정보격차 논의에서 중요한 요인으로 제시되고 있다는 이유와 함께, 세 가지 조사를 통해 정보화 관련 시계열

〈표 8-6〉 전화 이용 관련 집단 분류 및 특성

	이용자 분류	N	평균	표준편차	t
연령	경이용자	696	2.71	1.48	-12.856***
	중이용자	269	2.79	1.28	
학력	경이용자	675	5.05	2.04	-2.176**
	중이용자	268	6.06	1.71	
소득	경이용자	660	3.98	1.13	-8.179***
	중이용자	266	4.21	1.12	

적 비교를 하기 위해서는 시기별 공통 요소의 도출이 필요하다는 조사 자료의 제한 때문이기도 했다.

이용 정도에 대한 평균값을 구한 후, 평균 미만의 이용 집단을 경이용자 집단으로, 평균 이상의 이용 집단을 중이용자 집단으로 구분했다. 분석 결과를 보면 세 가지 변수 모두에서 중이용자 집단의 평균값이 경이용자들에 비해 높은 것을 알 수 있다. 다시 말해, 중이용자 집단이 경이용자 집단에 비해 평균 연령대도 높고, 학력과 소득도 높다는 것을 의미하는데 세 가지 요인에 대해 모두 통계적으로 유의미한 차이를 나타내고 있었다. 정보화를 통해 전화의 보급이 일반화된 상황이기에 보편적인 차원에서 서비스 이용이 이루어지고 있다는 점을 감안하고, 생활시간 가운데 전화를 활용하는 정도를 고려하면 연령에 따른 이용의 차이는 충분한 개연성을 갖는다고 보인다. 다만, 전화의 기능이 단순하고 이용하는 일의 난이도가 상대적으로 낮다는 점에서 학력과 소득의 차이가 유의미하게 나타난 것은 다소 의외의 결과라고 판단된다.

2) 전화로 인한 일상의 변화와 이용 편익

전화가 갖는 편리함은 다양하게 나타난다. 먼 거리의 상대에게 직접 가지 않아도 의사전달이 가능하다는 점이나, 우편과 같은 방식보다 시간적인 효율을 추구할 수 있다는 점 등이 대표적일 것이다. 이를 좀 더 구체적으로 파악하기 위해 1980년대 전화 이용자들이 주로 어떤 일을 전화 이용으로 대체했는지 살펴보았다.

〈표 8-7〉에 나타난 수치는 영역별 연락이나 업무 처리를 위해 직접 만나거나, 편지를 이용하는 등의 기존 방식이 전화 도입 이후 어떻게 변화했는지를 나타낸 것이다. 또한 해당 방식을 전화 이용 이후에도 변화 없이 그대로 이용하고 있는 사례와 비율로 구해 상대적인 비교를 가능하게 했다. 분석 결과 전화 이용 이후 가장 높은 변화를 보인 영역은 사적인 연락으로, 전화로 전환된 비율이 기존의 방식을 고수하는 비율의 13.5배에 달하고 있다. 이 외에도 업무상의 연락이나 긴급사태의 전달, 그리고 안부를 전달하는 일에서도 전화의 활용이 기존의 방식을 큰 폭으로 대체했다고 할 수 있다. 반

〈표 8-7〉 전화 도입 이후의 일상 변화

	기존 방식 유지 (A)	전화로 방식 변화 (B)	변화 비율 (B/A)
사적인 연락 방식	92	1,248	13.57
업무상 연락 방식	93	911	9.80
긴급사태 전달 방식	82	581	7.09
안부 전달 방식	188	1,166	6.20
생활 정보 취득 방식	413	659	1.60
인생 상담 방식	494	372	0.75
민원서류 처리 방식	1,009	237	0.23
생활용품 구입 방식	1,216	149	0.12

〈표 8-8〉 전화의 이용자 편익에 대한 회귀모델

종속변수: 전화 이용 후 편익	비표준화 계수		표준화 계수	t	유의확률
	B	표준오차	β		
(상수)	19.376	0.303		63.930	0.000
성별	-0.204	0.136	-0.041	-1.505	0.133
연령	0.330	0.046	0.197	7.108	0.000
학력	-0.082	0.036	-0.071	-2.238	0.025
가구소득	0.014	0.064	0.006	0.211	0.833
전화 사용 기간	0.078	0.035	0.066	2.246	0.025
제도 인지	0.146	0.059	0.074	2.468	0.014
기능 인지	0.048	0.028	0.051	1.709	0.088
F	10.532***				
R	0.231				
R^2	0.053				

면, 직접 얼굴을 맞대는 관계가 더 효율적인 인생 상담이나 민원서류의 처리에서는 기존 방식의 유지가 두드러지는 것으로 나타났다. 이러한 내용은 시간과 공간의 물리적 한계를 효과적으로 극복할 수 있는 전화의 특성이 잘 드러난 것으로 보인다.

기기 및 기술의 사용을 확산시키는 데 가장 중요한 것은 편리하게 이용할 수 있는지의 여부와 그 결과로 나타나는 편익의 크기이다. 쓰기 편하고, 쓰면서 얻을 수 있는 편익이 크다면 해당 기술이 일상생활에 편입되는 것은 매우 수월하게 이루어질 것이고, 향후 지속적인 이용이나 이용의 확산이 가속화될 수 있을 것이다. 〈표 8-8〉에서는 조사를 통해 드러나 전화 이용의 편익을 크게 다섯 가지로 구분(직접 왕래의 불편 감소, 시간 절약, 생활 정보의 용이한 전달, 감정의 용이한 전달, 빈번한 연락 가능)해 측정하고 합산해 이용자 편익 점수를 도출한 후 여기에 어떤 변수가 영향을 미치게 되는지에 대해 회귀모델을 구성했다. 영향 요인으로 설정한 변수는 속성 변수인 성과 연령, 학력, 가구소득 등과 전화 이용 변수인 전화 사용 기간, 제도 인지 및 기능 인지의 정도 등을 설정했다.

분석 결과, 연령이 높을수록, 학력이 낮을수록, 그리고 전화기 사용 기간이 오래되고 전화 관련 제도에 대한 인지 정도가 높을수록 체감하는 편익이 큰 것으로 나타났다. 앞서 살펴본 중이용자 집단이 학력이 높을수록 이용이 증가하는 것으로 나타났는데, 같은 이용량에 대한 편익의 체감 정도는 오히려 학력이 낮을수록 더 크게 느끼고 있는 점이 흥미로웠다. 아울러 전화의 이용 기간이 길어짐에 따라 활용이 숙련되고 관련한 지식의 양이 증가하는 것도 이용자들이 편익의 효과를 더욱 크게 느끼게 하는 요인으로 작용했다. 반면 보편적 서비스의 특성상 소득에 의한 영향이나 서비스 이용에서 다소의 역량을 필요로 하는 전화 기능에 대한 인지 정도는 통계적으로 유의미한 관계를 나타내지 않았다.

5. 본격적인 정보화의 시작: 1990년대

산업화와 민주화가 동시에 달성된 1990년대 이후 우리 사회의 정보화는 본격화되었다. 자동화와 전산화로 대표되는 패러다임의 변화 속에 다양한 기기와 새로운 서비스가 일터와 생활 속에 도입되며 기존의 아날로그 방식들은 급속하게 디지털화되었다. 특히 IT(information technology)로 통칭되는 정보기술의 발전은 이전의 전화 기반의 정보화와는 차원이 다른, 전면적인 사회 변화를 추동하는 힘이 되었다. 이 시기에 주목할 만한 특성은 국가 주도적인 정보화 사업이었다.

1990년대 중반부터 "산업화는 뒤졌지만 정보화는 앞서자"는 취지와 함께 시작된 국가정보화 사업은 초고속 정보통신망의 고도화와 인터넷 기반의 조기 구축, 삶의 질 개선을 위한 정보화를 성공적으로 안착시켰다. 아울러 1998년 찾아온 경제위기는 기존의 산업구조에 대한 구조조정과 함께 지식정보 관련 산업에 대한 새로운 모색을 가능하게 했고, 대규모의 DB 구축 사업은 높아진 실업률로 인해 가능했던 공공 근로 인력이 담당했다. 다시 말해 국가적인 경제위기였던 IMF 사태가 정보화의 측면에서는 오히려 긍정적인 효과를 가져와 'IT 강국 Korea'를 구축하는 중요한 계기로 작용했다.

정부는 행정 전산망의 도입과 함께 1995년 '정보화촉진기본계획', 1999년 'Cyber Korea 21' 등 정보화의 기반이 되는 인프라 구축 정책을 추진했다. 이들 사업을 통한 정부 정보화의 기본 목표는 이들 사업을 통해 1990년대 말부터 2000년대 초까지 한국 사회에 초고속 정보통신 기반을 구축하는 것이었다. 이러한 정보화 정책의 결과 여러 분야에서 애초 계획보다 더 빠른

〈그림 8-3〉 한국의 PC 보유 추이(1995~2003년)

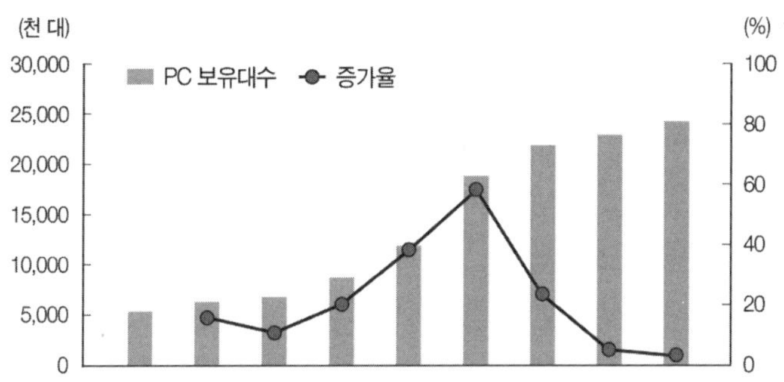

연도	1995	1996	1997	1998	1999	2000	2001	2002	2003
PC 보유 대수(천 대)	5,349	6,304	6,931	8,269	11,530	18,615	22,495	23,502	24,248
증가율	-	17.9	9.9	19.3	39.4	61.4	20.8	4.5	3.2

주: 1995년부터 1997년까지는 한국전자산업진흥회에서 매년 발표한 연도별 PC 보급 대수이며, 1998년부터 2003년까지는 한국전산원에서 조사한 자료이다. 단, 1999년은 공공 부분의 PC가 제외된 숫자이다.
자료: 한국전산원(2005)

성과가 나타났다. 특히 〈그림 8-3〉에도 나타나듯이 1995년에 534만 대에 그쳤던 PC의 보급은 4년 만에 두 배 이상이 증가한 1153만 대에 이르렀고, 이후 인프라 구축을 토대로 발생하는 인터넷 이용 및 초고속망 활용 또한 예상보다 훨씬 빠르게 증가했다. 국가 정책적인 차원에서 정보통신 인프라의 구축을 통해 목표했던 바를 성취하는 상황에서 이제는 지금까지의 양적 성장 위주의 관점에서 벗어나 질적인 차원에서의 변화 및 성장에 대한 관심이 필요하다는 사회적 요구 또한 지속적으로 제기되었다.

1) 정보화 관련 이용 기기 및 서비스와 정보격차

본 연구의 자료로 활용되고 있는 1994년 조사에서는 인터넷의 이용에 대한 본격적인 내용이 다루어지지 않았다. 비록 1994년 한국통신에 의해 인터넷 서비스가 시작되긴 했지만, 일반인들이 보편적으로 인터넷을 활용하게 된 것은 1997년 이후였기 때문이다. 하지만, 당시 새롭게 등장한 휴대전화나 온라인 뱅킹, PC 통신 등의 기기와 서비스는 정보화에 대한 사회적 관심을 지속적으로 이어나갈 수 있게 한 매개가 되었다. 특히 하이텔과 천리안, 나우누리로 대표되는 PC 통신 서비스는 전화회선을 통해 정보의 제공은 물론, 온라인에서만 느낄 수 있는 독특한 참여의 경험을 개인들에게 제공함으로써 비대면과 익명성을 특징으로 하는 공간적 특성이 잘 드러나는 곳이었다. 설문을 통해 조사된 주요 서비스와 기기의 이용 양상은 〈그림 8-4〉와 같다.

조사 항목 중 가장 많은 활용도를 보이고 있었던 부분은 온라인 뱅킹과 컴퓨터 통신이었다. 아울러 근거리 통신망(LAN)과 데이터베이스의 활용 또한 활발한 이용 양상을 나타내고 있었는데, 정보화로 인해 가능한 상황 중 가장 많은 기대를 품게 했었던 원격 근무는 매우 미미한 양상을 나타내고

〈그림 8-4〉 정보화 관련 기기 및 서비스 이용 정도

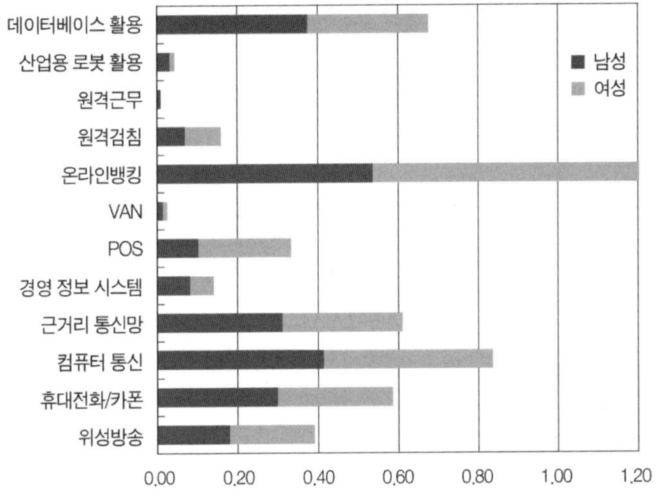

있었다. 이 시기의 조사에서 측정을 위해 제시된 항목들의 특성을 통해서도 당시 정보화의 양상을 파악할 수 있다. 즉, 항목별로 이용에서의 개인별 차이가 크게 나타나는 양상이었고, 업무와 관련된 활용이 사적 활용 목적보다 상대적으로 활발하게 이루어지는 양상이었다.

이러한 양상을 한층 세부적으로 파악하기 위해서 우선 해당 서비스와 기기 이용에서의 성별에 따른 이용 차이, 즉 정보격차가 발생하고 있는지를 통계적으로 검증해보았다. 검증 결과, 컴퓨터 단말기와 금전등록기의 기능이 결합된 POS와 온라인 뱅킹의 이용에서는 남성과 여성의 차이가 통계적으로 유의미하게 나타났지만, 기타 대부분의 항목에서는 유의미한 성별 차이를 발견할 수 없었다. 1994년 조사가 서울 지역만을 대상으로 이루어져 도시지역 주민들의 경험이 과다 계상된 측면이 있고, 여성 응답자가 과소 표집되어 기본적인 한계를 지니고는 있지만, 두 가지 항목 모두에서 여성들이 남성들에 비해 오히려 많은 이용을 하고 있는 것으로 나타나 기존의 정

〈표 8-9〉 성별 정보화 관련 기기 및 서비스 이용 정도에 대한 평균차 검증

	성별	N	평균	표준편차	t
위성방송	남자	512	0.182	0.386	-0.560
	여자	87	0.207	0.407	
휴대전화/카폰	남자	512	0.299	0.458	0.216
	여자	87	0.287	0.455	
컴퓨터 통신	남자	512	0.412	0.493	-0.230
	여자	87	0.425	0.497	
근거리 통신망	남자	512	0.313	0.464	0.254
	여자	87	0.299	0.460	
경영 정보 시스템	남자	512	0.084	0.278	0.841
	여자	87	0.057	0.234	
POS	남자	512	0.104	0.305	-3.357***
	여자	87	0.230	0.423	
VAN	남자	512	0.014	0.116	0.163
	여자	87	0.011	0.107	
온라인 뱅킹	남자	512	0.539	0.499	-2.221***
	여자	87	0.667	0.474	
원격 검침	남자	512	0.068	0.253	-0.787
	여자	87	0.092	0.291	
원격근무	남자	512	0.012	0.108	1.014
	여자	87	0.000	0.000	
산업용 로봇 활용	남자	512	0.033	0.179	1.096
	여자	87	0.011	0.107	
데이터베이스 활용	남자	512	0.377	0.485	1.398
	여자	87	0.299	0.460	

보격차 관련 논의에서 도출된 내용과 다른 결과를 보여주고 있다는 점이 흥미로웠다.

다음으로는 시기별 이용자 특성을 파악하기 위해 서비스 및 기기 이용 정도를 기준으로 경이용자 집단과 중이용자 집단을 구분해 각각의 집단이 갖는 속성적 특성을 파악해보았다. 1980년대의 비교에서 나타난 것처럼 학력과 소득에 있어서는 중이용자 집단이 경이용자 집단에 비해 통계적으로

〈표 8-10〉 정보화 관련 기기 및 서비스 이용 집단 분류 및 특성

	이용자 분류	N	평균	표준편차	t
연령	경이용자	336	34.83	10.10	6.364***
	중이용자	264	29.77	9.12	
학력	경이용자	336	6.58	0.65	-2.381**
	중이용자	264	6.70	0.60	
소득	경이용자	314	9.38	3.47	-2.267**
	중이용자	246	10.12	4.28	

유의미하게 높은 수준인 것을 알 수 있었다. 연령에 있어서는 오히려 경이용자들의 평균 연령이 높은 것으로 파악되었는데, 새롭게 등장한 서비스와 기기에 대한 적극적인 수용 태도와 일상에서의 활용 필요에서의 정도 차이가 원인으로 작용했다고 판단된다.

2) 정보화로 인한 일상 변화와 삶의 질 인식

정보화는 과연 개인들의 활동과 인식에 어떤 영향을 주었을까? 이에 대한 전반적인 양상을 파악하기 위해 조사에서 활용된 세 가지 설문 내용을 이용했다. 질문 내용은 '우리나라에서 진행된 정보화가 우리 국민의 정치활동, 경제활동, 사회활동 및 개인 심리에 어느 정도 영향을 미쳤다고 생각하십니까?'였다. 각각의 내용을 측정하기 위해 영역별로 열네 개에서 열아홉 개의 항목에 대해 응답(1=매우 나빠졌다, 4=보통이다, 7=매우 좋아졌다)이 이루어졌는데, 이를 합산해 평균값을 구한 것이 〈그림 8-5〉에 나타난 그래프이다. 결과에 나타난 바를 보면, 세 가지 영역 모두에서 정보화는 우리 국민들에게 긍정적인 방향으로 영향을 미쳤다고 할 수 있다. 긍정적인 차원에서 정보화가 가장 많이 변화시켰다고 응답자들이 인식하고 있는 곳은 경제활

〈그림 8-5〉 세 가지 영역에서의 정보화가 미친 영향

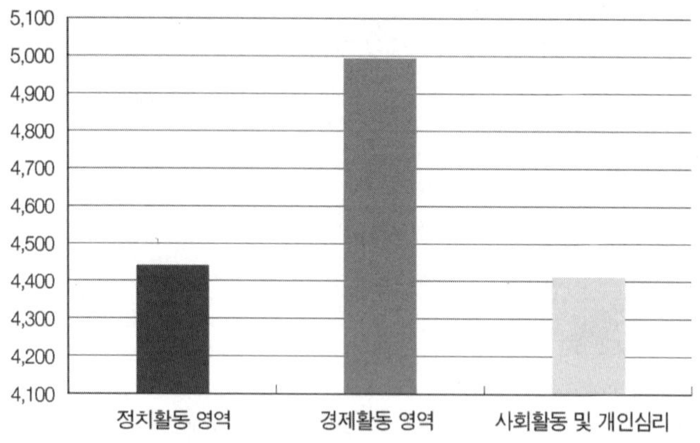

동 영역이었다. 정보화로 인해 가능해진 새로운 시장의 등장이나 거래 및 유통의 효율화, 결제 방식의 편리성, 그리고 고용 기회의 확대 등이 이러한 결과를 가능하게 했다고 판단된다.

정보화의 진행에 따른 사회적 영향을 좀 더 종합적으로 살펴보기 위해 응답자들이 인식하고 있는 전반적인 삶의 질과의 관계를 파악해보았다. 이를 위해 조사 항목 중 '정보화가 본격적으로 진행되기 전의 귀하의 삶의 질'과 '현재 귀하의 삶의 질'의 정도를 물어본 후 그 차이를 계산해 분석에 활용했다. 〈그림 8-6〉에 나타난 결과를 살펴보면, 정보화 이전의 삶과 비교했을 때 정보화 이후에 삶의 질이 높아졌다는 긍정적인 평가가 대다수를 차지하는 것을 알 수 있다. 이처럼 정보화에 대한 국민들의 평가는 대체로 긍정적인 차원에서 나타나고 있었다. 어느 한 영역에 대한 긍정적 평가가 아니라 경제, 정치, 사회의 전 영역의 발전에 도움이 된다고 평가하고 있고, 조사 시점이 1994년이라는 점을 감안한다면, 인터넷에 의한 개인들의 전자 상거래가 본격화되기도 전에 이미 경제활동과 관련한 영역에서의 정보화가 미치는 영향을 가장 높게 평가한 것이 흥미로운 결과라 할 것이다.

〈그림 8-6〉 정보화 이전과 이후의 삶의 질 변화

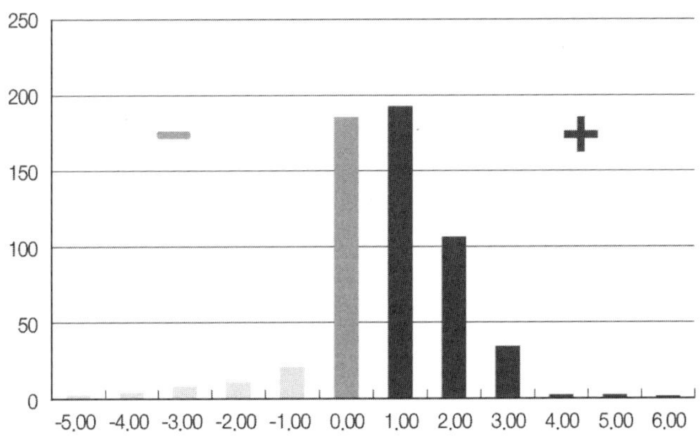

이번에는 개인들이 느끼고 있는 삶의 만족도에 정보화와 관련한 요소들이 얼마나, 그리고 어떻게 영향을 미치고 있는지 파악해보았다. 성별, 연령, 학력, 그리고 소득과 같은 응답자들의 기본적인 속성 변수 외에 정보화 관련 변수들을 포함시켰다. 정보화 관련 변수는 크게 이용과 인식 변수로 구성했는데, 이용 관련 변수는 앞에서 살펴본 정보화 환경에서 새롭게 나타난 기기와 서비스에 대한 이용 정도로 설정했다. 인식 관련 변수는 정보화가 사회 및 개인의 영역에 어떻게 영향을 미치고 있는지에 대해 평가한 내용을 포함했다. 결과는 〈표 8-11〉에 나타난 바와 같다.

결과에 대해 간략히 살펴보면, 소득을 제외한 투입 변수 모두가 현재 삶의 만족도에 유의미한 영향을 미치고 있는 것으로 나타났다. 속성 변수에서는 여성의 경우에, 그리고 연령과 학력이 높을수록 현재의 삶에 대한 만족도가 큰 것으로 나타났다. 정보화 관련 변수는 모두 양(+)적인 방향에서 영향을 미치고 있어 기술 및 서비스의 이용이 많고 정보화에 대한 긍정적 인식이 클수록 현재 삶에 대한 만족도도 높아지는 것을 알 수 있다. 정보화

〈표 8-11〉 현재의 삶의 만족도에 대한 회귀모델

종속변수: 현재 삶의 만족도	비표준화 계수		표준화 계수	t	유의확률
	B	표준오차	β		
(상수)	-0.920	0.878		-1.048	0.295
연령	-0.380	0.174	-0.094	-2.178	0.030
성별	0.022	0.007	0.164	3.351	0.001
학력	0.193	0.092	0.089	2.107	0.036
가구소득	0.009	0.015	0.025	0.577	0.564
기술 서비스 이용 정도	0.114	0.033	0.149	3.443	0.001
정보화로 인한 정치 영역의 변화 인식	0.347	0.160	0.135	2.167	0.031
정보화로 인한 경제 영역의 변화 인식	0.231	0.116	0.103	1.992	0.047
정보화로 인한 사회 및 개인 영역의 변화 인식	0.467	0.168	0.171	2.781	0.006
F	14.374***				
R	0.432				
R^2	0.186				

의 영향에 대한 평가의 경우, 세 가지 영역 중에서 사회 및 개인 영역의 변화에 대한 인식(β=0.171, p=0.006)이 다른 두 영역(정치 영역에 대한 인식 β=0.135, p=0.031, 경제 영역에 대한 인식 β=0.103, p=0.0471)보다 높은 값을 나타내고 있는데, 삶의 만족도가 개인의 주변에서 직접 나타나는 현상과 경험에 영향을 받는 바가 크다는 점을 고려한다면 충분한 개연성을 보이고 있다고 할 것이다. 이러한 결과를 전반적으로 볼 때 정보화는 개인들의 삶에 이용을 통한 편익 제공과 함께 인식에 있어서도 긍정적 차원에서 평가, 기대되고 있다고 할 것이다.

6. 보편화된 인터넷 이용과 사회의 변화: 2000년대

1990년대 말 국가적인 차원에서 정보화 사업이 성과를 보이며 개인들의 일상에서도 인터넷의 이용과 휴대전화의 사용이 본격화되었다. 특히 인터넷 이용은 미시적 일상의 변화에서부터 거시적 사회구조에 이르기까지 이전의 어느 시기보다도 빠르고 폭넓게 다양한 변화를 불러왔다. 개인들은 다양한 매체와 채널을 통해 연결되었고, 사회의 운영도 네트워크 패러다임의 확산으로 효율을 중시하는 위계적 패러다임에서 개성과 창의성을 존중하는 수평적이고 독립적인 양상으로 변모하게 되었다. 이러한 패러다임의 변화와 함께 정권 교체를 통한 정치적 지형의 변화는 위계적이고 효율을 중심으로 한 단일 가치 체제를 넘어 다양성과 사회적 관용에 대한 새로운 모색으로 연결되었다.

이와 함께 인터넷의 등장 이후 이전 시기와 뚜렷이 구분되는 점은 이용자들이 단순히 콘텐츠 소비자로 머무는 것이 아니라 지식과 정보의 생산 및 공유를 일상화하게 되었다는 점이다. 또 다양한 방식으로 참여하는 일이 보편화되면서 이러한 참여의 네트워크를 통해 사회의 변화까지 추동하는 네트워크화된 개인이 출현했다는 점도 들 수 있다. 게시판을 통해 자신의 의견을 피력하고 토론하는 방식은 이전의 시기에도 존재했지만, 같은 의견과 지향을 가진 사람들이 모여 목표를 성취해가는 방식은 점차 네트워크가 가진 힘을 현실화시키며 다양한 변화를 이끌어내었다. 정치적인 차원에서는 '노사모'로 대표되는 온라인 네트워크가 대통령 선거에 적지 않은 영향을 끼쳤고, 지식과 정보의 측면에서는 각자 가지고 있는 정보를 공유하며 체계화된 지식의 실체를 만들어가는 위키피디아식 집단 지성의 출현도 이루어졌다. 또한 다양하게 나타나는 사회 이슈를 온라인 공론장에서의 담론과 연대를 통해 학습하고 해결하고자 하는 노력도 수없이 많이 나타났다.

정보화가 가져온 긍정적 효과와 함께 새로운 우려 또한 나타나게 되었다. 사회적으로 고립된 개인의 삶의 질 향상이나 우울과 같은 개인 병리적 현상의 개선을 위해 인터넷의 역할이 주목받기도 했지만, 인터넷과 휴대전화에 대한 의존도가 심화되면서 과몰입의 문제가 본격적으로 제기되었다. 아울러 잘못된 정보의 유통이나 특정 또는 불특정 대상에 대한 인격 침해의 문제들 또한 지속적으로 나타났다. 정보화라는 목표의 성취를 위해 달려온 결과, 물리적 기반과 활용의 기술은 증대되었지만 함께 수반되어야 할 문화적 성숙은 지속적으로 풀어야 할 숙제로 간주되었다. 이 때문에 이 시기부터 정보화와 관련해 기능적인 측면에서의 수월성 확보와 함께 성숙한 이용에 대한 사회적 대응 또한 나타나기 시작했다.

1) 인터넷에 대한 이용 격차와 인식 격차

2003년 조사에서는 이전 시기 조사에서 나타나지 않았던 정보화 관련 기기 및 서비스에 대한 이용 정도를 비교적 정확히 파악할 수 있었다. 인터넷과 컴퓨터의 이용 시간이 그것인데, 일반적으로 정보화와 관련한 지표 중 가장 많이 활용되는 요소가 이용률과 이용 시간이다. 이용률의 경우에는 세대 간 차이는 다소 존재하지만 1990년대 중반부터 국가 주도적으로 이루어진 정보화 진흥 정책으로 인해 실질적인 격차는 급속히 줄어들었고, 사회적 관심 또한 점점 약화되고 있는 상황이었다. 〈표 8-12〉를 통해 컴퓨터와 인터넷의 이용 양상을 파악하는 작업에서 가장 많이 활용되고 있는 이용 시간을 성별 비교를 통해 살펴본다. 이와 함께 온라인 공간을 어떻게 인식하고 이용하고 있는지도 향후 행위를 결정하는 데 중요하게 작용한다는 점에서 네 가지 질문에 대한 응답 결과를 분석했다. 네 가지 질문은 '인터넷이 세대 간의 갈등 증폭한다고 생각하십니까?', '인터넷 정보가 부정확성하다고 생

〈표 8-12〉 성별 인터넷 이용 및 인식 관련 평균차 검증

		성별	N	평균	표준편차	t
이용 관련	컴퓨터 이용 시간	남자	492	223.59	184.09	3.335***
		여자	431	183.03	184.53	
	인터넷 이용 시간	남자	473	145.90	137.27	2.146**
		여자	418	126.72	128.31	
인식과 경험	세대 갈등 야기	남자	473	2.79	1.01	-2.321**
		여자	418	2.95	0.97	
	정보 부정확	남자	473	2.72	0.81	-0.347
		여자	418	2.74	0.73	
	나의 견해 바꿈	남자	473	3.18	0.93	0.572
		여자	418	3.14	0.85	
	게시판에 의견 올림	남자	473	3.32	1.29	1.759*
		여자	418	3.17	1.40	

각하십니까?', '사회적 쟁점에 대한 내 견해를 바꾸었던 경험이 있습니까?', '게시판에 글을 올린 경험이 있습니까?' 등으로 구성되어 있다.

먼저 하루 평균 컴퓨터 및 인터넷 이용 시간의 경우, 남성들이 여성들에 비해 훨씬 큰 것으로 나타났고 통계적으로도 유의미한 차이를 보이고 있었다. 즉, 남성들은 하루 평균 224분 정도 컴퓨터를 이용하고 약 146분간 인터넷을 이용하는 반면, 여성들은 각각 183분과 127분 동안 컴퓨터와 인터넷을 이용해 상대적으로 작은 값을 나타내었다. 한 가지 아쉬운 점은 어떤 목적과 분야에 인터넷을 주로 이용하는지에 대한 질문이 없어서 이러한 차이가 이용 분야의 특성 때문인지에 대한 한층 구체적인 분석이 이루어지지 못한 점이다. 일반적으로 인터넷을 통해 주로 게임을 하는 경우, 정보적 이용을 주로 하는 이용자에 비해 이용 시간이 큰 것으로 보고된 바 있다.

다음으로 인터넷에 대한 인식과 이용 경험과 관련해 인터넷에서 유통되

는 정보의 부정확성이나 사회적 쟁점에 대한 자신의 견해를 바꾼 경험을 묻는 질문에서는 통계적으로 유의미한 성별 차이가 나타나지 않은 반면, 인터넷이 세대 갈등을 증폭시키느냐는 질문에서는 여성이, 게시판에 자신의 의견을 올린 경험에 있느냐는 질문에서는 남성들이 통계적으로 유의미하게 큰 수치를 나타내고 있었다. 인터넷 공간이 세대 갈등을 증폭하고, 부정확한 정보로 인한 피해가 많을 것이라는 다소 부정적인 인식에서는 여성들의 우려가 더 큰 것을 알 수 있다. 전반적으로 볼 때 여성들에 비해 남성들의 인터넷 공간에서의 활동이 더 적극적으로 나타나고 있는 것으로 판단되지만, 조사된 변수의 부족으로 해당 내용에 대한 더 심도 깊은 분석이 이루어지지 못한 점은 아쉬움으로 남는다.

정보화 시기별 공통된 요소에 대한 시계열적 비교분석을 위해 경이용자와 중이용자의 일반적 특성을 살펴보았다. 경이용자와 중이용자의 분류는 인터넷 이용 시간을 기준 변수로 삼아 평균값 미만의 응답자를 경이용자 집단으로, 평균값 이상의 응답자를 중이용자 집단으로 구별해 분석에 활용했다. 분석 결과는 1990년대의 양상과 전반적으로 같은 흐름 속에서 이해될 수 있다. 인터넷 이용이 많은 중이용자 집단이 경이용자 집단에 비해 연령은 낮지만 학력과 소득은 높은 것으로 나타났다. 소득의 경우 유의미한 차이를 보이지 않았지만 학력의 경우에는 유의미한 차이가 나타났다. 이러한 결과는 향후 시간의 경과에 따라 현재의 청장년층이 노년층이 되는 시기에 연령에 의한 격차가 다소 해결될 수 있는 가능성을 내포하지만, 이와 동시에 나중에 나타날 새로운 서비스에서도 수용과 필요에 의한 연령 격차가 나타날 것이라는 가능성도 내포한다. 시계열적인 분석 속에서 학력 요소는 공통적인 경향을 나타내는데, 새로운 기술의 습득과 활용이라는 측면에서 기본적인 이해력의 확보와 함께 학력에 따른 이용 범위의 크기 또한 영향을 미치는 요인으로 판단된다.

〈표 8-13〉 인터넷 이용 관련 집단 분류 및 특성

	이용자 분류	N	평균	표준편차	t
연령	경이용자	618	38.90	10.53	9.364***
	중이용자	273	31.92	9.60	
학력	경이용자	618	4.99	1.05	-6.290***
	중이용자	273	5.46	1.00	
소득	경이용자	617	305.99	152.17	-1.905
	중이용자	273	327.05	151.79	

2) 인터넷의 사회적 영향: 정치적 영향과 개인의 인식

2002년 대통령 선거는 정보화와 관련한 논의에서도 매우 중요한 의미를 갖는다. 기존의 선거 과정에서 이루어지던 매스미디어나 유세와 같은 활동과 함께 인터넷에서의 홍보가 매우 중요한 요소로 나타났기 때문이다. 이와 함께 노사모로 대표되는 온라인에서의 후보 지원 활동은 이후의 선거 과정에서도 지속적으로 활용되었는데, 네트워크화된 개인들은 우리 사회의 정치적 변화에 적지 않은 영향을 미치게 되었다. 정치 영역에서 인터넷의 영향을 언급할 때 크게 두 가지 차원이 주목받는다. 첫 번째는 네트워크를 통한 정치 세력화에 대한 부분이고, 다른 한 가지는 정치 관련 정보의 습득과 공유를 통해 가능해진 정치 학습의 장으로서의 의미이다. 2003년 조사에서는 이러한 내용을 파악해보기 위해 2002년에 있었던 대통령 선거에서 후보를 결정하는 데 어떤 매체가 가장 영향을 주었는지를 인터넷을 포함해 질문했다. 여기에서는 먼저 지지후보를 결정하는 데 주로 영향을 미친 매체에 대한 분포와 함께 인터넷을 선택한 집단의 차별적 특성을 살펴보기 위해 분석을 시도했다.

지지후보의 결정에 가장 큰 영향을 미친 매체는 TV인 것으로 나타났다.

〈표 8-14〉 지지후보 결정 영향 매체

대통령 후보 결정에 가장 영향을 준 사람 또는 매체	응답자 성별		전체	비고
	남자	여자		
가족	47 (7.8%)	113 (18.9%)	160 (13.3%)	df = 7, χ^2 = 54.041***
친구/동료/선후배	59 (9.8%)	56 (9.4%)	115 (9.6%)	
TV	292 (48.4%)	300 (50.3%)	592 (49.3%)	
신문	81 (13.4%)	50 (8.4%)	131 (10.9%)	
인터넷	74 (12.3%)	33 (5.5%)	107 (8.9%)	
정당유세	41 (6.8%)	42 (7.0%)	83 (6.9%)	
홍보물	7 (1.2%)	3 (0.5%)	10 (0.8%)	
모름/무응답	2 (0.3%)	0 (0.0%)	2 (0.2%)	
전체	603 (100.0%)	597 (100.0%)	1,200 (100.0%)	

다음으로 가족과 신문, 그리고 친구 및 동료들 순으로 영향을 주었다. 인터넷은 전체 응답자의 8.9%를 차지했는데, 기존 매체에 비해 이 시기까지 인터넷이 미치는 영향은 제한적으로 이루어질 수밖에 없었다고 판단된다. 이를 좀 더 자세히 살펴보기 위해 응답자 성별로 구분한 결과 신문과 인터넷은 남성이, TV와 가족은 여성이 선택한 비율이 상대적으로 높았다. 인터넷 이용 시간에서 상대적으로 긴 시간을 나타낸 남성들이 온라인에서 더 다양한 활동을 할 가능성이 높고, 이를 바탕으로 정치 관련 정보의 습득도 많이 하는 것으로 판단할 수 있다.

이와 함께 지지후보 결정에 영향을 미친 매체를 1, 2순위로 응답하게 해 TV와 신문을 선택한 집단과 가족, 친구, 동료 등 사람을 선택한 집단, 그리고 인터넷을 선택한 집단으로 분류해 각각의 집단들이 가지고 있는 기본적인 속성과 인식에 대해 살펴보았다. 대부분의 값에서 해당 집단들이 내포하

〈표 8-15〉 지지후보 결정 매체를 기준으로 한 집단 특성

지지후보 결정에 영향을 준 매체 및 인물		속성		인식	갈등 인식				인터넷 이용 시간
		연령	월평균 가구소득	현재와 5년 전의 차이	세대 간 갈등	영호남 갈등	빈부 갈등	남녀 갈등	
기존 언론 매체	평균	42.732	283.653	3.512	3.741	4.174	4.416	3.287	108.757
	N	654	654	654	652	654	654	654	452
	표준편차	12.016	153.195	19.768	0.827	0.852	0.754	0.821	113.299
가족/친구/동료	평균	40.967	298.091	3.455	3.742	4.229	4.500	3.258	143.063
	N	275	275	275	275	275	274	275	191
	표준편차	13.714	183.751	19.377	0.843	0.834	0.691	0.825	143.429
인터넷	평균	35.996	304.284	2.434	3.689	4.262	4.639	3.262	187.863
	N	244	243	244	244	244	244	244	227
	표준편차	12.293	153.170	19.040	0.802	0.825	0.553	0.864	148.146
전체	평균	40.917	291.318	3.275	3.730	4.205	4.482	3.275	136.929
	N	1,173	1,172	1,173	1,171	1,173	1,172	1,173	870
	표준편차	12.753	160.980	19.515	0.825	0.842	0.707	0.830	134.039

고 있는 뚜렷한 특성들이 나타나고 있는데 집단별로 보았을 때, 기존 언론 매체를 선택한 집단과 인터넷을 선택한 집단이 대부분의 항목에서 양쪽 끝에 위치하고 있고, 타인으로부터 영향을 받은 집단이 그 사이에 위치하는 양상을 보여준다. 인터넷을 선택한 집단을 중심으로 설명하면, 물론 기본적으로 인터넷 이용 시간은 가장 큰 값을 보여주고 있고, 평균 연령은 가장 낮으며 소득은 가장 높다는 특징을 보여주고 있다. 또한 현재와 5년 전의 삶의 질 인식에서는 가장 적게 개선된 것으로 응답하고 있어 현실에 대한 만족이 다른 집단에 비해 상대적으로 낮은 것을 알 수 있었다. 우리 사회의 갈등에 대한 인식의 경우, 세대 간의 갈등에 대해서는 다른 집단에 비해 덜 심각하게 느끼는 반면, 영호남 갈등과 빈부 차이로 인한 갈등에 대해서는 가장 심각하게 느끼고 있는 것으로 나타났다.

이러한 집단별 특성과 함께 인터넷의 이용과 인터넷에 대한 경험이 자신의 삶과 사회에 어떤 영향을 미치고 있는지를 상관분석을 통해 파악해보았다. 분석에 활용한 변수는 인터넷 관련 변수로 이용 시간과 인터넷에 대한 인식 중 부정적 인식(세대 갈등 야기, 부정확한 정보 유포)과 인터넷을 통해 자신의 의견을 변화시킨 경험의 여부 및 게시판에 대한 참여 정도 등을 포함시켰다. 이와 함께 현재 자신의 삶에 대해 얼마나 만족하고 있는지와 우리 사회의 기관에 대한 신뢰를 나타내는 제도 신뢰, 그리고 가족 및 타자들에 대한 대인 신뢰 요인을 변수화해 분석에 이용했다.

분석 결과를 요약하면, 삶에 대한 만족도는 인터넷 관련 변수와는 통계적인 유의미성을 나타내지 않았고, 제도 및 대인에 대한 신뢰는 자신의 삶에 대한 만족과 양(+)적인 방향에서 관계 양상을 나타내고 있었다. 제도 신뢰의 경우에는 인터넷의 이용 시간이나 인터넷 공간에서의 부정확한 정보에 대한 우려와 부(-)적인 차원에서 통계적으로 유의미한 관계를 나타내는데, 인터넷 이용이 많은 경우 우리 사회의 제도에 대한 신뢰가 떨어지는 것으로 판단하는 것이 더 합리적이라 판단된다. 사람들에 대한 신뢰인 대인 신뢰는 인터넷 이용과 관련해 게시판 참여와 긍정적인 영향을 주고받는 것으로 나타났다. 다시 말해 게시판에서의 참여를 통한 교류 및 소통은 타인에 대한 신뢰에 도움이 되는 것으로 볼 수 있고, 타인에 대한 신뢰가 큰 경우에 게시판에 대한 참여가 한층 더 원활하게 이루어진다고 해석하는 것도 개연성을 갖는다고 할 것이다. 인터넷 이용 시간은 인터넷 경험 변수들과는 유의미한 관계성을 보이고 있지만, 삶의 만족도나 제도 신뢰에는 직접적인 연관성이 없는 것으로 나타났다. 이용 가능한 변수의 한계로 충분하고 체계적인 분석은 이루어지지 못했지만, 이상의 결과를 통해 볼 때 인터넷 이용이 긍정적인 차원에서의 사회 변화에 직접적인 영향을 미치고 있는 것으로 보기는 어렵다고 판단된다. 특히 인터넷 이용 시간과 제도 신뢰가 보여준

〈표 8-16〉 인터넷 관련 변수와의 상관분석

		B	C	D	E	F	G	인터넷 이용 시간
삶에 대한 만족도 A	상관계수	0.010	0.111**	0.104**	0.021	-0.026	0.004	-0.040
	유의확률	0.725	0.000	0.002	0.538	0.440	0.894	0.232
	N	1,194	1,196	891	891	891	891	891
제도 신뢰 B	상관계수		0.272**	0.027	-0.093**	-0.015	-0.054	-0.085*
	유의확률		0.000	0.430	0.006	0.665	0.110	0.011
	N		1,191	887	887	887	887	887
대인 신뢰 C	상관계수			-0.015	-0.039	0.044	0.081*	0.007
	유의확률			0.661	0.247	0.193	0.016	0.840
	N			890	890	890	890	890
인터넷에 대한 부정적 인식 1: 세대 갈등 야기 D	상관계수				0.199**	-0.010	-0.073*	0.002
	유의확률				0.000	0.767	0.029	0.955
	N				891	891	891	891
인터넷에 대한 부정적 인식 2: 정보 부정확 E	상관계수					-0.114**	-0.060	-0.050
	유의확률					0.001	0.074	0.138
	N					891	891	891
인터넷에서의 변화 경험: 나의 견해 바꿈 F	상관계수						0.206**	0.169**
	유의확률						0.000	0.000
	N						891	891
인터넷 이용 경험: 게시판에 의견 게시 G	상관계수							0.353**
	유의확률							0.000
	N							891

부(-)적인 관계 양상은 인터넷 이용을 통해 얻게 된 다양한 차원의 정보가 현재 우리 사회가 안고 있는 문제를 살펴보게 하는 매개로 기능하고 있기는 하지만, 이를 개선할 수 있는 동력으로는 작동하지 못하는 것으로 해석할 수 있다.

7. 맺으면서

지금까지 1985년, 1994년, 2003년의 세 가지 조사에서 가용한 자료를 통해 정보화의 현황과 격차의 문제, 이용자 특성, 그리고 정보화가 미치는 영향에 대해 살펴보았다. 시계열적 흐름을 통해 살펴본 바, 정보화는 기술의 사회적 적용을 통해 '완료된 상태'라기보다는 기술 변화에 따라 계속적으로 진행되는 '과정'으로서 이해하는 것이 더 효과적이라 판단된다. 정보통신기술이 새롭게 나타나고 이용되면서 다양한 변화를 가능하게 했던 초기부터, 기술 이용의 성숙과 안정적 확산을 통해 보편적 일상 속에서의 활용이 일반화된 지금의 시점까지 정보화는 계속되어왔다. 또한 끊임없이 등장하는 새로운 기술들이 삶의 구체적인 방식들과 하나하나 결부되어 있다는 측면에서 앞으로도 정보화는 계속될 것이다. 물론 그 범위와 방향에 대한 예측은 쉽지 않다. 정보화가 포괄하는 영역 자체가 사회의 전 영역이고, 개별 영역에서 발생하는 결과가 네트워킹되어 다른 영역에 영향을 미치며 다시 원래 영역의 변화로 환류되는 복잡한 특성이 있기 때문이다.

전반적인 분석에서 아쉬운 점은 각기 달리 이루어진 조사가 갖는 한계로 인해 통합적 모델의 구성 및 일관성 있는 분석이 이루어지지 못했다는 점이다. 정보화의 효과를 직접적으로 측정할 수 있는 기기나 미디어의 내용이 시기의 변화에 따라 완전히 달랐던 점과 정보화의 영향으로 변화된 사회의 모습을 관찰하기 위한 종속변수의 설정 또한 일관된 틀 속에서 구성이 불가능했다는 점이 아쉬움으로 남는다. 하지만, 비록 전화 서비스에 한정된 내용이었지만 우리 사회에서 정보화에 대한 초기의 논의가 이루어진 1980년대의 양상과 이용자들의 인식 및 경험을 관찰할 수 있었던 점은 매우 의미 있는 작업이었다고 판단된다. 아울러 정보화가 미치는 범위와 영향이 확대되고, 나아가 거시적인 사회 변화와의 관계성을 따져본 것 또한 매우 흥미로운 작업이었다.

분석 내용과 함의를 요약하면 다음과 같다.

첫째, 세 가지 조사를 기반으로 볼 때 한국의 정보화는 대인 커뮤니케이션 기능을 갖는 전화 서비스에서 시작해 새로운 기기와 서비스의 도입을 통한 산업과 공공 영역에서의 전산화, 자동화를 지나 인터넷으로 대표되는 보편적 서비스로 진행되어왔다. 정보화로 인한 효과 역시 개인 영역에서의 편익 증가로부터 공공과 산업 분야의 효율성 증대를 거쳐 생활 전 영역의 변화로 연결되었다. 개인에서 부문으로, 부문에서 전 사회로의 범위와 영향의 확대로 특징지을 수 있다.

둘째, 시기적으로 구분해보면, 정보화 초기의 국민들이 체감하는 정보화는 전화 서비스에서 시작되었다. 전화 이용 양상과 인식을 살펴본 바, 전화와 관련한 이용의 격차는 성별 등 다른 요인보다 서비스 내용에 대한 인지 격차에서 비롯된 것이었다. 또 전화 서비스로 인한 이용자의 편익은 생활 영역의 커뮤니케이션에서 가장 크게 나타났는데, 공간적 제한을 극복하고 시간적 효율을 누리는 효과가 잘 드러났다고 할 수 있다. 반면 대화를 통해 목적이 달성되지 않거나 면대면 방식이 훨씬 효율적인 영역에서는 기존의 방식이 대체로 유지된 것으로 나타나, 전화가 가진 단일한 기능의 효과가 잘 드러난 것으로 판단된다.

셋째, 정보화가 자동화와 전산화로 대표되는 1990년대 초반을 거쳐 PC의 이용이 급속히 확대된 1990년대는 본격적인 정보화로의 이행기였다. 국가가 정보화를 주도하며 사회 각 영역별로 정보화를 위한 기반 마련의 노력이 활발하게 나타났다. 이 시기에는 새로운 기기와 서비스별로 이용에서 차이가 크게 나타났지만, 정보화에 대한 국민들의 인식과 기대는 매우 긍정적인 차원에서 이루어졌고, 정보화 관련 기기 및 서비스의 활용 정도나 경제적 · 사회적 · 정치적 영역에서의 정보화에 대한 기대가 개인들의 삶의 만족도에도 긍정적인 영향을 미친 것으로 나타났다.

넷째, 마지막 분석 시기인 2000년대의 경우, 인터넷을 기반으로 이용자들은 생활 전반에서 정보화의 효과를 체감할 수 있었다. 지식과 정보의 공유 및 온라인에서의 참여를 통해 나타난 네트워크화된 개인은 정치적 변화에도 영향을 미치고 사회 변화의 잠재태(潛在態)로 자리 잡게 되지만, 구조적인 차원에서의 변화를 직접적으로 추동하는 데까지는 나아가지 못한 것으로 판단된다.

마지막으로 공통된 요소를 중심으로 시계열적 비교를 하기 위해 이용자 집단을 활용해 분석했다. 서비스 및 기기의 이용 정도를 기준으로 경이용자 집단과 중이용자 집단으로 구분해 각각의 집단별, 시기별 특성을 파악했다. 일관된 특성을 유지하고 있었던 요인은 학력 변수로 시기에 상관없이 중이용자 집단이 경이용자 집단에 비해 높은 학력을 공통적으로 나타내고 있었다. 연령의 경우 단일 기능을 지닌 전화 서비스 이용에서는 중이용자 집단이 높게 나타났지만, 나머지 시기에서는 중이용자의 연령이 통계적으로 유의미한 수준에서 평균적으로 더 낮게 나타났다. 이에 대해서는 분석 변수의 부족으로 정확한 이유의 제시는 불가능하지만, 새롭게 등장한 서비스와 기기의 다양화에 따른 난이도와 함께 새로운 기술에 대한 적극적인 수용 태도, 그리고 이용 집단의 네트워크 효과에서 그 원인을 찾을 수 있을 것으로 예상할 수 있다.

| 참고문헌 |

김현주. 2000.「전화의 사회문화적 영향에 관한 연구」. ≪한국언론학보≫, 44권 2호, 65~92쪽.

배영 · 오정연 · 이삼열 · 이영범. 2009.「정보화 정책을 통한 정보화의 개념」. 서울행정학회 2009년 추계학술대회 발표집.

오철호. 2002.「ICT의 발달과 정보격차 해소를 위한 새로운 방향모색: 접근성의 관점에서」. ≪사이버커뮤니케이션 학보≫, 9호, 73~123쪽.

웹스터, 프랑크(Frank Webster). 1997.『정보사회이론』. 조동기 옮김. 서울: 사회비평사.

유지연. 2003.「디지털 정보격차의 재정의와 주요국 현황」. ≪정보통신정책≫, 15권 22호, 60~64쪽.

한국인터넷진흥원. 2002.『한국인터넷백서』.

한국전산원. 2005.『한국의 정보화정책 발전사』. 서울: 한국전산원.

한국전자산업진흥회. 각 연도.『국민정보이용 동향』.

Foster, Stephen Paul. 2000. "The Digital Divide: Some Reflections." *International Information & Library Review*. Vol. 32, No. 3~4, pp. 437~451.

제9장

키워드 네트워크 분석을 통해서 본 사회발전연구소 조사 연구의 변화*

김석호(서울대학교 사회학과)

1. 서론

사회발전연구소(Institute for Social Development and Policy Research) 조사 연구의 역사는 한국 실증사회학의 역사라고 해도 과언이 아니다. 한국 사회학회를 대표하는 학술지인 ≪한국사회학≫에 실린 조사 자료를 분석한 첫 번째 논문은 1964년에 김일철과 정홍진이 게재한 「농촌사회 변동과 그 수용과정」인데, 경기도 평택군과 이천군 주민을 대상으로 수집된 자료를 분석하고 있다(김일철 · 정홍진, 1964). ≪한국사회학≫의 첫 번째 권에 실린 논문들 중 유일하게 실증적 분석을 수행한 이 논문은 두 개 부락에 거주하는 농민들 204명의 사회인구학적 특성별 단체 참여(농업협동조합) 활동, 관공서 지도원과의 면담, 정부의 농촌 정책 평가와 수용 등을 다룬다. 이 논문이 출판된 이후 ≪한국사회학≫에 조사 자료의 분석 결과를 제시한 논문들이 속속 등장하는데 대부분 서울대학교 사회발전연구소가 직접 수집한 자

* 이 글의 구상부터 분석 및 집필에 이르기까지 헌신적인 노력으로 큰 도움을 준 서울대 사회발전연구소 강동현 조교와 구서정 조교에게 감사드린다.

료들을 분석하고 있다.

사회발전연구소가 창립된 1964년 당시 사회학과는 서울대학교(1946년), 경북대학교(1954년), 이화여자대학교(1958년), 고려대학교(1963년) 네 개 대학에만 존재했었고, 사회조사 방법에 의해 한국 사회에 대한 분석을 수행했던 대표적 사회학자들인 이만갑, 이해영, 이효재, 홍승직이 모두 사회발전연구소와 직간접적인 인연을 맺고 있었던 점을 고려하면 한국 실증사회학 역사에서 사회발전연구소가 중요한 의미를 갖는 것은 당연하다. 즉, 사회발전연구소 조사 연구가 다루었던 주제들은 한국 사회 연구의 보편성을 일정 정도 대변한다. 이러한 보편성은 사회발전연구소의 한국 사회에 대한 영향력의 확대로 증명되고 있는데, 최근 ≪한경비지니스≫가 평가한 2015년 대한민국 100대 싱크탱크 정치사회 부문에서 17위에 오르기도 했다.[1]

물론 사회발전연구소가 수행한 조사 연구의 내용에는 특수성도 발견된다. 이러한 특수성은 사회발전연구소가 설립 초기부터 가족, 농촌, 도시, 가치관, 인구 등의 주제들에 천착하는 경향과 관련이 있으며, 이 전통은 아직도 유지되고 있다. 이것은 사회발전연구소가 뉴욕에 있는 '미국 인구협회(Population Council)'의 재정 지원과 서울대학교 사회학과 이해영 교수의 노력으로 문리과대학 부설 인구연구실로 출발했다는 사실과도 무관하지 않을 것이다. 연구소가 1966년에 인구 및 발전 문제 연구소로 명칭을 변경해 연구 영역 확장을 꾀하기는 했지만, 인구 현상과 도시(농촌)문제는 설립 초기부터 줄곧 연구소의 핵심 연구 주제였다.

설립 초기 사회발전연구소는 가족계획 사업을 비롯한 인구문제의 연구와 정책적 제언, 새마을운동을 정점으로 한 농촌사회 변동에 대한 이론적

1 http://news.naver.com/main/read.nhn?mode=LSD&mid=sec&sid1=101&oid=050&aid=0000036593

연구와 정책 전망 제시 등 한국 사회의 변동 및 발전과 관련된 이슈들에 대한 연구와 실천적 작업을 수행해왔다. 그러나 한국의 경제 규모가 급격히 커지고 사회변동으로 인한 복잡성이 심화되면서 한국 사회학 내 연구 주제들도 다양해졌고, 사회발전연구소의 전통적 연구 주제들은 과거와 같은 시의성을 유지하기 어려워졌다. 사회발전연구소는 1995년 창립 30주년을 맞아 더욱 다양한 사회현상을 포괄적으로 다루고 변화된 한국 사회의 지속가능한 발전에 기여할 수 있는 사회학적 접근을 시도하고자 현재의 명칭으로 간판을 바꾸어 달게 된다. 이제 일개 연구소가 한국 사회학의 보편적 경향성을 혼자 대표하는 것은 불가능한 세상이 되었다.

현시점에서 사회발전연구소 조사 연구가 가진 한국 사회학 내에서의 보편성과 특수성을 따지는 일은 어쩌면 무의미한 일인지도 모른다. 일개 연구소가 한국 사회학의 보편적 흐름을 주도하기에는 한국 사회학 내 연구 관심과 조사 방법의 학문적 지형이 상당히 복잡해졌기 때문이다. 사회발전연구소도 급격한 사회변동과 학문적 지형의 빠른 변화에 부응하고자 전통적 연구 경향을 유지하면서도 한국 사회에 화두가 될 만한 주제들을 계속 개발하고 심화시켜왔다. 가령 사회발전연구소의 조사 연구는 사회변동을 적절히 모니터링할 수 있는 한국인의 의식과 관행, 그리고 가치관에 대한 자료를 꾸준히 수집함과 동시에 이와 밀접한 관련이 있는 노동과 노사 관계, 정보화, 과학기술과 환경, 시민과 시민사회, 안전, 삶의 질, 사회의 질, 사회적 대타협 등과 같은 미래 이슈들을 먼저 제기하고 이를 통해 한국 사회와 한국 사회학이 나아갈 방향을 찾고자 했다.

본 연구는 사회발전연구소의 조사 연구에 내재된 한국 실증사회학의 보편성과 특수성을 고려할 때 연구소 조사 연구의 변화를 추적하는 일은 한국 사회학의 학문적 지형과 담론 구조의 변화를 이해하는 가장 효과적인 방법들 중 하나라는 전제에서 출발한다. 이를 위해 본 연구는 서울대학교 사회발전연구소가 설립 초기부터 수행한 조사 연구의 키워드에 대한 네트워크 분석을 수행한다. 즉, 설문지에 담긴 키워드들에 대한 네트워크 분석을 통해 연구소 조사 연구의 발전경로를 드러내고 이를 통해 한국 실증사회학의 담론 구조의 발전과 변화의 일면을 탐색하려는 것이다. 설문지 키워드 네트워크 분석 방법을 사용함으로써 각 개체들의 연결 양상과 서울대학교 사회발전연구소 조사 연구의 지식 지도(knowledge map)를 시각화하는 것도 가능할 것이다(Shiffrin and Borner, 2004; Hunter and Leahey, 2008).

설문지에 포함된 주요 개념들의 연결망을 분석하는 접근방식은 한국 사회학에서는 처음 시도된다는 사실 자체만으로도 의미가 있으며, 기존 연구들(이재민 · 강정한, 2011; Han et al., 2014; Boyack et al., 2005)이 주로 학술지에 게재된 논문들의 키워드를 분석해 그린 한국 사회학의 지식 지도가 포착하기 어려운 빈 공간을 채울 수 있을 것으로 기대된다. 아울러 본 연구는 한국 사회학계에서 보편적인 접근 방법으로 자리 잡은 실증사회학 내에 형성된 담론 구조를 설문지 키워드 네트워크 분석을 통해 파악하려는 목적도 가지고 있다.

2. 사회발전연구소 조사 연구의 변화: 1964년에서 2012년까지

서울대학교 사회과학대학 부설 사회발전연구소는 한국 사회과학에서 가장 오랜 역사를 가진 연구소 중 하나이다.[2] 연구소 창립 이래 지난 40여 년 동안 한국 사회의 구조가 변화함에 따라 학문적 연구 관심과 접근 방법 등의 학문적 지형도 크게 변화했고, 새로운 학문 영역도 등장했다. 이러한 변

2 http://www.isdpr.org/ds1_2.html

화는 사회발전연구소의 조직 체계에 오롯이 반영되어 있는데, 현재 연구소 산하에 '인구 및 고령사회 센터', '지식정보사회 센터', 'SNCC(소셜 네트워크 컴퓨팅 센터)' 등 세 개의 센터가 존재한다.[3] 물론 모든 연구 센터에서 정기적으로 또는 비정기적으로 사회조사 자료를 수집한다. 그 결과 사회발전연구소는 설립 이후 거의 한 해도 빼놓지 않고 사회조사 자료를 수집할 수 있었고 이에 대한 분석을 통해 한국 사회의 변화를 면밀히 관찰하고 이를 설명할 수 있었다. 그뿐만 아니라 사회발전연구소는 2000년대 중반부터 보유하고 있었던 모든 자료를 한국 사회과학자료원에 기탁해 원하는 사람이면 누구나 무료로 이용할 수 있도록 함으로써 연구 결과의 공유와 확산을 통한 공익성 강화를 위해 노력하고 있다. 본 연구가 조사 연구 키워드 네트워크 분석을 위해 활용하는 키워드들 또한 한국 사회과학자료원이 사회발전연구소로부터 기탁 받은 자료를 일반에게 서비스하기 위해 추출해놓은 것이다.

〈표 9-1〉은 사회발전연구소가 1960~1970년대에 수집한 자료의 목록을 보여준다. 당시 사회발전연구소의 명칭은 1964년에 인구연구실, 1966년부터는 인구 및 발전 문제 연구소였으며 소장은 이해영 서울대학교 사회학과 교수였다. 연구소의 명칭과 소장의 전공에서 알 수 있는 것처럼, 1960~1970년대 사회발전연구소 조사 연구의 주된 관심은 인구 변동, 인구 이동, 가족계획, 도시, 도시화, 공동체, 가족 등과 관련된 문제들이었다. 즉, 대부분의 조사 연구가 인구 현상과 도시문제에 초점을 두고 있었다. 사회발전연구소가 본격적으로 활동을 시작한 시기에 한국 사회는 박정희 정권이 권위주의적 발전 모델을 표방하며 중화학공업과 제조업을 중심으로 조국 근대화에

3 사회발전연구소는 2014년까지 '사회의 질 국제연구', '인구 및 고령사회', '인권과 세계화', '사회정책과 정치경제', '지식정보사회', '문화와 사회 공간', '군과 사회' 등 일곱 개의 연구 센터를 유지하고 있었다. 그러나 사회발전연구소는 연구 사업의 효율적 관리를 꾀하는 동시에 변화하는 한국 사회와 학계의 동향을 반영하기 위해 이들을 현재의 세 개 연구 센터로 개편했다.

〈표 9-1〉 사회발전연구소의 조사 연구(1960~1970년대)

연도	조사 연구명	표본 수	구축 여부
1964	신문 독자에 대한 사회조사	-	미구축
1964	도시인구 조절에 관한 조사	431	
1965	서울 신흥 교외 지역의 가족생활에 관한 조사	216	
1965	한국 중간도시(이천읍)의 차별 출산율 조사, 1차	1,954	
1966	도시지역의 생활 실태 및 인구 현상에 관한 조사	713	
1967	대도시 지역의 실업교육의 효과에 관한 연구: 교사	116	
1967	대도시 지역의 실업교육의 효과에 관한 연구: 학생	347	
1968	사회복지 기초조사	1,730	
1968	도시인의 사회적 태도에 관한 조사	81	
1968	근대화 과정에 있어서의 지리적 및 사회적 이동에 관한 조사	501	
1968	고등학교 학생들의 태도 및 의식에 관한 연구	-	미구축
1969	대구시 발전 문제에 대한 기초조사	-	미구축
1970	도시화 과정에 있어서의 적응 문제	417	
1970	한국 대학생의 의식조사	565	
1970	청소년 가치관에 관한 조사	883	
1971	이주와 도시 생활에 관한 조사	586	
1972	한 · 미 대학생의 사회관 비교 연구	232	
1974	가족에 관한 조사	415	
1974	한국 중간도시(이천읍)의 차별 출산율 조사, 2차	3,071	
1974	(이천 재조사) 가족에 관한 조사표	-	미구축
1975	이주에 관한 조사	950	
1975	인구 변동 및 농업 생산성에 관한 조사	-	미구축
1975	인류학 조사 기본조사 질문표	-	미구축
1977	도시-농촌 귀환 이동 연구조사(I): 도시 이입자	211(300)	
1977	도시-농촌 귀환 이동 연구조사(I): 농촌 원주민	198(200)	
1977	도시-농촌 귀환 이동 연구조사(II): 도시 이입자	153	
1977	도시-농촌 귀환 이동 연구조사(II): 농촌 원주민	295	
1977	도시-농촌 귀환 이동 연구조사(II): 귀환자	250	

매진하고 있었다(김일철 외, 1999). 정부는 5년 단위의 경제개발계획을 세워 국가 차원의 목표를 세우고 수출지향적 산업화를 추구했으며, 동시에 국토건설 종합계획을 실행해 도로와 항만 등의 인프라를 정비하는 등 동시다발

적인 경제 부흥을 추진했다(박형준, 2015: 265~267). 이에 따라 수도권과 대도시에 공장이 세워지고 일자리를 찾아 사람들이 농촌을 떠나 도시로 모여들게 되었고, 인구 이동과 도시화로부터 파생된 다양한 사회문제들이 발생했다. 당시 사회학자들에게 경제발전의 전면적 추진으로 출현한 인구 현상과 도시문제, 공동체 해체, 가족관계의 변화, 가치 체계의 변화는 한국 사회의 구조 변동을 읽어내는 데 핵심적인 주제가 될 수밖에 없었던 것으로 보인다. 사회발전연구소는 이 시기에 도합 28건의 조사 자료를 수집했는데, 1968년의 『사회복지 기초조사』와 1975년의 『인류학 조사 기본조사』를 제외하면 전부 인구 현상, 도시문제, 가치관에 관한 것이다. 흥미로운 사실은 당시 한국 사회에는 복지 제도라고 할 만한 정책이 없었음에도 사회발전연구소가 1968년에 사회복지 욕구와 실태에 관한 조사를 선구적으로 수행했다는 점이다. 이는 사회발전연구소의 조사 연구가 한국 사회의 상태와 변화를 관찰하는 것에 그치지 않고 미래에 중요 화두가 될 만한 이슈를 미리 제시했다는 증거가 될 만하다. 현재 한국 사회과학자료원이 구축해 공개하는 1960~1970년대 자료는 전체 28건 중 22건이다.

〈표 9-2〉는 사회발전연구소가 1980~1990년대에 수집한 조사 자료와 이에 대한 한국 사회과학자료원의 구축 여부를 보여준다. 이 시기 한국 사회는 경제 규모에서 비약적 성장을 이룬다. 제6차 5개년 계획이 끝난 1991년까지 30년간의 연평균 성장률은 9.7%였으며, 외환위기 직전 해인 1996년까지 연평균 성장률은 9.4%였다(김석호 외, 2015). 정치제도와 민주주의에서도 큰 변화가 있었다. 박정희 정권 이후 들어선 전두환 정권과 노태우 정권은 권위주의적 발전 국가 모델을 답습하며 시민사회의 성장과 민주주의의 실현을 방해했지만, 한국 사회는 1987년 6월 항쟁과 노동자대투쟁을 거치며 성장과 민주화를 동시에 추구하는 근대 민주주의 국가로서의 기틀을 마련해가게 된다. 사회발전연구소는 이 기간에 총 21건의 조사 자료를 수집했는

〈표 9-2〉 사회발전연구소의 조사 연구(1980~1990년대)

연도	조사 연구명	표본 수	구축 여부
1980	기혼 여성의 사회적 활동에 대한 설문지	-	미구축
1987	농어촌 장기발전계획 수립을 위한 조사: 가구	8,681	
1987	농어촌 장기발전계획 수립을 위한 조사: 부락	544(588)	
1987	재개발 지역 주민의 이주실태 조사(사당동 재개발 지역연구)	-	미구축
1989	노동문제 및 노사 관계에 대한 근로자 의식조사	2,175	
1989	한국 사회에 대한 국민 의식조사 연구	-	
1990	전환기 한국 사회조사 국민 의식조사	1,515	미구축
1990	21세기를 향한 국민 의식 성향 조사	1,526	
1990	성남시 주민의 통근 및 생활에 관한 조사	-	미구축
1991	서울대생의 의식과 생활에 관한 조사 연구	-	미구축
1994	서울 송파구 사회지표 개발 조사	-	미구축
1995	기업의 사회적 역할에 대한 국민 의식조사	-	미구축
1995	우즈베키스탄 고려 사람의 일상생활에 관한 설문지	-	미구축
1996	전환기 한국 사회 국민 의식과 가치관에 관한 조사 연구	1,768	
1996	서울 중구 주민 여론조사	-	미구축
1997	초고속 정보통신 기반 구축 사업 대국민 여론조사	-	미구축
1997	주거지별 주민의식과 가치관에 관한 조사 연구	-	미구축
1997	학사제도 개선을 위한 교수 여론조사	-	미구축
1998	현대 한국인의 의식과 관행 조사	800	
1998	사업장 내 작업 조건과 노동자 의식에 관한 조사	-	미구축
1999	기술 개발에 대한 기술 담당자들의 의식조사 연구	-	미구축

데, 여기에는 연구소의 전통적 주제인 인구 현상, 도시문제, 가치관에 관한 것들과 더불어 노동, 노사 관계, 조직 등과 같이 자본주의의 성숙과 함께 자연스럽게 떠오른 것들, 그리고 정보화와 기업의 사회적 역할처럼 미래 이슈에 해당하는 것들이 혼재되어 있다. 특히 1980년대 후반부터 인구, 농촌과 도시, 사회발전, 산업, 노동, 기업, 사회 불평등과 같은 주제는 물론, 국가, 민족, 민주화, 지방화 등과 같이 정치사회적 거시 변동과 관련된 연구 주제들이 새롭게 포함되기 시작한다. 조사 연구의 주체에서 볼 때 1980~1990년대 사회발전연구소의 자료는 한국 사회의 구조적 변동을 관찰하고 미래 방

〈표 9-3〉 사회발전연구소의 조사 연구(2000년대)

연도	조사 연구명	표본 수	구축 여부
2001	2002년 일류 국가를 향한 국민 의식조사	1,520	
2001	의약분업에 관한 국민 의식조사 연구	1,069	
2003	국민의 가치관과 의식에 대한 조사	1,200	
2004	광복 60주년 국민 의식조사	1,009	
2004	서울대학교 사회적 역할에 대한 서울대인 의식조사	-	미구축
2005	사회안전지표 개발을 위한 국민 안전 의식조사	677	
2005	서울대학교 재학생 의식 및 요구 조사	-	미구축
2006	의약분업에 대한 국민 의식조사 연구	1,026	
2007	외환위기 10년 국민 의식조사	1,005	
2008	한국 사회 안전에 대한 인식 조사	1,002	
2008	허베이 스피리트호 유류 오염 사고 관련 주민 조사	85	
2009	안전한 생활환경에 대한 인식조사	1,006	
2009	노블레스 오블리주 의식조사	800	
2012	사회의 질 국제조사	3,000	

향을 설정하는 역할을 충실히 하고 있는 것으로 보인다. 그러나 불행히도 현재 한국 사회과학자료원이 보유하고 있는 자료는 21건 중 7건뿐이다.

사회발전연구소는 1990년대 중반 이후 연구 주제와 접근 방법을 다양화하고자 노력했다. 이 시기부터 사회발전연구소는 한국의 사회발전에 대한 조사 · 이론 · 정책 연구를 수행하는 것을 목적으로 하고, 각종 사회문제의 구조적 진단과 정책적 제언을 제공하려는 구체적인 시도를 하게 된다. 더 나아가 동아시아 지역 공통의 학문적 관심을 반영하고 국가들 간 상호이해를 증진하기 위한 국제 비교 연구와 지역연구를 수행하게 된다. 특히 사회발전연구소로 명칭을 변경한 이후 연구소는 기존 연구 성과와 자료의 축적을 바탕으로 정치, 경제, 사회, 문화 전반에 걸쳐 한국 사회에서 새롭게 제기되는 구체적이고 시의성 있는 연구들을 수행한다.

〈표 9-3〉은 사회발전연구소가 2000년대에 수집한 조사 자료들과 한국 사회과학자료원의 구축 여부를 보여준다. 사회발전연구소는 2000년대에

정보화, 문화, 안전, 종교, 가족, 여성, 장애인, 이주노동자 및 이주여성 등 소수자 인권처럼 자본주의의 심화로 인해 새롭게 부각되는 사회문제들에 대한 연구를 수행하고 미래 한국 사회에 필요한 새로운 발전 모델을 제안하기 위해 사회의 질, 삶의 질, 착한 성장, 거버넌스, 좋은 정부, 사회적 대타협 등과 같은 주제들로 연구의 범위를 확장했다. 이 시기 사회발전연구소가 수집한 조사 자료는 모두 14건이며, 이 중 12건이 한국 사회과학자료원에서 일반에게 서비스되고 있다.

3. 자료 및 연구 방법

1) 분석 대상 조사 연구 자료

본 연구가 분석하는 자료는 모두 41건인데, 전체 키워드의 출현 빈도와 연결망을 분석할 경우에는 전 시기의 키워드들을 그 대상으로 삼는다. 그러나 키워드 네트워크 분석을 통해 사회발전연구소 조사 연구에 내재한 담론 구조의 변화를 시기별로 비교하는 경우는 구축률이 매우 저조한 1980~1990년대를 제외할 것이다. 즉, 자료와 키워드의 전체 분포 및 분포의 변화를 기술하는 경우에는 사회과학자료원이 1964년부터 2012년까지 구축한 사회발전연구소 자료 41건에 대한 통계를 활용하고, 시기별 연구 담론 변화의 구조를 제시하는 경우에는 구축률이 상대적으로 높은 1960~1970년대와 2000년대 두 시기 자료를 분석한다. 〈표 9-4〉는 본 연구가 설문지에 포함된 키워드들에 대해 네트워크 분석을 수행할 자료들의 목록을 보여준다.

본 연구가 분석하는 조사 연구 설문지의 키워드들은 한국 사회과학자료원이 일반 연구자에게 자료를 공개하고 서비스하기 위해 작성한 것들이다.

〈표 9-4〉 한국 사회과학자료원 구축 사회발전연구소 조사 연구 자료(1964~2012년)

연도	조사 연구명
1964	신문 독자에 대한 사회조사
1964	도시인구 조절에 관한 조사
1965	서울 신흥 교외 지역의 가족생활에 관한 조사
1965	한국 중간도시(이천읍)의 차별 출산율 조사, 1차
1966	도시지역의 생활 실태 및 인구 현상에 관한 조사
1967	대도시 지역의 실업교육의 효과에 관한 연구: 교사
1967	대도시 지역의 실업교육의 효과에 관한 연구: 학생
1968	사회복지 기초조사
1968	도시인의 사회적 태도에 관한 조사
1968	근대화 과정에 있어서의 지리적 및 사회적 이동에 관한 조사
1970	도시화 과정에 있어서의 적응 문제
1970	한국 대학생의 의식조사
1970	청소년 가치관에 관한 조사
1971	이주와 도시 생활에 관한 조사
1972	한 · 미 대학생의 사회관 비교 연구
1974	가족에 관한 조사
1974	한국 중간도시(이천읍)의 차별 출산율 조사, 2차
1975	이주에 관한 조사
1977	도시-농촌 귀환 이동 연구조사(I): 도시 이입자
1977	도시-농촌 귀환 이동 연구조사(I): 농촌 원주민
1977	도시-농촌 귀환 이동 연구조사(II): 도시 이입자
1977	도시-농촌 귀환 이동 연구조사(II): 농촌 원주민
1977	도시-농촌 귀환 이동 연구조사(II): 귀환자
1987	농어촌 장기발전계획 수립을 위한 조사: 가구
1987	농어촌 장기발전계획 수립을 위한 조사: 부락
1990	전환기 한국 사회조사 국민 의식조사
1990	21세기를 향한 국민 의식 성향 조사
1996	전환기 한국 사회 국민 의식과 가치관에 관한 조사 연구
1998	현대 한국인의 의식과 관행 조사
2001	2002년 일류 국가를 향한 국민 의식조사
2001	의약분업에 관한 국민 의식조사 연구
2003	국민의 가치관과 의식에 대한 조사
2004	광복 60주년 국민 의식조사
2005	사회안전지표 개발을 위한 국민 안전 의식조사
2006	의약분업에 대한 국민 의식조사 연구
2007	외환위기 10년 국민 의식조사
2008	한국 사회 안전에 대한 인식 조사
2008	허베이 스피리트호 유류 오염 사고 관련 주민 조사
2009	안전한 생활환경에 대한 인식조사
2009	노블레스 오블리주 의식조사
2012	사회의 질 국제조사

한국 사회과학자료원은 2015년 현재 한국에서 1950년대에 수집된 조사 자료를 총 2126건 구축하고 있으며, 이용자들의 자료 검색을 돕기 위해 표준적인 키워드 부여 체계를 만들어 적용하고 있다. 본 연구는 한국 사회과학자료원이 그들의 표준적인 체계에 의해 분류하고 부여한 키워드들을 최대한 있는 그대로 사용한다.

2) 연구 방법

본 연구는 한국 사회과학자료원이 구축한 사회발전연구소 조사 자료의 키워드들 간 네트워크 분석을 수행한다. 키워드 네트워크 분석의 핵심은 키워드들이 한 조사 연구의 키워드로 함께 등장하는 경우(co-occurrence, 동시 출현), 키워드가 조사 연구를 매개로 삼아 연관된다는 가정이다. 즉, 키워드 A와 B가 한 조사 연구를 설명하기 위한 키워드인 경우 조사 연구를 매개로 두 키워드가 관련이 있다고 보는 것이다. 따라서 본 연구에서는 사회발전연구소의 조사 연구의 이면에 존재하는 담론 구조를 파악하기 위해 조사 연구를 매개로 하는 키워드들 사이의 네트워크를 관찰한다. 키워드 간의 네트워크를 분석하기 위해 우선 조사 연구-키워드의 이원(2-mode) 행렬을 구성한 이후 키워드-키워드 간의 일원(1-mode) 행렬을 도출했다. 이는 조사 연구-키워드 이원행렬 X를 전치(transpose)시킨 X^t와 본래의 조사 연구-키워드의 관계를 나타낸 행렬 X을 곱함으로써 얻어진다.[4] 네트워크 통계 산출과 시각화 작업을 위해 Netminer 4.2를 사용했다.

본 연구에서는 키워드 연결망의 구조와 연결 강도를 파악하기 위해 프리

4 대각 성분은 개별 키워드의 출현 빈도를 나타낼 뿐 서로 다른 키워드의 동시 출현을 나타내지는 않는다는 점을 고려해 0으로 변환했다.

먼(Freeman, 1979)의 중심성 개념을 측정할 수 있는 연결중심성(degree centrality)과 사이중심성(betweenness centrality)의 정도를 구했다. 연결중심성은 연결망 안에서 각 노드의 영향력을 의미하는데, 하나의 키워드가 연결망에서 여러 노드들과 직접적으로 많이 연결되면 이 키워드의 영향력을 큰 것으로 해석한다. 사이중심성은 노드와 노드 사이에서 마치 다리와 같이 중개 역할을 하는 정도를 의미하며, 하나의 키워드가 사이중심성이 높으면 그만큼 넓은 범위에서 다양한 키워드들과 연결되어 있다고 해석한다(Freeman, 1979).

4. 조사 매개 키워드 네트워크 분석

1) 시기별 키워드 출현 빈도

(1) 전체 시기 키워드 기술통계: 1964년에서 2012년까지

본 절에서는 사회발전연구소가 사회조사 자료의 수집을 통해 다루어온 연구내용의 변화와 그 구조를 파악하기 위해 키워드의 시기별 추세를 살펴본다. 〈표 9-5〉는 1964년부터 2012년까지 사회발전연구소가 수행한 사회조사 연구 사업들 중에서 한국 사회과학자료원에 구축되어 일반에게 공개된 자료들의 설문지에 포함된 키워드 수의 평균값을 시기별로 보여준다. 전체 마흔한 개 설문지당 포함하고 있는 키워드는 평균 16.05개이다. 이것을 시기별로 보면, 1960~1970년대에는 12.09개, 1980~1990년대에는 17.33개, 2000년대에는 23.00개로 최근으로 올수록 하나의 사회조사 설문지가 담고 있는 키워드의 수가 증가하고 있다.

〈표 9-6〉은 사회발전연구소가 1964년부터 2012년까지 수행한 조사 연구

〈표 9-5〉 사회발전연구소의 단일 조사 연구당 키워드 평균 수

	1960~1970년대	1980~1990년대	2000년대	전체
조사 건수	23	6	12	41
키워드 평균	12.09	17.33	23.00	16.05

〈표 9-6〉 사회발전연구소 조사 연구 전체 키워드 출현 빈도(1964~2012년)

순위	키워드	빈도	순위	키워드	빈도
1	가족계획	12	13	가족	6
2	가치관	11	14	신뢰	6
3	단체 참여	9	15	주거 환경	6
4	결혼	8	16	도시화	6
5	인구 이동	8	17	교육	6
6	사회적 지원	8	18	사회복지	6
7	주거	7	19	안전	5
8	사회적 연결망	7	20	단체 활동	5
9	출산	7	21	이주	5
10	도시 적응	7	22	기관 신뢰	5
11	정치 태도	7	23	지역연구	5
12	도시	7	24	사회적 지원망	5

에 포함된 키워드들의 출현 빈도를 보여준다. 전 시기에서 가장 많이 등장한 상위 다섯 개의 키워드는 '가족계획', '가치관', '단체 참여', '결혼', '인구 이동' 등이며, '사회적 지원', '사회적 연결망', '출산', '도시 적응', '정치 태도', '도시', '가족', '신뢰', '주거 환경', '도시화', '교육', '사회복지' 등이 그 뒤를 따르고 있다.

〈표 9-6〉의 결과는 사회발전연구소의 수집 자료 중 일부에 해당하는 한국 사회과학자료원에 구축된 41건의 자료들만을 분석해 얻은 것이기 때문에 특정 개념이 높은 순위에 있다고 해서 실제로 사회발전연구소가 이 개념

에 관한 연구를 더 많이 수행해왔음을 의미하지는 않는다. 가령 1990년대에 수집된 15건의 자료들 중 사회과학자료원에 구축된 자료는 6건에 지나지 않는다. 실제 〈표 9-6〉의 결과는 1990년대에 주로 수집된 가치관과 태도, 노동, 정보, 교육과 관련된 키워드들이 누락되어 있음을 알 수 있다.

(2) 사회발전연구소 조사 연구 키워드 출현 빈도 시기별 비교: 1960~1970년대와 2000년대

우선 키워드 출현 빈도를 활용해, 1960~1970년대와 2000년 이후 두 시기를 비교해보자. 먼저 1960~1970년대 설문지에서 가장 많이 출현한 키워드는 '가족계획', '인구 이동', '주거', '도시 적응', '결혼', '도시' 등이다. 이 시기에 한국 사회는 정부 주도의 경제발전계획이 본격적으로 진행되고 있었으며 이에 따라 '이촌향도'에 의한 인구 이동과 도시화가 본격화되었다. 인구 이동과 도시화는 주거의 부족과 주거 환경의 저하를 초래했고 자연스럽게 사회학 연구들은 이러한 도시문제에 관심을 가지게 된 것으로 보인다. 다른 한편으로, 1960~1970년대는 폭발적인 인구 증가의 시기이기도 하다. 한국 사회는 이 시기에 두 번의 베이비붐을 경험했으며, 이로 인해 정부는 산아 제한과 같은 적극적인 가족 및 인구정책을 구사했다. 인구연구소로 출범한 연구소가 그 간판을 인구 및 발전 문제 연구소로 변경한 것도 이러한 시대 상황과 무관치 않은 것으로 보인다. 양적 자료의 분석을 통한 연구를 수행한 연구자들의 핵심 화두가 도시와 인구라는 사실은 이 시기에 등장한 다른 키워드들을 통해서도 확인된다. 다른 키워드들 중 이 시기에 5회 이상 출현했던 것으로는 '도시화', '출산', '가치관', '가족', '이주', '주거 환경', '지역연구' 등이 있는데, 이들 대부분 도시, 인구와 직접적인 관련이 있다.

재미있는 것은 도시문제나 인구문제와 직접적인 관련성이 낮은 '사회적 지원', '사회적 연결망', '단체 활동', '사회적 지원망', '단체 참여' 등 사회자본

〈표 9-7〉 1960~1970년대 키워드 출현 빈도

순위	키워드	빈도	순위	키워드	빈도
1	가족계획	11	17	단체 활동	4
2	인구 이동	8	18	사회적 지원망	4
3	주거	7	19	도시이동	4
4	도시 적응	7	20	도시 생활	3
5	결혼	7	21	교육	3
6	도시	7	22	이천	3
7	도시화	6	23	이촌향도	3
8	출산	6	24	가족가치	3
9	가치관	6	25	혼인	3
10	가족	5	26	피임	3
11	이주	5	27	농촌	3
12	주거 환경	5	28	자녀	3
13	지역연구	5	29	농촌생활	3
14	사회적 지원	4	30	단체 참여	3
15	사회적 연결망	4	31	임신	3
16	귀환이동	4			

(social capital) 개념 안에 포섭되는 키워드들이 많다는 사실이다. 이는 두 갈래로 해석이 가능한데, 하나는 당시 한국인들의 일상생활이 여전히 연고를 기반으로 한 공동체에 의해 규정되고 있었기 때문에 개인의 삶을 조사하는 관찰이 이 같은 특성을 빼놓고는 이루어질 수 없었을 것이라는 추측이고, 다른 하나는 한국 사회가 1960년대와 1970년대에 경제발전과 근대화의 기틀을 잡아가면서 급격한 사회변동을 겪었고, 이로 인해 전통적인 연고 중심의 삶과 공동체가 변화 또는 해체의 징후를 보였기 때문에 사회학자들이 이 주제들에 촉수를 세우고 있었을 것이라는 추론이다.

2000년대에 출현 빈도가 높은 키워드는 '신뢰', '기관 신뢰', '안전', '국민

〈표 9-8〉 키워드 출현 빈도: 2000년대 이후

순위	키워드	빈도	순위	키워드	빈도
1	신뢰	6	13	사회적 지원	3
2	기관 신뢰	5	14	위험	3
3	안전	4	15	투표	3
4	국민 정체성	4	16	국가 자긍심	3
5	의료 이용(서비스)	4	17	국가친밀도	3
6	정치 태도	4	18	외국인	3
7	단체 참여	4	19	사회복지	3
8	계층 의식	3	20	공정성	3
9	교육	3	21	계층	3
10	남북관계	3	22	노동 지향	3
11	사회 신뢰	3	23	가족 내 역할	3
12	정당지지	3			

정체성', '의료 이용(서비스)', '정치 태도', '단체 참여' 등이었다. 출현 빈도에서 최상위에 위치한 키워드들 중 2000년대와 1960~1970년대에 공통적으로 발견되는 것이 하나도 없다는 점은 한국 사회가 40여 년 만에 상전벽해를 경험했음을 드러낸다. 즉, 〈표 9-8〉를 통해 사회발전연구소가 수행한 조사 연구의 주제가 극적인 전환을 이루었음을 쉽게 발견할 수 있다. 이 전환의 중심에는 국가와 시장의 과잉을 제어해야 하는 위치에 있는 시민사회가 있다. 이는 한국 사회가 1960년대의 저발전과 빈곤에서 탈피해 경제발전과 정치 민주화를 성취하고 두 번의 경제위기를 극복하면서 더 이상 발전 지향적 국가모델로는 설명이 잘 되지 않는 현실과도 맞닿아 있다.

경제의 양적 성장이 아닌 성숙한 성장 또는 포용적 성장을 추구하는 경향이 2000년대 사회발전연구소의 조사 연구에서 발견된다(정진성 외, 2010). 그 결과 삶의 질, 사회의 질과 관련된 개념들이 2000년대 최상위 순위를 점유하고 있다. 사실 이 주제는 선진국 진입을 위해 한국 사회가 현재 가장 필요로 하는 부분이면서 가장 취약한 부분이다(조병희 외, 2014). 한국 사회는 1960년대 중반부터 약 30여 년 동안 경제성장과 정치발전을 동시에 성공적으로 성취했지만, 인구구조의 변화, 계층 간 양극화, 집단 간 갈등, 위험사회의 심화, 시민사회의 더딘 성장, 불완전한 민주주의 등의 문제로 인해 도전을 받고 있다. 요약하면, 사회발전연구소의 2000년대 조사 연구는 한국 사회가 한 단계 질적 도약을 하는 데 필요한 문제들에 초점을 두고 있다. 압축적 경제발전과 급속한 민주주의의 도입 과정에서 미처 준비하지 못한 내용들에 대한 고민이 사회발전연구소의 조사 연구에 그대로 반영되어 있는 것으로 판단된다.

2) 사회발전연구소 조사 연구 매개 키워드 네트워크

사회발전연구소가 수행했던 조사 연구의 담론 구조를 살펴보기 위해서 키워드 간의 관계를 네트워크로 만들어 분석했다. 〈표 9-9〉는 키워드 간 동시 출현 빈도 네트워크의 특성을 두 시기로 나누어 정리한 것이다. 키워드 간 네트워크에서 노드 수의 증가가 곧 키워드 종류의 증가를 의미한다고 했을 때, 1960~1970년대에 142개였던 노드 수가 2000년 이후 175개로 늘어났다는 사실은 사회발전연구소의 조사 연구에서 다루는 키워드의 수가 그만큼 증가했음을 말한다. 이는 앞 절의 키워드 출현 빈도 분석을 통해 드러난 2000년 이후의 단일 조사 연구당 평균 키워드 수가 1960~1970년대의 키워드 수와 비교해 증가했던 것과 일관된 발견이다. 그러나 노드 수가 증가하면 밀도는 감소하는 것이 일반적인데 키워드 간 밀도가 2000년대 조사 연구에서 오히려 크게 높아진 것으로 나타난다. 그리고 키워드당 평균 연결수가 50.25개로 1960~1970년대의 24.54에 비해 약 두 배 많아졌다. 즉, 2000년대

〈표 9-9〉 조사 매개 키워드 네트워크의 기초 통계(1960~1970년대와 2000년대)

	1960~1970년대	2000년대
노드 수	142	175
밀도[1]	0.174	0.289
평균 연결 수	24.54	50.25
평균 연결-표준편차	22.88	36.62

주: 1) 링크 weight sum 기준 밀도

이후 사회발전연구소의 조사 연구는 주제 측면에서 과거에 비해 훨씬 다양해졌고, 주제들 간 연관관계를 파악하기 위해 하나의 설문지에 이질적인 다른 주제들을 포함하는 정도가 높아졌다고 할 수 있다. 그 때문에 키워드의 전체 숫자는 늘었고 키워드 간 연결성(밀도)과 키워드당 연결수도 증가한 것이다.

키워드 네트워크 분석을 통해 어떤 키워드들이 조사 연구에서 핵심적 역할을 하고 있는가를 살펴보기 위해서는 각 키워드의 중심성(centrality)을 계산하는 것이 필요하다. 일반적으로 중심성은 연결중심성과 사이중심성으로 구분된다. 키워드 네트워크 분석에서 연결중심성은 하나의 키워드가 다른 키워드와 한 조사 연구에 같이 출현한 횟수를 의미하고, 사이중심성은 이러한 출현을 통해 서로 떨어진 키워드 간 매개 역할을 하는 정도를 반영한다.

〈표 9-10〉은 1960~1970년대와 2000년 이후 시기에 사회발전연구소가 수행했던 조사 연구 키워드들의 연결중심성을 보여준다. 〈표 9-10〉은 도시문제와 인구문제와 관련된 키워드들의 연결중심성이 상대적으로 높음을 보여준다. 연결중심성이 높은 키워드 1위부터 10위까지 나열해보면, '가족계획', '주거', '도시 적응', '결혼', '인구 이동', '출산', '도시', '도시화', '이주', '주거 환경' 인데, 이 결과는 출현 빈도가 높은 키워드들과 거의 일치한다. 출현 빈도 결과와 연결중심성 결과 간 다른 점이 있다면 1960~1970년대 출현 빈도

〈표 9-10〉 조사 매개 키워드 네트워크의 연결중심성(1960~1970년대와 2000년대)

	1960~1970년대		2000년대 이후	
순위	키워드	연결중심성	키워드	연결중심성
1	가족계획	130	신뢰	183
2	주거	99	단체 참여	158
3	도시 적응	96	기관 신뢰	147
4	결혼	96	국가 자긍심	139
5	인구 이동	92	국민 정체성	126
6	출산	84	사회복지	126
7	도시	81	사회 신뢰	126
8	도시화	79	가족 내 역할	126
9	이주	75	의료 이용(서비스)	124
10	주거 환경	71	정치 태도	120
11	가치관	66	공정성	115
12	도시이동	64	사회적 지원	112
13	가족	63	투표	101
14	사회적 연결망	63	문해력	99
15	사회적 지원	62	자원봉사	99
16	사회적 지원망	59	사회의질	99
17	지역연구	56	삶의 질	99
18	귀환이동	52	고용 안정	99
19	단체 활동	42	복지예산	99
20	단체 참여	42	노인 돌봄	99[1)]

주: 1) 표에 제시되지는 않았지만 '건강 상태', '주거안정', '가족 돌봄', '사회적 포용성', '사회 역능성', '정치 관심', '정부 역할', '사회 개방성', '만성질환', '참여', '차별', '정치 참여'도 연결중심성이 99로 동일

순위에서 10위 안에 있었던 '가치관'과 '가족'이 연결중심성 분석에서는 '이주'와 '주거 환경'에 의해 대체되었다는 정도이다. 연결중심성 분석 결과만으로 보았을 때, 도시문제와 인구 현상이 1960~1970년대 사회학자들이 주로 천착했던 주제라는 심증을 지지하는 결과이다.

한국 사회과학자료원이 보유한 사회발전연구소의 2000년대 자료 11건에서 연결중심성이 가장 높은 키워드는 '신뢰', '단체 참여', '기관 신뢰', '국가 자긍심', '국민 정체성', '사회복지', '사회 신뢰', '가족 내 역할', '의료 이용', '정치 태도', '공정성', '사회적 지원', '투표' 등이다. 즉, 위의 키워드들이 설문지 내에서 다른 키워드들과 동시에 출현하는 정도가 높으며, 그만큼 여러 조사 연구들이 공통적으로 관심을 가지고 있는 주제일 가능성도 높다. 다만 '국가 자긍심', '가족 내 역할', '공정성', '사회적 지원', '투표' 등은 출현 빈도는 아주 높지 않지만 연결중심성은 높은 키워드들이다. 앞 절의 키워드 출현 빈도 분석에서 빈도가 가장 높았던 일곱 개 키워드들이 모두 여기에 포함되어 있기도 하다. 연결중심성이 높은 2000년대 키워드들과 1960~1970년대 키워드들 간 중복되는 경우는 없었다. 이는 사회발전연구소의 조사 연구 주제가 불과 20여 년 사이에 극적으로 변했다는 것을 보여주며, 한국 사회가 급격한 사회변동을 경험했다는 의미로 해석할 수 있다.

다음으로 1960~1970년대와 2000년대에 사회발전연구소 조사 연구에서 등장한 키워드 네트워크의 사이중심성을 살펴보자. 위에서 밝힌 것처럼, 동일한 조사 연구에 출현한 정도를 나타내는 연결중심성과는 달리 사이중심성은 서로 같은 조사 연구에 출현하지 않았더라도 키워드들 간 매개 역할을 하는 정도를 보여준다. 〈표 9-11〉은 두 시기 키워드 네트워크에서 나타난 사이중심성 순위를 보여준다. 먼저 1960~1970년대에 나타난 키워드의 사이중심성은 '결혼', '가치관', '도시', '주거', '주거 환경', '가족계획', '인구 이동', '여가', '도시화', '교육' 등의 순으로 높다. 즉 결혼, 가치관, 도시 등의 개념들이 다른 개념들과 직간접적으로 연결되는 폭이 상대적으로 넓음을 알 수 있다. 이 결과를 위의 1960~1970년대 키워드 네트워크 연결중심성과 비교해보면, '결혼', '가치관', '도시' 등 세 가지 키워드들은 동일한 설문지에 다른 키워드들과 함께 나오는 횟수, 즉 연결중심성에서는 높은 편이 아닌

〈표 9-11〉 조사 매개 키워드 네트워크의 사이중심성(1960~1970년대와 2000년대)

	1960~1970년대		2000년대 이후	
순위	키워드	사이중심성	키워드	사이중심성
1	결혼	0.1565	신뢰	0.1468
2	가치관	0.1342	노동조합	0.1194
3	도시	0.1268	기관 신뢰	0.0634
4	주거	0.1129	안전	0.0596
5	주거 환경	0.0664	의료 이용(서비스)	0.0504
6	가족계획	0.0541	정치 태도	0.0491
7	인구 이동	0.0423	단체 참여	0.0441
8	여가	0.0412	교육	0.0237
9	도시화	0.0408	의료 인력	0.0206
10	교육	0.0403	국가 자긍심	0.0193
11	도시 적응	0.0396	공정성	0.0165
12	사회복지	0.0372	투표	0.0160
13	대학생 가치관	0.0263	노동 지향	0.0159
14	대학생	0.0263	사회갈등	0.0148
15	사회적 지원망	0.0244	생활만족도	0.0148
16	지역연구	0.0230	행복	0.0148
17	이주	0.0227	정당지지	0.0130
18	출산	0.0225	계층 의식	0.0127
19	가족	0.0191	사회적 지원	0.0119
20	사회적 지원	0.0163	계층	0.0111

주: 제시된 항목 아래 순위부터는 중심성이 모두 0이어서 제시하지 않음

데 반해, 사이중심성에서는 최상위에 위치하고 있다. 이 세 가지 개념들이 다른 키워드들보다 더 추상적이고 포괄적이기 때문에 나타난 결과로 판단된다. 같은 이유로 연결중심성에서는 두각을 나타내지 않은 '여가'와 '교육'이 사이중심성에서는 상위에 위치하고 있다.

사이중심성에서 높은 순위를 차지한 2000년대 키워드들은 '신뢰', '노동조합', '기관 신뢰', '안전', '의료 이용(서비스)', '정치 태도', '단체 참여', '교육', '의료 인력', '국가 자긍심' 등으로, 여기에서 '교육'을 제외하면 1960~1970년대의 사이중심성에서 상위를 차지한 키워드들과 겹치는 것이 없다. 특기할 만한 발견은 2000년대 키워드들에 대한 출현 빈도 분석과 연결중심성 정도에서 중요한 개념으로 부각되지 않았던 '노동조합', '안전', '의료 인력' 등의 개념들이 상위에 위치하고 있다는 점이다. 이는 이 개념들이 사회발전연구소의 조사 연구들에 자주 등장하거나 동일한 설문지에 다른 키워드들과 함께 포함되는 경우는 적지만 키워드와 키워드 사이에서 다리 역할을 하는 중개적인 영향력이 크다는 것을 의미한다.

결론적으로, 연결중심성과 사이중심성이 가장 높은 2000년대 키워드들은 모두 최근에 각광받는 사회과학 개념인 시민사회, 사회자본, 거버넌스, 사회 통합 등과 밀접한 관련이 있는 것들이다. 정부, 시장, 시민사회가 지속가능한 발전을 위해 협력할 수 있는 체계 구축과 성장, 복지가 상호보완적 관계에서 선순환할 수 있는 사회구조에 대한 학문적 염원이 〈표 9-9〉와 〈표 9-10〉의 결과에서 엿보인다.

마지막으로 네트워크 그래프를 그려 키워드 연결망을 시각화했다. 전체 분석 대상 자료가 41건밖에 되지 않으므로 키워드의 종류가 많지 않다. 따라서 분석을 위해 고립 노드를 제거하거나 한 번밖에 출현하지 않은 키워드들을 분석에서 제외하는 등의 처치는 따로 하지 않았다. 〈그림 9-1〉은 사회발전연구소가 설립한 이후 수집한 자료들 중 한국 사회과학자료원이 구축한 전체 41건의 조사 연구에 포함된 모든 키워드들의 네트워크를 보여준다. 키워드들 간의 관계가 매우 응집적이어서 전체 네트워크가 하나의 핵심 컴포넌트이기도 하다. 키워드 노드의 크기는 출현 빈도에 비례하므로 '가족계획', '가치관', '단체 참여', '인구 이동', '결혼', '사회적 연결망', '사회적 지원',

〈그림 9-1〉 1964~2012년 조사 연구 매개 키워드 네트워크

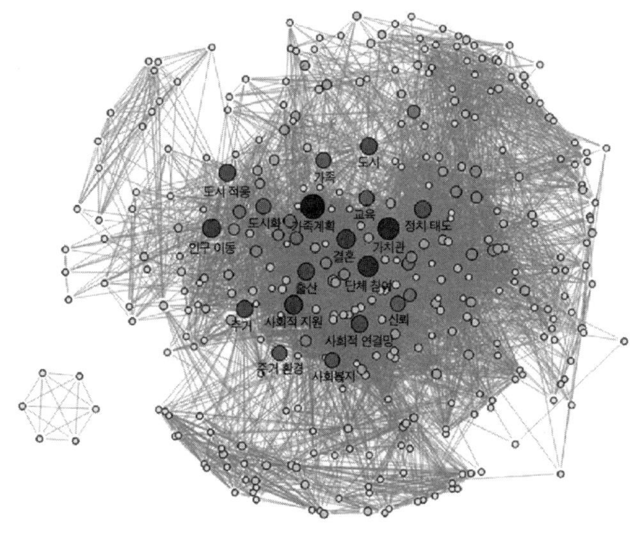

'도시', '도시 적응' 등의 키워드가 사회발전연구소 50여 년의 조사 연구 역사에서 가장 자주 출현한 키워드들임을 알 수 있다. 그리고 '가족계획', '가치관', '결혼', '단체 참여'가 키워드 네트워크의 중심에 위치하고 있다. 이 키워드들은 출현 빈도가 높은 동시에 다양한 연구에서 활용되어 다른 키워드들과 연계되었다는 해석이 가능하다. 한 가지 유념할 사항은 〈그림 9-1〉이 1964년부터 2012년까지 사회발전연구소가 수집한 모든 조사 연구의 키워드들을 분석해 산출된 것이 아니라는 것이다. 사회발전연구소의 자료들 중에서 한국 사회과학자료원이 보유하고 있는 것들만을 분석 대상으로 삼고 있기 때문에 상대적으로 구축률이 낮은 1980~1990년대 키워드들의 영향력이 전체 네트워크에서 과소평가되었을 것으로 짐작된다.

〈그림 9-2〉는 한국 사회과학자료원이 구축한 전체 자료들 중 1960~1970년대 모든 키워드들의 네트워크를 보여준다. 위의 모든 조사 연구 키워드

〈그림 9-2〉 1960~1970년대 조사 연구 매개 키워드 네트워크

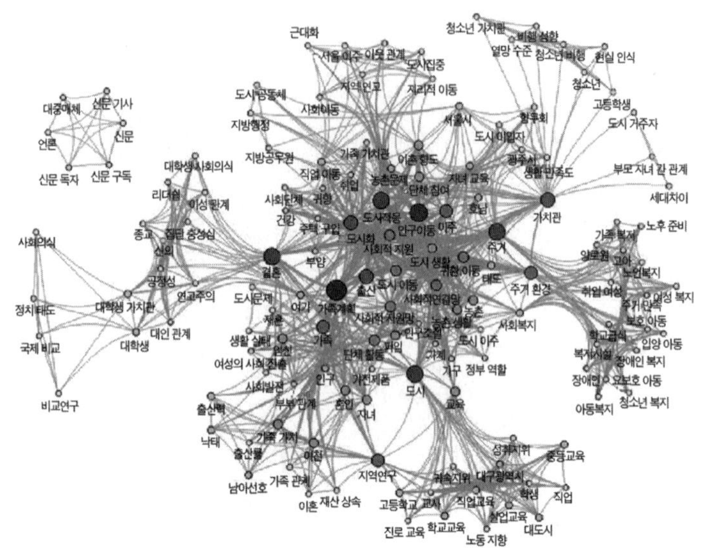

네트워크에서와 마찬가지로 키워드들 간의 관계가 매우 응집적이어서 전체 네트워크가 하나의 컴포넌트로 이루어져 있다. 노드의 크기로 보았을 때, '가족계획', '인구 이동', '도시', '주거', '가치관'이 핵심적인 키워드들이다. 사이연결성 측면에서 보았을 때 '결혼'이 가장 높다. 다시 말해 결혼이라는 연구 주제는 이질적인 맥락에서 출현하는 빈도는 가장 높지는 않지만 가족계획, 출산, 주거, 도시화, 가족 등 다양한 연구 주제들과 연결되어 있다. 반면 가족계획은 1960~1970년대 당시 자주 출현하는 키워드이지만 다른 출현 빈도가 높은 키워드들에 비해 다른 키워드들을 매개해주는 정도가 낮다. 그림 전체를 놓고 보면, 인구 및 도시 현상이 이 시기의 핵심적 연구 주제임이 다시 확인되며, 이들을 둘러싸고 가족, 결혼, 사회복지, 교육, 가치관, 정치 등과 관련된 주제들이 각자 군집을 이루고 있음을 알 수 있다. 미디어와 관련된 키워드들이 고립되어 있는 점도 특기할 만하다.

〈그림 9-3〉 2000년대 조사 매개 키워드 네트워크

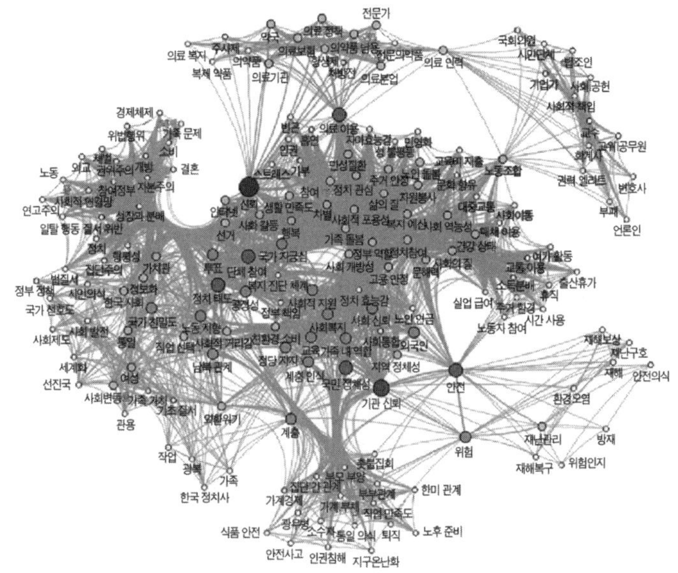

〈그림 9-3〉은 한국 사회과학자료원이 구축한 2000년대 조사 연구 키워드들의 네트워크를 보여준다. 이 경우도 키워드들 간의 관계가 하나의 컴포넌트로 이루어진 네트워크이다. 〈그림 9-3〉을 보면 사회발전연구소의 조사 연구에서 다룬 2000년대의 연구 주제들이 1960~1970년대의 것에 비해 매우 다양해졌으며, 새로운 연구 주제도 출현했음을 알 수 있다. 위험, 안전, 의료 서비스, 계층이 이에 해당한다. 그림에서 확인되는 것처럼 1960~1970년대에 비해 키워드 네트워크의 밀도가 상대적으로 높으며, '신뢰', '기관 신뢰', '단체 참여' 등 사회자본이라는 개념 아래 포섭될 수 있는 키워드들의 연결성이 가장 높음을 알 수 있다. 특히 '신뢰'는 이질적인 맥락에서도 가장 많이 출현할 뿐 아니라 다양한 키워드들을 매개해주는 정도도 가장 높다.

사회발전연구소의 2000년대 조사 연구의 핵심 주제는 분명 그림에서 '신뢰'를 중심으로 포진해 있는 사회의 질, 시민사회, 거버넌스, 사회자본, 삶의

질 등과 관련된 이슈들이다. 이와 동시에 그림에서 나타난 놀라운 사실은 출현 빈도에서 최상위에 위치하지 않았던 '노동조합', '안전', '교육', '의료 이용' 등의 높은 매개적 영향력이다. 이들은 이질적 맥락에서 출현한 다양한 개념들과 유연하게 결합해 광범위한 영향력을 보여준다. 가령 '노동조합'은 사회발전연구소 조사 연구의 핵심 주제들과 국회의원, 전문직, 기업가, 사회 공헌, 사회 책임, 부패 등과 관련된 키워드들 사이를, '의료 이용'은 핵심 주제들과 의약분업과 관련된 키워드들 사이를 매개하고 있다. '의료 이용'은 이익집단이라 할 수 있는 전문직 및 권력 엘리트, 그리고 기업가 등의 키워드들과 의약분업 문제를 매개한다. '안전'은 공공기관에 대한 신뢰와 사회 통합 등의 주제와 위험사회와 관련된 주제들을 연결하는 역할을 한다. '교육'은 사회발전연구소 조사 연구의 핵심 주제와 직업 및 계층 문제 모두에 동시에 연결되어 있다.

5. 결론

본 연구는 사회발전연구소가 수행한 조사 연구의 역사를 비교적 현대적인 방법론인 네트워크 분석을 활용해 시각화하고 그 의미를 해석하고자 했다. 연결망 분석을 통해 사회발전연구소 조사 연구에 내재한 학문적 지형을 시각화하는 데 그치지 않고 분석 결과를 사회발전연구소가 걸어온 여정과 한국 사회가 경험한 산업화, 근대화, 도시화의 굴곡과 연결시켜 그 의미를 파악하고자 했다. 즉, 사회발전연구소 사회조사의 설문지에 담겨 있는 사회학적 문제의식의 구조를 역사적 · 사회적 · 경제적 맥락에서 읽어내고자 한 것이다. 또한 논문이나 신문기사의 텍스트에 의존하는 기존 한국 사회과학의 담론 구조 연구를 설문지라는 새로운 텍스트의 분석을 통해 그 범위를 확장하고자 했다.

사회발전연구소 조사 연구의 키워드에 대한 네트워크 분석 결과는 연구소의 연구 주제가 시기마다 정도는 다르지만 한국 사회학의 보편적 흐름을 적절히 반영하고 있을 뿐만 아니라 미래 이슈를 선도적으로 제시하는 역할을 하고 있음을 확인해준다. 가령 설립 초기부터 이어져온 인구 현상과 공동체 문제에 대한 관심은 한국 사회의 변화와 사회학 내 학문적 지형의 구조 변동을 반영해 가족, 계층, 노동, 교육, 정치 등과 같은 시의성 있는 연구 주제들로 옮겨졌고, 이러한 현대 사회학의 핵심적인 주제들은 2000년대 이후 새롭게 각광받는 주제인 정보와 과학기술, 사회복지, 시민사회 등의 주제들과 유기적인 관계를 형성하고 있다.

사회발전연구소 조사 연구가 대변하는 한국 사회학의 보편성이 학문적·사회적 영향력을 강화하는 데 기여해왔다면, 인구 현상, 도시(또는 농촌)문제, 가치관으로 대표되는 조사 연구의 특수성은 근대화와 산업화 과정에서 한국 사회가 경험한 경제적·정치적·사회적 질곡에 함몰되지 않고 연구소의 정체성을 강화하고 한국 사회의 현재 상태를 점검하게 해주는 전통적인 주제로 자리 잡았다. 물론 과거에 비해 이러한 전통적인 주제들에 대한 조사 연구가 덜 활발한 것은 사실이지만, 최근 사회발전연구소가 천착하고 있는 사회의 질, 착한 성장, 거버넌스, 좋은 정부, 위험사회, 사회적 대타협 등과 같은 미래 이슈들의 이론적·경험적 토대로서 꾸준한 역할을 하고 있다.

| 참고문헌 |

김석호 · 이재열 · 한준 · 김승진. 2015. 「통계로 본 광복 70년 한국 사회의 변화」. 통계청.

김일철 · 김성국 · 박영도 · 배규한 · 송호근 · 양종회 · 이시재 · 이재열 · 이재혁 · 임현진 · 정근식 · 정진성 · 홍덕률 · 홍두승. 1999. 『한국 사회의 구조론적 이해: 숨겨진 원리, 드러난 변화』. 서울: 아르케.

김일철 · 정홍진. 1964. 「농촌사회 변동과 그 수용과정」. ≪한국사회학≫, 1권 1호, 58~81쪽.

박형준. 2015. 『한국 사회 무엇을 어떻게 바꿀 것인가』. 서울: 메디치미디어.

이재민 · 강정한. 2011. 「지식생산의 구조와 이론사회학의 위상」. ≪사회와 이론≫, 19권, 89~144쪽.

정진성 · 이재열 · 조병희 · 구혜란 · 안정옥 · 장덕진 · 고형면 · 장상철. 2010. 『위험사회, 위험정치』. 서울: 서울대학교 출판문화원.

조병희 · 이재열 · 구혜란 · 김지영 · 고동현 · 김주현 · 정병은 · 장덕진 지음. 2014. 『세월호가 우리에게 묻다: 재난과 공공성의 사회학』. 파주: 한울.

Boyack, Kevin W., Richard Klavans and Katy Börner. 2005. "Mapping the Backbone of Science." *Scientometrics*, Vol. 64, No. 3, pp. 351~374.

Freeman, Linton C. 1979. "Centrality in Social Networks Conceptual Clarification" *Social Networks*, Vol. 1, No. 3, pp. 215~239.

Han, Shin-Kap, S. Lee and Y. Sung. 2014. "Shifting Focus in Development Studies." *Development and Society*, Vol. 43, No. 1, pp. 59~80.

Hunter, L. and E. Leahey. 2008. "Collaborative Research in Sociology: Trends and Contributing Factors that Impact Collaboration." *Journal of American Society for Information Science and Technology*, Vol. 54, No. 10, pp. 952~965.

Shiffrin, R. M. and Katy Börner. 2004. "Mapping Knowledge Domains." *Proceedings of the National Academy of Sciences*, Vol. 101, No. suppl 1, pp. 5183~5185.

Wasserman, S. and K. Faust. 1994. *Social Network Analysis: Methods and Applications*. New York, NY: Cambridge University Press.

찾아보기

용어 · 개념

가

가부장제 37, 39, 222~223, 225~226
가치관 17, 46, 50, 59, 69, 80, 88, 105, 118, 146, 160~161, 177, 215, 303, 341~342, 345~348, 350, 353~355, 359~364, 367
개별화 40, 233, 251, 258~260
개인적 공동체 213
건강 수명 168~170
결혼 6, 14, 16~20, 49, 52, 57, 59~62, 65~70, 74~75, 92, 175, 188, 195, 201, 203, 208, 211, 224, 243, 309, 353~355, 358~364
경제적 노후 준비 146, 164, 166
계급사회 102
계층 상승 이동 101
고교평준화 109, 113~117, 120
고등교육 기회의 양적 팽창 103
고등교육 진학률 103, 111, 120, 124~125
고령사회 23, 26~27, 144, 148, 150~151, 344
고령화 6, 20, 23, 25~27, 29, 43, 53, 144~145, 147~152, 161~163, 170~171, 176, 272~273, 280, 298, 300
고령화사회 23, 25~26, 144~145, 148, 150~152
공공서비스 292~293
공적 관리 292~293, 295~300
공제조합 44, 276, 288~290, 299
과몰입 328
교육개혁 22, 97, 101, 122, 125~126, 135
교육 경쟁 22, 101, 107, 130
교육 기회의 균등화 101
교육 불평등 100, 103, 121, 130~131, 139~140
교육열 21~22, 101, 107, 111, 119, 139
교육의 역설 214
국민기초생활보장법 268
국민연금 42, 164, 268~269, 275~276
권위주의적 발전 국가 266, 268, 346
권위주의적 성장 동원 체제 222~223, 259
근로소득 44, 275, 281~283, 296~298
근로장려세제 271
근속 연수 37, 41, 241~245
기술결정론 303
기업 규모 간 격차 239
기초노령연금 269, 271

나

남아선호사상 18, 80~81
내부 노동시장 37, 40~41, 223~224, 228~229, 232~235, 241, 243, 249
네트워크화된 개인 48, 327, 331, 338
노동시장 분절 226
노동자 사회의식 252

노동자 의식 36, 222, 257, 259~260, 347
노동쟁의 227, 229
노동조합 40~41, 189, 200, 223, 226~229, 231~233, 237~239, 248, 252~257, 259~260, 361~362, 366
노동 체제 37, 39, 221~224, 227, 235, 238~240
노령화 286, 288~299
노부모 부양 153~154
노사모 327, 331
능동적 복지 271
능력급 235, 254

다

대체 출산율 80
대학 구조 개혁 127
대학 서열 체제 119, 130, 139
대학 설립 준칙주의 22, 102, 122, 125, 127, 131, 138
도구주의 42, 53, 255~256
도시화 6, 30, 32, 35, 49, 53, 145, 152, 182, 184~185, 187~188, 212, 217, 344, 346, 353~355, 358~361, 364, 366
동창회 34~35, 53, 189, 194, 196, 200~201, 204, 206, 217
등록금 상승률 127~128

라

리터러시 306

마

문화 자본 99~100
민주화 5~6, 52, 120~121, 126, 199~200, 221~222, 225, 229, 231~232, 255, 259, 266, 268~299, 309, 318, 346~347, 356

바

바우처 275~276, 294~295
반상회 189, 199~200, 204
베이비부머 108, 137~138, 157, 177
보편적 복지 43, 266, 268, 295, 298
보편적인 용해제 186
복지국가 43, 265~266, 268, 298
분류 모형 214
비정규직 22, 40~41, 122, 125, 137, 233~234, 237, 239, 244~245, 248~252, 254

사

사교육 134
사산 19, 59, 77, 87, 89~91
사회경제적 지위 34~35, 106, 185~188, 194, 196~197, 201~202, 204, 209~210, 212~213, 216~217
사회보장비 269
사회보험 40, 234, 265, 269, 297
사회복지비 지출 269
사회안전망 268
사회연대 44, 53, 265, 299
사회자본 192, 354, 362, 365
사회적 구성주의 303
사회적 위험 6, 22, 40, 42~44, 53, 122, 125, 137, 234, 265~268, 271~277, 283~300
사회적 위험의 관리 44, 267, 274~276, 288, 290~291, 296, 299
사회적 자본 35, 122, 184, 192, 197, 215~217
사회적 지위 98, 101, 104~105, 107, 114, 117, 119, 214~215
사회조사 5~9, 13, 22, 43, 45, 48~50, 52, 147, 173, 187, 239, 341, 344, 352, 366

산업화 25, 36, 47, 102, 107, 119, 145, 150, 152, 176, 182, 185, 220~222, 225~226, 237, 248, 265, 268, 288, 299~300, 318, 345, 366~367
삶의 질 47, 145, 169~170, 185, 309, 319, 323~325, 328, 333, 342, 349, 356, 359, 365
상대적 빈곤율 271
상실된 공동체 182
상향 이동 249~250
새로운 사회적 위험 265~267, 272~273, 288, 300
생존 분석 59, 62, 70~71
생존 함수 71, 76, 83~84
생활보호법 268, 270~271
선별적 복지 266, 295
선택적 결혼 67
성별 분업 39, 224, 246
소득 양극화 44, 275~276, 283, 299
소셜 미디어 48, 183, 185
순위이행률 79~81, 88~89
슘페테리안주의 271
시민단체 189~190, 199~201, 206
실직 경험 284, 286
십분위분배율 44, 275, 283, 298

아

아비튀스 99~100
아파트 30, 32, 184, 187, 189, 212, 216
양극화 22, 29, 36, 53, 122, 129, 139, 171, 178, 357
양반 지향화 105
업적주의 21, 98, 112
에코 세대 137~138
여성 가구주 43, 276~277, 280, 285~286, 288, 298~299
연결망 30, 34~35, 183~186, 191, 198~199, 201~205, 209, 213~215, 217, 311, 343, 349, 351~355, 359, 362, 366
연고 집단 35~36, 197, 201, 217
연령 분포 64~65
온라인 공론장 327
우회로 만들기 122
원자료 유지율 63
원-하청 구조 236
위기 후 노동 체제 233
위험 함수 72
의료보험 26, 42, 268, 270~271, 275
이웃 공동체 30, 33~34, 53, 182~188, 190, 192~197, 199~206, 208~217
이웃효과 184~185
이혼 14, 16~17, 19~20, 59, 62, 65~69, 73~75, 92~93
인공유산 19~20, 59, 81, 87, 89~92
일자리 질 236, 239~240, 253
일정 짜기의 제약 217
임금격차 39, 111, 224~225, 230, 236
입학 정원 감축 127

자

자녀 수 59, 77~80, 91, 156~157, 159~160
자녀와의 동거 145, 154~161, 176
자발적 결사체 36, 193~194
자본소득 275, 296~297
자연유산 19, 59, 89~91
장기 지속 불평등 225
재혼 16~17, 19~20, 59, 62, 65~69, 75~77, 92
저임금 37, 39, 42, 223, 226~227, 234, 237, 246, 248, 260, 268

전통적 사회적 위험 43, 265, 272~273, 288, 299
절대빈곤율 268, 297
정보격차 45~47, 304~306, 311~312, 314, 320~321
정보사회 6, 44~45, 146, 303~305, 344
정보화 44~47, 53, 302~307, 309~311, 314~315, 318~328, 330~331, 336~338, 342, 347~348
제3섹터 274
조직률 40, 227~229, 231, 237~238
조직적 초점 197, 204, 217
졸업정원제 101, 113~116, 119
종친회 189, 194, 196~197, 200
중산층 99, 101, 120~121, 138, 215, 253
중산층 귀속의식 253, 258
지위 경쟁 53, 101, 119, 130, 216
직장 만족도 242~243
직장 안정성 40~41, 241~245, 249
집합적 효능감 34, 184~185, 193, 216

차

차별적 표집 67
초고령사회 23, 25~26, 28, 145, 148, 150~152
초혼 소멸 원인 68~69
최저생활의 보장 269
출생 성비 81
취학률 137

타

태아 사망 18~19, 59, 87~89, 91~92

파

평등주의 21, 105, 119, 139

하

학교의 팽창 101
학력주의 6, 21, 99~100, 102~107, 110~112, 139
학령인구 감소 125, 127
한국복지패널조사 275
합계출산율 19, 58, 79, 91
향우회 189~190, 200, 206

기타

87년 체제 36~37, 40~41, 222~223, 225, 227, 232, 234, 238~239, 243, 245, 248~250, 253, 256~259

인명

바

버바, 시드니(Sidney Verba) 186

사

샘슨, 로버트(Robert J. Sampson) 184

카

컨버스, 필립(Philip E. Converse) 186

파

피셔, 클로드(Claude S. Fischer) 30, 34, 183, 186, 201, 209

서울대학교 사회발전연구소

서울대학교 사회발전연구소는 1965년에 설립되어 2015년에 50주년을 맞이한 전통 있는 연구기관이다. 설립 이래 지금까지 한국 사회가 요청하는 시대적 과제를 외면하지 않고 그에 대한 사회과학적 해답을 제시하는 연구를 꾸준히 진행해왔다. 인구문제가 가장 중요한 사회정책적 과제였던 1960년대부터 인구학 분야의 연구를 개척했으며, 체계적인 사회조사를 가장 먼저 도입하기도 했다. 1970년대에는 빠른 산업화와 더불어 등장한 산업사회와 노동 관련 연구를, 1980년대에는 민주화와 더불어 시작된 정치사회적 변동에 관한 연구를 진행했다. 1990년대에는 정보통신 및 이주, 가족, 여성 등 우리 사회의 다양한 소수자에 대한 연구를 포괄했으며, 2000년대 이후에는 고령화 및 양극화 등 한국 사회의 장기 추세 변화에 대한 연구를 진행해왔다. 2007년부터는 세계 여러 나라들과의 사회모델 비교를 통해 경제위기, 노동시장 거버넌스, 위험사회 등 다양한 영역에서 한국 사회 발전을 위한 정책적 대안을 제시해왔다.
http://www.isdpr.org

지은이

장덕진

서울대학교 사회학과 교수, 서울대학교 사회발전연구소장

미국 시카고 대학교(University of Chicago) 사회학 박사

주요 논문: "Leveling the Playing Field: Social Media and Politics in South Korea"(2014), 「유로존 경제위기의 사회적 구성: 그리스, 이탈리아, 독일, 터키, 한국의 비교」(2013), 「17대 국회 법안표결의 정치경제학: 146개 쟁점법안에 대한 NOMINATE 분석을 중심으로」(공동, 2012), "The Birth of Social Election in South Korea, 2010~2012"(공동, 2012)

김현식

경희대학교 사회학과 교수

미국 위스콘신 대학교(University of Wisconsin-Madison) 통계학 석사 및 사회학 박사

주요 논문: "Active Life Expectancy of Elderly Koreans, 1994~2011"(2015), 「혼인이주자 가족과 한국인 가족의 출산력 비교 연구」(2015), "Female Labour Force Participation and Fertility in South Korea"(2014), "Consequences of Parental Divorce for Child Development"(2011)

김 두 환

덕성여자대학교 사회학과 교수

미국 시카고 대학교 사회학 박사

주요 논문: 「한국 고등교육 팽창의 한계: 대학교육성과의 양극화」(2015), 「21세기 한국 청소년들의 삶의 목적과 사회: 개인과 사회의 상생」(2014), "Emerging High-Status Track in South Korea: Social Capital Formation in the Social Contexts of Foreign Language and General High Schools"(공동, 2013), "Gender Gap in Maths Test Scores in South Korea and Hong Kong: Role of Family Background and Single-sex Schooling"(공동, 2012)

김 근 태

덕성여자대학교 SSK 네트워킹 지원사업단 연구교수

미국 위스콘신 대학교 사회학 박사

주요 논문: "Trends in Determinants of Entry into the Academic Career: The Case of South Korea, 1980~2010"(공동, 2015), "Intergenerational Transmission of Age at First Birth in the United States: Evidence from Multiple Surveys"(2014), "Migration Systems in Europe: Evidence from Harmonized Flow Data"(공동, 2012), "Determinants of International Migration Flows to and from Industrialized Countries: A Panel Data Approach Beyond Gravity"(공동, 2010)

임 채 윤

미국 위스콘신 대학교 매디슨 캠퍼스 사회학과 교수

미국 하버드 대학교(Harvard University) 사회학 박사

주요 논문: "Doing Good When Time Are Bad: Volunteering Behaviour in Economic Hard Times"(공동, 2015), "Time as a Network Good: Evidence from Unemployment and the Standard Workweek"(공동, 2014), "Religion and Volunteering in Context: Disentangling the Contextual Effects of Religion on Voluntary Behavior"(공동, 2012), "Religion, Social Networks, and Life Satisfaction"(공동, 2010)

권 현 지

서울대학교 사회학과 교수

미국 코넬 대학교(Cornell University) 고용관계학 박사

주요 저서 및 논문: 『금융서비스산업의 고용 관계 변화』(공저, 2008), 「저임금 서비스 노동시장의 젠더 불평등」(공동, 2015), "Coordinated Divergences: Changes in Collective Bargaining Systems and Their Labor Market Implications in Korea"(공동, 2014), "It's All in the Mix: Determinants and Consequences of Workforce Blending in Call Centers"(공동, 2013)

최 혜 지

서울여자대학교 사회복지학과 교수

미국 세인트루이스 워싱턴 대학교(Washington University in St. Louis) 사회복지학 박사

주요 논문: 「복지국가는 사적 공간을 어떻게 식민화하는가: 정치의 분절화와 탈정치화」(공동, 2015), 「OECD 국가비교를 통해 본 노인 연령통합의 좌표와 유용성」(공동, 2015), 「고령사회 대안 패러다임으로써 연령통합의 유용성에 대한 고찰: 연령통합의 영향에 대한 사회일반과 전문가의 인식비교를 중심으로」(공동, 2015), "Measuring Social Capital in the Republic of Korea with Mixed Methods"(공동, 2014)

배 영

숭실대학교 정보사회학과 교수

연세대학교 사회학 박사

주요 저서 및 논문: 『소셜 미디어 시대를 읽다』(공저, 2014), 『인터넷, 그 길을 묻다』(공저, 2012), "Social and Parasocial Relationships on Social Network Sites and Their Differential Relationships with Users' Psychological Well-being"(공동, 2013), "My Privacy Is Okay, but Theirs Is Endangered: Why Comparative Optimism Matters in Online Privacy Concerns?"(공동, 2014)

김 석 호

서울대학교 사회학과 교수

미국 시카고 대학교 사회학 박사

주요 저서: 『2014년 지방선거 분석』(공저, 2015), 『서베이방법론』(공역, 2015), *Can Tocqueville Karaoke?*(공저, 2014), 『2012년 대통령선거 분석』(공저, 2013)

한울아카데미 1831

압축성장의 고고학

사회조사로 본 한국 사회의 변화, 1965~2015

기　획 | 서울대학교 사회발전연구소
지은이 | 장덕진 · 김현식 · 김두환 · 김근태 · 임채윤 · 권현지 · 최혜지 · 배영 · 김석호
펴낸이 | 김종수
펴낸곳 | 한울엠플러스(주)

초판 1쇄 발행 | 2015년 10월 15일
초판 3쇄 발행 | 2017년 2월 20일

주소 | 10881 경기도 파주시 광인사길 153 한울시소빌딩 3층
전화 | 031-955-0655
팩스 | 031-955-0656
홈페이지 | www.hanulmplus.kr
등록번호 | 제406-2015-000143호

Printed in Korea.
ISBN 978-89-460-5831-6 93330 (양장)
978-89-460-6299-3 93330 (반양장)

* 책값은 겉표지에 표시되어 있습니다.